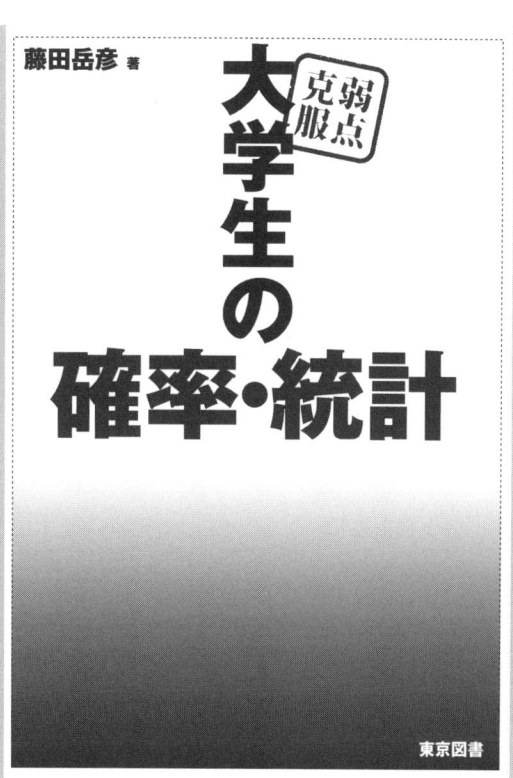

R〈日本複写権センター委託出版物〉
本書を無断で複写複製(コピー)することは,著作権法上の例外を除き,禁じられています。本書をコピーされる場合は,事前に日本複写権センター(JRRC)の許諾を受けてください。
JRRC〈http://www.jrrc.or.jp　eメール：info@jrrc.or.jp　電話：03-3401-2382〉

まえがき

　本書は主に大学生で確率・統計の授業をとっているが，自分の理解が進んでいないところを演習（＋解説）で補いたい人や，確率・統計の授業の中間・期末テストに向けての演習をこなしたい人のために書かれている．

　また，近年，アクチュアリー試験の数学にモデリング（回帰分析，時系列，確率過程［マルコフ連鎖・ランダムウォーク・ポアソン過程・ブラウン運動］，シミュレーション，線形計画法）がとり入れられたが，その部分を苦手にしている人も多く，そのための参考書（とくに Chapter.7）にもなるように工夫した．最後の Chapter.8 は，確率・統計の応用のなかで近年盛んになってきた金融数学，アクチュアリー数理の基本である生保数理，損保数理の基礎を紹介した．Chapter.7 までを終わった読者のために，金融数理や保険数理がどういうものなのかが多少なりとも問題を理解して解けばわかるようになっている．興味をもたれた読者は，さらに進んだ金融数理，保険数理の勉強（またアクチュアリー試験）に進むことを期待する．

　具体的には，やさしめの確率・統計の授業ならば，Chapter.1 から Chapter.6 までの基本問題だけでよいと思われる．数学科における確率（測度論的確率論ではなく），数理統計の授業のようにしっかりした数学をベースにする授業なら，Chapter.1 から Chapter.6 までの基本＋標準問題をやればよい．

　アクチュアリー試験の数学の準備のために本書を用いる人は，Chapter.1 から Chapter.7 までのすべての問題をやることを勧める．また，生保数理，損保数理の勉強に入ろうとする前に Chapter.8 の関連問題をこなすとよいであろう．筆者は，2007 年にアクチュアリー会より『確率・統計・モデリング問題集』を出版し，そこに数多くの問題を作って収録したが，この問題集は前提となる知識をある程度もったアクチュアリー志望者のためのもので，アクチュアリー志望の初学者にはやや程度の高いものになったかもしれない．しかし，本書は，確率・統計・モデリングの最初の基本から説明し，問題を解きながら理解できるようになっている．しかも，TEST shuffle 20 の問題をこなせば，十分な量の復習もできるように構成した．また，できる限り証明は省略せず，詳しい計算もつけておいた．

　本書により，少しでも確率・統計の苦手意識から逃れ，むしろ，確率・統計のお

もしろさを感じて，得意分野とすることができれば著者の喜びは望外である．アクチュアリー正会員で，私と同じく日本アクチュアリー会の講師仲間でもある岩沢宏和さん，山内恒人さん，一橋大学大学院・経済学研究科特任講師の川西泰裕さんには，多くの誤植指摘，ためになる参考意見をいただいた．また，東京図書編集部のみなさんには最初から最後までお世話になりっぱなしでした．これらの方々にお礼を申し上げたいと思います．

2010年3月
一橋大学大学院教授
藤田岳彦

■このテキストの使用説明書

　このテキストは，自分がどのくらいまで理解をしているか，自分の得意とする問題，苦手とする問題にどういう傾向があるか，自分がどんなところでミスをしがちかということを，自分自身がまず意識的になり，自分でチェック・判断できるように，他のテキストとは違ったいくつかの工夫を施してあります．

　まず，メインとなる本文部分は，すべて見開きページに**問題**と軸になる考え方や解法へのヒントとなる**解説**と，極力具体的な計算まで示すように記し，さらに解答への指針や他の問題や解説との関連の参照を右の脚注に配した**解答**から構成されています．自信のあるところは，解説を見ずに問題にチャレンジして，まだ理解が不十分に思われるところは，解説を読んだうえで問題にとりくみ，そのうえで解答で確認をしてみてください．目次にも，問題の右肩にも示してあるように，**基本・標準・発展**と3段階でのレベルづけがされています．まえがきに書かれているように，まずは基本問題をしっかりマスターして，余裕があれば，標準・発展問題に進むというやりかたも効率的かもしれません．また，章末のTeaTimeには，本文に書ききれなかった補足や発展的な事柄をコラムの形で記してあります．あと，問題の中で統計数表などが必要なものについては⑧のマークを問題の先頭につけておきましたので，巻末の数表をご利用ください．

　ただ，日ごろの勉強においても，またとくに試験本番において大事なことは，

　　　　出題された問題を（どれだけ）自分が解く力があるか，を見極める

ことです．そこで，このテキストの巻末には，Chapter.1からChapter.6までの問題を小問単位でランダムに並べなおして20回分のテスト問題とした，TEST shuffle 20 をつけました．本文の見開きページを読んだ上で，改めて，こちらで自分の理解を確認するのも良し，あるいは，最初にこちらの TEST shuffle 20 にあたって，自分の解ける問題・解けない問題の目星を立てておいてから，本文でじっくり「弱点」を補強するのでもよいでしょう．目次には，各問題ごとに自分でマスターできたかどうかを確認するためのチェック欄をつけておきました．

　どうぞ，このテキストにあなた自身の工夫も加えて，確率・統計での「苦手」を減らし，「得意」を増やすように活用してください．

目次

★問題の頁数のあとのマス目は，自分の理解の度合いを記入しておくのにご利用ください．

まえがき iii

Chapter 1. 確率・統計計算の基礎　1

問題 01　[基本]　順列と組み合わせ …………………………………………… 2 ☐☐☐
問題 02　[標準]　重複順列と重複組み合わせ ………………………………… 4 ☐☐☐
Tea Time ● シンプソンのパラドックス ………………………………………… 5
問題 03　[基本]　集合と写像 …………………………………………………… 6 ☐☐☐
問題 04　[基本]　等差数列・等比数列・シグマ計算 ………………………… 8 ☐☐☐
問題 05　[標準]　階差数列・Telescoping …………………………………… 10 ☐☐☐
問題 06　[基本]　2項定理・2項展開 ………………………………………… 12 ☐☐☐
問題 07　[発展]　ガリレオのサイコロ，ド・メレの問題 …………………… 14 ☐☐☐
Tea Time ● モンティーホールのパラドックス …………………………………… 15
問題 08　[標準]　確率のやさしい問題 ………………………………………… 16 ☐☐☐
問題 09　[発展]　確率と漸化式 ………………………………………………… 18 ☐☐☐
問題 10　[発展]　じゃんけんの問題 …………………………………………… 20 ☐☐☐
問題 11　[発展]　東郷平八郎の訓示，誕生日の問題 ………………………… 22 ☐☐☐
Tea Time ● 有限集合の個数における，和・差・積の法則 …………………… 24

Chapter 2. 確率空間とその基本概念　25

問題 12　[基本]　標本空間・事象・確率 ……………………………………… 26 ☐☐☐
問題 13　[基本]　事象の確率計算・独立性・排反 …………………………… 28 ☐☐☐
問題 14　[基本]　確率変数と確率分布，その期待値 ………………………… 30 ☐☐☐
問題 15　[基本]　期待値の計算 ………………………………………………… 32 ☐☐☐
問題 16　[基本]　分散 …………………………………………………………… 34 ☐☐☐
問題 17　[基本]　同時確率分布と共分散 ……………………………………… 36 ☐☐☐
問題 18　[発展]　離散確率分布に関する計算 ………………………………… 38 ☐☐☐
Tea Time ● くじ引きの公平性 …………………………………………………… 40

Chapter 3. 離散確率分布　　41

問題 19	[基本]	ベルヌーイ分布　Be(p) ……………………………	42 □□□
問題 20	[基本]	2 項分布　B(N, p) …………………………………	44 □□□
問題 21	[基本]	幾何分布, ファーストサクセス分布 I　Ge(p), Fs(p)	46 □□□
問題 22	[標準]	幾何分布, ファーストサクセス分布 II　Ge(p), Fs(p)	48 □□□
問題 23	[発展]	負の 2 項分布　NB(N, p) …………………………	50 □□□
問題 24	[基本]	離散一様分布　DU$\{1, 2, \cdots, N\}$ ………………	52 □□□
問題 25	[標準]	ポアソン分布 I　Po(λ) ……………………………	54 □□□
問題 26	[発展]	ポアソン分布 II　Po(λ) …………………………	56 □□□
問題 27	[標準]	超幾何分布　HG(N, m, n) …………………………	58 □□□
問題 28	[発展]	幾何分布, 離散一様分布の発展問題 ……………	60 □□□
問題 29	[発展]	確率変数の分解の問題 …………………………	62 □□□
問題 30	[発展]	2 項分布, 幾何分布の復習問題 …………………	64 □□□
問題 31	[発展]	総合問題　ポスター集めの問題など …………	66 □□□

Tea Time ●基本的な積分公式 ………………………………………… 68

Tea Time ●基本的な定積分 …………………………………………… 68

Chapter 4. 1 次元連続確率分布　　69

問題 32	[基本]	連続確率変数, 確率密度関数, 確率分布関数 I ……	70 □□□
問題 33	[標準]	連続確率変数, 確率密度関数, 確率分布関数 II ……	72 □□□
問題 34	[発展]	確率密度関数 III …………………………………	74 □□□
問題 35	[標準]	ガンマ関数とベータ関数 ………………………	76 □□□
問題 36	[標準]	1 次元確率分布の変換 …………………………	78 □□□
問題 37	[基本]	一様分布　U(a, b), U($0, 1$) ……………………	80 □□□
問題 38	[基本]	指数分布　Exp(λ) ………………………………	82 □□□
問題 39	[基本]	標準正規分布, 正規分布　N($0, 1$), N(μ, σ^2) ……	84 □□□
問題 40	[標準]	ガンマ分布, ベータ分布　$\Gamma(a, \lambda), \beta(a, b)$ ………	86 □□□
問題 41	[標準]	χ^2 分布, t 分布, F 分布, 対数正規分布 …………	88 □□□
問題 42	[発展]	期待値としっぽ確率 ……………………………	90 □□□
問題 43	[基本]	総合問題 I ………………………………………	92 □□□
問題 44	[発展]	総合問題 II ………………………………………	94 □□□
問題 45	[標準]	確率母関数 ………………………………………	96 □□□

問題 46	[標準]	モーメント母関数	98 □□□
問題 47	[基本]	大数の法則	100 □□□
問題 48	[標準]	中心極限定理	102 □□□
問題 49	[発展]	確率における3つの不等式	104 □□□

Tea Time ● $\int_{-\infty}^{\infty} e^{-x^2} dx = \sqrt{\pi}$ …… 106

Tea Time ● 偏差値と標準正規分布 …… 106

Tea Time ● 幾何分布と指数分布の関係 …… 107

Tea Time ● いろいろな分布のグラフ …… 108

Chapter 5. 多次元確率分布 109

問題 50	[基本]	多次元連続確率分布 I	110 □□□
問題 51	[標準]	多次元連続確率分布 II	112 □□□
問題 52	[基本]	確率分布の和	114 □□□
問題 53	[標準]	確率分布の差・積・商	116 □□□
問題 54	[発展]	多次元連続確率分布の変換	118 □□□
問題 55	[発展]	多次元離散確率分布　多項分布	120 □□□
問題 56	[発展]	多次元正規分布	122 □□□
問題 57	[発展]	多次元ベータ分布	124 □□□
問題 58	[標準]	条件付き期待値 I　$E(X\|a \leqq X \leqq b)$	126 □□□
問題 59	[標準]	条件付き期待値 II　$E(Y\|X)$	128 □□□
問題 60	[発展]	条件付き期待値 III　連続の場合	130 □□□
問題 61	[発展]	条件付き期待値 IV　最小二乗法との関連	132 □□□
問題 62	[発展]	条件付き期待値 V　条件付き分散 $V(Y\|X)$	134 □□□
問題 63	[発展]	サイコロのいろいろな問題	136 □□□

Tea Time ● 多項分布 $\mathrm{Cov}(X, Y)$ の計算 …… 138

Tea Time ● 多次元正規分布 …… 138

Tea Time ● 連続の場合の $E(Y|X = x)$ の定義 …… 139

Tea Time ● 条件付き分散公式の証明 …… 139

Tea Time ● オイラーのリーマンゼータの特殊値と確率論 …… 140

Chapter 6. 統計 143

| 問題 64 | [基本] | 統計量 I　標本平均, 不偏標本分散 | 144 □□□ |

問題 65	[基本]	区間推定 I　正規母集団の母平均の推定 ………………	146 □□□
問題 66	[基本]	区間推定 II　母比率の推定，母分散比の推定 …………	148 □□□
問題 67	[基本]	検定 I ……………………………………………………	150 □□□
問題 68	[基本]	検定 II　第1種の誤り，第2種の誤り，適合度検定 ……	152 □□□
問題 69	[標準]	統計量 II　最尤推定値 …………………………………	154 □□□
問題 70	[発展]	統計量 III　有効推定量，クラメール＝ラオの不等式 …	156 □□□
問題 71	[基本]	回帰分析 I　単回帰分析，重回帰分析 …………………	158 □□□
問題 72	[発展]	回帰分析 II　確率分布の前提を用いた回帰モデル ………	160 □□□

Tea Time ● 適合度検定 ……………………………………………………… 162

Tea Time ● クラメール＝ラオの不等式の証明 ………………………………… 162

Tea Time ● 重回帰分析 ………………………………………………………… 163

Tea Time ● α の信頼区間 ………………………………………………… 163

Tea Time ● 全変動と回帰変動，$\hat{\sigma}^2$ の計算 ……………………… 164

Tea Time ● $\hat{S}^2$ の分布と $\hat{S}^2, \bar{X}$ の独立性 …………………… 164

Tea Time ● 統計量とその実現値 ………………………………………………… 166

Chapter 7. 確率過程とモデリング　　167

問題 73	[基本]	時系列解析 I　$AR(1)$ …………………………………	168 □□□
問題 74	[標準]	時系列解析 II　$AR(2)$ …………………………………	170 □□□
問題 75	[標準]	時系列解析 III　$MA(q)$ ………………………………	172 □□□
問題 76	[基本]	マルコフ連鎖 I …………………………………………	174 □□□
問題 77	[標準]	マルコフ連鎖 II …………………………………………	176 □□□
問題 78	[発展]	マルコフ連鎖 III　2重マルコフ過程 …………………	178 □□□
問題 79	[標準]	対称ランダムウォークと非対称ランダムウォーク …	180 □□□
問題 80	[発展]	条件付き期待値とマルチンゲール ……………………	182 □□□
問題 81	[発展]	ポアソン過程 ……………………………………………	184 □□□
問題 82	[発展]	ブラウン運動 ……………………………………………	186 □□□
問題 83	[標準]	シミュレーション I　逆関数法 ………………………	188 □□□
問題 84	[発展]	シミュレーション II　合成法，棄却法 ………………	190 □□□
問題 85	[発展]	危険率，故障率，死力 I ………………………………	192 □□□
問題 86	[発展]	危険率，故障率，死力 II ………………………………	194 □□□

Tea Time ● AR モデルの定常性 ……………………………………………… 196

Tea Time ● マルコフ連鎖 ……………………………………………………… 196

Tea Time ● マルコフ連鎖の極限分布が存在するための十分条件 ………… 196
Tea Time ● シミュレーションにおける逆関数法 ……………………… 197

Chapter 8. 保険金融数理入門　　　　　　　　　　　　　　199

問題 87	[基本]	年金数理入門 I　終価・現価・銀行ローン ……………… 200 □□□
問題 88	[標準]	年金数理入門 II ……………………………………………… 202 □□□
問題 89	[基本]	生保数理入門 I ……………………………………………… 204 □□□
問題 90	[標準]	生保数理入門 II ……………………………………………… 206 □□□
問題 91	[発展]	生保数理入門 III　保険契約と余命確率変数 …………… 208 □□□
問題 92	[発展]	生保数理入門 IV　即時払い, 連続払い ………………… 210 □□□
問題 93	[基本]	損保数理入門 I　ポアソン過程とクレーム総額 ………… 212 □□□
問題 94	[発展]	損保数理入門 II　免責, 支払限度 ………………………… 214 □□□
問題 95	[発展]	損保数理入門 III　等級移動とマルコフ連鎖 …………… 216 □□□
問題 96	[基本]	金融数理入門 I　ポートフォリオ選択理論 ……………… 218 □□□
問題 97	[基本]	金融数理入門 II　デリバティブ価格理論 ………………… 220 □□□
問題 98	[基本]	金融数理入門 III　デリバティブ価格付け入門 ………… 222 □□□
問題 99	[発展]	金融数理入門 IV　ブラック＝ショールズ偏微分方程式 224 □□□
問題 100	[基本]	経済数理入門　効用関数と確実性等値 …………………… 226 □□□

Tea Time ● 金融商品 ……………………………………………………… 228
Tea Time ● 絶対リスク回避度の意味 …………………………………… 228

TEST shuffle 20　　　　　　　　　　　　　　　　　　　　**229**
本文の問題との対応表 …………………………………………………… 250

付　　表　　　　　　　　　　　　　　　　　　　　　　　　**251**

参考文献　　　　　　　　　　　　　　　　　　　　　　　　**256**

索　　引　　　　　　　　　　　　　　　　　　　　　　　　**257**

■カバー・表紙デザイン　高橋敦

Chapter 1

確率・統計計算の基礎

この章では確率・統計計算に必要な数列と，その和を準備し，高校までの確率の復習を行う。

問題 01 順列と組み合わせ 〔基本〕

次の総数を求めよ。
(1) 10人の区別できる人から 4×100m リレーのチームを作るとき，その総数
(2) 10人の区別できる人から4人の委員を選ぶ総数
(3) 10人の区別できる人から1人の学級委員長と3人の委員を選ぶ総数
(4) 3個の a，4個の b，5個の c を並べる順列の総数
(5) 3個の a，4個の b，5個の c，2個の d，1個の e，1個の f を並べる順列の総数，ただし，左から d, d, e, f はこの順番であるとする。

解説

n 個の区別できるもの（たとえば，$n=5$ として，5人 {A,B,C,D,E}）から r 個の区別できるものを選ぶとき（たとえば，$r=3$ とする），

(a) 順番も気にする場合：**順列**となり，総数は，

$$\underbrace{\Box}_{5個} \times \underbrace{\Box}_{4個} \times \underbrace{\Box}_{3個}$$

で計算し，$_n\mathrm{P}_r$ で表す。$_n\mathrm{P}_r = n \times (n-1) \times \cdots \times (n-r+1) = \dfrac{n!}{(n-r)!}$

(b) 順番を気にしない場合：**組み合わせ**となり，(A,D,E) と (D,A,E) などは同じとみなす。(A,D,E), (A,E,D), (E,A,D), (E,D,A), (D,A,E), (D,E,A) をひとまとめにして {ADE} という名前（{ADE} チーム）をつけると，それぞれのチームには $k! = 3!$ だけの並べ替えがある。全部で $_n\mathrm{C}_k$ チームあるとすると，[(a) での順列の総数] ÷ [チームのメンバー数] から $_n\mathrm{C}_k = \dfrac{_n\mathrm{P}_k}{k!}$．

まとめると，

> 区別できる n 個のものから相異なる k 個を選んでできる順列の総数
> $$_n\mathrm{P}_k = n(n-1)\cdots(n-k+1) = \dfrac{n!}{(n-k)!}$$
> 区別できる n 個のものから相異なる k 個を選んでできる組み合わせの総数
> $$_n\mathrm{C}_k = \binom{n}{k} = \dfrac{n(n-1)\cdots(n-k+1)}{k!} = \dfrac{n!}{(n-k)!k!} = \dfrac{_n\mathrm{P}_k}{k!}$$

このような計算方法も背後には，

> **和の法則** … 排反な（重ならない）集合の和集合の個数は，それぞれの集合の個数の和となり，$\#(A \cup B) = \#(A) + \#(B)$ （$A \cap B = \emptyset$ のとき）
> **積の法則** … A の要素に対して B の要素1つを選ぶ順列 (a,b) 全体の集合 $A \times B$（A, B の直積）の個数は，$\#(A \times B) = \#(A)\#(B)$

が基本的かつ重要な原理である（p.24 の TeaTime 参照）。

注意 $\#(A)$ は集合 A の要素の個数（$N(A)$ などと表わすこともある）。

ここでは商の法則（野球チームの原理）を詳しく述べておく。

> **商の法則（野球チームの原理）**
> 　有限集合 A があり，$A = B_1 \cup B_2 \cup \cdots \cup B_n$ で $i \neq j$ に対して $B_i \cap B_j = \emptyset$（排反）で $\#(B_1) = \#(B_2) = \cdots = \#(B_n)$ のとき，
> $$\#(B_i) = \frac{\#(A)}{n}, \quad n = \frac{\#(A)}{\#(B_i)}$$
> （A が野球大会の参加者全体，B_i がすべて 9 人からなる野球チームという状況を考えるとよい．すると，n はチーム数である）

この原理はもうすでに順列と組み合わせの関係に用いたが，(4) に用いると，a, b, c を最初区別して $a_1, a_2, a_3, b_1, b_2, b_3, b_4, c_1, c_2, c_3, c_4, c_5$ を並べることとし，たとえば，$c_5 b_3 b_1 a_1 a_3 c_1 c_3 c_4 b_2 a_2 b_4 c_2$ はチーム $cbbaacccbabc$ に属するとすると，各チームには $3!4!5!$ だけメンバーがいて全部で $(3+4+5)!$ 人の選手がいることになるので，商の法則より，求める総数は $\frac{12!}{3!4!5!}$ である。

解答

(1) リレーなので走る順番も大事である。よって，これは順列である。

$$_{10}\mathrm{P}_4 = 10 \times 9 \times 8 \times 7 = 5040$$

(2) 委員の種類を明示していないので誰がどの委員かということに意味はなく，したがって，これは組み合わせと考えられる。

$$_{10}\mathrm{C}_4 = \frac{10 \times 9 \times 8 \times 7}{4 \times 3 \times 2} = 210$$

(3) まず委員長を選んでから残りで委員を選ぶか，または委員を選んでからそのなかで委員長を選ぶかのどちらでもよい。★1

$$10 \times {}_9\mathrm{C}_3 = 840 (= {}_{10}\mathrm{C}_4 \times 4)$$

(4) 解説での説明より $\frac{12!}{3!4!5!} = 27720$ ★2

(5) d, d, e, f は順番が決まっているので全部 d に置き換えて考えてもよい。よって，

$$\text{求める総数} = \frac{16!}{3!4!5!4!} = 50450400 \text{★3}$$

★1 この考え方を一般化すると，$_{n-1}\mathrm{C}_{k-1} = k \, _n\mathrm{C}_k$ がわかる。これは，2 項分布の期待値を計算するのに重要である。

★2 解説でも述べたように a を区別して a_1, a_2, a_3 と最初は考え，あとで区別をなくし，(3! で割る) b や c も同様にする。

★3 これは最後まで計算しなくてもよい。

問題 02　重複順列と重複組み合わせ　　標準

次の総数を求めよ。

(1) 10人の（たとえば，AからJと）区別できる人がそれぞれ，みかん・りんご・もものなかから1つ選ぶとするとき，異なる選び方の総数
(2) n個以下の「・」と「-」でできるモールス信号の種類数
(3) $\{a,b,c,d,e\}$の部分集合の個数
(4) みかん，りんご，もものなかから重複を許して10個選ぶ選び方の総数
(5) $x+y+z=10,\ x,y,z \geq 0$ (x,y,zは整数) の解の個数
(6) x,y,zで作られる単項式で，次数が10のものの種類数
(7) $x+y+z=10,\ x,y,z \geq 1$ (x,y,zは整数) の解の個数
(8) $x+y+z \leq 10,\ x,y,z \geq 0$ (x,y,zは整数) の解の個数

解説　■重複順列

区別できるn個のものから（必ずしも相異なるとは限らない）k個を選んでできる重複順列の総数
$$_n\Pi_k = n^k$$

総数はたとえば，$k=3$だと $\underbrace{\Box}_{n個} \times \underbrace{\Box}_{n個} \times \underbrace{\Box}_{n個}$ で計算し，つまり，積の法則よりn^3個である。$_nP_k$との違いは同じものを選んでもよいということである。重複してもよい順列（並べ方）なので**重複順列**と呼ぶ。

例． 3桁以下の非負整数は何個あるか。

0(000)から999までで各桁は0から9の数字からなり重複順列である。答えは10^3個。同様に，3桁の非負整数は$10^3 - 10^2 = 900$個ある。

■重複組み合わせ

(4)(5)(6)は**重複組み合わせ**の問題である。(1)で人が区別できない場合は重複組み合わせとなる。(4)を用いて説明すると，○○○|○|○○○○○○ をみかんの個数=3，りんごの個数=1，ももの個数=6 と考えると，3個のものから重複を許して10個選ぶ重複組み合わせの総数 $= {}_3H_{10} = {}_{12}C_2$ で計算できる。

区別できるn個のものからk個(必ずしも相異なるとは限らない)選んでできる組み合わせの総数
$$_nH_k = {}_{n+k-1}C_k = \binom{n+k-1}{k} = \frac{n(n+1)\cdots(n+k-1)}{k!}$$

問題 02 標準 重複順列と重複組み合わせ

解答

(1) 人が区別されていることに注意しなければならないので、重複順列である。
3^{10} ★1

(2) $k(k \geq 1)$ 文字を使うときのモールス信号の種類数は 2^k である。よって、
求める総数 $= \sum_{k=1}^{n} 2^k = \dfrac{2 - 2^n \times 2}{1 - 2} = 2^{n+1} - 2$

(3) $\{a, b, c, d, e\}$ のそれぞれを選ぶか選ばないかの 2 通りと考えて、重複順列の考え方より、2^5. ★2
別解として、$\sum_{k=0}^{5} {}_5\mathrm{C}_k = (1+1)^5 = 2^5$.

(4) ${}_3\mathrm{H}_{10} = {}_{10+3-1}\mathrm{C}_{10} = {}_{12}\mathrm{C}_2 = 66$

(5) $x = $ みかんの個数, $y = $ ももの個数, $z = $ りんごの個数 と考えると、答えは (4) と同じ。

(6) $x^\alpha y^\beta z^\gamma$ で $\alpha + \beta + \gamma = 10$, $\alpha, \beta, \gamma \geq 0$ となるので、答えは (4) と同じ。このように、同次単項式の個数で同次単項式は英語で $Homogeneous$ $Monomial$ というので、頭文字をとって ${}_n\mathrm{H}_k$ (n 文字による k 次単項式の個数) と書く。

(7) $x' = x - 1, y' = y - 1, z' = z - 1$ とおくと、$x' + y' + z' = 7$,
$x', y', z' \geq 0$ (x', y', z' は整数) の解の個数に等しくなるので、
${}_3\mathrm{H}_7 = {}_{7+3-1}\mathrm{C}_7 = {}_9\mathrm{C}_2 = 36$.
別解として、○∧○∧○∧○∧○∧○∧○∧○∧○ において 9 個の ∧ の中から 2 個の ∧ を選ぶ $= {}_9\mathrm{C}_2$.

(8) スラック変数★3 $u(\geq 0)$ を用いて、$x + y + z + u = 10$, $x, y, z, u \geq 0$ (x, y, z, u は整数) の解の個数と同じなので、
${}_4\mathrm{H}_{10} = {}_{10+4-1}\mathrm{C}_{10} = {}_{13}\mathrm{C}_3 = 286$.

★1 これが、みかんを選んだ人が 2 人、りんごが 5 人、ももが 3 人という情報だけでは、誰がみかんで誰がりんごかがわからない。この場合は、下に見るように重複組み合わせとなる。

★2 全部選ばなければ、∅、
$a\circ, b\times, c\circ, d\circ, e\times$
ならば、部分集合 $\{a, c, d\}$ が選ばれたと考える。

★3 スラックとは英語で slack でゆるみ、不足という意味。数学では線形計画法などにも用いられる。スラックスとはズボンのことだが、本来はだぶだぶのズボンという意味。

Tea Time ················· シンプソンのパラドックス

H 球団の 3 番、4 番は A 選手と K 選手である。対左投手の打率は A 選手のほうが K 選手よりよい。対右投手の打率も A 選手のほうが K 選手よりよい。しかし打率は K 選手のほうが A 選手よりよい。このような状況がありうるだろうか？

左投手に対しては A 選手は 10 打数 5 安打 (5 割)、K 選手は 100 打数 40 安打 (4 割) 右投手に対しては A 選手は 300 打数 100 安打 (3 割 3 分 3 厘)、K 選手は 100 打数 30 安打 (3 割) となっているとする。しかし、全体では A 選手は 310 打数 105 安打 (3 割 3 分 9 厘)、K 選手は 200 打数 70 安打 (3 割 5 分) で K 選手のほうがよい。

$$\dfrac{5}{10} > \dfrac{40}{100} \qquad \dfrac{100}{300} > \dfrac{30}{100} \qquad \dfrac{105}{310} < \dfrac{70}{200}$$

問題 03　集合と写像　　基本

1. $\{a,b,c\}$ を定義域, $\{A,B,C,D,E\}$ を値域とする写像は何個あるか？ また, 1対1写像は何個あるか？
2. $\{a,b,c\}$ を値域, $\{A,B,C,D,E\}$ を定義域とする写像は何個あるか？ また, 上への写像は何個あるか？
3. $f \circ g$ が1対1なら g は1対1, $f \circ g$ が上への写像なら f は上への写像を示せ。
4. $\{1,2,3,4,5\}$ から $\{1,2,3,4,5,6,7,8\}$ への写像ですべての $i<j$ に対し $f(i) \leqq f(j)$ を満たす写像の個数を求めよ。
5. $\mathbb{R}$ から $\mathbb{R}_{>0}$ への写像 (関数) $f(x)=e^x$ の逆写像（逆関数）を求めよ。

解説　A, B を集合として A の任意の要素 x に対して B のある要素 $f(x)$ が決まるとき $f: A \to B$ と書き, f を A を定義域, B を値域とする **写像** という。

例1. $A=$ 平面上の三角形全体, $B=\mathbb{R}_+=\{x|x \in \mathbb{R}, x \geqq 0\}$ で $f(x)=x$ の面積。たとえば, $f(1\text{辺の長さが } a \text{の正三角形})=\frac{a^2\sqrt{3}}{4}$

例2. $A=B=$ 地球上に今まで生きた人間全体として, 母 $(x)=x$ の母, 父 $(x)=x$ の父。たとえば, 母 (キリスト) $=$ マリア

　注意　$f(x)=x$ の兄弟姉妹 と定義しても一意的には決まらない（兄弟姉妹がたくさんいるかもしれないし, 兄弟姉妹がいないかもしれない）ので写像ではない。

■ 1対1写像（単射）

　$f(x)=f(y)$ なら $x=y$ （同じことだが, 対偶をとって $x \neq y$ なら $f(x) \neq f(y)$）である写像を **1対1写像（単射）** と呼ぶ。

例3. $A=$H大学の学生, $B=\mathbb{N}$ で, $f(x)=x$ の学籍番号 と定義すると明らかに1対1, そうでなければ異なる学生が同じ学生番号を持つことになりおかしくなる。また, 明らかに上の**例1.** と**例2.** は1対1ではない。$f(x)=x^2$ は $A=B=\mathbb{R}$ ととると1対1写像ではないが, 定義域を制限して $A=B=\mathbb{R}_+$ にとると1対1写像となる。

■上への写像（全射）

　任意の B の要素 y に対してある $x \in A$ が存在して $y=f(x)$ となるとき, 写像

f は上への写像（全射）という。また，$\mathrm{Im}(f) = f$ の像（*Image of f* ）$:= \{f(x) | x \in A\}$ と定義すると，写像 f が上への写像であるとは，$\mathrm{Im}(f) = B$ となること。

$f : A \to B$ に対して，像 $\mathrm{Im}(f) = f(A)$ を値域，B を終域と呼称する流儀もあるが，本書では B の方を値域と呼称している。

■逆写像（逆関数）

また，写像 f が A から B への 1 対 1 上への写像（全単射，または双射という）のとき，任意の $x \in B$ に対して $f(y) = x$ となる $y \in A$ が一意的に存在する。その y への対応を $y = f^{-1}(x)$ と書き，この f^{-1}（もちろん，これも B から A への写像）を f の逆写像（関数の場合は逆関数）と呼ぶ。

解答

$\boxed{1}$ $\{a, b, c\}$ のそれぞれに $\{A, B, C, D, E\}$ のどれかを対応させればよいので，写像の個数$=5^3$ ★1．また，1 対 1 写像は積の法則より，a には 5 通り，b には 4 通り，c には 3 通りになるので，1 対 1 写像の個数$=5 \times 4 \times 3 = {}_5\mathrm{P}_3 = 60$ ★2．

★1 前問の重複順列である。

★2 1 対 1 写像は順列である。

$\boxed{2}$ 写像の個数$=3^5$．また，$\#(\mathrm{Im}(f)) = 1$ である（たとえば，$\mathrm{Im}(f) = \{a\}$ となる）写像の個数は 3．$\#(\mathrm{Im}(f)) = 2$ である写像の個数$=3 \times (2^5 - 2)$．残りは上への写像となるので，
求める上への写像の個数$=3^5 - 3(2^5 - 2) - 3 = 3^5 - 3 \times 2^5 + 3 = 150$．

$\boxed{3}$ 対偶を示す。g が 1 対 1 でないなら，ある $x \in A, y \in A, x \neq y$ が存在して $g(x) = g(y)$．すると，

$$f \circ g(x) = f(g(x)) = f(g(y)) = f \circ g(y)$$

となり，$f \circ g$ は 1 対 1 ではない。

次は，$f \circ g$ が上への写像なので，任意の $z \in C$ に対しある $x \in A$ が存在して $z = f \circ g(x) = f(g(x))$ となる。つまり，任意の $z \in C$ に対しある $y = g(x) \in B$ が存在して $z = f(y)$ となる。つまり，f は上への写像となる。

$\boxed{4}$ たとえば，$f(1) = f(2) = 2, f(3) = 3, f(4) = f(5) = 7$ なら，$\{2, 2, 3, 7, 7\}$ を選んだと考えると，8 個のものから重複を許して 5 個選んだ重複組み合わせと考えることができる。
したがって，答えは ${}_8\mathrm{H}_5 = \binom{12}{5} = 792$．

$\boxed{5}$ $x = e^y$ を解くと，$y = \log x$ ★3．

★3 もちろん，$\log$ の定義域は，$\mathbb{R}_{>0} = \{x | x > 0, x \in \mathbb{R}\}$，値域は $\mathbb{R}$ である。

本書では，$\mathbb{R} = $ 実数全体，$\mathbb{Q} = $ 有理数全体，$\mathbb{Z} = $ 整数全体，$\mathbb{N} = \{1, 2, 3, \cdots\} = $ 自然数全体のように表記する。

問題 04 等差数列・等比数列・シグマ計算　　基本

1 次を具体的に求めよ。

(1) $\displaystyle\sum_{k=0}^{n}(5k-3)$　　(2) $\displaystyle\sum_{k=30}^{60}\frac{1}{3^k}$　　(3) $\displaystyle\sum_{k=30}^{60}3^{2k-5}$

(4) $\displaystyle\sum_{k=30}^{\infty}3^{-4k+2}$　　(5) $\displaystyle\sum_{k=0}^{n}(k^3-nk-5)$

2 $a_0=1$ として，(1) $a_{n+1}=3a_n+4$　(2) $a_{n+1}=3a_n+n$　を解け。

解説　■等差数列

数列 a_n が**等差数列**であるとは $a_{n+1}-a_n=d$（公差＝一定）が満たされるときで，このとき，$a_n=a_1+(n-1)d=a_0+nd$ となる（高校数学では，初項はほとんど $n=1$ が多いが，大学以降では $n=0$ や他の n から始まることも多くある）。

等差数列の和の公式　$\displaystyle\sum_{初}^{末}$ 等差数列 $=\dfrac{初項＋末項}{2}\times$項数　　$(*)$

注意　証明は，上図で台形の面積公式のように考える（項数を高さと考える）。

例． $\displaystyle\sum_{i=20}^{50}(3i-1)=\dfrac{59+149}{2}\times 31$　（項数 $=50-20+1=31$ に注意）

■等比数列

数列 b_n が**等比数列**であるとは，$b_n=rb_{n-1}$（r は公比＝一定），このとき，$b_n=b_1r^{n-1}=b_0r^n$ である。等比数列の和の公式は以下で，これもシグマの最初の項が初項である。

この公式は初項と末項と公比がわかれば簡単に和がわかる（項数さえ必要でない）。

等比数列の和の公式　$\displaystyle\sum_{初}^{末}$ 等比数列 $=\dfrac{初項－末項\times 公比}{1-公比}$　　$(**)$

無限等比級数は $\displaystyle\sum_{初}^{\infty}$ 等比数列 $=\dfrac{初項}{1-公比}$　　$(***)$　　（$|$公比$|<1$ のとき）

注意　証明は，$S-($公比$)\times S=$初項$+\cdots+$末項$-($第 2 項$+\cdots+$末項$+$末項$\times$公比$)$
　　　　　　　　　　　　$=$初項$-$末項$\times$公比

問題 04 [基本] 等差数列・等比数列・シグマ計算　9

例. $\displaystyle\sum_{i=20}^{50}(3^{2i-1}) = \frac{3^{39}-3^{101}}{1-3^2}$

■シグマ（$\sum$）計算

続いてシグマ計算も復習しておく。

$$\sum_{k=1}^{n} c = cn \qquad \sum_{k=0}^{n} c = c(n+1) \qquad \sum_{k=1}^{n} k = \frac{n(n+1)}{2}$$
$$\sum_{k=1}^{n} k^2 = \frac{n(n+1)(2n+1)}{6} \qquad \sum_{k=1}^{n} k^3 = \left(\frac{n(n+1)}{2}\right)^2$$

解答

[1] (1) $a_k = 5k-3$ とおくと，a_k は k の 1 次式なので等差数列。よって，
$$\sum_{k=0}^{n}(5k-3) = \frac{-3+5n-3}{2}(n+1) = \frac{(5n-6)(n+1)}{2} \quad \bigstar_1$$

(2) $b_k = \frac{1}{3^k}$ とおくと，b_k は公比が $\frac{1}{3}$ の等比数列$\bigstar_2$。よって，公式 (∗∗) を用いて，
$$\sum_{k=30}^{60}\frac{1}{3^k} = \frac{\frac{1}{3^{30}} - \frac{1}{3^{60}}\cdot\frac{1}{3}}{1-\frac{1}{3}} = \frac{1}{2}\left(\frac{1}{3^{29}} - \frac{1}{3^{60}}\right)$$

(3) 公式 (∗∗) を用いて $\displaystyle\sum_{k=30}^{60} 3^{2k-5} = \frac{3^{55}-3^{115}3^2}{1-3^2}$ $\bigstar_3$

(4)$\bigstar_4$ 無限等比級数であることに注意して，公式 (∗∗∗) を用いると，
$$\sum_{k=30}^{\infty} 3^{-4k+2} = \frac{3^{-118}}{1-3^{-4}}$$

(5) $\displaystyle\sum_{k=0}^{n}(k^3 - nk - 5) = \left(\frac{n(n+1)}{2}\right)^2 - n\frac{n(n+1)}{2} - 5(n+1)$

[2] (1) 定数 C が特殊解$\bigstar_5$ となることは明らかなので，$C = 3C + 4$ となる C は $C = -2$。辺辺引いて，$a_{n+1} - C = 3(a_n - C)$。
$a_0 - C = 1 + 2 = 3$ より，$\bigstar_6$
$$a_n + 2 = 3 \cdot 3^n \quad \text{つまり,} \quad a_n = 3^{n+1} - 2$$

(2) 特殊解 b_n は n の 1 次式であることは明らかなので，$b_n = an+b$ とおくと，$a(n+1)+b = 3(an+b)+n$。つまり，$b_n = \frac{-n}{2} - \frac{1}{4}$。
辺辺引いて，$a_{n+1} - b_{n+1} = 3(a_n - b_n)$。よって，
$$a_n - b_n = (a_0 - b_0)3^n \quad \text{つまり,} \quad a_n = \frac{5}{4}3^n - \frac{1}{2}n - \frac{1}{4}$$

★1 左頁の公式 (∗) を用いる。
★2 なお，初項とは $n=0$ や $n=1$ ではなくシグマの最初の項である。
★3 $c_k = 3^{2k-5}$ とおくと c_k は公比 3^2 の等比数列。
★4 $d_k = 3^{-4k+2}$ とおくと，d_k は公比 3^{-4} の等比数列。
★5 このような漸化式は 4 や n がなければ等比数列となるので，特殊解を見つけてその部分を消すとよい。
★6 このような問題は $n = 0, 1$ などで検算しておくこと。

問題 05 階差数列・Telescoping　　標準

次を具体的に求めよ。
(1) $\sum_{k=4}^{n} k(k-1)(k-2)(k-3)$　　(2) $\sum_{k=4}^{n} k(k+1)(k+2)(k+3)$
(3) $\sum_{k=1}^{n} k \cdot k!$

解説　高校数学における**階差数列** $a_{k+1} - a_k$ の和の公式は，

$$a_n = a_1 + \sum_{k=1}^{n-1} (a_{k+1} - a_k)$$

であるが，これは $a_n = (a_n - a_{n-1}) + (a_{n-1} - a_{n-2}) + \cdots + (a_2 - a_1) + a_1$ をシグマを用いて書き直したものである。他にも $a_n = a_0 + \sum_{k=0}^{n-1} (a_{k+1} - a_k) = a_1 + \sum_{k=2}^{n} (a_k - a_{k-1}) = a_0 + \sum_{k=1}^{n} (a_k - a_{k-1})$ などを理解しておきたい。また，この階差数列の和の公式は次に見る **Telescoping formula**（**望遠鏡公式**）である。諸外国では昔の望遠鏡の筒が縮むことから Telescoping formula と呼ばれている。

$$\sum_{k=初}^{末} \{f(k+1) - f(k)\}$$
$$= (f(末+1) - f(末)) + \cdots + (f(初+1) - f(初)) = f(末+1) - f(初)$$

望遠鏡公式でもっとも大切な系列が，次に見る連続した整数の和である。

・ $\sum_{k=1}^{n} k(k-1)(k-2) = \dfrac{(n+1)n(n-1)(n-2)}{4}$　　（一般化できる）

$\left(\because \text{Telescoping で } k(k-1)(k-2) = \dfrac{\boxed{(k+1)}k(k-1)(k-2) - k(k-1)(k-2)\boxed{(k-3)}}{4} \right)$

・ $\sum_{k=1}^{n} (k+3)(k+2)(k+1)k = \dfrac{(n+4)(n+3)(n+2)(n+1)n}{5}$　　（一般化できる）

これより，$k^2 = k(k-1) + k$，$k^3 = k(k-1)(k-2) + 3k(k-1) + k$，$k^4 = k(k-1)(k-2)(k-3) + 6k(k-1)(k-2) + 7k(k-1) + k, \cdots$ などから $\sum_{k=1}^{n} k^p$ が求められることを注意しておく。

問題 05 標準 階差数列・Telescoping

また，次のような部分分数分解も望遠鏡公式の応用である．

$$\sum_{k=1}^{n} \frac{1}{k(k+1)} = 1 - \frac{1}{n+1} \qquad \sum_{k=1}^{n} \frac{1}{k(k+1)(k+2)} = \frac{1}{2}\left(\frac{1}{2} - \frac{1}{(n+1)(n+2)}\right)$$

$$\left(\because \frac{1}{k(k+1)(k+2)} = \frac{1}{2}\left(\frac{1}{k(k+1)} - \frac{1}{(k+1)(k+2)}\right)\right)$$

注意 $\frac{1}{k(k+1)(k+2)} = \frac{1}{2}\left(\frac{1}{k} - \frac{2}{k+1} + \frac{1}{k+2}\right)$ としても和は求められない．なぜなら，$\sum_{k=1}^{n} \frac{1}{k}$ には n で表す簡単な公式がないからである．$\sum_{k=1}^{n} \frac{1}{k^2}, \sum_{k=1}^{n} \frac{1}{k^3}$ も同様．ただし，$\sum_{k=1}^{\infty} \frac{1}{k} = \infty, \sum_{k=1}^{\infty} \frac{1}{k^2} < \infty$ は常識であろう．また，$\lim_{n\to\infty}\left(\sum_{k=1}^{n} \frac{1}{k} - \log n\right)$ は発展的であるが，収束（オイラー定数 $\gamma \fallingdotseq 0.577$），$\sum_{k=1}^{\infty} \frac{1}{k^2} = \frac{\pi^2}{6}$（p.140, TeaTime 参照）もおもしろい．

解答

(1)
$$\sum_{k=4}^{n} k(k-1)(k-2)(k-3)^{\bigstar 1}$$
$$= \sum_{k=4}^{n} \frac{(k+1)k(k-1)(k-2)(k-3) - k(k-1)(k-2)(k-3)(k-4)}{5}$$
$$= \frac{(n+1)n(n-1)(n-2)(n-3)}{5}$$

★1 解説を思い出す．

(2)
$$\sum_{k=4}^{n} k(k+1)(k+2)(k+3)$$
$$= \sum_{k=4}^{n} \frac{k(k+1)(k+2)(k+3)(k+4) - (k-1)k(k+1)(k+2)(k+3)}{5}$$
$$= \frac{n(n+1)(n+2)(n+3)(n+4) - 3 \cdot 4 \cdot 5 \cdot 6 \cdot 7}{5}_{\bigstar 2}$$

★2 本問では初項 $k=4$ を代入すると $f(4)$ は 0 ではないことに注意しなければならない．

(3) $^{\bigstar 3}\sum_{k=1}^{n} k \cdot k! = \sum_{k=1}^{n} (k+1-1)k!$
$$= \sum_{k=1}^{n} \{(k+1)! - k!\} = (n+1)! - 1$$

★3 $k \cdot k!$ を階差数列で表すことを考える．

問題 06 2項定理・2項展開　　基本

1 次を具体的に求めよ。

(1) $\sum_{k=0}^{n} \binom{n}{k} 2^k$　　(2) $\sum_{k=0}^{n} \binom{n}{k}$　　(3) $\sum_{k=0}^{n} k\binom{n}{k} 2^k$

2 $|x| < 1$ として，以下を無限級数で表せ。

(1) $(1-x)^{-3}$　　(2) $(1-x)^{-1/2}$

解説

高校数学で見たように，以下の展開式が成立する。

2項定理　$\sum_{k=0}^{n} \binom{n}{k} x^k y^{n-k} = (x+y)^n$

この係数 $\binom{n}{k}(= {}_n\mathrm{C}_k)$ は，$(x+y)$ の n 個の積 $(x+y)^n$ において $x^k y^{n-k}$ が出てくる数で，n 個の $((x+y)$ の) 場所から k 個の x を選べばよい。とくに，

$$\sum_{k=0}^{n} \binom{n}{k} x^k = (x+1)^n \qquad (\star)$$

2項定理の組み合わせ論的な説明は，以下のとおり。

n 人のクラスで係が $x+1$ 種類あり，すべての人がどれかの係を1つやるとすると，選び方の総数は重複順列の考え方より，$(x+1)^n$ 通りである。また，1つの係に注目してその係の人数が $k\,(0 \le k \le n)$ であったとすると，その係以外の人は $n-k$ 人いるので選び方の総数は $\sum_{k=0}^{n} \binom{n}{k} x^{n-k} = \sum_{k=0}^{n} \binom{n}{k} x^k$. したがって，上の $(\star)$ 式の $\sum_{k=0}^{n} \binom{n}{k} x^k = (x+1)^n$ が成り立つ。$x=1$ を代入して，$\sum_{k=0}^{n} \binom{n}{k} = 2^n$.

また，$(\star)$ 式に $x=-1$ を代入すると $\sum_{k=0}^{n} (-1)^k \binom{n}{k} = (1-1)^n = 0$ が成立し，$(\star)$ を微分すると $\sum_{k=0}^{n} k\binom{n}{k} x^{k-1} = n(x+1)^{n-1}$ という公式も得られる。

${}_n\mathrm{C}_k$ を $\binom{n}{k}$ と書くのは，n が自然数でないときも考えたいからで，その場合は**一般化2項係数**と呼び，$\alpha \in \mathbb{R}, k \in \mathbb{N} \cup \{0\}$ に対して $\binom{\alpha}{k} = \frac{\alpha(\alpha-1)\cdots(\alpha-k+1)}{k!}$ と定義すると，**ニュートン展開** $(1+x)^\alpha = \binom{\alpha}{0} + \binom{\alpha}{1} x + \cdots = \sum_{k=0}^{\infty} \binom{\alpha}{k} x^k \ (|x|<1)$ となる。

あとに用いるが，$\binom{-n}{k} = (-1)^k \binom{n+k-1}{k}$ となり，$(1-x)^{-n} = \sum_{k=0}^{\infty} \binom{n+k-1}{k} x^k$.

また，$(1+x)^m(1+x)^{N-m} = (1+x)^N$ の両辺の x^n の係数を比べることより，
$$\sum_{l=0}^{\min(m,n)} \binom{m}{l}\binom{N-m}{n-l} = \binom{N}{n}$$

解答

$\boxed{1}$ (1) $\sum_{k=0}^{n} \binom{n}{k} 2^k = \sum_{k=0}^{n} \binom{n}{k} 2^k 1^{n-k} = (1+2)^n = 3^n$ ★1

(2) 2項定理★2 より，$(1+1)^n = \sum_{k=0}^{n} \binom{n}{k} 1^k \cdot 1^{n-k} = \sum_{k=0}^{n} \binom{n}{k}$ から，2^n．

別解：$\{1,2,\cdots,n\}$ の部分集合の個数は，重複順列の考え方から 2^n だが，要素の個数が k 個である部分集合の個数は $\binom{n}{k}$ なので，$k=0$ から $k=n$ まで足し合わせても同じ結果になる★3．

(3) 前に見た $k\binom{n}{k}$ の変形に注意する．
$$\sum_{k=0}^{n} k\binom{n}{k} 2^k = \sum_{k=1}^{n} n\binom{n-1}{k-1} 2^k$$
$$= n\sum_{l=0}^{n-1} \binom{n-1}{l} 2^{l+1} = 2n(1+2)^{n-1} = 2n3^{n-1}\text{★4}$$

別解：$(1+x)^n = \sum_{k=0}^{n} \binom{n}{k} x^k$ の両辺を微分してみよう．
$\sum_{k=0}^{n} \binom{n}{k} k x^{k-1} = n(1+x)^{n-1}$ となるので $x=2$ を代入して
$\sum_{k=0}^{n} k\binom{n}{k} 2^k = 2n3^{n-1}$．

$\boxed{2}$ 本問は，ニュートン展開を用いる．

(1)★5 $(1-x)^{-3} = \sum_{k=0}^{\infty} \binom{-3}{k} (-x)^k$
$= \sum_{k=0}^{\infty} \frac{(-3)(-4)\cdots(-3-k+1)}{k!} (-x)^k$
$= \sum_{k=0}^{\infty} \frac{(k+2)(k+1)}{2} x^k$

(2) $(1-x)^{-1/2} = \sum_{k=0}^{\infty} \binom{-1/2}{k} (-x)^k$
$= \sum_{k=0}^{\infty} \frac{\left(-\frac{1}{2}\right)\left(-\frac{3}{2}\right)\cdots\left(-\frac{2k-1}{2}\right)}{k!} (-x)^k$
$= \sum_{k=0}^{\infty} \frac{1\cdot 3\cdots(2k-1)}{2^k k!} x^k$
$= \sum_{k=0}^{\infty} \frac{(2k)!}{2^{2k}(k!)^2} x^k = \sum_{k=0}^{\infty} \binom{2k}{k} \left(\frac{x}{4}\right)^k$

★1 2項定理を思い出す．

★2 これもどう2項定理に帰着させるかを考える．

★3 つまり，この問題は $\{1,2,\cdots,n\}$ の部分集合の個数が 2^n となることの，重複順列とは異なる別証明である．

★4 この考え方（別解も含め）はあとで2項分布の期待値の計算に用いられる．

★5 無限等比級数
$(1-x)^{-1} = \sum_{k=0}^{\infty} x^k$
の両辺を2回微分しても得られる．

問題 07 ガリレオのサイコロ，ド・メレの問題　　発展

1 サイコロを3つ同時に投げたとき，合計が9になる確率，10になる確率をそれぞれ求め比較せよ。

2 サイコロを4回投げ，少なくとも1回6が出る確率と，大・小のサイコロを同時に24回投げ，少なくとも1回6のゾロ目（六六）が出る確率を求め，比較せよ。

解説　高校数学の確率で見たように，確率の基本は**標本点**のすべてがequally likely（同程度に確からしい）**標本空間**に基づく確率である。この場合，事象 A が起こる確率 $P(A)$ は，

$$P(A) = \frac{\#(A)}{\#(\Omega)} = \frac{A \text{の要素の個数}}{\text{全体空間 (標本空間)} \Omega \text{の要素の個数}}$$

である。「火星に人が住んでいる確率は〈住んでいる〉〈住んでいない〉の2通りなので確率 $\frac{1}{2}$ である」というようなばかげたものにならないようにしたい。これはあとで見るように標本点がequally likely ではないものも多いのである。

次に equally likely な標本空間の例をいろいろあげておこう。

例1.　サイコロを n 回投げる
$$\Omega = \{\omega = (x_1, x_2, \cdots, x_n) | 1 \leq x_i \leq 6\}$$

$\#(\Omega) = 6^n$（重複順列）より，1つの標本点が出る確率 $P(\{\omega\}) = \dfrac{1}{6^n}$

注意　問題 1 , 2 ともこの例である。

例2.　N 枚のカードを元に戻さないで（非復元抽出）順番に n 枚選ぶ
$$\Omega = \{(x_1, x_2, \cdots, x_n) | 1 \leq x_i \leq N, x_i \neq x_j\}$$

$\#(\Omega) = {}_N\mathrm{P}_n$（順列）より1つの標本点が出る確率 $P(\{\omega\}) = \dfrac{1}{{}_N\mathrm{P}_n}$

例3.　N 枚のカードを元に戻さないで（非復元抽出）順番にこだわらず n 枚選ぶ
$$\Omega = \{\{x_1, x_2, \cdots, x_n\} | 1 \leq x_i \leq N, x_i \neq x_j\}$$

$\#(\Omega) = {}_N\mathrm{C}_n$（組み合わせ）より1つの標本点が出る確率 $P(\{\omega\}) = \dfrac{1}{{}_N\mathrm{C}_n}$

（例2も順番に関係のない事象の確率を計算するときは，例3で考えてよい。多くの場合はこのケースである）

例4.　区別のない球 N 個が区別のある箱 n 個に<u>入っている</u>場合
$$\Omega = \{(x_1, x_2, \cdots, x_n) | x_1 + x_2 + \cdots + x_n = N, x_i \geq 0\}$$
（ここで $x_i =$ 箱 i に入っている球の個数）

$\#(\Omega) = {}_n\mathrm{H}_N = \binom{n+N-1}{N}$ より 1 つの標本点が出る確率 $P(\{\omega\}) = \dfrac{1}{{}_n\mathrm{H}_N}$

注意 区別のない球 N 個を区別のある箱 n 個に<u>入れる（入れていく）</u>場合とすると，通常の解釈なら $\#(\Omega) = N^n$ であり，上の標本点は，それぞれの確率が異なる。たとえば，箱 1 だけにかたまる確率は小さい。

解答

$\boxed{1}$ 前者(目の合計が9)の場合は $(1,2,6), (1,3,5), (1,4,4), (2,2,5), (2,3,4), (3,3,3)$ の 6 通り，後者（目の合計が 10）の場合も $(1,3,6), (1,4,5), (2,4,4), (2,2,6), (2,3,5), (3,3,4)$ の 6 通りで，この 2 つの確率は等しいとするのは間違いである。

正しくは 9 の場合は $(1,2,6)$ は 6 通り，$(1,3,5)$ は 6 通り，$(1,4,4)$ は 3 通り，$(2,2,5)$ は 3 通り，$(2,3,4)$ は 6 通り，$(3,3,3)$ は 1 通りの計 25 通り。よって，求める確率は，$\dfrac{25}{216}$.

目の合計が 10 の場合は，$(1,3,6)$ は 6 通り，$(1,4,5)$ は 6 通り，$(2,2,6)$ は 3 通り，$(2,3,5)$ は 6 通り，$(2,4,4)$ は 3 通り，$(3,3,4)$ は 3 通りの計 27 通り。よって，求める確率は，$\dfrac{27}{216}$.

つまり，合計が 10 になるほうが確率が高くなるのである。

$\boxed{2}$ 1 つのさいころを 4 回投げたとき少なくとも 1 回 6 の目が出る確率は，

$$1 - \left(1 - \frac{1}{6}\right)^4 \fallingdotseq 0.5177 \bigstar 1$$

2 つのサイコロを同時に投げるのを 24 回行ったとき少なくとも 1 回 6 のゾロ目（六六）が出る確率は，

$$1 - \left(1 - \frac{1}{36}\right)^{24} \fallingdotseq 0.4914$$

となり，賭けとしては 1 つのさいころのほうが有利である。

★1 あとで見るように，この 4 や 24 という数字には意味 ($e^{0.7} \fallingdotseq 2$) がある。

Tea Time ················ モンティーホールのパラドックス

あるテレビ番組で 3 つのドアの後ろに 1 つずつヤギ（はずれ）か，または車（高級車）が隠れており，ヤギは 2 匹，車は 1 つである。まず，クイズの優勝者が 3 つのうちのドアの 1 つを選ぶ。すると，司会者は優勝者が選ばなかった 2 つのドアを調べ，ヤギのドアを開けて公開する。そして優勝者に選んだドアを残っているドアに変えるかどうかを聞く。変えたほうが有利かどうか調べよ。

答：変えたほうが有利。いちばん簡単な解答は変えたとしたら，自分の選んだドア以外のドア（補集合）を選んだことになるため。他にも司会者が選択できる場合を考えた標本空間での条件付き確率で考えても，変えるほうを選択すれば確率が $\frac{2}{3}$ に上がることが計算できる。

問題 08　確率のやさしい問題　　　標準

1　サイコロを 10 回投げるとき，6 の目が 3 回出る確率，6 の目が 3 回かつ 1 の目が 2 回出る確率を求めよ。

2　サイコロを何回も投げる。初めて 6 の目が出るまでに 6 の目以外が 5 回出る確率，初めて 6 の目が出るまで全部偶数である確率を求めよ。

3　1 から 12 までの整数が 1 つずつ書かれたカードが 12 枚ある。そこからカードを 1 枚ひいて元に戻さないでもう 1 回カードを引く。1 回目の数字を X，2 回目の数字を Y とするとき，以下の値を求めよ。
(1) $P(X=3)$　　(2) $P(X=3 \cap Y=3)$　　(3) $P(X=3 \cap Y=2)$
(4) $E(X)$　　(5) $P(\max(X,Y) \leq 4)$

4　12 個の製品のうち，不良品が 2 個あることはわかっている。1 個ずつ調べて，最初の不良品を見つけるまでの試行回数を X，2 個目の不良品を見つけるまでの試行回数を Y とする。以下の値を求めよ。
(1) $P(X<3)$　　(2) $P(Y \leq 4)$　　(3) $E(X)$　　(4) $E(Y)$

5　壺に白玉が 6 個，黒玉が 10 個入っている。ここから無作為に選んだ 5 個の玉に，白玉が 2 個ある確率，また，黒玉が 2 個ある確率をそれぞれ求めよ。

解説　ここでの解説は各問へのヒントである。

1　高校数学 A の**反復試行**の定理や，同じものを含む順列の個数を思い出す。

2　各回の試行は**独立**でそれぞれの確率をかければよいことに注意する。

3　もとに戻さないので**非復元試行**，つまり，1 回目と 2 回目の試行は**従属**（独立でないこと）に注意する。別の角度から述べると，全事象（p.26，問題 12 で述べる標本空間）の要素の個数は ${}_{12}P_2 = 12 \times 11$ である。

4　どういいかえるのかが問題。本問が，非復元抽出でカードを 2 枚ひき，小さいほうが X，大きいほうが Y という設定と同じであることが読みとれればよい。

5　組み合わせで考えるとわかりやすいだろう。

解答

1　10 回の試行のうち 6 の目が 3 回出る確率は[★1]

$$\binom{10}{3} \left(\frac{1}{6}\right)^3 \left(\frac{5}{6}\right)^7$$

★1 p.44，問題 20 で見る 2 項分布。

問題 08 標準 確率のやさしい問題   17

10 個の 1-6 の数字を並べるとき，6 の目が 3 回，1 の目が 2 回，それ以外の数字を 5 回並べる順列の総数は $\frac{10!}{3!2!5!}4^5$．また，すべての並べ方の総数は 6^{10}．よって，求める確率は[★2]

$$\frac{10!}{3!2!5!}\left(\frac{1}{6}\right)^3\left(\frac{1}{6}\right)^2\left(\frac{4}{6}\right)^5$$

★2 p.120, 問題 55 で見る多項分布。

2 サイコロの異なる回は独立なので，∗∗∗∗∗6 となる確率=$\left(\frac{5}{6}\right)^5\frac{1}{6}$[★3]．初めて 6 の目が出る試行回数 $=k$ とすると，第 1 回から第 $k-1$ 回は 2 か 4 しか出ない[★4]ので，そのときの求める確率=$\left(\frac{1}{3}\right)^{k-1}\left(\frac{1}{6}\right)$．よって，この確率をたし合わせて，求める確率は

$$\sum_{k=1}^{\infty}\left(\frac{1}{3}\right)^{k-1}\left(\frac{1}{6}\right)=\frac{\frac{1}{6}}{1-\frac{1}{3}}=\frac{1}{4}$$

★3 p.46, 問題 21 でみる幾何分布。

★4 $k=1$ のときは，最初に 6 が出るので，確率は $\frac{1}{6}$ で OK。

3 (1) [★5] $P(X=3)=\frac{1}{12}$ (2) [★6] 求める確率=0 (3) 非復元試行なので，$\frac{1}{12\times 11}=\frac{1}{132}$ (4) $E(X)=\sum_{k=1}^{12}kP(X=k)=\frac{13}{2}$ (5) $\frac{_4P_2}{_{12}P_2}=\frac{1}{11}$

★5 どれも同じ確率であることは明らかである。

★6 非復元抽出なので，等しくなることはありえない。

4 端から調べていくとき，不良品が入っている箱の端からの順番を S, T とする。これは，前問 3 での 1 から 12 までのカードを 2 枚非復元抽出で引き，それぞれ S, T とした状況と同じで，$X=\min(S,T), Y=\max(S,T)$ と考えられる。

(1)[★7] $P(X<3)=1-P(X\geq 3)$
$$=1-P(\min(S,T)\geq 3)=1-\frac{10\times 9}{12\times 11}=\frac{7}{22}$$

別解 $P(X<3)=P(X=1)+P(X=2)=\frac{2}{12}+\frac{10}{12}\cdot\frac{2}{11}=\frac{7}{22}$

(2) $P(Y\leq 4)=P(\max(S,T)\leq 4)=\frac{4\times 3}{12\times 11}=\frac{1}{11}$

(3) $1\leq k\leq 11$ として，$P(X\geq k)=P(S\geq k\cap T\geq k)=\frac{(13-k)(12-k)}{12\times 11}$ だから，$P(X=k)=P(X\geq k)-P(X\geq k+1)=\frac{12-k}{66}$ より，
$$E(12-X)=\frac{1}{66}\sum_{k=1}^{11}(12-k)^2=\frac{1}{66}\sum_{l=1}^{11}l^2=\frac{1}{66}\frac{11\cdot 12\cdot 23}{6}=\frac{23}{3}$$
よって，
$$E(X)=12-\frac{23}{3}=\frac{13}{3}$$

★7 厳密には，10 個まで調べて不良品がなければ，残りはすべて不良品とわかるが，この解釈だと数学的美しさを損なうのでこの場合でも $X=11, Y=12$ とする。

(4)[★8] $P(Y\leq k)=P(\max(S,T)\leq k)=\frac{k(k-1)}{12\times 11}$ $(2\leq k\leq 12)$．よって，$P(Y=k)=P(Y\leq k)-P(Y\leq k-1)=\frac{k-1}{66}$ $(2\leq k\leq 12)$．つまり，
$$E(Y)=\frac{1}{66}\sum_{k=2}^{12}k(k-1)=\frac{26}{3}$$

★8 $E(S)=E(T)=\frac{13}{2}$ はすぐわかる。$X+Y=S+T$ より，$E(X)+E(Y)=13$ でなければならない。

5 $P(白玉が 2 個)=\frac{\binom{6}{2}\binom{10}{3}}{\binom{16}{5}}$ $P(黒玉が 2 個)=\frac{\binom{6}{3}\binom{10}{2}}{\binom{16}{5}}$ [★9]

★9 p.58, 問題 27 で見る超幾何分布。

問題 09 | 確率と漸化式 | 発展

次の確率 p_n を求めよ。

(1) 表が出る確率が $\frac{2}{3}$ の硬貨を n 回投げる。表が偶数枚でる確率 p_n.

(2) 正四面体 $ABCD$ の頂点 A に時刻 0 で粒子がいる。1 秒ごとに確率 $\frac{1}{6}$ ずつで隣の頂点に移動するか、または確率 $\frac{1}{2}$ で同じ頂点にいるという移動をくり返す。時刻 n で粒子が A にいる確率 p_n.

(3) 時刻 0 で粒子が数直線上の原点 (0) にいる。硬貨を投げ表が出たら 1 進み、裏が出たら 2 進む。$p_n = $ 数直線上の n を踏む確率。

(4) 表が出る確率が $\frac{2}{3}$ である硬貨を n 回投げるとき、表が 2 回続くことはない確率 p_n.

解説 ここでは**漸化式**を作って確率を求める問題を扱う。大学以降でもこの考え方をよく使うので、自分のものにしておきたい。一般には、n に依存する事象 A_n が起きる確率 $P(A_n) = p_n$ を求めたいときに漸化式を立てる。

たとえば、$P(A_n) = P(A_n \cap B) + P(A_n \cap C) = P(A_n|B)P(B) + P(A_n|C)P(C)$ などと変形する。こう変形できるためには $B \cup C = \Omega, B$ と C は排反 という前提があり、これは、B と C の場合分けを行っている。さらには、3 つ以上の場合分けを行うことも多い。ここから、B という条件のもとで A_n が起こることが $P(A_{n-1})$ に一致し、C という条件のもとで A_n が起こることが $P(A_{n-1}^c)$ に一致するような場合だと、求める漸化式は $p_n = P(B)p_{n-1} + P(C)(1 - p_{n-1})$ となるから、この漸化式を解けばよい。また、場合分けするときに大きく分けて、最後の 1 つ前の試行で場合分けするのか、最初の試行で場合わけするのかの 2 通りある。

漸化式の解き方は、問題 04 で隣接 2 項間の場合を復習したが、ここでは隣接 3 項間の漸化式解法を説明しておく。

$$a_{n+2} + Aa_{n+1} + Ba_n = 0, \ a_0 = C, \ a_1 = D \cdots\cdots (\star)$$

の解き方は、**特性方程式** $t^2 + At + B = 0$ の 2 解を α, β とすると、

$$a_n = K\alpha^n + L\beta^n \cdots\cdots (\star\star)$$

とおける。なぜなら、$(\star\star)$ を $(\star)$ に代入すると $K\alpha^n(\alpha^2 + A\alpha + B) + L\beta^n(\beta^2 + A\beta + B) = 0$ と漸化式を満たすことがわかり、あとは $a_0 = C, a_1 = D$ で K, L の連立方程式を作り、解けばよい。また、重解 α のときは $a_n = (Kn + L)\alpha^n$ とおける。

さらに，$a_{n+2} + Aa_{n+1} + Ba_n = f(n)$ の場合は問題 04 でも見たように，特殊解 b_n を求め，辺辺引いて $f(n) = 0$ の場合に帰着させる．少し例外はあるが $f(n) = \gamma^n$ の場合は $b_n = M\gamma^n$，$f(n) = $ 多項式 の場合は $b_n = $ 「$f(n)$ と同じ次数の多項式」となることを理解しておこう．

注意 特性方程式の解に 1 がある場合は次数を上げる必要がある．

例． すべて $a_0 = 3, a_1 = 4$ として，

$a_{n+2} - a_{n+1} - 6a_n = 0$ の解は，$a_n = 2 \times 3^n + (-2)^n$

$a_{n+2} - a_{n+1} - 6a_n = 14 \times 5^n$ の解は，$a_n = 5^n + \frac{3}{5} \cdot 3^n + \frac{7}{5}(-2)^n$

$a_{n+2} - a_{n+1} - 6a_n = -12n - 4$ の解は，$a_n = 2n + 1 + 3^n + (-2)^n$

解答

(1) ★1 $p_n = P(n$ 回中，表が偶数枚$)$
$= P(n-1$ 回中，表が偶数枚 $\cap$ n 回目：裏$) + P(n-1$ 回中，表が奇数枚 $\cap$ n 回目：表$)$
$= P(n-1$ 回中，表が偶数枚$)P(n$ 回目：裏$) + P(n-1$ 回中，表が奇数枚$)P(n$ 回目：表$)$
$= p_{n-1} \times \frac{1}{3} + (1 - p_{n-1}) \times \frac{2}{3} = \frac{2}{3} - \frac{1}{3}p_{n-1}$（$\because$ 独立性），
$p_1 = \frac{1}{3}$ に注意してこれを解くと，$p_n = \frac{1}{2} + \frac{1}{2} \times \left(-\frac{1}{3}\right)^n$

(2) $p_{n+1} = P($時刻 $n+1$ で $A)$
$= P($時刻 n で $A \cap$ 時刻 $n+1$ で $A) + 3P($時刻 n で $B \cap$ 時刻 $n+1$ で $A)$
$= P($時刻 $n+1$ で $A|$ 時刻 n で $A)P($時刻 n で $A) + 3P($時刻 $n+1$ で $A|$ 時刻 n で $B)P($時刻 n で $B)$
$= \frac{1}{2}p_n + \frac{3}{6}\frac{1-p_n}{3} = \frac{1}{3}p_n + \frac{1}{6}$★2．$p_0 = 1$ より，漸化式を解いて，
$$p_n = \frac{1}{4} + \frac{3}{4}\left(\frac{1}{3}\right)^n \text{★3}$$

(3) まず，$p_1 = \frac{1}{2}, p_2 = \frac{1}{2} + (\frac{1}{2})^2 = \frac{3}{4}$★4．$n \geq 2$ として，
$p_n = P($最初が表で n を踏む$) + P($最初が裏で n を踏む$)$
$= P($最初は表$)P(n$ を踏む $|$ 最初は表$) + P($最初は裏$)P(n$ を踏む $|$ 最初は裏$)$
$= \frac{1}{2}P(n-1$ を踏む$) + \frac{1}{2}P(n-2$ を踏む$) = \frac{1}{2}p_{n-1} + \frac{1}{2}p_{n-2}$．
$p_n = C(1)^n + D(\frac{-1}{2})^n$ とおけるので★5，初期条件と合わせて解いて，
$$p_n = \frac{2}{3} + \frac{1}{3}\left(\frac{-1}{2}\right)^n$$

(4) ★6 $q_n = $「最初が表という条件の下でさらに n 回硬貨を投げたとき表が 2 回続かない確率」とすると，$q_n = \frac{2}{3} \times 0 + \frac{1}{3} \times p_{n-1}$（次が表だとダメで次が裏だと元に戻る）．また，$p_n = \frac{2}{3}q_{n-1} + \frac{1}{3}p_{n-1}$（最初が裏か表で分ける）だから，$p_n = \frac{2}{9}p_{n-2} + \frac{1}{3}p_{n-1}$，$p_1 = 1, p_2 = \frac{5}{9}$．
特性方程式 $t^2 = \frac{1}{3}t + \frac{2}{9}$ の 2 解は $\frac{2}{3}, \frac{-1}{3}$ より，$p_n = C\left(\frac{2}{3}\right)^n + D\left(-\frac{1}{3}\right)^n$ とおけるので，
$$p_n = \frac{4}{3}\left(\frac{2}{3}\right)^n + \left(-\frac{1}{3}\right)^{n+1}$$

★1 最後（1 つ前）で場合を分ける．

★2
$3P($時刻 n で $B)$
$= P($時刻 n で $B)$
$+ P($時刻 n で $C)$
$+ P($時刻 n で $D)$
$= 1 - P($時刻 n で $A) = 1 - p_n$

★3 $n \to \infty$ とすると，$\frac{1}{4}$ に近づくが，これは対称性と次第に最初の位置の影響がなくなることより直観的に明らか．

★4 まず裏が出るか，または表表が出れば，2 を踏む．

★5 特性方程式 $x^2 = \frac{1}{2}x + \frac{1}{2}$ を解いて，$x = 1, \frac{-1}{2}$．

★6 これは最初の硬貨が表か裏かで分類する問題である．

問題 10　じゃんけんの問題　　発展

次の確率を求めよ。
(1) 2人でじゃんけんをするとき，あいこになる確率。
(2) 3人でじゃんけんをするとき，あいこになる確率。
(3) 6人でじゃんけんするとき，グー・チョキ・パーが2人ずつになる確率 p, 勝者が1人出る確率 q, 勝者が2人出る確率 r.
(4) 3人でじゃんけんをするとき，負けたら次のじゃんけんに参加できないとして n 回目のじゃんけんで初めて1人の勝者が出る確率 p_n.

解説　確率の問題でよく現れる設定に，サイコロ・カード・つぼ・硬貨・じゃんけんなどがある。本書でもすべてとりあげるが，ここではじゃんけんを調べてみる。N 人でのじゃんけんは1人ひとりに { グー, チョキ, パー } の3通りあるので，重複順列の考え方で全部で 3^N 通りあることにまず注意しよう。N 人でのじゃんけんでグーの人数 $= X$, チョキの人数 $= Y$（パーの人数 $= N - X - Y$）とおくと1人ひとりがグーを出す確率は $\frac{1}{3}$ なので，反復試行の定理（2項分布）より，

$$P(X = k) = {}_N C_k \left(\frac{1}{3}\right)^k \left(\frac{2}{3}\right)^{N-k} \quad (k = 0, 1, \cdots, N)$$

また，$\{X = k \cap Y = l\}$ という事象は，N 人のうちの k 人がグー, l 人がチョキということなので，前に見た同じものを含む順列の個数より $\frac{N!}{k!l!(N-k-l)!}$ 通りであり，確率も考慮すると，$P(X = k \cap Y = l) = \frac{N!}{k!l!(N-k-l)!} \left(\frac{1}{3}\right)^N$ となる。この考え方は3章の**多項分布**のところでも出てくるので注意しておきたい。このとき，次の**多項展開**（3つの項で述べるが，項がもっと多くても同様）が重要である。

$$(a + b + c)^n = \sum_{k, l \geq 0, k+l \leq n} \frac{n!}{k!l!(n-(k+l))!} a^k b^l c^{n-k-l}$$

例．$(a + b + c)^5$
$= (a^5 + b^5 + c^5) + 5(a^4 b + a^4 c + b^4 a + b^4 c + c^4 a + c^4 b)$
$+ \frac{5!}{3!1!1!}(a^3 bc + b^3 ac + c^3 ab) + \frac{5!}{3!2!}(a^3 b^2 + a^3 c^2 + b^3 a^2 + b^3 c^2 + c^3 a^2 + c^3 b^2)$
$+ \frac{5!}{2!2!1!}(a^2 b^2 c + a^2 bc^2 + ab^2 c^2)$

また，重複組み合わせの例題で見たように，項の種類は ${}_3 H_5 = \binom{7}{2} = 21$ 項あることを注意しておく。この多項展開を用いて，

$$\sum_{k,l\geqq 0, k+l\leqq N} P(X=k \cap Y=l) = \sum_{k,l\geqq 0, k+l\leqq N} \frac{N!}{k!l!(N-k-l)!}\left(\frac{1}{3}\right)^N$$
$$= \left(\frac{1}{3}\right)^N (1+1+1)^N = 1$$

となる。また，

$$E(XY) = \sum_{\substack{k,l\geqq 0, \\ k+l\leqq N}} klP(X=k \cap Y=l) = \sum_{\substack{k,l\geqq 0, \\ k+l\leqq N}} kl\frac{N!}{k!l!(N-k-l)!}\left(\frac{1}{3}\right)^N$$
$$= \sum_{k,l\geqq 1, k+l\leqq N} \frac{N!}{(k-1)!(l-1)!(N-k-l)!}\left(\frac{1}{3}\right)^N$$
$$= \left(\frac{1}{3}\right)^N \sum_{k',l'\geqq 1, k'+l'\leqq N-2} \frac{N(N-1)(N-2)!}{(k-1)!(l-1)!(N-2-(k-1)-(l-1))!}$$
$$= N(N-1)\left(\frac{1}{3}\right)^N (1+1+1)^{N-2} = \frac{N(N-1)}{9}$$

となる。このような計算は多項分布の共分散の計算に用いられる。

解答

(1) あいこになるのは，9 通りのうちの $\{$ (グ, グ), (チ, チ), (パ, パ) $\}$ の 3 通りなので，求める確率は $\frac{1}{3}$

(2) あいこになるのは，$\{$ (グ, グ, グ), (チ, チ, チ), (パ, パ, パ) $\}$ の全員同じ (3 通り)，もしくは $\{$ (グ, チ, パ), (グ, パ, チ), ……, (パ, チ, グ) $\}$ のグ・チョキ・パー全種類出る (6 通り) ときで，求める確率は，$\frac{3+6}{27} = \frac{1}{3}$ ★1

(3) ★2 $\quad p = \frac{6!}{2!2!2!}\left(\frac{1}{3}\right)^6 = \frac{10}{81}$

q は，たとえば，グーで 1 人の勝者がでる確率を考えて 3 倍すればよい。

$q = 3P(グー=1 \cap チョキ=5) = 3\frac{6!}{5!}\left(\frac{1}{3}\right)^6 = \frac{2}{81}$

$r = 3P(グー=2 \cap チョキ=4) = 3\frac{6!}{2!4!}\left(\frac{1}{3}\right)^6 = \frac{5}{81}$ ★3

(4) $k(1 \leq k \leq n-1)$ 回目のじゃんけんで 3 人が 2 人になったとし，その後 n 回目で初めて勝者が出る確率は $\left(\frac{1}{3}\right)^{k-1}\left(\frac{1}{3}\right)\left(\frac{1}{3}\right)^{n-k-1}\left(\frac{2}{3}\right) = \left(\frac{1}{3}\right)^{n-1}\left(\frac{2}{3}\right)$。よって，勝者が 2 人を経由して n 回目のじゃんけんで初めて勝者が出る確率は $(n-1)\left(\frac{1}{3}\right)^{n-1}\left(\frac{2}{3}\right)$。また，$n-1$ 回目まで 3 人で n 回目にはじめて 1 人の勝者が出る確率は $\left(\frac{1}{3}\right)^{n-1}\left(\frac{1}{3}\right) = \left(\frac{1}{3}\right)^n$。足し合わせて，求める確率は，

$$(2n-1)\left(\frac{1}{3}\right)^n$$

★1 (1), (2) でわかるように 2 人，3 人のじゃんけんであいこになる確率はどちらも $\frac{1}{3}$ である。4 人以上では異なった値になる。

★2 解説を思い出す。

★3 同様に求めていき，総計を 1 から引くとあいこになる確率が出る。

問題 11 東郷平八郎の訓示, 誕生日の問題 〔発展〕

1 東郷平八郎は日露戦争で「百発百中の大砲1門は百発1中の大砲百門に匹敵する」と訓示し, 兵隊を鼓舞した. この訓示は数学的に正しいか？

2 (1) n 人のクラスで誕生日の同じ人のいる確率が $\frac{1}{2}$ より大きくなる n は？
(2) n 人のクラスメートのなかで, ある1人と誕生日が同じ人がいる確率が $\frac{1}{2}$ より大きくなる n は？ ただし, $e^{0.7} \fallingdotseq 2$ を利用してよい.

解説
有名な問題を2つ紹介してこの章を終えよう. ともに結果がおもしろい.

1 このような問題では, 題意からわかる不確実性がなにか？ 少し異なる言い方をすれば, この問題のいう自然な確率モデルは何か？ を考えることがまず重要である. それさえわかればあとは初等的な計算であろう.

2 これも**1**と同様, 背後にある自然な確率モデル（誕生日が1年365日に一様に分布していること）を理解し, 題意の正確な理解のもとに立式することである.

有名な問題はまだ多いが, トレーズ（フランス語で13を表す）をとりあげる.

例題 ＜トレーズ＞ トランプのスペード1組13枚を胴元が 1, 2, 3, ⋯ の掛け声と同時に1枚ずつトランプをめくり, ある時点で一致すれば胴元が勝ち, すべて一致しなければ胴元の負けとするとき, 胴元の勝つ確率を求めよ.

解 $X_i = 1$（i 回目に一致）, 0（i 回目に不一致）とおくと, 胴元が勝つ確率は,

$$P(X_1 = 1 \cup X_2 = 1 \cup \cdots \cup X_{13} = 1)$$
$$= P(X_1 = 1) + P(X_2 = 1) + \cdots + P(X_{13} = 1)$$
$$\quad - (P(X_1 = X_2 = 1) + \cdots + P(X_{12} = X_{13} = 1))$$
$$\quad + (P(X_1 = X_2 = X_3 = 1) + \cdots + (-1)^{12} P(X_1 = X_2 = \cdots X_{13} = 1))$$
$$= 13 \times \frac{1}{13} - \binom{13}{2} \frac{1}{13 \times 12} + \binom{13}{3} \frac{1}{13 \times 12 \times 11} + \cdots + (-1)^{12} \frac{1}{13!}$$
$$= \frac{1}{1!} - \frac{1}{2!} + \cdots + \frac{1}{13!} \fallingdotseq 1 - \frac{1}{e} \fallingdotseq 0.63$$

注意 3回に2回程度は胴元が勝つので, 胴元の勝つ確率は思ったより高い.

解答

1 まず数学的モデルを設定する. 百発百中の大砲を A, 百発1中の大砲 n 門を $b_1, b_2, \cdots, b_n$ とする.
A と $b_1, b_2, \cdots, b_n$ が同時に打ち合い, 百発1中の大砲がどれかあたれば百発百

中の大砲は負け，百発 1 中の大砲がすべてはずれれば，A は b_n を壊し，また，次に A は $b_1, b_2, \cdots, b_{n-1}$ と対戦し，これをくり返す．ここで A が勝つ確率は，

$$\left(1-\frac{1}{100}\right)^n \left(1-\frac{1}{100}\right)^{n-1} \cdots \left(1-\frac{1}{100}\right) = \left(1-\frac{1}{100}\right)^{n+\cdots+2+1}$$
$$= \left(1-\frac{1}{100}\right)^{\frac{n(n+1)}{2}} = \left(\left(1-\frac{1}{100}\right)^{100}\right)^{\frac{n(n+1)}{200}} \fallingdotseq e^{-\frac{n(n+1)}{200}} \geqq 0.5$$

となり，$e^{0.7} \fallingdotseq 2$ と合わせると，$\frac{n(n+1)}{200} \fallingdotseq 0.7$．これを解いて，$n \leqq 11$ なら百発百中の大砲 1 門が有利，12 門以上なら百発 1 中の大砲が有利となる．

2 (1) クラスの生徒を番号づけて $1, 2, 3, \cdots, n$ とすると，

1 が 2 と誕生日が異なる確率 $= \dfrac{(365-1)}{365}$,

3 が 1, 2 と誕生日が異なる確率 $= \dfrac{(365-2)}{365}$, $\cdots$,

n が $1, 2, 3, \cdots, n-1$ と誕生日が異なる確率 $= \dfrac{(365-(n-1))}{365}$

$\therefore$ $1, 2, 3, \cdots, n$ が誕生日の異なる確率 $= \dfrac{(365-1)}{365} \dfrac{(365-2)}{365} \cdots \dfrac{(365-(n-1))}{365}$,
n 人のなかに同じ誕生日がある確率 $= 1 - \dfrac{(365-1)}{365} \dfrac{(365-2)}{365} \cdots \dfrac{(365-(n-1))}{365}$ となる．これが $\frac{1}{2}$ より大きい n を求めると，

$$n \geqq 23$$

また，近似的に求めてみる[★1] と，上の議論で，

3 が 1, 2 と誕生日が異なる確率

$=$ 3 が 1 と誕生日が異なりかつ 3 が 2 と誕生日が異なる確率[★2] $\fallingdotseq \left(1 - \frac{1}{365}\right)^2$

$$\vdots$$

n が $1, 2, 3, \cdots, n-1$ と誕生日の異なる確率 $\fallingdotseq \left(1 - \frac{1}{365}\right)^{n-1}$ と考え，

n 人が誕生日の異なる確率 $\fallingdotseq \left(1 - \frac{1}{365}\right)^1 \left(1 - \frac{1}{365}\right)^2 \cdots \left(1 - \frac{1}{365}\right)^{n-1}$

$= \left(1 - \frac{1}{365}\right)^{\frac{(n-1)n}{2}} = \left(\left(1 - \frac{1}{365}\right)^{365}\right)^{\frac{(n-1)n}{730}} \fallingdotseq (e^{-1})^{\frac{(n-1)n}{730}}$

$= e^{-\frac{(n-1)n}{730}}$, $\dfrac{(n-1)n}{730} = 0.7$, $(n-1)n = 730 \times 0.7 = 511$

に近い n を求め，境目は $n = 23$ となる．

(2) [★3] (1) と同様に考え，求める確率 $= 1 - \left(1 - \frac{1}{365}\right)^n > \frac{1}{2}$ より，$\left(1 - \frac{1}{365}\right)^n = \left(\left(1 - \frac{1}{365}\right)^{365}\right)^{\frac{n}{365}} \fallingdotseq e^{-\frac{n}{365}} < e^{-0.7} \fallingdotseq \frac{1}{2}$ となり，$n > 365 \times (0.7) = 255.5$．つまり，
$$n \geqq 256 \text{[★4]}.$$

[★1] 実際，$n = 23$ のとき $0.507\cdots$, $n = 22$ のとき $0.477\cdots$.

[★2] これらは独立ではないが，近似的に独立と考える．

[★3] 実際は $e^{0.7} \fallingdotseq 2$ より，よい近似 $e^{0.693} \fallingdotseq 2$ を使えば，正確な答え $n \geqq 253$ が出る．

[★4] $n = 23$ なら，この確率はたったの 0.06.

Tea Time　　　　　有限集合の個数における，和・差・積の法則

和の法則 有限集合 A, B が排反（$A \cap B = \emptyset$，つまり，グループ A とグループ B に共通に属する要素がないとき）なら，
$$\#(A \cup B) = \#(A) + \#(B)$$

差の法則 有限集合 A^c（A の補集合），B が排反（$A \supset B$，つまり，グループ A がグループ B を含んでいるとき）なら，
$$\#(A - B) = \#(A) - \#(B)$$
とくに，$A = \Omega = $（全体集合）のときが重要で，$\Omega - B = B^c = B$ の補集合 となるので，
$$\#(B^c) = \#(\Omega) - \#(B) \text{（余事象（補集合）の原理）}$$

積の法則 有限集合 A, B があり，A の任意の要素に対して B の要素を 1 つ選び，$(a,b), a \in A, b \in B$ 全体を考えるとき（A と B の直積 $A \times B := \{(a,b) | a \in A, b \in B\}$ を考える）
$$\#(A \times B) = \#(A) \times \#(B)$$

たとえば，n 人のクラスから 1 人の委員長と $k-1$ 人の委員を選ぶとき，まず 1 人の委員長を選んでから $k-1$ 人の委員を選ぶと，選び方は積の法則より，
$$n \times {}_{n-1}C_{k-1}$$
となる。
k 人の委員を選んでから，そのなかから 1 人の委員長を選ぶと，積の法則より，
$$k \times {}_nC_k$$
上はどちらの選び方も同じことなので
$$n\,{}_{n-1}C_{k-1} = k\,{}_nC_k$$
が成立する $\left(\text{計算でも両辺ともに} \dfrac{n!}{(k-1)!(n-k)!} \text{となることを確かめておくこと}\right)$。
また，副委員長も追加することにより，
$$n(n-1)\,{}_{n-2}C_{k-2} = k(k-1)\,{}_nC_k$$
が成立することがわかる。一般には，${}_nP_r\,{}_{n-r}C_{k-r} = {}_kP_r\,{}_nC_k$.

Chapter 2

確率空間とその基本概念

確率空間は，標本空間・事象・確率の
3つのセットで考える。
ここでは，有限で離散的な確率変数の場合について，
独立や排反，期待値（平均）や分散，といった
基本的な概念と諸公式をまず押さえておく。
具体的な（離散）確率分布については，
Chapter.3 で取り扱う。

問題 12 標本空間・事象・確率　　基本

次の問いに答えよ。

(1) サイコロを 1 個投げる確率空間（標本空間（Ω）・事象全体（$\mathcal{F}$）・確率（P））を書け。

(2) 1 の目の出る確率 $= \frac{1}{2}$ で他は均等であるインチキなサイコロを 1 個投げる確率空間を書け。

(3) サイコロを 2 個（2 回）投げる確率空間を書け。

(4) 表が出る確率が p であるインチキな硬貨を 3 回投げる確率空間を書け。

(5) 1 から N までの整数が 1 つずつ書かれた N 枚のカードを 1 枚ずつ元に戻さないで 3 枚選ぶ。確率空間（ただし，$N \geqq 3$）を書け。

(6) (1)〜(5) で，$\#(\Omega) = \Omega$ の要素の個数とするとき，$\#(\mathcal{F})$ を求めよ。

解説

(1) をもとに具体的に解説する。(1) では $\Omega = \{1, 2, 3, 4, 5, 6\}$ となる。つまり，標本空間 Ω は考えうる不確実性全体を表す。Ω の部分集合 A を**事象**とよぶ。たとえば，$A = \{2, 4, 6\}, \{1, 2\}, \emptyset, \Omega, \cdots$ などである。

確率（測度） P とは事象 A にその事象 A が起こる確率 $P(A)$ $(0 \leqq P(A) \leqq 1)$ を対応させる写像で

全事象の確率　$P(\Omega) = 1$
加法性　$A \cap B = \emptyset$ （A と B が排反）のとき，
　　　　　$P(A \cup B) = P(A) + P(B)$

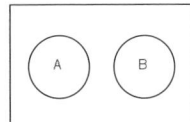

を満たすことが要請される。これがあれば**根元事象**（**有限標本空間**の場合は，1 点からなる事象 $\{1\}, \{2\}, \{3\}, \{4\}, \{5\}, \{6\}$）のそれぞれに確率が与えられれば，他のすべての事象の確率を計算することができる。

そしてサイコロが正しい（イカサマでない）という仮定のもとに，$P(\{1\}) = P(\{2\}) = \cdots = P(\{6\}) = c$（定数）で，

$$P(\{1\}) = P(\{2\}) = \cdots = P(\{6\}) = \frac{1}{6}$$

と与えられれば，他の事象（たとえば，$P(\{2, 4, 6\}) = P(\{2\}) + P(\{4\}) + P(\{6\}) = \frac{3}{6} = \frac{1}{2}$ のように）の確率も決まる。

また，事象 $\{2, 4, 6\} \iff \overset{1}{\times} \overset{2}{\bigcirc} \overset{3}{\times} \overset{4}{\bigcirc} \overset{5}{\times} \overset{6}{\bigcirc}$ を対応させれば，$\bigcirc, \times$ 6 つの列と事象は 1 対 1 対応する（事象 $\longleftrightarrow$ 「$\{1, 2, 3, 4, 5, 6\}$ から $\{\bigcirc, \times\}$ への写像」が 1 対 1 といってもよい）。つまり，$\#(\mathcal{F}) =$ 事象の個数 $= 2^6 (= 2^{\#(\Omega)})$ である。

問題 12 基本 標本空間・事象・確率　27

解 答

(1) $\Omega = \{1, 2, 3, 4, 5, 6\}$ ★1
$\mathcal{F} = \{ \emptyset , \{1\},\{2\},\{3\},\{4\},\{5\},\{6\},\{1,2\},\{1,3\},\{1,4\},\{1,5\},\{1,6\},$
$\{2,3\},\{2,4\},\{2,5\},\{2,6\},\{3,4\},\{3,5\},\{3,6\},\{4,5\},\{4,6\},\{5,6\},$
$\{1,2,3\},\{1,2,4\},\{1,2,5\},\{1,2,6\},\{1,3,4\},\{1,3,5\},\{1,3,6\},$
$\{1,4,5\},\{1,4,6\},\{1,5,6\},\{2,3,4\},\{2,3,5\},\{2,3,6\},\{2,4,5\},$
$\{2,4,6\},\{2,5,6\},\{3,4,5\},\{3,4,6\},\{3,5,6\},\{4,5,6\},$
$\{1,2,3,4\},\{1,2,3,5\},\{1,2,3,6\},\{1,2,4,5\},\{1,2,4,6\},\{1,2,5,6\},$
$\{1,3,4,5\},\{1,3,4,6\},\{1,3,5,6\},\{1,4,5,6\},\{2,3,4,5\},\{2,3,4,6\},$
$\{2,3,5,6\},\{2,4,5,6\},\{3,4,5,6\},\{1,2,3,4,5\},\{1,2,3,4,6\},$
$\{1,2,3,5,6\},\{1,2,4,5,6\},\{1,3,4,5,6\},\{2,3,4,5,6\},\Omega\},$
$P(\{1\}) = P(\{2\}) = \cdots = P(\{6\}) = \dfrac{1}{6}$

(2) $\Omega, \mathcal{F}$ は, (1) と同じ。
$$P(\{1\}) = \dfrac{1}{2}, P(\{2\}) = \cdots = P(\{6\}) = \dfrac{1}{10}$$

(3) $\Omega = \{(i,j) | 1 \leq i \leq 6, 1 \leq j \leq 6, i, j \in \mathbb{N}\}$
$\mathcal{F} = \Omega$ の部分集合全体,
$P(\{(i,j)\}) = \frac{1}{36}, 1 \leq i \leq 6, 1 \leq j \leq 6, i, j \in \mathbb{N}$

(4) ★2 $\Omega = \{(H,H,H), (H,H,T), (H,T,H), (T,H,H),$
$(H,T,T), (T,H,T), (T,T,H), (T,T,T)\}$
$\mathcal{F} = \Omega$ の部分集合全体, $P(\{(\text{H,H,H})\}) = p^3$,
$P(\{(\text{H,H,T})\}) = P(\{(\text{H,T,H})\}) = P(\{(\text{T,H,H})\}) = p^2(1-p)$,
$P(\{(\text{H,T,T})\}) = P(\{(\text{T,H,T})\}) = P(\{(\text{T,T,H})\}) = p(1-p)^2$,
$P(\{(\text{T,T,T})\}) = (1-p)^3$ ★3

(5) $\Omega = \{(i,j,k) | 1 \leq i \leq N, 1 \leq j \leq N, 1 \leq k \leq N,$
$i \neq j, j \neq k, k \neq i\}$
$\mathcal{F} = \Omega$ の部分集合全体
$$P(\{(i,j,k)\}) = \dfrac{1}{{}_N P_3} = \dfrac{1}{N(N-1)(N-2)},$$
$1 \leq i, j, k \leq N, i \neq j, j \neq k, k \neq i$

(6) (1)(2) $\#(\Omega) = 6, \#(\mathcal{F}) = 2^6 = 64$
(3) $\#(\Omega) = 36, \#(\mathcal{F}) = 2^{36}$ ($\fallingdotseq 640$ 億)
(4) $\#(\Omega) = 8, \#(\mathcal{F}) = 2^8 = 256$
(5) $\#(\Omega) = {}_N P_3 = N(N-1)(N-2), \#(\mathcal{F}) = 2^{N(N-1)(N-2)}$

★1 この本では
$\mathbb{N} =$ 自然数全体 $= \{1, 2, 3, \cdots \}$,
$\mathbb{Z} =$ 整数全体 $= \{0, \pm 1, \pm 2, \pm 3, \cdots \}$,
$\mathbb{R} =$ 実数全体,
$\mathbb{R}_+ =$ 非負実数全体 $= \{x | x \geq 0, x \in \mathbb{R}\}$
と表すことにする。

★2 (H,H,T) は, 1 回目が表=Head =H, 2 回目も表, 3 回目は裏=Tail=T を表している。

★3
$p^3 + 3p^2(1-p)$
$+3p(1-p)^2 + (1-p)^3$
$= \{p + (1-p)\}^3 = 1$ に注意。

問題 13　事象の確率計算・独立性・排反　　　基本

1〜120 までの自然数をランダムに1つ選び，その数が i の倍数になる確率を考える。$A_i = \{ix | x \in \mathbb{Z}, 1 \leq ix \leq 120\}$ =1〜120 までの整数のなかでの i の倍数全体 とする。このとき，以下を求めよ。

(1) $P(A_2), P(A_3), P(A_4), P(A_5), P(A_6), P(A_7), P(A_8), P(A_9), P(A_{10})$

(2) 「A_2 と A_3 は独立」を示せ。また，A_3 と独立な $A_i (i \leq 10)$ を求めよ。

(3) $P(A_6|A_8), P(A_5|A_8)$　　(4) A_2, A_3, A_5 が独立であることを示せ。

(5) A_7 と排反の A_i の例を挙げよ。　　(6) $P(A_2 \cup A_3), P(A_2 \cup A_3 \cup A_5)$

解説

事象 A, B が**独立**であるとは，$P(A \cap B) = P(A)P(B)$ を満たすこと。
条件付確率
$$P(A|B) = \frac{P(A \cap B)}{P(B)}$$
　　＝事象 B が起こったという条件のもとでの事象 A が起こる確率

を導入すると，A が独立 $\rightleftharpoons P(A|B) = P(A)$，つまり，$B$ が起こることが A が起こることに影響を及ぼさない（無影響）ことが，A, B が独立の意味である。

また，$P(A|B)$ の意味は，事象 B が起こっていることはわかっているので，全事象 Ω が事象 B に縮み（事象 B が新たに全事象 Ω となり），それに伴い縮んだ全事象の確率を1にするために $P(B)$ で割る（正規化 [＝一種の標準化]）。

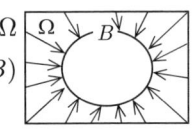

排反でない場合（事象 A, B が**排反**とは $A \cap B = \emptyset$）の和事象の確率計算は，

$$P(A \cup B) = P(A) + P(B) - P(A \cap B)$$
$$P(A \cup B \cup C) = P(A) + P(B) + P(C)$$
$$-(P(A \cap B) + P(B \cap C) + P(C \cap A)) + P(A \cap B \cap C)$$

発展的内容であるが3つ（以上）の事象 A, B, C の**独立性**については，

$$P(A \cap B) = P(A)P(B) \quad P(B \cap C) = P(B)P(C)$$
$$P(C \cap A) = P(C)P(A) \quad P(A \cap B \cap C) = P(A)P(B)P(C)$$

が満たされることを3事象の独立と定義する。最後の式だけでは不十分なのである。

問題 13 基本 事象の確率計算・独立性・排反

解 答

標本空間 $\Omega = \{1, \cdots, 120\}$, 確率は $P(\{1\}) = \cdots = P(\{120\}) = \dfrac{1}{120}$.

(1) $A_2 = \{2, 4, 6, \cdots, 120\}$, $\#(A_2) = 60$ より,
$$P(A_2) = \frac{\#(A_2)}{\#(\Omega)} = \frac{60}{120} = \frac{1}{2}$$

同様に, $P(A_3) = \dfrac{1}{3}$, $P(A_4) = \dfrac{1}{4}$, $P(A_5) = \dfrac{1}{5}$, $P(A_6) = \dfrac{1}{6}$,
$P(A_7) = \dfrac{17}{120}$, $P(A_8) = \dfrac{1}{8}$, $P(A_9) = \dfrac{13}{120}$, $P(A_{10}) = \dfrac{1}{10}$

(2) $P(A_2 \cap A_3) = P(A_6) = \dfrac{1}{6}$, また, $P(A_2) = \dfrac{1}{2}$, $P(A_3) = \dfrac{1}{3}$ より $P(A_2 \cap A_3) = P(A_2)P(A_3)$. したがって, A_2 と A_3 は独立。
一方, $P(A_3 \cap A_6) = P(A_6) \neq P(A_3)P(A_6)$ より, A_3 と A_6 は独立ではない★1。同様に, A_3 と A_9 も独立ではなく, $P(A_3 \cap A_7) = P(A_{21}) = \dfrac{5}{120} = \dfrac{1}{24} \neq P(A_3)P(A_7)$ より A_3 と A_7 も独立ではない。よって,
$$i = 2, 4, 5, 8, 10 \text{ のときの } A_i \text{ が } A_3 \text{ と独立。}$$

★1 一般には, $A_6 \subset A_3$ なので独立でない, といってもよい。

(3) $P(A_6 | A_8) = \dfrac{P(A_6 \cap A_8)}{P(A_8)} = \dfrac{P(A_{24})}{P(A_8)} = \dfrac{1/24}{1/8} = \dfrac{1}{3}$,
$P(A_5 | A_8) = \dfrac{P(A_5 \cap A_8)}{P(A_8)} = \dfrac{P(A_{40})}{P(A_8)} = \dfrac{1/40}{1/8} = \dfrac{1}{5}$ ★2

★2 これは, $P(A_5|A_8) = P(A_5)$ となることから, A_5 と A_8 が独立であることを意味している。

(4) (2)で, $P(A_2 \cap A_3) = P(A_2)P(A_3)$,
$P(A_3 \cap A_5) = P(A_3)P(A_5)$
は確認済み。$i = 2, 3, 5, 10, 30$ で $P(A_i) = \dfrac{1}{i}$ となることから,
$P(A_2 \cap A_5) = P(A_{10}) = P(A_2)P(A_5)$,
$P(A_2 \cap A_3 \cap A_5) = P(A_{30}) = P(A_2)P(A_3)P(A_5)$
となるから, A_2, A_3, A_5 は独立である。

(5) 7 の倍数が入ってこないものとして, たとえば,
$$A_{20} = \{20, 40, 60, 80, 100, 120\}$$

(6)
$$\begin{aligned}
P(A_2 \cup A_3) &= P(A_2) + P(A_3) - P(A_2 \cap A_3) \\
&= \frac{1}{2} + \frac{1}{3} - \frac{1}{6} = \frac{4}{6} = \frac{2}{3}
\end{aligned}$$

$$\begin{aligned}
P(A_2 \cup A_3 \cup A_5) =& P(A_2) + P(A_3) + P(A_5) \\
& - \{P(A_2 \cap A_3) + P(A_3 \cap A_5) \\
& + P(A_5 \cap A_2)\} + P(A_2 \cap A_3 \cap A_5) \\
=& \frac{1}{2} + \frac{1}{3} + \frac{1}{5} - \left(\frac{1}{6} + \frac{1}{15} + \frac{1}{10}\right) + \frac{1}{30} \\
=& \frac{15 + 10 + 6 - (5 + 2 + 3) + 1}{30} = \frac{11}{15}
\end{aligned}$$

問題 14　確率変数と確率分布，その期待値　　基本

次の問いに答えよ。
(1) 正しい硬貨を 4 枚投げたとき表が出た枚数を X とする。X の確率分布（表）を書き，$E(X)$, $E(3-4X)$, $E(X^2)$, $E(2^X)$ を求めよ。
(2) $P(X=k) = c$ $(k = 1, 2, \cdots, N,$ その他での値は $0)$ のとき，定数 c を求めよ。また，$E(X)$, $E(X^2)$, $E(2^X)$ を求めよ。

解説　X が確率変数であるとは $X = k$, $a < X < b$, $a \leqq X < b$ などがすべて事象となるものである。

注意　もう少し厳密には，標本空間 Ω を定義域，実数全体 $\mathbb{R}$ を値域とする写像（関数）で，すべての実数 a に対して $X^{-1}((-\infty, a])$ $(= \{\omega | X(\omega) \leqq a\})$ が事象となるものが正確な定義であるが，これには深入りしない。不確実性全体（不確実のシナリオ）が Ω で ω が出たら $X(\omega)$ だけお金をもらうと考えるとよい。

X のとる値 $(= \mathrm{Im}(X) = \{X(\omega) | \omega \in \Omega\})$ が有限個，もしくは可算個のとき（多くの場合，自然数全体 $\mathbb{N}$，もしくは整数全体 $\mathbb{Z}$，もしくはそれらの部分集合），X は**離散確率変数**であるといい，k を動かして $P(X = k)$ 全体を離散確率変数 X の**（離散）確率分布**（下のような表と考えてよい）という。

X のとる値が $\{a_1, \cdots, a_n\}$ である離散確率変数の確率分布（（離散）確率分布）が

X	a_1	a_2	$\cdots$	a_n
確率	p_1	p_2	$\cdots$	p_n

のとき，
$$E(X) = a_1 p_1 + a_2 p_2 + \cdots + a_n p_n = \sum_{k=1}^{n} a_k P(X = a_k)$$
を X の**期待値** (Expectation) という。

その意味は X をもらえる不確実なお金（ギャンブル）と考えるとき，そのギャンブルの価格（参加費用）と考えられる。$E(X)$ を支払って X を買うと公平である。また，$\{X = a_1\} \cup \cdots \cup \{X = a_n\} = \Omega$ で排反なので，
$$1 = P(\Omega) = \sum_{i=1}^{n} P(X = a_i) = \sum_{i=1}^{n} p_i$$
と，いつでも離散確率分布（表）の下の確率部分の和は 1 である。

また，h を任意の関数とするとき，$E(h(X))$ は，
$$E(h(X)) = h(a_1)p_1 + h(a_2)p_2 + \cdots + h(a_n)p_n = \sum_{k=1}^{n} h(a_k) P(X = a_k)$$

問題 14 基本 確率変数と確率分布，その期待値　31

で計算する．$h(X)$ の確率分布は，

$h(X)$	$h(a_1)$	$\cdots$	$h(a_n)$
確率	p_1	$\cdots$	p_n

となるからである．

解答

(1) 表を ○，裏を × とすると，$P(X=0) = P(\{\times\times\times\times\}) = \frac{1}{16}$, $P(X=1) = P(\{\times\times\times\circ, \times\times\circ\times, \times\circ\times\times, \circ\times\times\times\}) = \frac{4}{16}$,
$P(X=2) = P(\{\times\times\circ\circ, \times\circ\times\circ, \times\circ\circ\times, \circ\times\times\circ, \circ\times\circ\times, \circ\circ\times\times\}) = \frac{6}{16}$, $P(X=3) = \frac{4}{16}$, $P(X=4) = \frac{1}{16}$ より，

X	0	1	2	3	4
確率	$\frac{1}{16}$	$\frac{4}{16}$	$\frac{6}{16}$	$\frac{4}{16}$	$\frac{1}{16}$

★1

$$E(X) = 0 \times \frac{1}{16} + 1 \times \frac{4}{16} + 2 \times \frac{6}{16} + 3 \times \frac{4}{16} + 4 \times \frac{1}{16} = 2$$

$$E(3-4X) = (3-4\times 0) \times \frac{1}{16} + (3-4\times 1) \times \frac{4}{16}$$
$$+ (3-4\times 2) \times \frac{6}{16} + (3-4\times 3) \times \frac{4}{16}$$
$$+ (3-4\times 4) \times \frac{1}{16} = 3 - 4 \times E(X)$$
$$= 3 - 4 \times 2 = -5 \text{ ★2}$$

$$E(X^2) = 0^2 \times \frac{1}{16} + 1^2 \times \frac{4}{16} + 2^2 \times \frac{6}{16} + 3^2 \times \frac{4}{16}$$
$$+ 4^2 \times \frac{1}{16} = 5$$

$$E(2^X) = 2^0 \times \frac{1}{16} + 2^1 \times \frac{4}{16} + 2^2 \times \frac{6}{16}$$
$$+ 2^3 \times \frac{4}{16} + 2^4 \times \frac{1}{16} = \frac{81}{16}$$

★1 問題 20 (p.44) で見る 2 項分布 $B(4, \frac{1}{2})$ である．

★2 次の問題 15 での期待値の性質から $E(3-4X)$
$= 3 - 4E(X)$
$= -5$ とできる．

(2)

X	1	2	$\cdots$	N
確率	c	c	$\cdots$	c

である．よって，

$$1 = \sum_{k=1}^{N} P(X=k) = \sum_{k=1}^{N} c = cN \text{ から, } c = P(X=k) = \frac{1}{N} \text{ ★3}$$

$$E(X) = \sum_{k=1}^{N} kP(X=k) = \frac{1}{N} \sum_{k=1}^{N} k = \frac{N+1}{2}$$

$$E(X^2) = \sum_{k=1}^{N} k^2 P(X=k) = \frac{1}{N} \sum_{k=1}^{N} k^2 = \frac{(N+1)(2N+1)}{6}$$

$$E(2^X) = \sum_{k=1}^{N} 2^k P(X=k) = \frac{1}{N} \sum_{k=1}^{N} 2^k = \frac{2^{N+1} - 2}{N}$$

★3 問題 24 (p.52) で見る離散一様分布 $DU\{1, 2, \cdots, N\}$ である．

問題 15　期待値の計算　　基本

1. $E(X)=5, E(Y)=6$ で X,Y は独立である。次を求めよ。
   (1) $E(3-4X)$　　(2) $E(2X-3Y+4)$　　(3) $E(XY)$
2. $P(X=k)=ck^2$ $(k=1,2,\cdots,N)$、その他では 0 のとき、次を求めよ。
   (1) 定数 c　　(2) $E(X)$　　(3) $E\left(\frac{1}{X}\right)$
3. $P(X=k)=ck(k+1)$ $(k=1,2,\cdots,N)$、その他では 0 のとき、
   (1) 定数 c　　(2) $E(X+2)$　　(3) $E(X)$

解説　■期待値の性質

a,b,c を定数とすると、$E(aX+bY+c)=aE(X)+bE(Y)+c$
　　　　　　　　　　　　　　　　　(X,Y の独立性は必要なし)

右表の場合の証明をすると (2 次元の表の説明は、p.36、問題 17 参照),

X \ Y	y_1	y_2
x_1	p	q
x_2	r	s

$E(X) = x_1(p+q) + x_2(r+s)$,
$E(Y) = y_1(p+r) + y_2(q+s)$
である。また、

$X+Y$	x_1+y_1	x_1+y_2	x_2+y_1	x_2+y_2
確率	p	q	r	s

となるので、$a=b=1, c=0$ のときの証明は

$$\begin{aligned}E(X+Y) &= (x_1+y_1)p + (x_1+y_2)q + (x_2+y_1)r + (x_2+y_2)s \\&= (x_1(p+q)+x_2(r+s)) + (y_1(p+r)+y_2(q+s)) \\&= E(X)+E(Y)\end{aligned}$$

とくに、X,Y を独立とするとき、
　　$E(XY)=E(X)E(Y)$,　$E(h(X)g(Y))=E(h(X))E(g(Y))$

注意（確率変数の独立性）　すべての i,j で $P(X=i\cap Y=j)=P(X=i)P(Y=j)$ のとき、X,Y は**独立**であるという。

X,Y ともに 2 つの値しかとらない場合の証明をすると、

$P(X=x_1)=p, P(X=x_2)=1-p, P(Y=y_1)=q, P(Y=y_2)=1-q$

とおいて、独立なので、

問題 15 基本 期待値の計算   33

$$P(X = x_1 \cap Y = y_1) = pq, P(X = x_1 \cap Y = y_2) = p(1-q),$$
$$P(X = x_2 \cap Y = y_1) = (1-p)q, P(X = x_2 \cap Y = y_2) = (1-p)(1-q)$$

となり,

$$E(XY) = x_1 y_1 pq + x_1 y_2 p(1-q) + x_2 y_1(1-p)q + x_2 y_2(1-p)(1-q)$$
$$= (x_1 p + x_2(1-p))(y_1 q + y_2(1-q)) = E(X)E(Y)$$

解 答

1 (1) $E(3-4X) = E(3) - 4E(X) = 3 - 4 \times 5 = -17$ ★1

(2) $E(2X - 3Y + 4) = 2E(X) - 3E(Y) + 4 = 2 \times 5 - 3 \times 6 + 4 = -4$

(3) 独立に注意して $E(XY) = E(X)E(Y) = 5 \times 6 = 30$

2 (1) 全事象(標本空間 Ω)の確率は 1 なので

$$1 = \sum_{k=1}^{N} P(X=k) = \sum_{k=1}^{N} ck^2 = c\frac{N(N+1)(2N+1)}{6}$$

よって, $c = \dfrac{6}{N(N+1)(2N+1)}$ ★2

(2) $E(X) = \displaystyle\sum_{k=1}^{N} kP(X=k) = c\sum_{k=1}^{N} k^3 = \dfrac{3N(N+1)}{2(2N+1)}$

(3) $E\left(\dfrac{1}{X}\right) = \displaystyle\sum_{k=1}^{N} \dfrac{1}{k} P(X=k) = c\sum_{k=1}^{N} k = \dfrac{3}{2N+1}$

3 (1) $k(k+1) = \dfrac{k(k+1)(k+2) - (k-1)k(k+1)}{3}$ の変形★3 を思い出して,

$$\sum_{k=1}^{N} ck(k+1) = c\sum_{k=1}^{N} \frac{k(k+1)(k+2) - (k-1)k(k+1)}{3}$$
$$= c\frac{N(N+1)(N+2)}{3} = 1$$

よって, $c = \dfrac{3}{N(N+1)(N+2)}$

(2) $E(X+2) = \displaystyle\sum_{k=1}^{N} (k+2)P(X=k)$
$$= c\sum_{k=1}^{N} k(k+1)(k+2) = \frac{3(N+3)}{4}$$

(3) (2) より, $E(X) = E(X+2) - E(2) = \dfrac{3(N+3)}{4} - 2 = \dfrac{3N+1}{4}$

★1 $E(a+bX) = a + bE(X)$, $E(a+bX+cY) = a + bE(X) + cE(Y)$ である。これから何も言わなければ小文字は定数である。

★2 $N=1$ なら $P(X=1)=1$ となるので, $c=1, E(X)=1$, $E(\frac{1}{X})=1$ などに注意して検算する。

★3 問題 05, p.10

問題 16　分散　　基本

$P(X=k) = ck$ $(k=1, 2, \cdots, N)$，その他では 0 のとき，以下を求めよ。

(1) 定数 c　(2) $E(X)$　(3) $V(X)$　(4) $V(3-4X)$　(5) $\sigma(4-5X)$

解説

$V(X) = E((X-m)^2)$ 　$(m = E(X))$ を X の**分散**,

$\sigma(X) = \sqrt{V(X)}$ を X の**標準偏差**,

といい，両方 X のバラツキを表す量である。

もう少し詳しく説明すると，$X - m$ を（平均 m からの）偏差（個々のバラツキ）というが，これをこのまま平均したのではいつでも $E(X-m) = E(X) - m = 0$ となってしまう（平均から上と平均から下が相殺されるので当たり前であろう）。これではバラツキの平均を表したことにはならないので二乗偏差の平均，つまり，$V(X) = E((X-m)^2)$ を平均バラツキと考えるのである。

例題　期待値が 100 である次の 3 つの確率変数 X_1, X_2, X_3 の分散を求めよ。

X_1	100
確率	1

X_2	0	200
確率	$\frac{1}{2}$	$\frac{1}{2}$

X_3	-100	500
確率	$\frac{2}{3}$	$\frac{1}{3}$

解

$V(X_1) = E((X_1 - 100)^2) = (100-100)^2 \times 1 = 0$

$V(X_2) = E((X_2 - 100)^2) = (0-100)^2 \times \frac{1}{2} + (200-100)^2 \times \frac{1}{2} = 10000$

$V(X_3) = E((X_3 - 100)^2) = (-100-100)^2 \times \frac{2}{3} + (500-100)^2 \times \frac{1}{3} = 80000$

直感的にもバラツキは大きい順から X_3, X_2, X_1 であることはわかり，実際，分散もその順になっている。さらに分散が 0 とは，確率変数が定数の場合のみで，それは，X_1 のようなものである。

$V(X), \sigma(X)$ の基本的性質　(a, b は定数とする)

・$V(X) = E(X^2) - (E(X))^2$

・$V(a+bX) = b^2 V(X)$,　$\sigma(a+bX) = |b|\sigma(X)$

・$V(X) \geqq 0$　　$(V(X) = 0 \implies X = $ 定数 c つまり，$P(X=c) = 1)$

つまり，分散や標準偏差はいついかなるときでも非負であり，定数の場合を除いて正である。

証明

$$V(X) = E((X-m)^2) = E(X^2 - 2mX + m^2) = E(X^2) - 2mE(X) + m^2$$
$$= E(X^2) - m^2 = E(X^2) - (E(X))^2$$

注意 1 理論的な計算では，定義の $V(X) = E((X-m)^2)$ より，ほとんどこちらを使う．
$$V(a+bX) = E((a+bX-(a+bm))^2) = E((b(X-m))^2) = b^2 V(X)$$
注意 2 $V(X+a) = V(X)$（全員にゲタ a を履かせてもバラツキは変わらない）．また，$V(-X) = V(X)$.
$(X-m)^2 \geqq 0$ より，$V(X) = E((X-m)^2) \geqq 0$
また，$0 = E((X-m)^2) = \sum_k (k-m)^2 P(X=k)$ なら $P(X=m) = 1$
上の標準偏差に翻訳すれば，$\sigma(X) = \sqrt{E(X^2) - (E(X))^2}$, $\sigma(a+bX) = |b|\sigma(X)$
注意 3 これを見ればわかるように，データが b 倍になれば標準偏差のほうも $|b|$ 倍になるので，この意味では標準偏差のほうが都合がよい．

解答

(1) 全事象（標本空間 Ω）の確率は 1 なので，
$$1 = \sum_{k=1}^{N} P(X=k) = \sum_{k=1}^{N} ck = c\frac{N(N+1)}{2}$$
よって，$c = \dfrac{2}{N(N+1)}$ ★1

(2) $E(X) = \sum_{k=1}^{N} kP(X=k) = \dfrac{2}{N(N+1)} \sum_{k=1}^{N} k^2 = \dfrac{2N+1}{3}$

(3) まず，$E(X^2)$ が求まればよいので，
$$E(X^2) = \sum_{k=1}^{N} k^2 P(X=k) = \dfrac{2}{N(N+1)} \sum_{k=1}^{N} k^3 = \dfrac{N(N+1)}{2},$$
よって，$V(X) = E(X^2) - E(X)^2 = \dfrac{(N+2)(N-1)}{18}$

(4) $V(a+bX)$ の公式に注意して，
$$V(3-4X) = 16V(X) = \dfrac{8(N+2)(N-1)}{9}$$

(5) $\sigma(4-5X) = |5|\sigma(X) = 5 \times \sqrt{\dfrac{(N+2)(N-1)}{18}}$

★1 $N=1$ なら $P(X=1) = 1$ となるので $c=1$, $E(X) = 1$, $V(X) = E(X^2) - (E(X))^2 = 0$ などに注意して検算する．

問題 17　同時確率分布と共分散　　　基本

右表のような (X,Y) の同時分布において, X の周辺分布, Y の周辺分布, $E(X)$, $V(X)$, $E(Y)$, $V(Y)$, $E(XY)$ を求めよ。また, $\mathrm{Cov}(X,Y)$, $\mathrm{Cov}(X,X)$, $\rho(X,Y)$, $W=\max(X,Y)$ の確率分布, $E(W)$ も求めよ。

X \ Y	0	2
0	$\frac{2}{12}$	$\frac{1}{12}$
3	$\frac{3}{12}$	$\frac{6}{12}$

解説　複数の確率変数を同時に考えたいことも多い。ここではまず 2 個の場合を考える。(X,Y) の **同時確率分布**（(X,Y) の 2 次元確率分布ともいう）は $P(X=i\cap Y=j)$ を (i,j)（i は行（横）, j は列（縦））成分とする 2 次元の表である。たとえば, 本問では, $P(X=0\cap Y=2)=\dfrac{1}{12}$.

このとき, 全確率（標本空間すべてに対する確率）を考えれば,

$$1=\sum_{i,j} P(X=i\cap Y=j)$$

が成立する。また, すべての 2 変数関数 $h(x,y)$ に対して

$$E(h(X,Y))=\sum_{i,j} h(i,j) P(X=i\cap Y=j)$$

で計算する。

同時確率分布 $P(X=i\cap Y=j)$ が与えられれば個々の確率分布（同時分布から計算するときは **周辺分布** という）$P(X=i)$, $P(Y=j)$ は

$$P(X=i)=\sum_{j} P(X=i\cap Y=j),\quad P(Y=j)=\sum_{i} P(X=i\cap Y=j)$$

となる。$P(X=i), P(Y=j)$ だけでは情報不足で, 総合得点分布 $P(X+Y=k)$ を知るには, $P(X+Y=k)=\sum_{i} P(X=i\cap Y=k-i)$ と同時分布から求める。

ここで, $m=E(X), m'=E(Y)$ とおいたときの,

$$\begin{aligned}\mathrm{Cov}(X,Y) &= E((X-m)(Y-m')) \\ &= E(XY)-mm'-mm'+mm' = E(XY)-E(X)E(Y)\end{aligned}$$

を (X,Y) の **共分散** といい,

問題 17 [基本] 同時確率分布と共分散　37

$$\rho(X,Y) = \frac{\text{Cov}(X,Y)}{\sigma(X)\sigma(Y)} = \text{Cov}(X \text{ の標準化}, Y \text{ の標準化})$$

を (X,Y) の**相関係数**という。

$\text{Cov}(X,Y) > 0$（$\rho(X,Y) > 0$）なら，「$X > E(X)$ なら $Y > E(Y)$ になりやすく，$X < E(X)$ なら $Y < E(Y)$ になりやすい」ということを表しており，**正の相関**と呼ぶ。$\text{Cov}(X,Y) < 0$（$\rho(X,Y) < 0$）なら，「$X > E(X)$ なら $Y < E(Y)$ になりやすく，$X < E(X)$ なら $Y > E(Y)$ になりやすい」ということを表しており，バラツキの方向が反対ということで**負の相関**と呼ぶ。$\text{Cov}(X,Y) = 0$（$\rho(X,Y) = 0$）なら，$X > E(X)$ で $Y > E(Y)$ になりやすくも $Y < E(Y)$ になりやすくもないということを表しているので**無相関（零相関）**と呼ぶ。

正相関の例　$X = $ 中間テストの点数, $Y = $ 期末テストの点数
負相関の例　$X = $ 遊ぶ時間, $Y = $ 成績
零相関の例　$X = $ 身長, $Y = $ 成績

解答

$P(X=0) = P(X=0 \cap Y=0) + P(X=0 \cap Y=2) = \frac{2}{12} + \frac{1}{12} = \frac{1}{4}$,
$P(X=3) = 1 - P(X=0) = \frac{3}{4}$. よって，$X$ の確率分布（表）は

X	0	3
確率	$\frac{1}{4}$	$\frac{3}{4}$

同様に

Y	0	2
確率	$\frac{5}{12}$	$\frac{7}{12}$

$E(X) = \frac{9}{4}$, $V(X) = E(X^2) - (E(X))^2 = \frac{27}{16}$,
$E(Y) = \frac{7}{6}$, $V(Y) = \frac{35}{36}$,
$E(XY) = 0 \times 0 \times \frac{2}{12} + 0 \times 2 \times \frac{1}{12} + 3 \times 0 \times \frac{3}{12} + 3 \times 2 \times \frac{6}{12} = 3$ ★1
$\text{Cov}(X,Y) = E(XY) - E(X)E(Y) = 3 - \frac{9}{4} \times \frac{7}{6} = \frac{3}{8}$
$\text{Cov}(X,X) = V(X) = \frac{27}{16}$
$\rho(X,Y) = \frac{\frac{3}{8}}{\sqrt{\frac{27}{16}}\sqrt{\frac{35}{36}}} = \frac{3}{\sqrt{105}}$ ★2

W のとる値は，$0, 2, 3$ なので，★3

W	0	2	3
確率	$\frac{2}{12}$	$\frac{1}{12}$	$\frac{9}{12}$

$E(\max(X,Y)) = E(W) = 2 \times \frac{1}{12} + 3 \times \frac{9}{12} = \frac{29}{12}$

★1　$E(XY) = \sum_{i,j} ij P(X=i \cap Y=j)$ で計算する。

★2　$-1 \leq \rho \leq 1$ を確かめておこう。

★3　$P(W=3) = P(X=3 \cap Y=0) + P(X=3 \cap Y=2) = \frac{3}{12} + \frac{6}{12}$ に注意する。

| 問題 | 18 | 離散確率分布に関する計算 | 発展 |

$\boxed{1}$ 離散確率変数 X の確率分布を $P(X=k) = c \cdot 3^{-k}$ $(k=0,1,2,\cdots)$
とする。このとき，以下を求めよ。
(1) 定数 c と $E(X)$ 　　(2) $V(X)$ 　　(3) $V(2^{-X})$
$\boxed{2}$ 2次元離散確率変数 (X,Y) の同時確率分布は $P(X=i \cap Y=j)$
$= c(i+j)$ $(i=1,2,\cdots,N$ かつ $j=1,2,\cdots,N)$ である。次を求めよ。
(1) 定数 c と $E(X)$ 　　(2) $E(X^2)$ 　　(3) $\mathrm{Cov}(X,Y)$ 　　(4) $\rho(X,Y)$

解説 本問は，この章の復習をかねた，離散確率分布に関するやや複雑な計算である。

■共分散の基本的な性質

1. $\mathrm{Cov}(X,Y) = E(XY) - E(X)E(Y)$
   とくに X,Y が独立のとき，$\mathrm{Cov}(X,Y) = 0$

1行目は，すでに問題17の解説（p.36の下）で示した。2行目は X,Y が独立なら，$E(XY) - E(X)E(Y) = 0$ から明らか。

2. a,b を定数とするとき，$V(aX+bY) = a^2 V(X) + 2ab\mathrm{Cov}(X,Y) + b^2 V(Y)$

$m_X = E(X), m_Y = E(Y)$ とおくと，
$$\begin{aligned} V(aX+bY) &= E((aX+bY-E(aX+bY))^2) \\ &= E((aX+bY-am_X-bm_Y)^2) \\ &= E(a^2(X-m_X)^2 + 2ab(X-m_X)(Y-m_Y) + b^2(Y-m_Y)^2) \\ &= a^2 V(X) + 2ab\mathrm{Cov}(X,Y) + b^2 V(Y) \end{aligned}$$
X,Y が独立のときは，上の 1. より，
$V(aX+bY) = a^2 V(X) + b^2 V(Y)$, とくに，$V(X \pm Y) = V(X) + V(Y)$.

3. $\mathrm{Cov}(aX+bY, cZ+dW)$
   $= ac\mathrm{Cov}(X,Z) + ad\mathrm{Cov}(X,W) + bc\mathrm{Cov}(Y,Z) + bd\mathrm{Cov}(Y,W)$

左辺 $= E((aX+bY)(cZ+dW)) - E(aX+bY)E(cZ+dW)$
$= acE(XZ) + adE(XW) + bcE(YZ) + bdE(YW)$
$-\{acE(X)E(Z) + adE(X)E(W) + bcE(Y)E(Z) + bdE(Y)E(W)\} =$ 右辺。

解答

1 (1)[★1] $\sum_{k=0}^{\infty} 3^{-k} = \dfrac{1}{1 - 3^{-1}} = \dfrac{3}{2}$. よって, $c = \dfrac{2}{3}$

$E(X)$ [★2] $= \dfrac{2}{3} \sum_{k=0}^{\infty} k \cdot 3^{-k} = \dfrac{2}{9} \sum_{k=0}^{\infty} k \cdot 3^{-(k-1)} = \dfrac{2}{9} \dfrac{1}{(1-\frac{1}{3})^2} = \dfrac{1}{2}$

(2)[★3] $E(X(X-1)) = \dfrac{2}{27} \sum_{k=0}^{\infty} k(k-1) 3^{-(k-2)}$

$= \dfrac{2}{27} \dfrac{2}{(1-\frac{1}{3})^3} = \dfrac{1}{2}$

つまり, $V(X) = E(X(X-1)) + E(X) - (E(X))^2 = \dfrac{3}{4}$ [★4]

(3) $E(2^{-X}) = \dfrac{2}{3} \sum_{k=0}^{\infty} 2^{-k} 3^{-k} = \dfrac{2}{3} \dfrac{1}{1-\frac{1}{6}} = \dfrac{4}{5}$

$E\left((2^{-X})^2\right) = E(4^{-X}) = \dfrac{8}{11}$

つまり, $V(2^{-X}) = \dfrac{8}{11} - \left(\dfrac{4}{5}\right)^2 = \dfrac{24}{275}$

2 (1) $\sum_{i=1}^{N} \sum_{j=1}^{N} c(i+j) = c \sum_{i=1}^{N} \left(Ni + \dfrac{N(N+1)}{2}\right)$

$= c \left(N \sum_{i=1}^{N} i + \sum_{i=1}^{N} \dfrac{N(N+1)}{2}\right) = cN^2(N+1)$

よって, $c = \dfrac{1}{N^2(N+1)}$ [★5]

$P(X=i) = \sum_{j=1}^{N} P(X=i \cap Y=j) = c \sum_{j=1}^{N} (i+j)$

$= \dfrac{1}{N(N+1)} \left(i + \dfrac{N+1}{2}\right) \quad (i=1,2,\cdots,N)$

よって, $E(X) = \dfrac{1}{N(N+1)} \sum_{i=1}^{N} i\left(i + \dfrac{N+1}{2}\right) = \dfrac{7N+5}{12}$

(2) $E(X^2) = \dfrac{1}{N(N+1)} \sum_{i=1}^{N} i^2 \left(i + \dfrac{N+1}{2}\right) = \dfrac{(N+1)(5N+1)}{12}$

(3) $E(XY) = \dfrac{1}{N^2(N+1)} \sum_{i=1}^{N} \sum_{j=1}^{N} ij(i+j)$

$= \dfrac{2}{N^2(N+1)} \sum_{i=1}^{N} i^2 \sum_{j=1}^{N} j = \dfrac{(N+1)(2N+1)}{6}$

よって, $\text{Cov}(X,Y) = E(XY) - E(X)E(Y) = \dfrac{-(N-1)^2}{144}$

(4)[★6] (2) より,

$V(X) = E(X^2) - (E(X))^2 = \dfrac{(N-1)(11N+13)}{144}$ から,

★1 あとで見る幾何分布 $\text{Ge}(\frac{2}{3})$ である。

★2 $\sum_{k=0}^{\infty} k x^{k-1} = (1-x)^{-2}$ ($|x|<1$).

★3 $\sum_{k=0}^{\infty} k(k-1)x^{k-2} = 2/(1-x)^3$ ($|x|<1$) に注意。

★4 このように $V(X) = E(X(X-1)) + E(X) - (E(X))^2$ は分散の計算に便利。離散確率分布の多くはこれで計算する。

★5 まず X の周辺分布を求める。

★6 対称性より, $V(X) = V(Y)$.

$$\rho(X,Y) = \frac{\mathrm{Cov}(X,Y)}{\sqrt{V(X)}\sqrt{V(Y)}} = \frac{-(N-1)}{11N+13}$$

Tea Time ● くじ引きの公平性

ここでは条件付き確率を用いてくじ引きの公平性を調べてみよう。
10本のくじのうちあたりくじは2本である。これを1本ずつ引いていき，

A : 1回目に当たりくじを引く事象
B : 2回目に当たりくじを引く事象とする。

明らかに，$P(A) = \frac{2}{10}$ である。また，$(B\cap A)\cap(B\cap A^c) = B\cap A\cap A^c = \emptyset$ より，$(B\cap A)$ と $(B\cap A^c)$ は排反なので，

$$\begin{aligned}P(B) &= P(B\cap A) + P(B\cap A^c)\\ &= P(B|A)P(A) + P(B|A^c)P(A^c)\\ &= \frac{1}{9}\cdot\frac{2}{10} + \frac{2}{9}\cdot\frac{8}{10} = \frac{18}{90} = \frac{2}{10}(=P(A))\end{aligned}$$

となり，1回目にくじを引く確率と2回目にくじを引く確率は等しくなる。

3回目にくじを引く確率も等しくなり，一般に M 本のくじに N 本の当たりくじがある場合も1回目に当たりくじを引く確率=…= M 回目に当たりくじを引く確率となり，くじ引きは何回目に引いても同等であることを示しており，これを「**くじ引きの公平性**」という。また，これは，見方を変えれば $a\sim j$ の10本のくじ（当たりくじは a,b）を並べていくときに，A は1番目に（B は2番目に）a か b があるという事象となる。対称性を用いると，2番目からならべても明らかに同じなので，$P(A) = P(B)$ となる。

Chapter 3

離散確率分布

　ここからは，具体的な分布について，それぞれの性質を学ぶ。
　とくに，この Chapter.3 では，ベルヌーイ分布・2 項分布・幾何分布・離散一様分布・ポアソン分布・超幾何分布など，特徴的な分布をとりあげるが，これらは，次章の連続確率分布とも密接に関係している。

問題 19　ベルヌーイ分布 Be(p)　　基本

大小のサイコロを同時に1回投げる．確率変数 X を，大のサイコロにおいて6の目が出れば1，その他の目なら0，確率変数 Y を，大のサイコロにおいて偶数の目が出れば1，奇数の目なら0，確率変数 Z を，小のサイコロにおいて6の目が出れば1, 6の目以外なら0と定める．

(1) X の確率分布　(2) $E(X)$, $V(X)$　(3) $E(3^X)$　(4) $\mathrm{Cov}(X,Y)$
(5) 事象 $X=1$ と事象 $Y=0$ は (a)，事象 $X=1$ と事象 $Z=1$ は (b) 。
(6) $\mathrm{Cov}(X,Z)$　　(7) $P(\max(X,Y)=0)$
(8) $P(\max(X,Z)=1)$, $E(\max(X,Z))$, $P(\min(X,Z)=1)$, $E(\min(X,Z))$

解説　成功・失敗しかない（または，結果はたくさんあっても粗く見て成功・失敗の2つに分けられる）試行を**ベルヌーイ試行**といい，確率・統計においてもっとも基本的な試行である．

これに付随する確率変数として，試行が成功なら1，失敗なら0と確率変数 X を定めるとき，この X を**ベルヌーイ確率変数**という．X の確率分布を**ベルヌーイ分布**といい，$X \sim \mathrm{Be}(p)$ と書く．

$P(X=1)=p$, $P(X=0)=1-p$ なので，同じことだが表に書くと，

X	0	1
確率	$1-p$	p

すると，期待値の定義より，

$$E(X) = 0 \times (1-p) + 1 \times p = p$$
$$E(X^2) = 0^2 \times (1-p) + 1^2 \times p = p$$
$$V(X) = E(X^2) - (E(X))^2 = p - p^2 = p(1-p)$$

である．また，同じことであるが，$0, 1$ の値しかとらない確率変数の分布は

$$\mathrm{Be}(p) \quad (P(X=1)=p)$$

であることに注意する．

例．　正しいサイコロを1回投げるとき，確率変数 X を3の倍数がでたら1, 3の倍数以外なら0と定めると，$X \sim \mathrm{Be}\left(\frac{1}{3}\right)$ となるので，

問題 19 [基本] ベルヌーイ分布 $Be(p)$ 43

$$P(X=1) = \frac{1}{3}, \ E(X) = \frac{1}{3},$$
$$V(X) = \frac{1}{3} \times \frac{2}{3} = \frac{2}{9}, \ E(e^X) = e^0 \times \frac{2}{3} + e^1 \times \frac{1}{3} = \frac{2+e}{3}$$

解 答

(1) ★1 $P(X=1) = \frac{1}{6}$ なので $X \sim Be\left(\frac{1}{6}\right)$

(2) ★2 $E(X) = \frac{1}{6}, \ V(X) = \frac{1}{6}\left(1 - \frac{1}{6}\right) = \frac{5}{36}$

(3) $E(3^X) = 3^1 \times \frac{1}{6} + 3^0 \times \frac{5}{6} = \frac{4}{3}$

(4) $E(XY) = 1 \times 1 \times P(X=1 \cap Y=1) = P(X=1) = \frac{1}{6}$,
また $E(X) = \frac{1}{6}, E(Y) = \frac{1}{2}$ より, $\text{Cov}(X,Y) = \frac{1}{6} - \frac{1}{6} \times \frac{1}{2} = \frac{1}{12}$

(5) (a) 排反 事象 $X=1$ は大の目=6 という事象, 事象 $Y=0$ は大の目=奇数という事象なので, これらが同時に起こることはない.
(b) 独立 事象 $X=1$ は大の目=6 という事象, 事象 $Z=1$ は小の目=6 という事象であり, 大の目が小の目に影響することはない★3 .

(6) X, Z は独立より, $\text{Cov}(X,Z) = 0$

(7) max の定義より,

$$P(\max(X,Y) = 0) = P(X=0 \cap Y=0) = P(\{1,3,5\}) = \frac{1}{2}$$

(8) $P(\max(X,Z) = 1) = P(X=1 \cup Z=1)$
$= P(X=1) + P(Z=1) - P(X=1 \cap Z=1)$
$= P(X=1) + P(Z=1) - P(X=1)P(Z=1)$
$= \frac{1}{6} + \frac{1}{6} - \frac{1}{36} = \frac{11}{36}$

別解 $P(\max(X,Z) = 1) = 1 - P(\max(X,Z) = 0)$
$= 1 - P(X=0 \cap Z=0) = 1 - P(X=0)P(Z=0)$
$= 1 - \frac{5}{6} \times \frac{5}{6} = \frac{11}{36}$

$\max(X,Z) \sim Be\left(\frac{11}{36}\right)$ より, $E(\max(X,Z)) = \frac{11}{36}$ ★4 ,
$P(\min(X,Z) = 1) = P(X=1 \cap Z=1)$
$= P(X=1)P(Z=1) = \frac{1}{36}$,
よって, $E(\min(X,Z)) = E\left(Be\left(\frac{1}{36}\right)\right) = \frac{1}{36}$

★1 X は $\{0,1\}$ の値しかとらないのでベルヌーイ分布.

★2 $E(Be(p)) = p$, $V(Be(p)) = p(1-p)$

★3 問題 13 解説の定義では, $P(X=1 \cap Z=1) = P(X=1)P(Z=1)$ となることで, このことは明白.

★4 $\max(X,Z)$ は $\{0,1\}$ の値しかとらないのでベルヌーイ分布. よって, $P(\max(X,Z)=1) = \frac{11}{36}$ より $\max(X,Z) \sim Be\left(\frac{11}{36}\right)$.

44　Chapter.3　離散確率分布

問題 20　**2項分布** $B(N, p)$　　　　　　　　　　　　　　　　　　**基本**

サイコロを N 回投げたとき，確率変数 X_i を，i 回目に 6 の目が出れば 1，その他の目なら 0 と定める。また，$Y_i = X_1 + \cdots + X_i$ とする。
(1) Y_3 の確率分布（表を書け）　　(2) $E(Y_3)$, $V(Y_3)$
(3) Y_N の確率分布　　(4) $E(Y_N), V(Y_N)$
を求めよ。

解説　N 回の独立なベルヌーイ試行（成功確率 p）における成功回数 $=X$ とする。X を 2 項確率変数，X の確率分布をパラメータ N, p の **2 項分布**といい，$X \sim B(N, p)$ と書く。すると，高校数学で学んだ反復試行の定理より $0 \leqq k \leqq N$ に対して $P(X=k) = {}_N C_k p^k (1-p)^{N-k}$ となる。たとえば，$N=5, k=3$ だと成功を ○，失敗を × とすると，

$$\circ\circ\circ\times\times \quad \circ\circ\times\circ\times \quad \circ\circ\times\times\circ \quad \circ\times\circ\circ\times \quad \circ\times\circ\times\circ$$
$$\circ\times\times\circ\circ \quad \times\circ\circ\circ\times \quad \times\circ\circ\times\circ \quad \times\circ\times\circ\circ \quad \times\times\circ\circ\circ$$

は ○ の場所の選びかたを考えると，${}_5 C_3 = 10$ 通りある。期待値，分散は，p.24 の Tea Time での $n \cdot {}_{n-1}C_{k-1} = k \cdot {}_n C_k$ から，

$$E(X) = \sum_{k=0}^{N} k P(X=k) = \sum_{k=1}^{N} k \cdot {}_N C_k p^k (1-p)^{N-k}$$
$$= \sum_{k=1}^{N} N \cdot {}_{N-1}C_{k-1} p^k (1-p)^{N-k} = Np \sum_{l=0}^{N-1} {}_{N-1}C_l p^l (1-p)^{N-1-l}$$
$$= Np(p+1-p)^{N-1} = Np$$

$$E(X(X-1)) = \sum_{k=0}^{N} k(k-1) P(X=k) = \sum_{k=2}^{N} k(k-1) \cdot {}_N C_k p^k (1-p)^{N-k}$$
$$= \sum_{k=2}^{N} N(N-1) \cdot {}_{N-2}C_{k-2} p^k (1-p)^{N-k}$$
$$= N(N-1)p^2 \sum_{l=0}^{N-2} {}_{N-2}C_l p^l (1-p)^{N-2-l}$$
$$= N(N-1)p^2(p+1-p)^{N-2} = N(N-1)p^2$$

よって $V(X) = E(X(X-1)) + E(X) - (E(X))^2 = Np(1-p)$ である。
例．　120 回正しいサイコロを投げたとき 6 の目が出る回数を X とすると，$X \sim B\left(120, \frac{1}{6}\right)$ より，

$$P(X=10) = {}_{120}C_{10}\left(\frac{1}{6}\right)^{10}\left(\frac{5}{6}\right)^{110}$$

$$E(X) = 120 \times \frac{1}{6} = 20, \quad V(X) = 120 \times \left(\frac{1}{6}\right) \times \left(\frac{5}{6}\right) = \frac{50}{3}$$

(注意 この例でもわかるように，$E(\mathrm{B}(n,p)) = np$ は直観的にも明らかである)

注意【ベルヌーイ分布と 2 項分布の関係】定義からあきらかに $\mathrm{B}(1,p) = \mathrm{Be}(p)$　また，N 個の独立なベルヌーイ確率変数の和は 2 項確率変数である．つまり，$X_1 \sim X_2 \sim \cdots \sim X_N \sim \mathrm{Be}(p)$ で独立とし，$X = X_1 + X_2 + \cdots + X_N$ とおくと，$X \sim \mathrm{B}(N,p)$ である（たとえば，○○○××だと $1+1+1+0+0 = 3$ となるからである）．これを用いても，

$$E(X) = E(X_1 + \cdots + X_N) = E(X_1) + \cdots + E(X_N) = p + \cdots + p = Np$$

分散も同様に（この場合は独立性に注意して），

$$V(X) = V(X_1 + \cdots + X_N) = V(X_1) + \cdots + V(X_N) = Np(1-p)$$

解答

(1) ★1 Y_3 は 3 回のベルヌーイ試行における成功回数なので $Y_3 \sim \mathrm{B}\left(3, \frac{1}{6}\right)$．つまり，

Y_3	0	1	2	3
確率	$\frac{125}{216}$	$\frac{75}{216}$	$\frac{15}{216}$	$\frac{1}{216}$

(2) ★2 $E(Y_3) = 3 \times \frac{1}{6} = \frac{1}{2}, \quad V(Y_3) = 3 \times \frac{1}{6} \times \frac{5}{6} = \frac{5}{12}$

(3) Y_N は N 回のベルヌーイ試行における成功回数なので，$Y_N \sim \mathrm{B}\left(N, \frac{1}{6}\right)$．つまり，

$$P(Y_N = k) = {}_N C_k \left(\frac{1}{6}\right)^k \left(\frac{5}{6}\right)^{N-k} \quad (0 \leq k \leq N)$$

(4) $E(Y_N) = E(X_1 + \cdots + X_N) = E(X_1) + \cdots E(X_N) = \frac{N}{6}$

また，独立性から，

$$V(Y_N) = V(X_1 + \cdots + X_N) = V(X_1) + \cdots + V(X_N) = \frac{5N}{36}$$

★1 独立なベルヌーイ分布の和や独立なベルヌーイ試行における成功回数は 2 項分布である．

★2 $E(\mathrm{B}(n,p)) = np$, $V(\mathrm{B}(n,p)) = np(1-p)$

| 問題 | 21 | 幾何分布，ファーストサクセス分布 I $\mathrm{Ge}(p), \mathrm{Fs}(p)$ | 基本 |

サイコロを何回も投げる。初めて 6 が出るまでに 6 以外が出た回数を X，また，初めて Y 回目に 6 が出たとする。
(1) X の確率分布 $P(X=k)$, Y の確率分布, $E(X), E(Y), V(X), V(Y)$ を求めよ。
(2) $P(X \geqq 20), P(20 \leqq Y < 30), E((\frac{1}{3})^X)$ を求めよ。

解説　世の中には最初の成功が何回目（何年目，何時間）のトライで起きたか？ということが重要になることが多い。たとえば大学に入るための年数（浪人年数，実現値は現役なら 0, 1 浪なら 1）や人の寿命（死ぬまでに生きた年数，問題 85, 86, p.192 以降で詳しく分析）など例はいくらでもある。これを独立ベルヌーイ試行（典型例はサイコロを何回も投げる試行）で考えたものが**幾何分布**である。

成功確率が p のベルヌーイ試行を独立に何回も行うとき，初めて成功するまでに失敗した回数を X とすると，$k = 0, 1, 2, \cdots$ として事象 $X = k$ とは k 回の失敗のあとに成功するということなので $P(X = k) = p(1-p)^k$ となる。この X の確率分布をパラメータ p の幾何分布といい $X \sim \mathrm{Ge}(p)$ で表す。また，初めて Y 回目に成功するとき，明らかに $Y = X+1$（大学入試で例えると現役なら 1 年目に入ったことに対応する）であり，$k = 1, 2, \cdots$ として $P(Y = k) = P(X = k-1) = p(1-p)^{k-1}$ である。これをパラメータ p の**ファーストサクセス分布**といい，$Y \sim \mathrm{Fs}(p)$ と書く（こちらを幾何分布と呼ぶ流儀もある）。また，$E(X)$ の計算は，$\sum_{k=0}^{\infty} x^k = (1-x)^{-1}$ ($|x| < 1$) の両辺を x で微分して得られる $\sum_{k=0}^{\infty} k x^{k-1} = (1-x)^{-2}$ に注意して，

$$E(\mathrm{Ge}(p)) = E(X) = \sum_{k=0}^{\infty} k P(X=k) = \sum_{k=0}^{\infty} k p(1-p)^k$$
$$= p(1-p) \sum_{k=0}^{\infty} k(1-p)^{k-1} = \frac{p(1-p)}{(1-(1-p))^2} = \frac{1-p}{p}$$
$$E(\mathrm{Fs}(p)) = E(Y) = E(X+1) = E(X) + 1 = \frac{1}{p}$$

これはたとえば，正しいサイコロを何回も投げて初めて 6 が出るまでの回数 $= Y$ とおくと $E(Y) = \frac{1}{1/6} = 6$ となるが，直観的にもそんな感じがするであろう（ためしに，小学生に 6 が出るまでに平均で何回かかるか？　と聞いてみればよい）。

$X \sim \mathrm{Ge}(p), Y \sim \mathrm{Fs}(p)$ として，次に，分散の計算であるが，先ほどの公式をさ

問題 21 [基本] 幾何分布，ファーストサクセス分布 I $\text{Ge}(p), \text{Fs}(p)$ 47

らに x で微分すると $\sum_{k=0}^{\infty} k(k-1)x^{k-2} = \dfrac{2}{(1-x)^3}$ $(|x|<1)$ が得られるので，

$$\begin{aligned}V(X) =& E(X(X-1)) + E(X) - (E(X))^2 \\ =& \sum_{k=0}^{\infty} k(k-1)p(1-p)^k + \frac{1-p}{p} - \left(\frac{1-p}{p}\right)^2 \\ =& p(1-p)^2 \frac{2}{(1-(1-p))^3} + \frac{1-p}{p} - \left(\frac{1-p}{p}\right)^2 = \frac{1-p}{p^2}\end{aligned}$$

となる．また，$V(Y) = V(X+1) = V(X) = \dfrac{1-p}{p^2}$ である．

解答

(1) ★1 $P(X=k) = \dfrac{1}{6}\left(\dfrac{5}{6}\right)^k$ $(k=0,1,\cdots)$,

$P(Y=k) = \dfrac{1}{6}\left(\dfrac{5}{6}\right)^{k-1}$ $(k=1,2,\cdots)$★2

$E(X) = E(\text{Ge}(\tfrac{1}{6})) = \dfrac{5}{6} \bigg/ \dfrac{1}{6} = 5$, $E(Y) = E(\text{Fs}(\tfrac{1}{6})) = 1 \bigg/ \dfrac{1}{6} = 6$,

$V(X) = V(\text{Ge}(\tfrac{1}{6})) = \dfrac{5}{6} \bigg/ \left(\dfrac{1}{6}\right)^2 = 30$, $V(Y) = V(X+1) = 30$

(2) $P(X \geqq 20) = P(X=20) + P(X=21) + P(X=22) + \cdots$

$= \sum_{k=20}^{\infty} P(X=k) = \sum_{k=20}^{\infty} \dfrac{1}{6}\left(\dfrac{5}{6}\right)^k = \left(\dfrac{5}{6}\right)^{20}$

$P(20 \leqq Y < 30) = \sum_{k=20}^{29} \left(\dfrac{1}{6}\right)\left(\dfrac{5}{6}\right)^{k-1} = \left(\dfrac{5}{6}\right)^{19} - \left(\dfrac{5}{6}\right)^{29}$

$E\left(\left(\dfrac{1}{3}\right)^X\right) = \sum_{k=0}^{\infty} \left(\dfrac{1}{3}\right)^k P(X=k)$

$= \sum_{k=0}^{\infty} \left(\dfrac{1}{3}\right)^k \dfrac{1}{6}\left(\dfrac{5}{6}\right)^k = \sum_{k=0}^{\infty} \dfrac{1}{6}\left(\dfrac{5}{18}\right)^k$

$= \dfrac{\frac{1}{6}}{1-\frac{5}{18}} = \dfrac{3}{13}$

★1 事象 $X=k$ とは k 回 6 以外が続いたあとに 6 が出るということ．
★2 $X \sim \text{Ge}(\tfrac{1}{6})$, $Y \sim \text{Fs}(\tfrac{1}{6})$

問題 22 幾何分布，ファーストサクセス分布 II $\mathrm{Ge}(p), \mathrm{Fs}(p)$ [標準]

双子 A, B が生まれた．A の寿命を X, B の寿命を Y, $X \sim Y \sim \mathrm{Ge}(\frac{1}{80})$ で独立とする．以下を求めよ．

(1) $E(X)$ (2) $P(X \geq 90 | X \geq 60)$
(3) $P(\min(X, Y) \geq k)$, $P(\min(X, Y) = k)$
(4) $E(\min(X, Y))$, $V(\min(X, Y))$, $E(\max(X, Y))$

解説

例題 ある人の寿命 X は，$X \sim \mathrm{Ge}(\frac{1}{80})$ である．以下を求めよ．

(1) $E(X)$ (2) $P(X \geq k)$ (3) $P(X \geq 80 | X \geq 60)$
(4) $P(X \leq 80 | X \leq 60)$ (5) $P(X \leq 60 | X \leq 80)$

解 (1) $E(X) = E\left(\mathrm{Ge}\left(\frac{1}{80}\right)\right) = \frac{79}{80} \Big/ \frac{1}{80} = 79$

このようにこのモデルは現実の日本人の寿命に近いモデルと考えられる．日本の人口は約 1 億 2000 万なので，1 年間に死ぬ確率はだいたい $\frac{1}{80}$，つまり 約 150 万人の人が死ぬのである．もっともこの幾何分布は老化を考えておらず，どの年齢の人でも 1 年間に死ぬ確率は $\frac{1}{80}$ と仮定しているが，後でみるように年齢に応じた死力（死ぬ確率）を設定するともっと現実に近づいたモデルとなる．

(2) $P(X \geq k) = \sum_{l=k}^{\infty} \frac{1}{80} \left(\frac{79}{80}\right)^l = \frac{\frac{1}{80} \left(\frac{79}{80}\right)^k}{1 - \frac{79}{80}} = \left(\frac{79}{80}\right)^k$

(3) $P(X \geq 80 | X \geq 60) = \frac{P(X \geq 80 \cap X \geq 60)}{P(X \geq 60)} = \frac{P(X \geq 80)}{P(X \geq 60)}$
$= \left(\frac{79}{80}\right)^{80} \Big/ \left(\frac{79}{80}\right)^{60} = \left(\frac{79}{80}\right)^{20} (= P(X \geq 20))$

本小問は，事象 $\{X \geq 60\}$ は寿命が 60 歳以上ということなので 60 で生きているということであるが，その人がさらに 20 年以上生きる確率が $P(X - 60 \geq 20 | X \geq 60) = P(X \geq 80 | X \geq 60)$ となる．これが $P(X \geq 20)$ に等しいということは赤ちゃんから 20 歳以上生きた確率に等しいことを言っている．

60 歳まで生きたことを忘れ，いつでも赤ちゃんからの出発になるので，この性質を幾何分布の**無記憶性**と呼ぶ．なぜ無記憶性が成立しているかは，次のように考えるとよい．このモデルでは生きているということは，6 の目が出る確率 $\frac{1}{80}$ のサイコロを元旦に投げ，6 の目が出たらその年内に死に，6 の目以外でたらその 1 年は生きると考えるのでその年内の生き死にが元旦でのサイコロの出目だけに依存するから，「無記憶」となってしまうのである．もちろん人間の場合は老化が進むので，年をとるにつれ，死ぬ目が出る確率が高くなるようなモデルにすると現

問題 22 [標準] 幾何分布，ファーストサクセス分布 II Ge(p), Fs(p)   49

実とも合致するモデルとなる。また，サイコロで生き死にを決めるのは現実的でないように思うかもしれないが，人間とは毎日（毎秒）がんになるか・ならないかのサイコロを投げていると考えられることを注意しておきたい。

(4) $P(X \leqq 80 | X \leqq 60) = \dfrac{P(X \leqq 80 \cap X \leqq 60)}{P(X \leqq 60)} = \dfrac{P(X \leqq 60)}{P(X \leqq 60)} = 1$

注意：寿命が 60 以下なら，必然的に寿命は 80 以下なので，確率 1 は当然である。

(5) $P(X \leqq 60 | X \leqq 80) = \dfrac{P(X \leqq 60 \cap X \leqq 80)}{P(X \leqq 80)} = \dfrac{P(X \leqq 60)}{P(X \leqq 80)} = \dfrac{1-\left(\frac{79}{80}\right)^{61}}{1-\left(\frac{79}{80}\right)^{81}}$

幾何分布の性質　しっぽ確率は $P(X \geqq k) = \sum_{l=k}^{\infty} p(1-p)^l = (1-p)^k$ となる。

これより $P(X \geqq k+l | X \geqq k) = P(X \geqq l) = (1-p)^l$ （無記憶性）。つまり，$X \geqq k$ という条件のもとで，$X - k \sim \mathrm{Ge}(p)$。

解 答

(1) $X \sim \mathrm{Ge}\left(\frac{1}{80}\right)$ より，$E(X) = \dfrac{79}{80} \Big/ \dfrac{1}{80} = 79$

(2) $\dfrac{P(X \geqq 90 \cap X \geqq 60)}{P(X \geqq 60)} = \dfrac{P(X \geqq 90)}{P(X \geqq 60)}$
$= \left(\dfrac{79}{80}\right)^{90} \Big/ \left(\dfrac{79}{80}\right)^{60} = \left(\dfrac{79}{80}\right)^{30}$ ★1

(3) $P(\min(X,Y) \geqq k) = P(X \geqq k \cap Y \geqq k) = P(X \geqq k)P(Y \geqq k)$
$= \left(\dfrac{79}{80}\right)^{k}\left(\dfrac{79}{80}\right)^{k} = \left(\dfrac{79}{80}\right)^{2k}$ ★2 ，よって
$P(\min(X,Y) = k) = P(\min(X,Y) \geqq k) - P(\min(X,Y) \geqq k+1)$
$= \left(\dfrac{79}{80}\right)^{2k} - \left(\dfrac{79}{80}\right)^{2(k+1)} = \left(1 - \left(\dfrac{79}{80}\right)^{2}\right)\left(\dfrac{79}{80}\right)^{2k}$ ★3

(4) $\min(X,Y) \sim \mathrm{Ge}\left(1 - \left(\dfrac{79}{80}\right)^2\right)$ より，
$E(\min(X,Y)) = \left(\dfrac{79}{80}\right)^2 \Big/ \left\{1 - \left(\dfrac{79}{80}\right)^2\right\} = \dfrac{6241}{159} \fallingdotseq 39.25$
$V(\min(X,Y)) = \left(\dfrac{79}{80}\right)^2 \Big/ \left\{1 - \left(\dfrac{79}{80}\right)^2\right\}^2$
$E(\max(X,Y)) = E(X) + E(Y) - E(\min(X,Y)) = 79 + 79 - \dfrac{6241}{159}$
$\fallingdotseq 118.75$

★1 もちろん幾何分布の無記憶性より $P(X \geqq 30) = \left(\dfrac{79}{80}\right)^{30}$ でもよい。

★2 小さいか等しいほうが k 以上ということはどちらも k 以上ということ。

★3 一般に，
$P(Z = k)$
$= P(Z \geqq k)$
$\quad - P(Z \geqq k+1)$
は重要。

注　このように本モデルでは双子のうちの早く死ぬほう $\min(X,Y)$ と後で死ぬほう $\max(X,Y)$ を問題にしたものであるが，幾何分布という老化のないモデルにしたため，現実的な値とのずれが生じている。もちろん，後でみる老化を取り入れたモデルだと，もっと現実に近い数字が得られる。

問題 23 　負の2項分布　NB(N, p)　　　発展

1 表が出る確率が $\frac{1}{3}$ であるインチキな硬貨を何回も投げる。表が4回出るまでに裏が出た回数を T，ちょうど S 回目のコイン投げで4回目の表が出たとするとき，以下を求めよ。

(1) T の確率分布　　　(2) $E(T), V(T), S$ の確率分布, $E(S), V(S)$

2 $X \sim \mathrm{NB}(2, p), Y \sim \mathrm{NB}(3, p), Z \sim \mathrm{NB}(N, p)$ で以上は独立とするとき，以下を求めよ。

(1) $P(X = 3)$　　(2) $E(Y)$　　(3) $V(Y)$
(4) $P(Z = k)$　　(5) $E(t^Z)$　　(6) $P(X \geq k)$

解説　■負の2項分布 NB(α, p) の定義

$X \sim \mathrm{NB}(\alpha, p)$，つまり，$X$ がパラメータ $\alpha (> 0), p (0 < p < 1)$ の負の2項分布であるとは，

$$P(X = k) = \binom{\alpha + k - 1}{k} p^\alpha (1-p)^k = \binom{-\alpha}{k} p^\alpha (-(1-p))^k \quad (k = 0, 1, 2, \cdots)$$

$\sum_{k=0}^{\infty} P(X = k) = \sum_{k=0}^{\infty} \binom{-\alpha}{k} p^\alpha (-(1-p))^k = p^\alpha (1 - (1-p))^{-\alpha} = 1$ と，全確率が 1 であることを示すのに負の2項展開を用いるので，**負の2項分布**という。

■負の2項分布の意味

$\alpha = n$ が自然数のときは，独立にベルヌーイ試行を何回も行うとき，n 回成功するまでの失敗回数 $= X$ とすると，

$$X \sim \mathrm{NB}(n, p)$$

なぜなら，$X = k$ とは $n-1$ 回成功，k 回失敗 $\left(\text{この順列の総数は} \frac{(n-1+k)!}{(n-1)!k!} = \binom{n-1+k}{k}\right)$ の次に成功するということなので，その確率は，

$$P(X = k) = \binom{n-1+k}{k} p^{n-1} (1-p)^k p$$

となる。また，$i-1$ 回目の成功から i 回目の成功の間の失敗回数を X_i とおくと，明らかに独立で $X_i \sim \mathrm{Ge}(p)$，$X = X_1 + X_2 + \cdots + X_n$ と分解できる。また，$X_1, X_2, \cdots, X_n \sim \mathrm{Ge}(p)$，$X_1, X_2, \cdots, X_n$ は独立とし，$X = X_1 + X_2 + \cdots + X_n$ とおくと，$X \sim \mathrm{NB}(n, p)$ となる。つまり，独立な n 個の幾何分布の和が負の2項分布である（独立な n 個のファーストサクセス分布の和を負の2項分布と呼ぶ流儀もある）。したがって，

問題 23 発展 負の 2 項分布　NB(N,p)　51

$$E(X) = \frac{n(1-p)}{p}, \quad V(X) = n\frac{1-p}{p^2}, E(t^X) = \left(\frac{p}{1-(1-p)t}\right)^n$$

解答

1 (1)[★1] $P(T=k) = \binom{k+4-1}{4-1}\left(\frac{1}{3}\right)^4\left(\frac{2}{3}\right)^k$ $(k=0,1,2,\cdots)$

(2) $T \sim \text{NB}\left(4, \frac{1}{3}\right)$ より，

$$E(T) = 4 \times \frac{2}{3} \bigg/ \frac{1}{3} = 8, \ V(T) = 4 \times \frac{2}{3} \bigg/ \left(\frac{1}{3}\right)^2 = 24$$

[★2] $S = T + 4$ より，$k \geqq 4$ として，

$$P(S=k) = P(T=k-4) = \binom{k-1}{4-1}\left(\frac{1}{3}\right)^4\left(\frac{2}{3}\right)^{k-4}$$

$E(S) = E(T) + 4 = 12, V(S) = V(T+4) = V(T) = 24$

2 [★3]

(1) $P(X=3) = \binom{2-1+3}{2-1}p^2(1-p)^3 = 4p^2(1-p)^3$

(2) $E(Y) = E(\text{NB}(3,p)) = \dfrac{3(1-p)}{p}$

(3) $V(Y) = \dfrac{3(1-p)}{p^2}$

(4) $P(Z=k) = \binom{N-1+k}{k}p^N(1-p)^k$

(5) $E(t^Z) = \sum_{k=0}^{\infty} t^k \binom{N-1+k}{k}p^N(1-p)^k$

$\qquad = \sum_{k=0}^{\infty} \binom{N-1+k}{k}p^N((1-p)t)^k$

$\qquad = p^N(1-(1-p)t)^{-N}$ [★4] $(|(1-p)t| < 1$ とする$)$

(6) $P(X \geqq k) = \sum_{l=k}^{\infty} \binom{2-1+l}{2-1}p^2(1-p)^l$

$\qquad = \sum_{u=0}^{\infty}(u+k+1)p^2(1-p)^k(1-p)^u$

$\qquad = (kp+1)(1-p)^k$ [★5]

[★1] $T=k$ ということは最初の $k+3$ 回のうち 3 回表が出ていて，$k+4$ 回目に 4 回目の表が出ること．

[★2] 独立な幾何分布の 4 つの和でもよい．

[★3] 負の 2 項分布の定義式
$P(\text{NB}(n,p)=k)$
$= \binom{n-1+k}{k}p^n \times$
$(1-p)^k$ にまず注意する．

[★4] 問題 06 より，
$\sum_{k=0}^{\infty}\binom{n-1+k}{k}x^k$
$=(1-x)^{-n}$.

[★5] $k=0,1$ などで検算しよう．

問題 24 離散一様分布 DU$\{1,2,\cdots,N\}$ [基本]

1 サイコロを 1 回投げ，その時の目を X とする。以下を求めよ。
(1) X の確率分布（表） (2) $E(X), E(X^2)$ (3) $V(X), E(5^X)$

2 1 から $N(\geqq 20)$ までの整数が 1 つずつ書かれたカードがある。ここから無作為にカードを 1 枚とり出してカードの番号を調べ，元に戻す操作をくり返す。i 回目の試行でのカードの番号を X_i とする。以下を求めよ。
(1) $k=1,2,\cdots,N$ として $P(X_1=k)$ (2) $P(X_1 \geqq 20)$ (3) $E(X_2)$
(4) $V(X_2)$ (5) $V(X_1+X_2+X_3)$
(6) $P(\max(X_1,X_2) \leqq k), P(\max(X_1,X_2)=k), E(\max(X_1,X_2))$

解説

どの標本点も同様に確からしく起こる，サイコロの目のような離散確率変数の確率分布は，**離散一様分布**と呼ばれる。

N 個の目をもつサイコロの目を X とすると，$P(X=k)=\frac{1}{N}$ ($k=1,2,\cdots,N$) であり，X を $X \sim \mathrm{DU}\{1,2,\cdots,N\}$ と表し，$\{1,2,\cdots,N\}$ 上の離散一様分布という。ここで，$E(X)=\sum_{k=1}^{N} k\frac{1}{N}=\frac{N+1}{2}$, $E(X^2)=\sum_{k=1}^{N} k^2\frac{1}{N}=\frac{(N+1)(2N+1)}{6}$ より，

$$V(X)=E(X^2)-(E(X))^2=(N+1)(N-1)/12$$

となる。また同様に，$Y \sim \mathrm{DU}\{0,1,2,\cdots,N\}$ のときは，$P(Y=k)=\frac{1}{N+1}$ ($k=0,1,2,\cdots,N$) で同様に計算すると，

$$E(Y)=\frac{N}{2}, \quad V(Y)=\frac{N(N+2)}{12}$$

である。また，試行を何回もくり返すとき，(a) **復元試行**（同じことであるがサイコロを何回も投げるような独立試行）と (b) **非復元試行**（これは 1 回目が 2 回目に影響するので，独立でない）の 2 つの場合を区別することが重要になってくる。また，どちらの場合でも equally likely なことは変わらず，(a) の標本点は重複順列，上のようなカードを引く試行では，(b) の標本点は順列であることに注意する。

解答

1 (1) $P(X=k)=\frac{1}{6}$ ($k=1,2,\cdots,6$). つまり，

X	1	2	3	4	5	6
確率	$\frac{1}{6}$	$\frac{1}{6}$	$\frac{1}{6}$	$\frac{1}{6}$	$\frac{1}{6}$	$\frac{1}{6}$

問題 24 基本 離散一様分布 DU$\{1, 2, \cdots, N\}$ 53

(2) $E(X) = \sum_{k=1}^{6} kP(X=k) = \frac{1}{6}\frac{6 \times 7}{2} = \frac{7}{2}$

$E(X^2) = \sum_{k=1}^{6} k^2 P(X=k) = \frac{1}{6}\frac{6 \times 7 \times 13}{6} = \frac{91}{6}$

(3) $V(X) = E(X^2) - (E(X))^2 = \frac{35}{12}$

$E(5^X) = \sum_{k=1}^{6} 5^k P(X=k) = \frac{1}{6}\frac{5 - 5^6 \times 5}{1 - 5} = \frac{5^7 - 5}{24}$

$\boxed{2}$ (1) $P(X_1 = k)$ は k によらず一定でこれを c とおくと,

$1 = \sum_{k=1}^{N} P(X_1 = k) = \sum_{k=1}^{N} c = cN$. よって,

$$P(X_1 = k) = \frac{1}{N} \quad (k = 1, 2, \cdots, N)$$

(2) $P(X_1 \geqq 20) = \sum_{k=20}^{N} P(X_1 = k) = \frac{N - 19}{N}$

(3) $E(X_2) = \sum_{k=1}^{N} kP(X_2 = k) = \frac{1}{N}\frac{N(N+1)}{2} = \frac{N+1}{2}$ ★1

(4) $E(X_2^2) = \sum_{k=1}^{N} k^2 P(X_2 = k) = \frac{(N+1)(2N+1)}{6}$ より,

$V(X_2) = E(X_2^2) - (E(X_2))^2$

$= \frac{(N+1)(2N+1)}{6} - \left(\frac{N+1}{2}\right)^2 = \frac{(N+1)(N-1)}{12}$ ★2

(5) X_1, X_2, X_3 は独立で, $V(X_1) = V(X_2) = V(X_3)$ より,

$$V(X_1 + X_2 + X_3) = 3V(X_1) = \frac{(N+1)(N-1)}{4}$$

(6) $P(\max(X_1, X_2) \leqq k) = P(X_1 \leqq k \cap X_2 \leqq k) = \frac{k^2}{N^2}$

$P(\max(X_1, X_2) = k)$
$= P(\max(X_1, X_2) \leqq k) - P(\max(X_1, X_2) \leqq k - 1)$
$= \frac{k^2}{N^2} - \frac{(k-1)^2}{N^2} = \frac{2k-1}{N^2} \quad (1 \leqq k \leqq N)$

$E(\max(X_1, X_2)) = \sum_{k=1}^{N} k\frac{2k-1}{N^2} = \frac{(N+1)(4N-1)}{6N}$

★1 結果は明らかで, N と 1 の平均。

★2 $N = 1$ のときは定数になるので分散 $= 0$.

問題 25　ポアソン分布 I Po(λ)　　標準

パチンコで1回球が穴に入ると大当たりが出る確率は $\frac{1}{1000}$ である。1000回球が穴に入ったとき大当たりになる回数を X とし, X のポアソン近似を Y とする。このとき, 以下の (1)〜(6) を求めよ。
(1) $P(X=0)$, $P(X=k)$ 　　(2) $P(Y=0)$ 　　(3) $P(Y=k)$
(4) $E(Y)$ 　　(5) $V(Y)$ 　　(6) $E(3^Y)$

解説　試行回数が大だが成功確率は小のケースは世の中にたくさんある。このような場合は以下に見るように**ポアソン分布**で近似できるのである。

[ポアソンの少数の法則]

$k \geqq 0$ として $\displaystyle\lim_{n\to\infty} P\left(\mathrm{B}\left(n, \frac{\lambda}{n}\right) = k\right) = \frac{\lambda^k}{k!} e^{-\lambda}$

証明
$$\lim_{n\to\infty} P\left(\mathrm{B}\left(n, \frac{\lambda}{n}\right) = k\right) = \lim_{n\to\infty} \binom{n}{k}\left(\frac{\lambda}{n}\right)^k \left(1-\frac{\lambda}{n}\right)^{n-k}$$
$$= \lim_{n\to\infty} \frac{\lambda^k}{k!} \cdot \frac{n}{n} \cdot \frac{n-1}{n} \cdots \frac{n-k+1}{n} \left(1-\frac{\lambda}{n}\right)^n \left(1-\frac{\lambda}{n}\right)^{-k} = \frac{\lambda^k}{k!} e^{-\lambda}$$

これに注意すれば,

> X がパラメータ $\lambda (>0)$ のポアソン分布に従う ($X \sim \mathrm{Po}(\lambda)$ と書く) とは, X のとる値 $=\{0, 1, 2, \cdots\}$ で, $P(X=k) = \dfrac{\lambda^k}{k!} e^{-\lambda}$ 　$(k=0, 1, 2, \cdots)$

となることである。このとき,

$$E(X) = \sum_{k=0}^{\infty} k P(X=k) = \sum_{k=1}^{\infty} k \frac{\lambda^k}{k!} e^{-\lambda} = e^{-\lambda} \sum_{l=0}^{\infty} \frac{\lambda^{l+1}}{l!} = e^{-\lambda} \lambda e^{\lambda} = \lambda$$

同様に, $E(X(X-1)) = e^{-\lambda} \displaystyle\sum_{l=0}^{\infty} \frac{\lambda^{l+2}}{l!} = \lambda^2$ より,

$$V(X) = E(X^2) - (E(X))^2 = E(X(X-1)) + E(X) - (E(X))^2$$
$$= \lambda^2 + \lambda - \lambda^2 = \lambda$$

このように**ポアソン分布は平均と分散が等しい**という特徴がある。

ある交差点での事故回数や1年の東京都での火災件数, 友達から1日にかかってくる電話件数などは, すべて試行回数は大だが1つひとつの成功確率は小と考えられるので, ポアソン分布で近似できるのである。

解答

(1) $X \sim B\left(1000, \frac{1}{1000}\right)$ より★1,

$$P(X=k) = \binom{1000}{k}\left(\frac{1}{1000}\right)^k \left(\frac{999}{1000}\right)^{1000-k}$$

とくに, $P(X=0) = \left(\frac{999}{1000}\right)^{1000}$ ★2

(2) $Y \sim \text{Po}(1)$ (この 1 は $1000 \times \frac{1}{1000}$) より,

$$P(Y=0) = \frac{1^0}{0!}e^{-1} = e^{-1}$$

注意 $\lim_{n \to \infty}\left(1+\frac{a}{n}\right)^n = e^a$ より, n が大きいとき,

$$P(X=0) = \left(\frac{999}{1000}\right)^{1000} = \left(1-\frac{1}{1000}\right)^{1000}$$
$$\fallingdotseq e^{-1} = P(Y=0)$$

となっている。★3

(3) $P(Y=k) = \frac{1^k}{k!}e^{-1} = \frac{e^{-1}}{k!}$

(4) $E(Y) = \sum_{k=0}^{\infty} kP(Y=k) = \sum_{k=1}^{\infty} \frac{e^{-1}}{(k-1)!}$
$$= e^{-1}\sum_{l=0}^{\infty}\frac{1}{l!} = e^{-1}e = 1$$

(5) $E(Y(Y-1))$★4 $= \sum_{k=0}^{\infty} k(k-1)P(Y=k) = \sum_{k=2}^{\infty}\frac{e^{-1}}{(k-2)!}$
$$= e^{-1}\sum_{l=0}^{\infty}\frac{1}{l!} = e^{-1}e = 1$$

よって,

$$V(Y) = E(Y^2) - (E(Y))^2 = E(Y(Y-1)) + E(Y) - (E(Y))^2$$
$$= 1 + 1 - 1^2 = 1 \text{ ★5}$$

(6) $E(3^Y) = \sum_{k=0}^{\infty} 3^k P(Y=k) = e^{-1}\sum_{k=0}^{\infty}\frac{3^k}{k!} = e^{-1}e^3 = e^2$

★1 2項分布の定義を思い出すと X は明らかに2項分布とわかるが, パラメータに注意しよう。

★2 もちろん, $\binom{1000}{k}$ を計算することは手計算では不可能なので, 成功確率が小さいことと合わせて, ポアソン分布で近似するのである。

★3 つまり, 運が悪い約 $\frac{1}{e}$ の人は大当たりが出ない。

★4 $V(Y)$ を求めるのに, $E(Y(Y-1))$ を利用する (問題 18 解答の注 (p.39) 参照)。

★5 (4)(5) は, ここではポアソン分布の定義式より実際に計算したが, $Y \sim \text{Po}(1)$ なら, $E(Y) = V(Y) = 1$ は, 左頁の解説からすぐわかる。

問題 26　ポアソン分布 II　$\text{Po}(\lambda)$　発展

$X \sim \text{Po}(\lambda)$, $Y \sim \text{Po}(\mu)$ で独立のとき，以下を求めよ．
(1) $E(X(X-1)(X-2))$　(2) $E(X^3)$　(3) $E(5^X)$
(4) $P(X \geqq 2 | X \geqq 1)$　(5) $P(XY = 0)$　(6) $P(X+Y = k)$
(7) $0 \leqq k \leqq n$ に対して，$P(X = k | X+Y = n)$

解説
本問ではポアソン分布の性質について調べよう．最も重要なものは**再生性**である．また，あとで見るように基本かつ重要な確率過程のポアソン過程の基本となるものなのでしっかり押さえておきたい．

ポアソン分布の再生性　$X \sim \text{Po}(\lambda_1), Y \sim \text{Po}(\lambda_2)$ で独立のとき，
$X + Y \sim \text{Po}(\lambda_1 + \lambda_2)$ である．

証明　$k \geqq 0$ として，
$$P(X+Y = k) = \sum_{l=0}^{k} P(X+Y = k \cap Y = l)$$
$$= \sum_{l=0}^{k} P(X = k-l \cap Y = l) = \sum_{l=0}^{k} P(X = k-l) P(Y = l)$$
$$= e^{-(\lambda_1+\lambda_2)} \sum_{l=0}^{k} \frac{\lambda_1^{k-l}}{(k-l)!} \frac{\lambda_2^l}{l!} = \frac{e^{-(\lambda_1+\lambda_2)}}{k!} \sum_{l=0}^{k} \binom{k}{l} \lambda_1^{k-l} \lambda_2^l$$
$$= \frac{(\lambda_1+\lambda_2)^k}{k!} e^{-(\lambda_1+\lambda_2)}$$

計算例題　$X \sim \text{Po}(\lambda), Y \sim \text{Ge}(p)$ で独立のとき，以下を求めよ．
(1) $E(X!)$　(2) $P(Y \geqq X)$

解答　(1) $E(X!) = \sum_{k=0}^{\infty} k! P(X = k) = \sum_{k=0}^{\infty} k! \frac{\lambda^k}{k!} e^{-\lambda} = \begin{cases} \frac{e^{-\lambda}}{1-\lambda} & (0 < \lambda < 1) \\ \text{発散} & (\lambda \geqq 1) \end{cases}$

(2) $P(Y \geqq X) = \sum_{k=0}^{\infty} P(Y \geqq k \cap X = k) = \sum_{k=0}^{\infty} P(Y \geqq k) P(X = k)$
$$= \sum_{k=0}^{\infty} (1-p)^k \frac{\lambda^k}{k!} e^{-\lambda} = e^{-\lambda + \lambda(1-p)} = e^{-\lambda p}$$

解答

(1)　$E(X(X-1)(X-2)) = \sum_{k=0}^{\infty} k(k-1)(k-2) P(X = k)$
$$= \sum_{k=3}^{\infty} \frac{\lambda^k}{(k-3)!} e^{-\lambda} = e^{-\lambda} \sum_{l=0}^{\infty} \frac{\lambda^l}{l!} \cdot \lambda^3 = \lambda^3 \text{ ★1}$$

★1 $l = k-3$ とおいた．そのあとは e^x のテーラー展開．

(2) まず，$x^3 = ax(x-1)(x-2) + bx(x-1) + cx$ となる定数 a, b, c を求めると，3次の係数を比較して $a=1$. また，x で割って
$x^2 = (x-1)(x-2) + b(x-1) + c$, $x=1$ を代入して $c=1$. 残りを計算して $b=3$. よって，$x^3 = x(x-1)(x-2) + 3x(x-1) + x$ ★2
これより，
$$\begin{aligned}E(X^3) &= E(X(X-1)(X-2)) + 3E(X(X-1)) + E(X) \\ &= \lambda^3 + 3\lambda^2 + \lambda\end{aligned}$$

★2 組立除法を使って，$x-1, x-2$ で x^2 を順に割り算すると簡単。

```
1   0   0   |1
    1   1
1   1  |1   |2
    2
1  |3
```

(3) $E(5^X) = \sum_{k=0}^{\infty} 5^k P(X=k) = e^{-\lambda} \sum_{k=0}^{\infty} \frac{(5\lambda)^k}{k!} = e^{4\lambda}$

(4) 条件付き確率の定義より，
$$P(X \geq 2 | X \geq 1) = \frac{P(X \geq 2 \cap X \geq 1)}{P(X \geq 1)} = \frac{P(X \geq 2)}{P(X \geq 1)}$$
$$= \frac{1 - (P(X=0) + P(X=1))}{1 - P(X=0)} = \frac{1 - e^{-\lambda} - \lambda e^{-\lambda}}{1 - e^{-\lambda}}$$

(5) $P(XY = 0) = P(X = 0 \cup Y = 0)$
$= P(X=0) + P(Y=0) - P(X=0 \cap Y=0)$ ★3
$= P(X=0) + P(Y=0) - P(X=0)P(Y=0)$ ★4
$= e^{-\lambda} + e^{-\mu} - e^{-(\lambda+\mu)}$

★3 和の公式
$P(A \cup B) = P(A) + P(B) - P(A \cap B)$

★4 X, Y の独立性に注意する。

(6) $P(X + Y = k) = \sum_{l=0}^{k} P(X+Y=k \cap X=l)$
$= \sum_{l=0}^{k} P(X=l)P(Y=k-l) = \sum_{l=0}^{k} \frac{\lambda^l}{l!} e^{-\lambda} \frac{\mu^{k-l}}{(k-l)!} e^{-\mu}$
$= \frac{e^{-(\lambda+\mu)}}{k!} \sum_{l=0}^{k} \frac{k!}{l!(k-l)!} \lambda^l \mu^{k-l}$ ★5
$= \frac{e^{-(\lambda+\mu)}}{k!} (\lambda+\mu)^k$ ★6

★5 $k!$ の項で調整。

★6 これは，$\mathrm{Po}(\lambda+\mu)$ であり，ポアソン分布の再生性が証明された。

(7) $P(X=k | X+Y=n) = \frac{P(X=k \cap X+Y=n)}{P(X+Y=n)}$
$= \frac{P(X=k)P(Y=n-k)}{P(X+Y=n)} = \frac{\frac{\lambda^k}{k!} e^{-\lambda} \frac{\mu^{n-k}}{(n-k)!} e^{-\mu}}{\frac{(\lambda+\mu)^n}{n!} e^{-(\lambda+\mu)}}$
$= \binom{n}{k} \left(\frac{\lambda}{\lambda+\mu}\right)^k \left(\frac{\mu}{\lambda+\mu}\right)^{n-k}$

注 (7) の結果から，あとの条件付き期待値（問題 58, p.126 以降）で，$E(X | X+Y=n) = E(\mathrm{B}(n, \frac{\lambda}{\lambda+\mu})) = \frac{n\lambda}{\lambda+\mu}$ となる。

問題 27 超幾何分布 HG(N, m, n) 〈標準〉

1 壺に 10 個の球が入っており，そのうち 4 個は白球，6 個は黒球である。ここから 3 個の球を抜き出したときの白球の個数を X とする。このとき，X の確率分布（表），$E(X)$, $V(X)$ を求めよ。

2 壺に N 個の球が入っており，そのうち m 個は白球，$N-m$ 個は黒球である。ここから n 個の球を抜き出したときの白球の個数を X とする。
(1) X の確率分布を書け。
(2) $E(X), V(X)$ を求めよ。
(3) $X_i = \begin{cases} 1 & i\text{ 番目の抜き出しが白球} \\ 0 & i\text{ 番目の抜き出しが黒球} \end{cases}$ とおくとき，X を X_i で表し，$E(X_i)$, $V(X_i)$ を求め，$E(X), V(X)$ を求めよ。

解説

2項分布は復元抽出であるが，**超幾何分布**は非復元抽出であり，各回の試行は独立ではない。

本問の **2** の設定では，壺から n 個の球を抜き出しているが，壺から 1 個ずつ球を取り出して球の色を調べていくが，球を戻さないでどんどん球を取り出していくというやり方でも同じことで，こうした抽出方法が，**非復元抽出**である。

このとき，$X = k$ という事象は m 個の白球から k 個選び $N-m$ 個の黒球から $n-k$ 個選ぶということで，全事象は N 個の球のなかから n 個選ぶことなので，以上より，

$$P(X=k) = \frac{\binom{m}{k}\binom{N-m}{n-k}}{\binom{N}{n}} \quad (0 \leq k \leq \min(m,n))$$

解答

1

X	0	1	2	3
確率	$\frac{20}{120}$	$\frac{60}{120}$	$\frac{36}{120}$	$\frac{4}{120}$

★1 この表から，

$E(X) = 0 \cdot \frac{20}{120} + 1 \cdot \frac{60}{120} + 2 \cdot \frac{36}{120} + 3 \cdot \frac{4}{120} = \frac{6}{5}$

$V(X) = E(X^2) - (E(X))^2 = 0^2 \cdot \frac{1}{6} + 1^2 \cdot \frac{1}{2} + 2^2 \cdot \frac{3}{10} + 3^2 \cdot \frac{1}{30} - \left(\frac{6}{5}\right)^2 = \frac{14}{25}$

★1 $P(X=k) = \binom{4}{k}\binom{6}{3-k}/\binom{10}{3}$
確率は約分して，$\frac{1}{6}, \frac{1}{2}, \frac{3}{10}, \frac{1}{30}$ でも，もちろんかまわない。

2 (1) $P(X=k) = \binom{m}{k}\binom{N-m}{n-k}/\binom{N}{n}$ $(k=0,1,2,\cdots,\min(m,n))$

注 $\binom{n}{k}\binom{N-n}{m-k}/\binom{N}{m}$ とも書ける。これは たとえば N 個の球を 1 列に並べ最初から n 番目までを選ぶとする。すると全事象は N 個の場所のどこが m 個の白球かということで，$X=k$ という事象は最初の n 個のうちのどの

問題 27 標準 超幾何分布 HG(N, m, n)

k 個が白球で, あとの $N-n$ 個のうちのどの $m-k$ 個が白球かということである。

(2) $E(X) = \dfrac{1}{\binom{N}{n}} \displaystyle\sum_{k=1}^{\min(m,n)} k \binom{m}{k}\binom{N-m}{n-k}$

$ = \dfrac{1}{\binom{N}{n}} \displaystyle\sum_{k=1}^{\min(m,n)} m \binom{m-1}{k-1}\binom{N-m}{n-k}$

$ = \dfrac{m}{\binom{N}{n}} \displaystyle\sum_{l=0}^{\min(m-1,n-1)} \binom{m-1}{l}\binom{N-m}{n-1-l} = \dfrac{m\binom{N-1}{n-1}}{\binom{N}{n}}$

$ = \dfrac{mn}{N}$

同様に, $E(X(X-1)) = \dfrac{m(m-1)n(n-1)}{N(N-1)}$. よって,

$V(X) = E(X^2) - (E(X))^2 = E(X(X-1)) + E(X) - (E(X))^2$

$ = \dfrac{n(n-1)m(m-1)}{N(N-1)} + \dfrac{mn}{N} - \left(\dfrac{mn}{N}\right)^2$

$ = \dfrac{nm(N-m)(N-n)}{N^2(N-1)}$ ★2

(3) $X = X_1 + X_2 + \cdots + X_n$. また, $X_i \sim \mathrm{Be}\left(\dfrac{m}{N}\right)$.

よって, $E(X_i) = \dfrac{m}{N}$, $V(X_i) = \dfrac{m}{N}\dfrac{N-m}{N}$.

$E(X) = E(X_1 + X_2 + \cdots + X_n) = \dfrac{mn}{N}$,

$i \neq j$ のとき, $E(X_i X_j) = 1 \times P(X_i = 1 \cap X_j = 1) = \dfrac{m(m-1)}{N(N-1)}$.

つまり, $\mathrm{Cov}(X_i, X_j) = \dfrac{m(m-1)}{N(N-1)} - \dfrac{m}{N}\dfrac{m}{N} = -\dfrac{m(N-m)}{N^2(N-1)}$.

よって, $V(X) = V(X_1 + X_2 + \cdots + X_n)$

$ = \displaystyle\sum_{i=1}^{n} V(X_i) + \sum_{\substack{1 \leqq i,j \leqq n \\ i \neq j}} \mathrm{Cov}(X_i, X_j)$

$ = n \dfrac{m}{N} \dfrac{N-m}{N} + n(n-1)\left(-\dfrac{m(N-m)}{N^2(N-1)}\right)$

$ = n \dfrac{m}{N} \dfrac{N-m}{N} \dfrac{N-n}{N-1}$

★2 1回ごとの試行が独立なら, n 回の試行で白球が出る個数は $\mathrm{B}(n, \frac{m}{N})$ で, その分散は $n\frac{m}{N}\frac{N-m}{N}$. 本問の $V(X)$ はこれに **有限母集団補正** $\frac{N-n}{N-1}$ を掛けたものになる。

問題 28 幾何分布，離散一様分布の発展問題　　発展

1 大・小2つのサイコロを同時に投げる試行をくり返す。大のサイコロで初めて6の目が出るまでに，6の目以外が出た回数を X，小のサイコロで初めて6の目が出るまでに，6の目以外が出た回数を Y とする。以下を求めよ。

(1) $E(3^{-X})$　(2) $P(\min(X,Y) \geq k)$　(3) $P(\min(X,Y) = k)$
(4) $E(\min(X,Y))$　(5) $P(Y = X)$　(6) $P(Y \geq 3X + 2)$

2 1から N までの数字が1つずつ書かれたカードが全部で N 枚ある。ここから無作為にカードを1枚取り出してカードの番号を調べ元に戻さない操作をくり返す。i 回目の試行でのカードの番号を X_i とする。以下を求めよ。

(1) $i \neq j, k \neq l$ で，$P(X_i = k \cap X_j = l)$, $\mathrm{Cov}(X_i, X_j)$, $V(X_1 + X_2 + X_3)$
(2) $P(\max(X_1, X_2) = k)$, $E(\max(X_1, X_2))$

解説
ここでは，ヒントを与える。

1 題意より，$X \sim Y \sim \mathrm{Ge}(\frac{1}{6})$ で，独立である。$P(Y \geq 3X + 2)$ を求めるような問題では Y の値で分類しないで X の値で分類し（排反な事象に分割）

$P(Y \geq 3X + 2)$
$= P(Y \geq 3X + 2 \cap X = 0) + P(Y \geq 3X + 2 \cap X = 1) + P(Y \geq 3X + 2 \cap X = 2) + \cdots$
$= P(Y \geq 2 \cap X = 0) + P(Y \geq 5 \cap X = 1) + P(Y \geq 8 \cap X = 2) + \cdots$

として計算するとよい。

2 単独の確率変数としては離散一様分布の問題ではあるが，**非復元抽出**であることに注意する。したがって，$i \neq j$ なら $X_i \neq X_j$ なので，

$P(X_i = k \cap X_j = l)$ は，$\frac{1}{N^2}$ ではなく，$k \neq l$ で $\frac{1}{N^2 - N}$ である。

解答

1 (1) $E(3^{-X}) = \sum_{k=0}^{\infty} 3^{-k} \frac{1}{6}\left(\frac{5}{6}\right)^k = \sum_{k=0}^{\infty} \frac{1}{6}\left(\frac{5}{18}\right)^k = \frac{3}{13}$ ★1

(2) $P(X \geq k \cap Y \geq k) = P(X \geq k)P(Y \geq k) = \left(\frac{25}{36}\right)^k$ ★2

(3) $P(\min(X,Y) = k)$
$= P(\min(X,Y) \geq k) - P(\min(X,Y) \geq k+1)$
$= \frac{11}{36}\left(\frac{25}{36}\right)^k$ 　$(k = 0, 1, 2, \cdots)$

★1 明らかに，$X \sim \mathrm{Ge}(\frac{1}{6})$.

★2 「X, Y は独立」に注意．

問題 28 発展 幾何分布，離散一様分布の発展問題　61

(4) $\min(X,Y) \sim \text{Ge}\left(\frac{11}{36}\right)$ より，$E(\min(X,Y)) = \dfrac{25}{11}$

(5) $P(Y=X) = \sum\limits_{k=0}^{\infty} P(X=k \cap Y=k) = \sum\limits_{k=0}^{\infty} \left(\dfrac{1}{6}\left(\dfrac{5}{6}\right)^k\right)^2 = \dfrac{1}{11}$

(6) $P(Y \geqq 3X+2) = \sum\limits_{k=0}^{\infty} P(Y \geqq 3k+2 \cap X=k)$

$= \sum\limits_{k=0}^{\infty} P(Y \geqq 3k+2)P(X=k) = \sum\limits_{k=0}^{\infty} \left(\dfrac{5}{6}\right)^{3k+2} \dfrac{1}{6}\left(\dfrac{5}{6}\right)^k$

$= \left(\dfrac{5}{6}\right)^2 \dfrac{1}{6} \Big/ \left\{1-\left(\dfrac{5}{6}\right)^4\right\}$ ★3

★3 X の値で分類（排反事象に分ける）。

2 (1) $i \neq j, k \neq l$ で，$P(X_i = k \cap X_j = l) = \dfrac{1}{N(N-1)}$.

$E(X_i X_j) = \sum\limits_{1 \leqq k \neq l \leqq N} kl P(X_i=k \cap X_j=l)$

$= \sum\limits_{1 \leqq k \neq l \leqq N} kl \dfrac{1}{N(N-1)} = \dfrac{1}{N(N-1)} \sum\limits_{1 \leqq k \neq l \leqq N} kl$

$= \dfrac{1}{N(N-1)} \left(\sum\limits_{1 \leqq k,l \leqq N} kl - \sum\limits_{k=1}^{N} k^2\right)$ ★4

$= \dfrac{1}{N(N-1)} \left[\left\{\dfrac{N(N+1)}{2}\right\}^2 - \dfrac{N(N+1)(2N+1)}{6}\right]$

$= \dfrac{(N+1)(3N+2)}{12}$

★4 $\sum\limits_{1 \leqq k,l \leqq N} kl$ は，$\sum\limits_{k=1}^{N} k \cdot \sum\limits_{l=1}^{N} l$ と「因数分解」できる。

よって，$\text{Cov}(X_i, X_j) = E(X_i X_j) - E(X_i)E(X_j) = \dfrac{-(N+1)}{12}$ ★5

★5 X_i 単独では明らかに離散一様分布。

分散の和と共分散の公式を思い出して，

$V(X_1+X_2+X_3) = 3V(X_1) + 6\text{Cov}(X_1, X_2)$

$= \dfrac{(N+1)(N-3)}{4}$ ★6

★6 対称性より
$V(X_1) = V(X_2)$
$= V(X_3)$,
$\text{Cov}(X_1, X_2)$
$= \text{Cov}(X_2, X_3)$
$= \text{Cov}(X_3, X_1)$.

(2) $P(\max(X_1, X_2) \leqq k) = P(X_1 \leqq k \cap X_2 \leqq k) = \dfrac{k(k-1)}{N(N-1)}$

$P(\max(X_1, X_2) = k)$
$= P(\max(X_1, X_2) \leqq k) - P(\max(X_1, X_2) \leqq k-1)$
$= \dfrac{k(k-1)}{N(N-1)} - \dfrac{(k-1)(k-2)}{N(N-1)} = \dfrac{2(k-1)}{N(N-1)}$ （$2 \leqq k \leqq N$）

$E(\max(X_1, X_2)) = \sum\limits_{k=2}^{N} k \dfrac{2(k-1)}{N(N-1)} = \dfrac{2(N+1)}{3}$

| 問題 | 29 | 確率変数の分解の問題 | 発展 |

1 壺に N 個の球が入っており，m 個は白球，$N-m$ 個は黒球である。ここから n 個の球を抜き出すとき，白球の個数を X とする。白球に 1~m の番号を付けたとすると

$$Y_i = \begin{cases} 1 & i \text{ 番目の白球が選ばれた場合} \\ 0 & i \text{ 番目の白球が選ばれなかった場合} \end{cases}$$

としたときに X を Y_i で表し，$E(Y_i), V(Y_i)$ を求め，$E(X), V(X)$ を求めよ。

2 サイコロを n 回投げ，$X_i = 1$ (i 回目 $=1$)，0 (i 回目 $\neq 1$)，$Y_i = 1$ (i 回目 $=6$)，0 (i 回目 $\neq 6$)，$X = X_1 + \cdots + X_n, Y = Y_1 + \cdots + Y_n$ とする。このとき，(1) $P(X=k), E(X), V(X)$ (2) $\mathrm{Cov}(X, Y)$ を求めよ。

解説 確率変数 X が $X = X_1 + X_2 + \cdots + X_n$ と分解されることはよくある。$X_i \sim \mathrm{Be}(p)$ で独立なら，$X = X_1 + X_2 + \cdots + X_n$ は，$X \sim \mathrm{B}(n, p)$ であった (p.45，問題 20 の注意)。つまり，ベルヌーイ分布の独立な n 個の和は 2 項分布になる。超幾何分布も同様に $X = X_1 + X_2 + \cdots + X_n$ とベルヌーイ確率変数の和に分解できるのだが，異なる点は 2 項分布の X_i が独立であるのに対して超幾何分布の X_i は明らかに独立でない。他にもこのような分解を用いる有名問題をあげておく。

問題 1 から N までのカードをランダムに並べるとき，i 枚目のカードの番号が i と一致するカードの枚数を X とする。$E(X), V(X)$ を求めよ。

解答

$$X_i = \begin{cases} 1 & (i \text{ 枚目のカードの番号が } i) \\ 0 & (i \text{ 枚目のカードの番号が } i \text{ でない}) \end{cases}$$

とおくと，$X = X_1 + X_2 + \cdots + X_N$ である。また，$X_i \sim \mathrm{Be}\left(\frac{1}{N}\right)$ より，

$$E(X_i) = \frac{1}{N}$$

$$E(X) = E(X_1 + X_2 + \cdots + X_N) = E(X_1) + E(X_2) + \cdots + E(X_N) = 1$$

$$P(X_i = 1 \cap X_j = 1) = P(X_1 = 1 \cap X_2 = 1) = \frac{1}{N(N-1)} \quad (i \neq j)$$

よって，$\mathrm{Cov}(X_i, X_j) = E(X_i X_j) - E(X_i)E(X_j)$

$$= \frac{1}{N(N-1)} - \frac{1}{N^2} = \frac{1}{N^2(N-1)}$$

また，$V(X_i) = \frac{1}{N}\left(1 - \frac{1}{N}\right) = \frac{N-1}{N^2}$. 合わせて，

$$V(X) = V(X_1 + X_2 + \cdots X_N) = V(X_1) + \cdots + V(X_N) + \sum_{i \neq j} \mathrm{Cov}(X_i, X_j)$$
$$= N \frac{N-1}{N^2} + (N^2 - N) \frac{1}{N^2(N-1)} = 1$$

また他にも，ベルヌーイ確率変数の和への分解ではないが，再生性との関連で，
$X_i \sim \mathrm{Po}(\lambda)$ で独立なら $X_1 + X_2 + \cdots + X_n \sim \mathrm{Po}(n\lambda)$
$X_i \sim \mathrm{Ge}(p)$ で独立なら $X_1 + X_2 + \cdots + X_n \sim \mathrm{NB}(n, p)$
$X \sim \mathrm{NB}(m, p), Y \sim \mathrm{NB}(n, p)$ で独立なら，$X + Y \sim \mathrm{NB}(m+n, p)$
などは重要である。

解答

$\boxed{1}$ まず，$X = Y_1 + Y_2 + \cdots + Y_m$ は明らかで，$E(Y_i) = \dfrac{n}{N}$ より，
$E(X) = E(Y_1 + Y_2 + \cdots + Y_m) = \dfrac{mn}{N}$. また，$V(Y_i) = \dfrac{n}{N}\left(1 - \dfrac{n}{N}\right)$
となる★1。

★1 $Y_i \sim \mathrm{Be}(\tfrac{n}{N})$.

$i \neq j$ のとき，$E(Y_i Y_j) = 1 \times P(Y_i = 1 \cap Y_j = 1) = \dfrac{n(n-1)}{N(N-1)}$. つまり，
$$\mathrm{Cov}(Y_i, Y_j) = \frac{n(n-1)}{N(N-1)} - \frac{n}{N}\frac{n}{N} = -\frac{n(N-n)}{N^2(N-1)}$$

$\therefore$ ★2 $V(X) = V(Y_1 + Y_2 + \cdots + Y_m)$
$$= \sum_{i=1}^{m} V(Y_i) + \sum_{\substack{1 \leq i, j \leq m, \\ i \neq j}} \mathrm{Cov}(Y_i, Y_j)$$
$$= m \frac{n}{N} \frac{N-n}{N} + m(m-1)\left(-\frac{n(N-n)}{N^2(N-1)}\right)$$
$$= n \frac{m}{N} \frac{N-m}{N} \frac{N-n}{N-1}$$

★2 もちろん，X の分布は前に見た超幾何分布である。

$\boxed{2}$ (1) 定義より明らかに $X \sim B(n, \tfrac{1}{6})$. よって，
$$P(X = k) = \binom{n}{k} \left(\frac{1}{6}\right)^k \left(\frac{5}{6}\right)^{n-k} \quad (k = 0, 1, \cdots, n)$$
$$E(X) = E\left(B\left(n, \frac{1}{6}\right)\right) = \frac{n}{6}, \quad V(X) = V\left(B\left(n, \frac{1}{6}\right)\right) = \frac{5n}{36}$$

(2) $i \neq j$ のとき，明らかに X_i と Y_j は独立で，$\mathrm{Cov}(X_i, Y_j) = 0$.
$i = j$ のときは，明らかに同時に 1 になることはないので，$E(X_i Y_i) = 0$.
よって，$\mathrm{Cov}(X_i, Y_i) = E(X_i Y_i) - E(X_i)E(Y_i) = 0 - \dfrac{1}{6}\dfrac{1}{6} = \dfrac{-1}{36}$.
あとは，$\mathrm{Cov}(X, Y) = \mathrm{Cov}\left(\sum_{i=1}^{n} X_i, \sum_{j=1}^{n} Y_j\right) = \sum_{i=1}^{n} \sum_{j=1}^{n} \mathrm{Cov}(X_i, Y_j)$.
$$= \sum_{i=1}^{n} \mathrm{Cov}(X_i, Y_i) = \sum_{i=1}^{n} \frac{-1}{36} = \frac{-n}{36} \text{ ★3}$$

★3 この (X, Y) の同時分布は多項分布 (p.120, 問題 55) であるが，ここでその共分散が求められた。あとでは別のやり方で求める。

問題 30　2項分布，幾何分布の復習問題　　発展

1 国民の1人ひとりが A 首相を支持する確率を p（確率 $1-p$ で不支持）とし，各人が支持するかどうかは独立であるとする。N 人の人のなかでの支持人数を X とするとき，$E(X), V(X)$ を求めよ。

2 大・小2つのサイコロを同時に投げる試行をくり返す。
大のサイコロで初めて6の目が出るまでに，6の目以外が出た試行回数を X，小のサイコロで初めて6の目が出るまでに，6の目以外が出た試行回数を Y，大のサイコロで初めて1の目が出るまでに，1の目以外が出た試行回数を W，大のサイコロで $1\sim N$ 回の試行で6の目が出た試行回数を K，大のサイコロで $1\sim 2N$ 回の試行で6の目が出た試行回数を L とするとき，以下を求めよ。
(1) $P(X=2k)$　　(2) $P(X \text{ が偶数})$　　(3) $P(X \geqq 3Y+1)$
(4) $P(X \geqq 2Y-5)$　　(5) $l > k$ のとき，$P(X=k \cap W=l)$
(6) $P(X=k \cap W \geqq 3k+2)$　　(7) $P(W \geqq 3X+2)$　　(8) $\mathrm{Cov}(K, L)$

解説　ここではヒントを述べる。

1 支持を1，不支持を0と考えて，独立なベルヌーイ確率変数の和に帰着。

2 まず，定義からわかるように，X, Y, W の分布は幾何分布である。(1) は (2) のヒントであり，(3)(4) は Y の値で分類して排反事象に分ける。また，(4) では，$Y=0,1,2$ で $P(x \geqq 負)(=1)$ が出てくることに注意する。また，K, L は2項分布であるが，L のなかに K が入りこんでいるので，L, K が独立でないことに注意しなければならない。

解答

1 $X \sim \mathrm{B}(N, p)$ となるので，$E(X) = Np$，$V(X) = Np(1-p)$．

2 (1) 題意より，$X \sim \mathrm{Ge}\left(\frac{1}{6}\right)$ よって，$P(X=2k) = \frac{1}{6}\left(\frac{5}{6}\right)^{2k}$

(2) $P(X \text{ が偶数}) = \sum_{k=0}^{\infty} P(X=2k) = \sum_{k=0}^{\infty} \frac{1}{6}\left(\frac{5}{6}\right)^{2k} = \frac{1}{6} \Big/ \left(1-\frac{25}{36}\right) = \frac{6}{11}$

別解 求める確率を p とおき，奇数になる確率を q とおくと，$p+q=1$．1回目で6が出たら6の目以外が出た回数は $X=0$（偶数），1回目で6以外が出たらトータルで偶数になるためには，2回目以降が「初めて6の目が出るまでに6の目以外が出た回数が奇数」と同じなので，$p = \frac{1}{6} + \frac{5}{6}q = \frac{1}{6} + \frac{5}{6}(1-p)$．これより $p = \frac{6}{11}$．

(3) $P(X \geqq 3Y + 1) = \sum_{k=0}^{\infty} P(X \geqq 3k + 1 \cap Y = k)$

$= \sum_{k=0}^{\infty} P(X \geqq 3k + 1) P(Y = k)^{\bigstar 1}$

$= \sum_{k=0}^{\infty} \left(\frac{5}{6}\right)^{3k+1} \frac{1}{6} \left(\frac{5}{6}\right)^k = \dfrac{\frac{5}{36}}{1 - \left(\frac{5}{6}\right)^4}$

★1 p.47, 問題 21 (2) の解答より, $P(X \geqq k) = \left(\frac{5}{6}\right)^k$.

(4) $P(X \geqq k)$ は $k \leqq 0$ のとき 1 であることに注意して, ★2

$P(X \geqq 2Y - 5)$
$= P(X \geqq 2Y - 5 \cap Y \leqq 2) + P(X \geqq 2Y - 5 \cap Y \geqq 3)$
$= P(Y \leqq 2) + \sum_{k=3}^{\infty} P(X \geqq 2Y - 5 \cap Y = k)$
$= 1 - P(Y \geqq 3) + \sum_{k=3}^{\infty} P(X \geqq 2k - 5 \cap Y = k)$
$= 1 - \left(\frac{5}{6}\right)^3 + \sum_{k=3}^{\infty} P(X \geqq 2k - 5) P(Y = k)$
$= 1 - \left(\frac{5}{6}\right)^3 + \sum_{k=3}^{\infty} \left(\frac{5}{6}\right)^{2k-5} \frac{1}{6} \left(\frac{5}{6}\right)^k = 1 - \left(\frac{5}{6}\right)^3 + \dfrac{\frac{1}{6} \left(\frac{5}{6}\right)^4}{1 - \left(\frac{5}{6}\right)^3}$

★2 $2Y - 5$ の符号変化で場合わけ $\longrightarrow$ $Y \leqq 2$, $Y \geqq 3$ で分ける。

(5) 問題を解釈すると, 第 1 回から第 k 回までは 1, 6 以外で, $k+1$ 回目には 6 が出て, 第 $k+2$ 回目から第 l 回目までの $l - (k+2-1)$ 回分では 1 以外で, 第 $l+1$ 回目に 1 が出るということなので, 求める確率は,

$$P(X = k \cap W = l) = \left(\frac{2}{3}\right)^k \frac{1}{6} \left(\frac{5}{6}\right)^{l-k-1} \frac{1}{6} = \frac{4^k \cdot 5^{l-k-1}}{6^{l+1}}$$

(6) 問題を解釈すると, 第 1 回から第 k 回までは 1, 6 以外で, $k+1$ 回目には 6 が出て, $k+2$ 回目から $3k+2$ 回目までの $3k+2-(k+2-1)$ 回分では 1 が出ないということなので, 求める確率は,

$$P(X = k \cap W \geqq 3k + 2) = \left(\frac{2}{3}\right)^k \frac{1}{6} \left(\frac{5}{6}\right)^{2k+1} = \frac{5}{36} \left(\frac{25}{54}\right)^k$$

(7) (6) より,

$P(W \geqq 3X + 2) = \sum_{k=0}^{\infty} P(X = k \cap W \geqq 3k + 2)$

$= \sum_{k=0}^{\infty} \frac{5}{36} \left(\frac{25}{54}\right)^k = \dfrac{\frac{5}{36}}{1 - \frac{25}{54}} = \frac{5}{36} \cdot \frac{54}{29} = \frac{15}{58}$

(8) 条件より, $L - K$ は第 $N+1$ 回から第 $2N$ 回までで 6 の目が出た回数なので, $L - K \sim B(N, \frac{1}{6})$ で K と独立。よって,

$\mathrm{Cov}(K, L) = \mathrm{Cov}(K, K + L - K)$

$= \mathrm{Cov}(K, K) + \mathrm{Cov}(K, L - K) = V(K) + 0 = \dfrac{5N}{36}$

問題 31　総合問題　ポスター集めの問題など　　発展

$\boxed{1}$ イブニング娘（N 人グループ）の CD 1 枚買うごとに，メンバーのうちの誰か 1 人のポスターがついてくる．以下を求めよ．
(1) N 枚買ったとき，N 人のポスターが全部そろう確率
(2) $N+1$ 枚買ったとき，N 人全部そろう確率
(3) m 枚買って揃った人数を X_m とするとき，$E(X_m)$
(4) Y 枚目の CD ではじめて N 人全部揃う（まで買い続ける）とき，$E(Y)$

$\boxed{2}$ 血液型の人口比が A：40%，B：30%，O：20%，AB：10% として，
(1) 4 人の血液型がすべて異なる確率　(2) 5 人の血液型が 4 種類である確率
を求めよ．

$\boxed{3}$ ある工場の製品が不良品の確率は，1 つにつき p とする．以下を求めよ．
(1) 1 つひとつ検査していき，はじめて不良品が見つかるまでの検査回数を T とするとき $E(T), V(T)$
(2) 1 日の製造数 N 個中の不良品の個数を X とするとき，$E(X), V(X)$
(3) (2) で $N = 10000$, $p = \frac{1}{1000}$ のとき，X のポアソン近似を Y として，$E(Y), V(Y), P(Y \geq 2)$

解説　$\boxed{1}$ (3) p.62 の確率変数の分解を用いる．　(4) Fs 分布の和で書ける．
$\boxed{2}$ (1) 4 人の人の血液型が A, B, O, AB であることに注意する．
(2) 題意より 1 人だけ重複していることに注意する．
$\boxed{3}$ (1)(2) 不良品が見つかることを成功とすると，最初の成功までの試行回数になるが，これはどのような分布か？　(3) ポアソンの少数の法則を思い出す．

解答

$\boxed{1}$ (1) $\dfrac{N!}{N^N}$

(2) 1 人だけ重複しているのでその選び方は N 通り，また，$N+1$ 個でそのうちの 2 つだけ同じものを並べる順列の個数は，$\dfrac{(N+1)!}{2}$ となるから
$$N \dfrac{(N+1)!}{2N^{N+1}} = \dfrac{(N+1)!}{2N^N}$$

(3) $X_m = Z_1 + Z_2 + \cdots + Z_N$，ここで，$Z_i = 1$（$m$ 枚の CD（ポスター）の中に i が入る），0（入らない）とすると，
$$P(Z_i = 0) = \left(\dfrac{N-1}{N}\right)^m \quad \therefore E(Z_i) = 1 - \left(\dfrac{N-1}{N}\right)^m$$

問題 31 [発展] 総合問題　ポスター集めの問題など　67

よって，
$$E(X_m) = E(Z_1 + \cdots + Z_N) = N\left(1 - \left(\frac{N-1}{N}\right)^m\right)$$

(4) $i-1$ 種類から i 種類になるまでの CD の購入枚数を T_i とする。すると明らかに $T_1 = 1$. また，$T_i - T_{i-1} \sim \text{Fs}\left(\frac{N-i+1}{N}\right)$ ★1．つまり，

$$E(Y) = E(T_N)$$
$$= E((T_N - T_{N-1}) + (T_{N-1} - T_{N-2}) + \cdots + (T_2 - T_1) + T_1)$$
$$= E\left(\text{Fs}\left(\frac{1}{N}\right) + \text{Fs}\left(\frac{2}{N}\right) + \cdots + \text{Fs}\left(\frac{N-1}{N}\right) + 1\right)$$
$$= N\left(1 + \frac{1}{2} + \cdots + \frac{1}{N}\right) \text{★2}$$

★1 なぜなら，N のうちから今までに出た $i-1$ 種類以外が出ればよい。

★2 $E(\text{Fs}(\frac{k}{N})) = \frac{N}{k}$ (p.46, 問題 21).

2 (1) $4! \times 0.4 \times 0.3 \times 0.2 \times 0.1 = 0.0576$ ★3

(2) $\frac{5!}{2!}((0.4)^2 \times 0.3 \times 0.2 \times 0.1 + 0.4 \times (0.3)^2 \times 0.2 \times 0.1$
$\quad + 0.4 \times 0.3 \times (0.2)^2 \times 0.1 + 0.4 \times 0.3 \times 0.2 \times (0.1)^2)$
$= \frac{5!}{2!} \cdot \frac{4!}{10^5}(4 + 3 + 2 + 1) = \frac{5 \cdot 4 \cdot 3 \cdot 2 \cdot 1 \cdot 4 \cdot 3 \cdot 2 \cdot 1}{2 \cdot 1 \cdot 10^5} \cdot 10$
$= 0.144$ ★4

★3 4 人を並べる順列は $4!$ 通りある。

★4 たとえば，A 型の人が重複する確率は，$\frac{5!}{2!}(0.4)^2 \times 0.3 \times 0.2 \times 0.1$ である。

3 (1) $T \sim \text{Fs}(p)$ となるので，$E(T) = \frac{1}{p}, V(T) = \frac{1-p}{p^2}$

(2) $X \sim B(N, p)$ となるので，$E(X) = Np, V(X) = Np(1-p)$

(3) ポアソンの少数の法則より，$Y \sim \text{Po}\left(10000 \times \frac{1}{1000}\right) = \text{Po}(10)$ となるので，
$E(Y) = V(Y) = 10$
$P(Y \geqq 2) = 1 - P(Y=0) - P(Y=1) = 1 - e^{-10} - 10e^{-10}$

Tea Time　　　　　　　　　　　　　　　　　　　　　　　基本的な積分公式

次の Chapter.4 で必要となる，基本的な積分公式をここで挙げておく。

$$\int x^\alpha dx = \frac{x^{\alpha+1}}{\alpha+1} \quad \text{for } \alpha \neq -1 \text{ となる実数 } \alpha \qquad \int \frac{1}{x} dx = \log|x|$$

$$\int e^x dx = e^x, \quad \int e^{ax} dx = \frac{1}{a} e^{ax} \qquad \int \sin x \, dx = -\cos x \qquad \int \cos x \, dx = \sin x$$

$$\int \frac{dx}{\cos^2 x} = \tan x \qquad \int \frac{dx}{1+x^2} = \tan^{-1} x \qquad \int \frac{dx}{\sqrt{1-x^2}} = \sin^{-1} x$$

Tea Time　　　　　　　　　　　　　　　　　　　　　　　基本的な定積分

Chapter.4 からの確率の計算は，もっぱら定積分の計算になる。基本的な定積分の値を知っておけば，計算が早い。

$$\int_0^{\frac{\pi}{2}} \sin x \, dx = \int_0^{\frac{\pi}{2}} \cos x \, dx = 1 \qquad \int_0^\infty e^{-x} dx = 1 \qquad \int_{-\infty}^\infty \frac{dx}{1+x^2} = \pi$$

$$\int_0^a \sqrt{a^2 - x^2} \, dx = \frac{\pi a^2}{4} \qquad \text{（半径 } a \text{ の四分円の面積，p.74，問題 34 解説の図を参照）}$$

たとえば，$\int_0^\infty e^{-px} dx = \left(\frac{1}{p} \int_0^\infty e^{-px} d(px)\right) = \frac{1}{p}$ や，グラフを描いてみることで，

$\int_0^\pi \sin 3x \, dx = \frac{1}{3} \int_0^{3\pi} \sin u \, du = \frac{1}{3} \int_0^\pi \sin u \, du = \frac{2}{3}$ $(u = 3x)$ などと，上の定積分に帰着できる。さらに，$I_n = \int_0^{\frac{\pi}{2}} \sin^n x \, dx \left(= \int_0^{\frac{\pi}{2}} \cos^n x \, dx\right)$ を部分積分で計算するのでも，

$$I_{n+2} = \int_0^{\frac{\pi}{2}} \sin^{n+2} x \, dx = \int_0^{\frac{\pi}{2}} \sin^{n+1} x \cdot \underbrace{\sin x}_{(-\cos x)'} \, dx$$

$$= \underbrace{\left[\sin^{n+1} x \cdot (-\cos x)\right]_0^{\frac{\pi}{2}}}_{\text{この部分は 0 になる！}} - \int_0^{\frac{\pi}{2}} (n+1) \sin^n x \cdot \cos x \cdot (-\cos x) \, dx$$

$$= (n+1) \int_0^{\frac{\pi}{2}} \sin^n x \cdot \cos^2 x \, dx = (n+1) \int_0^{\frac{\pi}{2}} \sin^n x (1 - \sin^2 x) \, dx$$

$$= (n+1) I_n - (n+1) I_{n+2}$$

$$\therefore I_{n+2} = \frac{n+1}{n+2} I_n \qquad [\text{この積分は，ベータ関数 } \tfrac{1}{2} B(\tfrac{n+1}{2}, \tfrac{1}{2}) \text{ となる (p.76，問題 35)}]$$

のように，2番目の式の [ ] の部分が 0 になるパターンは定積分の計算ではよく現れる。

また，$f(x)$ が偶関数 ($f(x) = f(-x)$) なら，$\int_{-a}^a f(x) dx = 2 \int_0^a f(x) dx$，$f(x)$ が奇関数 ($f(x) = f(-x)$) なら，$\int_{-a}^a f(x) dx = 0$ などもよく利用される。

Chapter 4

1次元連続確率分布

連続確率分布では，確率密度関数といった新しい概念が出てくる。
また，これまでの離散から連続変数に変わることによって，計算も Σ の計算から，定積分の計算に変わっていく。
まず，こうした計算のツボを押さえることが大事である。

Chapter.4 1次元連続確率分布

問題 32 連続確率変数, 確率密度関数, 確率分布関数 I 　基本

次の連続確率変数 X の密度関数 $f_X(x)$ (c は定数, また指定区間以外での値は 0 とする) について, 以下を求めよ.

(1) $f_X(x) = cx$ $(2 \leqq x \leqq 6)$ のとき, (a) 定数 c (b) $E(X)$ (c) $V(X)$

(2) $f_X(x) = \dfrac{c}{x}$ $(-8 \leqq x \leqq -4)$ のとき, (a) 定数 c (b) $E(X)$ (c) $V(X)$

解説 確率変数 X がすべての実数 x に対して $P(X = x) = 0$ を満たすとき, **連続確率変数**という. このとき, X の**確率密度関数**とよばれる関数 $f_X(x)$ があって, すべての実数 a, b $(a < b)$ に対して,

$$P(a \leqq X \leqq b) = \int_a^b f_X(x)\,dx$$
$$(= P(a \leqq X < b) = P(a < X \leqq b) = P(a < X < b))$$

となる. こうして表される分布が**連続確率分布**である.

確率密度関数 $f_X(x)$ の意味は,

$$P(x \leqq X \leqq x + \Delta x) = \int_x^{x + \Delta x} f_X(u)\,du \fallingdotseq f_X(x)\Delta x$$

である. これと $\displaystyle\lim_{\substack{a \to -\infty \\ b \to +\infty}} P(a < X < b) = P(-\infty < X < +\infty) = P(\Omega) = 1$ より, (a) $\displaystyle\int_{-\infty}^{+\infty} f_X(x)\,dx = 1$ と (b) $f_X(x) \geq 0$ を満たす. 逆に (a) かつ (b) を満たす $f_X(x)$ はある連続確率変数の確率密度関数となる. すべての関数 h に対して,

$$E(h(X)) = \int_{-\infty}^{\infty} h(x) f_X(x)\,dx$$

で定義される. なぜなら,

$$E(h(X)) \fallingdotseq \sum_x h(x) P(x \leqq X \leqq x + \Delta x)$$
$$\fallingdotseq \sum_x h(x) f_X(x) \Delta x \fallingdotseq \int_{-\infty}^{\infty} h(x) f_X(x)\,dx$$

と理解すればよい. また, このように定義すると $m = E(X)$ として,

$$V(X) = E((X - m)^2) = \int_{-\infty}^{\infty} (x - m)^2 f_X(x)\,dx$$

問題 32 [基本] 連続確率変数, 確率密度関数, 確率分布関数 I

$$= \int_{-\infty}^{\infty} (x^2 - 2mx + m^2) f_X(x) dx$$
$$= \int_{-\infty}^{\infty} x^2 f_X(x) dx - 2m \int_{-\infty}^{\infty} x f_X(x) dx + m^2 \int_{-\infty}^{\infty} f_X(x) dx$$
$$= \int_{-\infty}^{\infty} x^2 f_X(x) dx - m^2 = E(X^2) - (E(X))^2$$
$$(\because \int_{-\infty}^{\infty} x f_X(x) dx = E(X) = m, \int_{-\infty}^{\infty} f_X(x) dx = 1)$$

となり, 離散のときと同じ公式が成立し, 他の公式も同様に成立する. また,

$$F_X(x) = P(X \leqq x) = \int_{-\infty}^{x} f_X(u) du$$

を X の**確率分布関数**という. 明らかに,

$\lim_{x \to -\infty} F_X(x) = \lim_{x \to -\infty} P(X \leqq x) = 0, \lim_{x \to \infty} F_X(x) = 1$
$F_X(x)$ は x について単調増加

などが成り立つ. また, 分布関数 $F_X(x)$ から密度関数
$f_X(x)$ を求めるには微分積分の基本定理より,
密度関数は

$$f_X(x) = \frac{d}{dx} \int_{-\infty}^{x} f_X(u) du = \frac{d}{dx} F_X(x)$$

で, 分布関数を微分することで得られる.

解 答

(1) (a) $1 = \int_{-\infty}^{\infty} f_X(x) dx = \int_{2}^{6} cx\, dx = 16c$. よって, $c = \dfrac{1}{16}$

(b) $E(X) = \int_{-\infty}^{\infty} x f_X(x) dx = \int_{2}^{6} x \cdot \dfrac{x}{16} dx = \dfrac{1}{16} \left[\dfrac{x^3}{3} \right]_{2}^{6} = \dfrac{13}{3}$ ★1

(c) $E(X^2) = \int_{2}^{6} x^2 \cdot \dfrac{x}{16} dx = \dfrac{1}{16} \left[\dfrac{x^4}{4} \right]_{2}^{6} = 20$

よって, $V(X) = E(X^2) - (E(X))^2 = 20 - \left(\dfrac{13}{3} \right)^2 = \dfrac{11}{9}$

(2) (a) $1 = \int_{-8}^{-4} \dfrac{c}{x} dx = c \left[\log |x| \right]_{-8}^{-4} = -c \log 2, c = \dfrac{-1}{\log 2}$ ★2

(b) $E(X) = \int_{-8}^{-4} x \cdot \dfrac{c}{x} dx = 4c = \dfrac{-4}{\log 2}$ ★3

(c) $E(X^2) = c \int_{-8}^{-4} x\, dx = \dfrac{24}{\log 2}, V(X) = \dfrac{24}{\log 2} - \left(\dfrac{-4}{\log 2} \right)^2$ ★4

★1 $P(2 \leqq X \leqq 6) = 1$ より $2 \leqq E(X) \leqq 6$ に注意する. 同様に $4 \leqq E(X^2) \leqq 36$.

★2 この場合 x のとる値は負なので c の値も負に注意. なぜなら, $f_X(x) \geqq 0$.

★3 $E(X) < 0$
★4 $V(X) > 0$ である.

Chapter.4 1次元連続確率分布

問題 33 連続確率変数，確率密度関数，確率分布関数 II　　標準

[1] 次の連続確率変数 X の密度関数 $f_X(x)$（指定区間以外での値は 0）について，以下を求めよ．

(1) $f_X(x) = \dfrac{c}{1+x^2}$ $(0 \leqq x \leqq 1)$ で
　(a) 定数 c　(b) $E(X)$　(c) $V(X)$　(d) $F_X(x)$

(2) $f_X(x) = cxe^{-\frac{x^2}{2}}$ $(0 < x < \infty)$ で　(a) 定数 c　(b) 分布関数 $F_X(x)$

[2] $P(X > 0) = 1$, $F_X(x) = \dfrac{x}{a+x}$ $(x \geqq 0)$ のとき，$f_X(x)$ を求めよ．

解説　■確率密度関数の意味……$P(X=x) = 0$ とはどういうことか

離散ならすべての x に対して $P(X=x) = 0$ はありえないのだが，連続確率変数だととる値が連続なので $P(X=x) = 0$ となる．数学的には $\displaystyle\sum_{x:\text{非可算}} P(X=x)$ のように非可算連続和を考えることはできない（かわりに積分になる）．$P(\text{身長} = 100\sqrt{3}\text{cm}) = 0$ はピッタリ $100\sqrt{3}$cm になることはないという意味である．しかし，$P(\text{身長} = 173\text{cm})$ を論ずることに日常会話的に意味があるのは，暗黙の了解のうちに幅 1cm をつけて考えているためで，たとえば切り捨てだと，実際には $P(173 \leqq X < 174)$ の意味であると理解され，これは $\Omega = $ 日本人全体とすると，

$$\frac{\text{身長が 173cm 以上 174cm 未満の日本人の数}}{\text{日本の人口}}$$

でわかる．また，Δx を幅とすると，

$$P(X=x)(\text{離散（デジタル）}) = P(x \leqq X \leqq x + \Delta x)(\text{連続（アナログ）})$$

と考え，これは $\displaystyle\int_x^{x+\Delta x} f_X(u)du$ で計算され，近似的には $f_X(x)\Delta x$ に近い．

■基本的な積分計算……実際には定積分計算なので，以下を利用する

◎**置換積分**　（変数変換は多変数でも重要．積分区間の移動に注意）
$G = \int g\,dx$ で，$\displaystyle\int_a^b g(f(x))f'(x)dx = \Big[G(f(x))\Big]_a^b = G(f(b)) - G(f(a))$
とくによく使われるバリエーションとして，
$\displaystyle\int \frac{f'(x)}{f(x)}dx = \int \frac{du}{u} = \log|u| = \log|f(x)|$　（$\because u = f(x)$ と置換）
$\displaystyle\int f(x)^n f'(x)dx = \int u^n du = \frac{u^{n+1}}{n+1} = \frac{f(x)^{n+1}}{n+1}$　（$\because u = f(x)$ と置換）

問題 33 [標準] 連続確率変数，確率密度関数，確率分布関数 II 73

例．$\int_1^2 \dfrac{x}{1+x^2}dx = \dfrac{1}{2}\int_2^5 \dfrac{du}{u} = \dfrac{1}{2}\Big[\log u\Big]_2^5 = \dfrac{1}{2}\log\dfrac{5}{2}$　　($\because u = 1+x^2$ と置換)

例．$\int \dfrac{\cos\theta}{\sin\theta}d\theta = \log|\sin\theta|,\ \int\tan\theta\,d\theta = -\int\dfrac{(\cos\theta)'}{\cos\theta}d\theta = -\log|\cos\theta|$

◎**部分積分**　(微分で検算するクセをつけると，理解しやすい)
$\int f(x)g'(x)dx = f(x)g(x) - \int f'(x)g(x)dx$

例．$\int xe^x\,dx = \int x(e^x)'dx = xe^x - \int(x)'e^x\,dx = xe^x - e^x$

$\int \log x\,dx = \int (x)'\log x\,dx = x\log x - \int x(\log x)'dx = x\log x - x$

$\int_1^3 x\log x\,dx = \int_1^3 \left(\dfrac{x^2}{2}\right)'\log x\,dx = \left[\dfrac{x^2}{2}\log x\right]_1^3 - \int_1^3 \dfrac{x^2}{2}(\log x)'dx = \dfrac{9}{2}\log 3 - 2$

◎**広義積分**　($a > 0, b > 0$ のとき，$\lim\limits_{x\to\infty} x^a e^{-bx} = 0$ は用いてよい)

$\int_0^\infty e^{-2x}dx = \lim\limits_{A\to\infty}\int_0^A e^{-2x}dx = \lim\limits_{A\to\infty}\left[\dfrac{e^{-2x}}{-2}\right]_0^A = \lim\limits_{A\to\infty}\dfrac{e^{-2A}-1}{-2} = \dfrac{1}{2}$

$\int_1^\infty \dfrac{dx}{x^3} = \lim\limits_{A\to\infty}\int_1^A x^{-3}dx = \lim\limits_{A\to\infty}\left[\dfrac{x^{-3+1}}{-3+1}\right]_1^A = \lim\limits_{A\to\infty}\dfrac{A^{-2}-1}{-2} = \dfrac{1}{2}$

解答

$\boxed{1}$ (1) (a) $1 = c\int_0^1 \dfrac{1}{1+x^2}dx = c\Big[\tan^{-1} x\Big]_0^1 = \dfrac{c\pi}{4}$. よって，$c = \dfrac{4}{\pi}$

(b) $E(X) = c\int_0^1 \dfrac{x}{1+x^2}dx = \dfrac{c}{2}\Big[\log(1+x^2)\Big]_0^1 = \dfrac{2}{\pi}\log 2$

(c) $E(X^2) = c\int_0^1 \dfrac{x^2}{1+x^2}dx = c\left(1 - \int_0^1 \dfrac{1}{1+x^2}dx\right) = \dfrac{4}{\pi}\left(1 - \dfrac{\pi}{4}\right)$ ★1

よって，$V(X) = \dfrac{4}{\pi}\left(1 - \dfrac{\pi}{4}\right) - \left(\dfrac{2}{\pi}\log 2\right)^2$

(d) 条件より $P(0 \leqq X \leqq 1) = 1$ なので，
$x \leqq 0$ のとき $F_X(x) = P(X \leqq x) = 0$,
$x \geqq 1$ のとき $F_X(x) = P(X \leqq x) = 1$ は明らか．
よって，$0 \leqq x \leqq 1$ のときだけを考える．
$0 \leqq x \leqq 1$ に対して，$F_X(x) = \int_0^x \dfrac{c}{1+u^2}du = \dfrac{4}{\pi}\tan^{-1} x$

(2) (a) $1 = \int_0^\infty cxe^{-\frac{x^2}{2}}dx = c\int_0^\infty e^{-u}du = c$. よって，$c = 1$

(b) $x > 0$ として，$F_X(x) = \int_0^x ue^{-\frac{u^2}{2}}du = \int_0^{\frac{x^2}{2}} e^{-v}dv = 1 - e^{-\frac{x^2}{2}}$

$\boxed{2}$ $F_X(x)$ を微分して，$f_X(x) = \dfrac{a}{(x+a)^2}$ ★2　　$(x > 0)$

★1
$\dfrac{h(x)}{g(x)} = \dfrac{\text{多項式 (次数高)}}{\text{多項式 (次数低)}}$
の積分計算は，$h(x)$ を $g(x)$ で割って，$h(x) = t(x)g(x) + r(x)$ としたとき，
$\dfrac{h(x)}{g(x)} = t(x) + \dfrac{r(x)}{g(x)}$
とする．

★2 ここでも，
$\dfrac{x}{a+x} = 1 - \dfrac{a}{a+x}$
とするとよい．

問題 34 確率密度関数 III　　発展

各確率密度関数 $f_X(x)$（指定区間以外での値は 0）について，(a)～を求めよ。
(1) $f_X(x) = cxe^{-2x}$ ($0 \leqq x \leqq 3$) で，(a) 定数 c　(b) $E(X)$　(c) $E(X^2)$
(2) $f_X(x) = c\sin \pi x$ ($0 \leqq x \leqq 1$) で，
　　　(a) 定数 c　(b) $E(X)$　(c) $E(X^2)$　(d) $E(\sin \pi X)$
(3) $f_X(x) = -4x\log x$ ($0 \leqq x \leqq 1$) で，(a) $P(X < \frac{1}{2})$　(b) $E(X^2)$
(4) $f_X(x) = c\sqrt{4-x^2}$ ($0 < x < 1$) のとき，(a) 定数 c　(b) $E(X)$

解説　◎積分を簡単にする工夫

$$\int e^x f(x) dx = e^x \left(f(x) - f'(x) + f''(x) - f'''(x) + \cdots\right) \quad (\because \text{両辺を微分})$$
$$\int e^{-x} f(x) dx = -e^{-x}(f(x) + f'(x) + f''(x) + f'''(x) + \cdots)$$

例．$\int_1^2 e^x x^3 dx = \left[e^x(x^3 - 3x^2 + 6x - 6)\right]_1^2 = e^2 \times 2 - (e \times (-2)) = 2e^2 + 2e$

$\int xe^{-x} dx = -(x+1)e^{-x}, \quad \int_3^\infty x^2 e^{-x} dx = \left[-(x^2+2x+2)e^{-x}\right]_3^\infty = 17e^{-3}$

$\int_2^\infty xe^{-3x} dx = \int_6^\infty \frac{u}{3} e^{-u} \frac{du}{3} = \frac{1}{9}\left[-(u+1)e^{-u}\right]_6^\infty = \frac{7}{9}e^{-6}$

$$\int f(x) \cos x \, dx = \int f(x)(\sin x)' dx$$
$$= f(x)\sin x + f'(x)(\cos x) + f''(x)(-\sin x) + f'''(x)(-\cos x) + \cdots$$
$$\int f(x) \sin x \, dx = f(x)(-\cos x) + f'(x)\sin x + f''(x)\cos x + f'''(x)(-\sin x) + \cdots$$

例．$\int x^2 \cos x \, dx = x^2 \sin x + 2x \cos x + 2(-\sin x)$

$\int_0^{\frac{\pi}{2}} x \sin 2x \, dx = \int_0^\pi \frac{u}{2} \sin u \frac{du}{2} = \frac{1}{4}\left(\left[u(-\cos u)\right]_0^\pi + \left[\sin u\right]_0^\pi\right) = \frac{\pi}{4}$

◎図形との関連

$$f(x) = px + q \implies \int_a^b f(x) dx = \frac{f(a)+f(b)}{2}(b-a) = f\left(\frac{a+b}{2}\right)(b-a)$$

例．$\int_4^{10} (5-4x) dx = (5 - 4 \times 7)(10-4) = -138$

$\int_0^a \sqrt{a^2 - x^2} dx = $ 半径 a の $\frac{1}{4}$ 円の面積 $= \frac{\pi}{4}a^2$

$\int_0^{\frac{a}{2}} \sqrt{a^2 - x^2} dx = \pi a^2 \times \frac{1}{12} + \frac{1}{2} \frac{a}{2} \frac{\sqrt{3}}{2} a = \frac{\pi}{12}a^2 + \frac{\sqrt{3}}{8}a^2$　$(\star)$

($\because$ 中心角 $\frac{\pi}{6}$ の扇形と $60°, 30°$ の直角三角形に分ける)

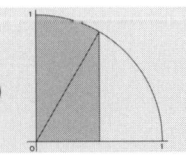

問題 34 発展 確率密度関数 III　75

解答

(1) (a) $1 = \int_{-\infty}^{\infty} f_X(x)dx = \int_0^3 cxe^{-2x}dx = c\int_0^6 \frac{u}{2}e^{-u}\frac{du}{2}$

$= \frac{c}{4}\Big[-(u+1)e^{-u}\Big]_0^6 = \frac{c(1-7e^{-6})}{4}, \quad c = \frac{4}{1-7e^{-6}}$

(b) $E(X) = c\int_0^3 x^2 e^{-2x}dx = c\int_0^6 \left(\frac{u}{2}\right)^2 e^{-u}\frac{du}{2}$

$= \frac{c}{8}\Big[-(u^2+2u+2)e^{-u}\Big]_0^6 = \frac{1-25e^{-6}}{1-7e^{-6}}$

(c) $E(X^2) = c\int_0^3 x^3 e^{-2x}dx = c\int_0^6 \left(\frac{u}{2}\right)^3 e^{-u}\frac{du}{2}$ ★1

$= \frac{c}{16}\Big[-(u^3+3u^2+6u+6)e^{-u}\Big]_0^6 = \frac{3(1-61e^{-6})}{2(1-7e^{-6})}$

(2) (a) $1 = c\int_0^1 \sin(\pi x)dx = c\left[\frac{\cos(\pi x)}{-\pi}\right]_0^1 = \frac{2c}{\pi}, \quad c = \frac{\pi}{2}$

(b) $E(X) = c\int_0^1 x\sin(\pi x)dx = c\int_0^\pi \frac{u}{\pi}\sin u\frac{du}{\pi}$

$= \frac{1}{2\pi}\left(\Big[u(-\cos u)\Big]_0^\pi + \Big[\sin u\Big]_0^\pi\right) = \frac{1}{2}$

(c) $E(X^2) = c\int_0^1 x^2 \sin(\pi x)dx = c\int_0^\pi \left(\frac{u}{\pi}\right)^2 \sin u\frac{du}{\pi}$

$= \frac{1}{2\pi^2}\left(\Big[u^2(-\cos u)\Big]_0^\pi + \Big[2u\sin u\Big]_0^\pi + \Big[2\cos u\Big]_0^\pi\right) = \frac{\pi^2-4}{2\pi^2}$

(d) $E(\sin \pi X) = c\int_0^1 \sin^2(\pi x)dx = \frac{1}{2}\int_0^\pi \sin^2 u\, du$

$= \frac{1}{2}\int_0^\pi \frac{1-\cos 2u}{2}du = \frac{\pi}{4}$

(3) (a) $(-4)\int_0^{1/2} x\log x\, dx = (-4)\left(\left[\frac{x^2}{2}\log x\right]_0^{1/2} - \int_0^{1/2}\frac{x^2}{2}\frac{1}{x}dx\right)$

$= \frac{1}{2}\log 2 + \frac{1}{4}$

(b) $(-4)\int_0^1 x^3\log x\, dx = (-4)\left(\left[\frac{x^4}{4}\log x\right]_0^1 - \int_0^1 \frac{x^4}{4x}dx\right) = \frac{1}{4}$

(4) (a) $1 = c\int_0^1 \sqrt{4-x^2}dx = c\left(\frac{\pi}{3}+\frac{\sqrt{3}}{2}\right)$ ★2

よって、$c = \dfrac{1}{\frac{\pi}{3}+\frac{\sqrt{3}}{2}}$

(b) $E(X) = c\int_0^1 x\sqrt{4-x^2}dx = c\int_4^3 \sqrt{u}\frac{-du}{2}$ ★3

$= \frac{c}{2}\left[\frac{u^{3/2}}{3/2}\right]_3^4 = \frac{4^{3/2}-3^{3/2}}{3\left(\frac{\pi}{3}+\frac{\sqrt{3}}{2}\right)}$

★1 $u = 2x$ とおいた。

★2 左頁解説の (★) より。

★3 $u = 4-x^2$ と置換。

問題 35 ガンマ関数とベータ関数 　標準

ガンマ関数 $\Gamma(s)$，ベータ関数 $B(s,t)$ について，以下を求めよ。
(1) $\Gamma(4)$　(2) $B(3,4)$　(3) $\int_0^\infty x^4 e^{-3x} dx$　(4) $t>0$ のとき，$\int_{-\infty}^\infty e^{-tx^2} dx$
(5) $\int_0^{2\pi} \sin^4\theta \cos^6\theta\, d\theta$　(6) $\int_0^{2\pi} \sin^4\theta \cos^7\theta\, d\theta$　(7) $\int_0^\infty \dfrac{x^4}{(1+x)^9} dx$

解説　◎ガンマ関数 $\Gamma(s)$ $(s>0)$

定義　$\Gamma(s) = \int_0^\infty x^{s-1} e^{-x} dx$　$(s>0)$　← 収束するための条件

（また，$e^{-x} = u$ と置換すると，$\Gamma(s) = \int_0^1 (-\log u)^{s-1} du$ ）

$$\Gamma(s+1) = \int_0^\infty x^s e^{-x} dx = \int_0^\infty x^s (-e^{-x})' dx$$
$$= \left[x^s (-e^{-x}) \right]_0^\infty - \int_0^\infty s x^{s-1}(-e^{-x}) dx = s\Gamma(s) \qquad (\because s>0)$$

$n \in \mathbb{N}$ で，$\Gamma(n) = (n-1)\Gamma(n-1) = (n-1)(n-2)\Gamma(n-2)$
$$= \cdots = (n-1)(n-2)\cdots 2 \cdot 1 \cdot \Gamma(1) = (n-1)!$$
$$\left(\because\ \Gamma(1) = \int_0^\infty e^{-x} dx = \left[-e^{-x} \right]_0^\infty = 1 \right)$$

また，$\Gamma(t) = 2\int_0^\infty u^{2t-1} e^{-u^2} du$ $(\because x = u^2$ と置換$)$. とくに，
$\Gamma\left(\frac{1}{2}\right) = 2\int_0^\infty e^{-u^2} du = \int_{-\infty}^\infty e^{-u^2} du = \sqrt{\pi}$ （ガウスの公式，次頁の注意を参照）。

◎ベータ関数 $B(s,t)$ $(s>0, t>0)$

定義
$$B(s,t) = \int_0^1 x^{s-1}(1-x)^{t-1} dx = 2\int_0^{\frac{\pi}{2}} \sin^{2s-1}\theta \cos^{2t-1}\theta\, d\theta$$
$$(\because x = \sin^2\theta \text{ とおくと } dx = 2\sin\theta\cos\theta\, d\theta)$$
$$= \int_0^\infty \frac{u^{t-1}}{(1+u)^{s+t}} du \quad (\because x = \tfrac{1}{1+u} \text{ と置換})$$

■ガンマ関数とベータ関数の関連式　$B(s,t) = \dfrac{\Gamma(s)\Gamma(t)}{\Gamma(s+t)}$

証明　$\Gamma(s)\Gamma(t) = \int_0^\infty x^{s-1} e^{-x} dx \int_0^\infty y^{t-1} e^{-y} dy$
$$= \int_0^\infty x^{s-1} e^{-x} dx \int_0^\infty (xy)^{t-1} e^{-xy} x\, dy$$

問題 35 [標準] ガンマ関数とベータ関数

$$= \int_0^\infty x^{s+t-1} e^{-x} dx \int_0^\infty y^{t-1} e^{-xy} dy$$
$$= \int_0^\infty y^{t-1} dy \int_0^\infty x^{s+t-1} e^{-x(1+y)} dx$$
$$= \int_0^\infty y^{t-1} dy \int_0^\infty \left(\frac{u}{1+y}\right)^{s+t-1} e^{-u} \frac{du}{1+y}$$
$$= \int_0^\infty \frac{y^{t-1}}{(1+y)^{s+t}} dy \int_0^\infty u^{s+t-1} e^{-u} du = B(s,t)\Gamma(s+t)$$

注意 これより, $\Gamma(\frac{1}{2})^2 = B(\frac{1}{2}, \frac{1}{2})\Gamma(1) = 2\int_0^{\frac{\pi}{2}} \sin^{2\frac{1}{2}-1}\theta \cos^{2\frac{1}{2}-1}\theta\, d\theta = \pi$ と $\Gamma(\frac{1}{2}) > 0$ から, $\Gamma(\frac{1}{2}) = \sqrt{\pi}$ となる。

計算例 $\int_0^{\frac{\pi}{2}} \sin^3\theta \cos^5\theta\, d\theta = \frac{1}{2}B(2,3) = \frac{1}{2}\frac{\Gamma(2)\Gamma(3)}{\Gamma(5)} = \frac{1}{2}\frac{1 \cdot 2!}{4!} = \frac{1}{24}$

$\int_0^\pi \sin^8\theta\, d\theta = 2\int_0^{\frac{\pi}{2}} \sin^8\theta\, d\theta = B\left(\frac{9}{2}, \frac{1}{2}\right) = \frac{\Gamma\left(\frac{9}{2}\right)\Gamma\left(\frac{1}{2}\right)}{\Gamma(5)} = \frac{\frac{7}{2} \cdot \frac{5}{2} \cdot \frac{3}{2} \cdot \frac{1}{2}\sqrt{\pi}\sqrt{\pi}}{4!}$

$\int_0^{2\pi} \sin^3\theta \cos^4\theta\, d\theta = 0$ （∵ $\sin^3\theta$ は $+$ にも $-$ にもなる）

$\int_0^\infty \frac{u}{(1+u)^6} du = B(4,2) = \frac{\Gamma(4)\Gamma(2)}{\Gamma(6)} = \frac{3!}{5!} = \frac{1}{20}$

解答

(1) $\Gamma(4) = (4-1)! = 3!$ ★1

(2) $B(3,4) = \frac{\Gamma(3)\Gamma(4)}{\Gamma(7)} = \frac{2!3!}{6!} = \frac{1}{60}$

(3) $\int_0^\infty \left(\frac{u}{3}\right)^4 e^{-u} \frac{du}{3} = \frac{\Gamma(5)}{3^5} = \frac{4!}{3^5}$

(4) $2\int_0^\infty e^{-tx^2} dx = 2\int_0^\infty e^{-u} \frac{1}{2\sqrt{t}} u^{-\frac{1}{2}} du = \frac{\Gamma(\frac{1}{2})}{\sqrt{t}} = \sqrt{\frac{\pi}{t}}$ ★2

(5) ★3 $4\int_0^{\frac{\pi}{2}} \sin^4\theta \cos^6\theta\, d\theta = 2B\left(\frac{5}{2}, \frac{7}{2}\right) = \frac{2\Gamma(\frac{5}{2})\Gamma(\frac{7}{2})}{\Gamma(6)}$
$= \frac{2 \cdot \frac{3}{2} \cdot \frac{1}{2} \cdot \Gamma(\frac{1}{2}) \cdot \frac{5}{2} \cdot \frac{3}{2} \cdot \frac{1}{2} \cdot \Gamma(\frac{1}{2})}{5!} = \frac{45\pi}{2^4 \cdot 5!}$

(6) $\cos^7\theta$ は $0 \leqq \theta \leqq 2\pi$ で $\pm$ の値をとることと対称性から, 0.

(7) $B(4,5) = \frac{\Gamma(4)\Gamma(5)}{\Gamma(9)} = \frac{3!4!}{8!} = \frac{1}{280}$

★1 $4!$ と間違えないようにする。

★2 y 軸対称より正の部分の積分の 2 倍, また, 置換 $u = tx^2, x = \sqrt{\frac{u}{t}}$ を用いる。この積分をガウスの公式という。

★3 $\sin^4\theta \cos^6\theta$ は非負の値をとり, $[0, \frac{\pi}{2}], [\frac{\pi}{2}, \pi], [\pi, \frac{3\pi}{2}], [\frac{3\pi}{2}, 2\pi]$ でグラフの形が同じ。

問題 36　1次元確率分布の変換　　　標準

$\boxed{1}$ h は単調増加関数で $Y = h(X)$ とする．このとき，Y の分布関数 $F_Y(x)$ を X の分布関数 $F_X(x)$ と h で表せ．また，Y の密度関数 $f_Y(x)$ も求めよ．

$\boxed{2}$ (1) $Y = aX + b \, (a > 0)$ のとき，$f_Y(x)$ を $f_X(x)$ で表せ．
(2) $Y = X^2$ のときの $f_Y(x)$，$P(X > 0) = 1$ のときの $f_Y(x)$ を求めよ．

$\boxed{3}$ (1) $f_X(x) = 2x \, (0 < x < 1)$　(2) $f_X(x) = ce^{-2x} \, (0 < x < 3)$
(3) $f_X(x) = cx^4 \, (-2 \leqq x \leqq 3)$ の密度関数 $f_X(x)$ が指定範囲以外では値 0 をとるものとする．$h(x) = x^3, \, x^2$ で $Y = h(X)$ の場合の $f_Y(x)$ を求めよ．

解説

確率変数 X から新しい確率変数 Y を，関数 $h(x)$ を用いて $Y = h(X)$ とすることは，重要である．まず，Y の分布関数 $F_Y(x)$ を求め，微分して密度関数 $f_Y(x)$ を求めてみよう．h が 1 対 1 ではないときは，$F_Y(x) = P(Y \leqq x) = P(h(X) \leqq x)$ より，不等式 $h(X) \leqq x$ を解く必要がある．また，Y の値域は X の値域の h による像であることに注意する．$\boxed{2}$ にもあるように変換でいちばん重要なものに，1次関数 $y = ax + b$ による変換があげられる．$a > 0$ のときは，

$$F_Y(x) = P(aX + b \leqq x) = P\left(X \leqq \frac{x-b}{a}\right) = F_X\left(\frac{x-b}{a}\right)$$

となり，微分して，
$$f_Y(x) = \frac{1}{a} f_X\left(\frac{x-b}{a}\right)$$

となる．とくに，X の標準化 $Y = \frac{X - E(X)}{\sigma(X)}$ は，$E(Y) = 0, V(Y) = 1$ に基準化するような変換でもっともよく用いられる．

例題 $f_X(x) = \frac{3}{7} x^2 \, (1 < x < 2),\, 0 \,$(その他) のとき，$f_{e^X}(x)$ を求めよ．

解答 $P(1 < X < 2) = 1$ より，$P(e < e^X < e^2) = 1$．よって，$e < x < e^2$ で x をとり，$F_{e^X}(x) = P(e^X < x) = P(X < \log x) = F_X(\log x)$ を微分して，

$$f_{e^X}(x) = \frac{d}{dx} F_{e^X}(x) = \frac{d}{dx} F_X(\log x) = F_X'(\log x)(\log x)' = \frac{3}{7}(\log x)^2 \frac{1}{x}$$

解答

$\boxed{1}$　$F_Y(x) = P(Y \leqq x) = P(h(X) \leqq x)$
　　　　$= P(X \leqq h^{-1}(x)) = F_X(h^{-1}(x))$ ★1

★1 逆関数の定義と単調増加性より．

上式を x で微分して，
$$f_Y(x) = \frac{d}{dx} F_Y(x) = \frac{d}{dx} F_X(h^{-1}(x)) = (F_X)'(h^{-1}(x))(h^{-1})'(x)$$

問題 36 標準 1次元確率分布の変換

2 (1) $F_Y(x) = P(Y \leqq x) = P(aX + b \leqq x)$
$= P\left(X \leqq \frac{x-b}{a}\right) = F_X\left(\frac{x-b}{a}\right)$
よって微分して，$f_Y(x) = f_X\left(\frac{x-b}{a}\right)\frac{1}{a}$ ★2

(2) $F_Y(x) = P(Y \leqq x) = P(X^2 \leqq x)$
$= P(-\sqrt{x} \leqq X \leqq \sqrt{x}) = F_X(\sqrt{x}) - F_X(-\sqrt{x})$
よって微分して，$f_Y(x) = \frac{f_X(\sqrt{x}) + f_X(-\sqrt{x})}{2\sqrt{x}}$ $(x > 0)$

$P(X > 0) = 1$ のときは，$F_Y(x) = P(0 \leqq X \leqq \sqrt{x})$

$\therefore f_Y(x) = \frac{f_X(\sqrt{x})}{2\sqrt{x}}$ $(x > 0)$

★2 とくに，$b = 0$ として，$f_{aX}(x) = \frac{1}{a}f_X(\frac{x}{a})$ はよく用いられる。

3 まず，$h(x) = x^3$ のとき，$f_Y(x) = f_X(x^{1/3})\frac{1}{3}x^{\frac{-2}{3}}$，
また，$P(a < X < b) = 1$ なら $P(a^3 < Y < b^3) = 1$ に注意する。

(1) $f_Y(x) = 2x^{1/3}\frac{1}{3}x^{\frac{-2}{3}} = \frac{2}{3}x^{\frac{-1}{3}}$ $(0 < x < 1)$

(2) $f_Y(x) = \frac{2}{1-e^{-6}}e^{-2x^{1/3}}\frac{1}{3}x^{\frac{-2}{3}}$ $(0 < x < 27)$

(3) $f_Y(x) = \frac{x^{4/3}}{55}\frac{1}{3}x^{\frac{-2}{3}} = \frac{1}{165}x^{2/3}$ $(-8 \leqq x \leqq 27)$

$h(x) = x^2$ のときは，(1)(2) では 1 対 1 で単調増加なので，$h^{-1}(x) = x^{1/2}$ より，$f_Y(x) = f_X(x^{1/2})\frac{1}{2}x^{-1/2}$

(1) $f_Y(x) = 2x^{1/2}\frac{1}{2}x^{-1/2} = 1$ $(0 < x < 1)$

(2) $f_Y(x) = \frac{1}{1-e^{-6}}e^{-2x^{1/2}}x^{-1/2}$ $(0 < x < 9)$

(3)★3 $0 \leqq x \leqq 4$ の場合，
$F_Y(x) = P(Y \leqq x) = P(X^2 \leqq x)$
$= P(-\sqrt{x} \leqq X \leqq \sqrt{x}) = F_X(\sqrt{x}) - F_X(-\sqrt{x})$
の両辺を x で微分して，
$f_Y(x) = (f_X(\sqrt{x}) + f_X(-\sqrt{x}))\frac{1}{2}x^{-1/2} = \frac{x^{3/2}}{55}$

$4 \leqq x \leqq 9$ の場合，
$F_Y(x) = P(-\sqrt{x} \leqq X \leqq \sqrt{x}) = P(-2 \leqq X \leqq \sqrt{x})$
$= F_X(\sqrt{x}) - F_X(-2) = F_X(\sqrt{x})$
よって微分して，$f_Y(x) = f_X(\sqrt{x})\frac{1}{2}x^{-1/2} = \frac{x^{3/2}}{110}$

★3 少し難しいが，$-2 < x < 2$ の間では 1 対 1 ではないが $2 < x < 3$ の間では 1 対 1 であることに注意して，分布関数を求めるときに 2 乗を処理する。

注：3 $h(x) = e^x$, $P(a < X < b) = 1$ なら $f_Y(x) = f_X(\log x)\frac{1}{x}$ $(e^a < x < e^b)$ から

(1) $f_Y(x) = \frac{2\log x}{x}$ $(1 < x < e)$ (2) $f_Y(x) = \frac{2x^{-3}}{(1-e^{-6})}$ $(1 < x < e^3)$

(3) $f_Y(x) = \frac{(\log x)^4}{55}\frac{1}{x}$ $(e^{-2} \leqq x \leqq e^3)$ となる。実際に確認してみること。

問題 37 一様分布 $U(a,b)$, $U(0,1)$ 〔基本〕

X の分布が区間 (a,b) 上の一様分布,つまり,(a,b) で $f_X(x) = c$ とする.
(1) (a) 定数 c (b) $E(X)$ (c) $V(X)$ を求めよ.
(2) とくに $X \sim Y \sim U(0,1)$ で独立のとき,以下を求めよ.
　　(a) $P\left(\frac{1}{4} \leqq X < \frac{1}{3}\right)$ と $P(\frac{1}{4} < X)$
　　(b) $P(X < \frac{1}{2} \cup X < \frac{2}{3})$ と $P(X < \frac{1}{2} \cup Y < \frac{2}{3})$
　　(c) 分布関数 $F_X(x) = P(X \leqq x)$　　(d) $V(X^4)$　　(e) $E(X \sin \pi X)$
　　(f) $E(XY)$, $E(X(X+Y))$, $V(2X - 3Y)$, $\mathrm{Cov}(X + 2Y, 3X - 4Y)$
　　(g) $F_{\max(X,Y)}(x)$, $f_{\max(X,Y)}(x)$, $E(\max(X,Y)^2)$　(h) $f_{X^2}(x)$, $f_{e^{2X}}(x)$

解説

$P(a < X < b) = 1$ で $f_X(x) = \begin{cases} c & (a < x < b) \\ 0 & (その他) \end{cases}$　 ($a < b$, c は定数)

のとき,連続確率変数 X の分布は (a,b) 上の**一様分布**といい,$X \sim U(a,b)$ と書く.前に見た離散一様分布の連続版が本問の一様分布である.a と b の間に値をとる確率変数がその間で一様であるとは,確率の高低がなく,密度関数の値が一定の値(定数)となることであり,そのときには確率はとる値の区間の長さに比例する.つまり,$a < \alpha < \beta < b$ として,

$$P(\alpha < X < \beta) = \int_\alpha^\beta f_X(u) du = \int_\alpha^\beta \frac{1}{b-a} du = \frac{\beta - \alpha}{b-a}$$

となる.また,期待値は,

$$E(h(X)) = \int_a^b h(x) f_X(x) dx = \frac{1}{b-a} \int_a^b h(x) dx$$

解答

1 (1) (a) $1 = \int_{-\infty}^\infty f_X(x) dx = \int_a^b c\, dx = c(b-a)$. $\therefore c = \dfrac{1}{b-a}$

　　(b) $E(X) = \dfrac{1}{b-a} \int_a^b x\, dx = \dfrac{b^2 - a^2}{2(b-a)} = \dfrac{a+b}{2}$

　　(c) $E(X^2) = \dfrac{1}{b-a} \int_a^b x^2 dx = \dfrac{b^3 - a^3}{3(b-a)} = \dfrac{a^2 + ab + b^2}{3}$

　　よって,$V(X) = E(X^2) - (E(X))^2 = \dfrac{(b-a)^2}{12}$.

(2) (a) $\int_{\frac{1}{4}}^{\frac{1}{3}} dx = \dfrac{1}{12}$, $P\left(\dfrac{1}{4} < X < 1\right) = \int_{\frac{1}{4}}^1 dx = \dfrac{3}{4}$ ★1

　　(b) $\{X < \frac{1}{2}\} \cup \{X < \frac{2}{3}\} = \{X < \frac{2}{3}\}$ だから,

★1
$P(0 < X < 1) = 1$
より,$P(\frac{1}{4} < X)$
$= P(\frac{1}{4} < X < 1)$

問題 37 [基本] 一様分布 $U(a,b)$, $U(0,1)$

$$P\left(X < \frac{1}{2} \cup X < \frac{2}{3}\right) = P\left(X < \frac{2}{3}\right) = \frac{2}{3},$$
$$P\left(X < \frac{1}{2}\right) + P\left(Y < \frac{2}{3}\right) - P\left(X < \frac{1}{2} \cap Y < \frac{2}{3}\right)$$
$$= \frac{1}{2} + \frac{2}{3} - \frac{1}{2} \cdot \frac{2}{3} = \frac{5}{6} \ \bigstar 2$$

(c)★3 $0 \leqq x \leqq 1$ のとき, $F_X(x) = P(0 \leqq X \leqq x) = x$.

(d) $V(X^4) = E(X^8) - (E(X^4))^2 = \dfrac{1}{9} - \left(\dfrac{1}{5}\right)^2 = \dfrac{16}{225}$

(e) $E(X\sin \pi X) = \displaystyle\int_0^1 x \sin \pi x \, dx = \dfrac{1}{\pi^2}\int_0^\pi u \sin u \, du$
$$= \frac{1}{\pi^2}\left(\Big[u(-\cos u)\Big]_0^\pi + \Big[\sin u\Big]_0^\pi\right) = \frac{1}{\pi}$$

(f) $E(XY) = E(X)E(Y) = \dfrac{1}{4},$
$E(X(X+Y)) = E(X^2) + E(XY) = \dfrac{7}{12}$ ★4
$V(2X-3Y) = V(2X) + V(-3Y) = 4V(X) + 9V(Y) = \dfrac{13}{12}$
$\text{Cov}(X+2Y, 3X-4Y)$
$\qquad = 3V(X) + 6\text{Cov}(Y,X) - 4\text{Cov}(Y,X) - 8V(Y) = -\dfrac{5}{12}$ ★5

(g) $0 \leqq x \leqq 1$ として,

$$\begin{aligned}F_{\max(X,Y)}(x) &= P(\max(X,Y) \leqq x) \\ &= P(X \leqq x \cap Y \leqq x) \\ &= P(X \leqq x)P(Y \leqq x) = x \times x = x^2\end{aligned}$$

微分して, $f_{\max(X,Y)}(x) = 2x \quad (0 < x < 1)$.
$E(\max(X,Y)^2) = \displaystyle\int_0^1 x^2 f_{\max(X,Y)}(x) dx = 2\int_0^1 x^3 dx = \dfrac{1}{2}$

(h) 同様に, $0 \leqq x \leqq 1$ に対して,

$$F_{X^2}(x) = P(X^2 \leqq x) = P(X \leqq x^{\frac{1}{2}}) = x^{\frac{1}{2}}$$

微分して, $f_{X^2}(x) = \dfrac{1}{2}x^{\frac{-1}{2}} \quad (0 < x < 1)$.

$P(1 \leqq e^{2X} \leqq e^2) = 1$ より, $1 \leqq x \leqq e^2$ に対して,

$$F_{e^{2X}}(x) = P(e^{2X} \leqq x) = P\left(X \leqq \frac{\log x}{2}\right) = \frac{\log x}{2}$$

微分して, $f_{e^{2X}}(x) = \dfrac{1}{2x} \quad (1 \leqq x \leqq e^2)$.

★2 $P(A \cup B) = P(A) + P(B) - P(A \cap B)$ と事象 $\{X < \frac{1}{2}\}$ と $\{Y < \frac{2}{3}\}$ は独立に注意。

★3 $x \leqq 0$ のとき, $F_X(x) = 0$, $x \geqq 1$ のとき $F_X(x) = 1$ は明らかである。

★4 X と $X+Y$ は独立でないので, $E(X)E(X+Y)$ と計算してはいけない。

★5 問題 18 (p.38) の解説 3。

問題 38 指数分布 $\mathrm{Exp}(\lambda)$ 〈基本〉

(1) $X \sim \mathrm{Exp}(\lambda)\,(f_X(x) = ce^{-\lambda x}\,(x>0))$ のとき，以下を求めよ．
 (a) 定数 c (b) $E(X)$ (c) $E(X^2)$ (d) $E(e^{-3X})$
 (e) $f_{X^2}(x),\,f_{X^3}(x),\,f_{e^X}(x)$

(2) $X \sim Y \sim \mathrm{Exp}(\frac{1}{80})$ で独立のとき，以下を求めよ．
 (a) $E(X)$ (b) $P(40 \le X < 100)$ (c) $P(60 < X)$
 (d) $P(X > 90 | X > 60)$ (e) $\mathrm{Cov}(3+X+2Y,\,3X-4Y)$
 (f) $F_{\min(X,Y)}(x),\,f_{\min(X,Y)}(x),\,E(\min(X,Y)),\,V(\min(X,Y))$

解説

離散の幾何分布の連続版が本問の指数分布である（p.107, TeaTime 参照）．$P(0 < X < \infty) = 1$ で正の定数 λ をとり，$f_X(x) = \lambda e^{-\lambda x}\,(x>0)$ のとき，X の分布はパラメーター λ の**指数分布**といい，$X \sim \mathrm{Exp}(\lambda)$ と書く．

$\mathrm{Exp}(\lambda)$ を平均 λ の指数分布とする流儀もあるが，本書では平均 $\frac{1}{\lambda}$ の指数分布を意味するものとする．

$$X \sim \mathrm{Exp}(\lambda) \text{ とは，} f_X(x) = \lambda e^{-\lambda x} \quad (x>0)$$

注意 $E(h(X))$ は $E(h(X)) = \int_0^\infty h(x)\lambda e^{-\lambda x}dx$ で計算される．

次の指数分布の無記憶性は重要である．

無記憶性：$t>0,\,s>0$ として，

$$P(X > t+s | X > s) = P(X > t) \quad (= e^{-\lambda t} \quad \text{この結果も重要})$$

X を寿命と考えると，左辺は $X > s$，つまり，s で生きている人がさらに t 生きるということで，その確率が最初から t 生きる確率に等しいということは，s まで生きたことを忘れ，つねにリセットされた状態になることを表しているのである．

解答

[1] (1) (a) $1 = c\int_0^\infty e^{-\lambda x}dx = \frac{c}{\lambda},\ c = \lambda$

 (b)★1 $E(X) = \int_0^\infty x f_X(x)dx = \int_0^\infty \lambda x e^{-\lambda x}dx = \frac{1}{\lambda}$

 (c) $E(X^2) = \int_0^\infty \lambda x^2 e^{-\lambda x}dx = \frac{\Gamma(3)}{\lambda^2} = \frac{2}{\lambda^2}$ ★2

 (d) $E(e^{-3X}) = \int_0^\infty e^{-3x}f_X(x)dx = \int_0^\infty \lambda e^{-3x}e^{-\lambda x}dx = \frac{\lambda}{\lambda+3}$

★1 $\lambda x = u$ とおいて，ガンマ関数 $\Gamma(s)$ を用いる．

★2 $V(X) = E(X^2) - (E(X))^2 = \frac{2}{\lambda^2} - \left(\frac{1}{\lambda}\right)^2 = \frac{1}{\lambda^2}$
同様に，$E(X^n) = \frac{n!}{\lambda^n}$

問題 38 基本 指数分布 Exp(λ)　83

(e) $x > 0$ として、

$$F_{X^2}(x) = P(X^2 < x) = P(0 < X < \sqrt{x}) = F_X(\sqrt{x})^{\star 3}$$

よって、$f_{X^2}(x) = f_X(\sqrt{x})\dfrac{1}{2\sqrt{x}} = \dfrac{\lambda e^{-\lambda\sqrt{x}}}{2\sqrt{x}}\quad (x > 0)$

同様に、$f_{X^3}(x) = f_X(x^{1/3})\dfrac{1}{3}x^{-2/3}$
$\qquad\qquad = \lambda e^{-\lambda x^{1/3}}\dfrac{1}{3}x^{-2/3}\quad (x > 0)$

$P(1 < e^X) = 1$ より、$x > 1$ として、

$$F_{e^X}(x) = P(e^X \leqq x) = P(X \leqq \log x) = F_X(\log x)$$

$$f_{e^X}(x) = f_X(\log x)\dfrac{1}{x} = \lambda e^{-\lambda \log x}\dfrac{1}{x} = \dfrac{\lambda}{x^{\lambda+1}}{}^{\star 4}\quad (x > 1)$$

★3　$P(X > 0) = 1$ から、$P(X^2 < x) = P(0 < X < \sqrt{x})$

★4　$e^{a\log b} = b^a$.

(2) (a) $E(X) = E\left(\text{Exp}\left(\dfrac{1}{80}\right)\right) = 80^{\star 5}$

(b) $P(40 \leqq X < 100) = \displaystyle\int_{40}^{100} \dfrac{1}{80}e^{-\frac{1}{80}x}dx$
$\qquad\qquad\qquad\qquad = \left[-e^{-\frac{1}{80}x}\right]_{40}^{100} = e^{-1/2} - e^{-5/4}$

(c) $P(60 < X) = \displaystyle\int_{60}^{\infty} \dfrac{1}{80}e^{-\frac{1}{80}x}dx$
$\qquad\qquad\quad = \left[-e^{-\frac{1}{80}x}\right]_{60}^{\infty} = e^{-\frac{3}{4}}$

(d) $P(X > 90 | X > 60) = \dfrac{P(X > 90 \cap X > 60)}{P(X > 60)} = \dfrac{P(X > 90)}{P(X > 60)}$
$\qquad\qquad\qquad\qquad\quad = \dfrac{e^{-\frac{9}{8}}}{e^{-\frac{6}{8}}} = e^{-\frac{3}{8}}{}^{\star 6}$

(e) $\text{Cov}(3 + X + 2Y, 3X - 4Y) = 3V(X) - 8V(Y) = -32000^{\star 7}$

(f) $P(0 < X) = P(0 < Y) = 1$ より、$P(0 < \min(X, Y)) = 1$ は明らか。よって、$x > 0$ として、

$$F_{\min(X,Y)}(x) = P(\min(X, Y) \leqq x)$$
$$= 1 - P(\min(X, Y) > x) = 1 - P(X > x \cap Y > x)$$
$$= 1 - P(X > x)P(Y > x) = 1 - e^{-\frac{1}{40}x}$$

よって、

$$f_{\min(X,Y)}(x) = \dfrac{1}{40}e^{-\frac{1}{40}x}\quad (x > 0)^{\star 8}$$

$$E(\min(X, Y)) = E\left(\text{Exp}\left(\dfrac{1}{40}\right)\right) = 40$$

$$V(\min(X, Y)) = V\left(\text{Exp}\left(\dfrac{1}{40}\right)\right) = 1600$$

★5　X を寿命とすると日本人の平均寿命 ≒ 80 なので (死力一定 (老化を考えないこと)) を除けば幾何分布で見た時のように日本人の寿命モデルに近くなる。

★6　これは 60 歳以上生きる人がさらに 30 歳以上生きる確率なので、指数分布の無記憶性より赤ちゃんから 30 歳以上生きる確率 $P(X > 30) = e^{-\frac{3}{8}}$ に等しい。

★7　$\text{Cov}(3, X) = 0$, X, Y は独立なので $\text{Cov}(X, Y) = 0$.

★8　つまり、$\min(X, Y) \sim \text{Exp}\left(\dfrac{1}{40}\right)$.

問題 39 標準正規分布，正規分布 $\mathrm{N}(0,1)$, $\mathrm{N}(\mu,\sigma^2)$ 　基本

$\boxed{1}$ 確率変数 X が標準正規分布に従うとき，以下を求めよ．(5) は X の分布関数 $\Phi(x)$, (6)(7) は $\Phi(1.96) = 0.975$, $\Phi(1.645) = 0.95$ を用いてよい．
(1) $f_X(x)$ 　(2) $E(X)$ 　(3) $V(X)$ 　(4) $E(|X|)$ 　(5) $P(X < \sqrt{2})$
(6) $P(|X| < 1.96)$ 　(7) $P(|X| > x) \fallingdotseq 0.1$ となる x 　(8) $E(e^{\alpha X})$

$\boxed{2}$ $X \sim \mathrm{N}(0,1)$, $Y = \mu + \sigma X$ $(\sigma > 0)$ とする．必要なら $\Phi(x)$ を使い，次を求めよ．
(1) $f_Y(x)$ 　(2) $E(Y)$ と $V(Y)$ 　(3) $P(Y < 1)$ 　(4) $P(0 < Y < 1)$
(5) $P(Y < x) = P(\mathrm{N}(0,1) > 2x)$ となる x 　(6) $E(Y^3)$

解説 後の問題 48（p.102）の**中心極限定理**から，$X_1 \sim X_2 \sim \cdots \sim X_n$ が独立で同分布ならどんな分布であっても，$X_1 + X_2 + \cdots + X_n$ の標準化は

$$f(x) = \frac{1}{\sqrt{2\pi}} e^{-x^2/2} を密度関数にもつ連続確率変数$$

に近づく．この確率変数の確率分布を**標準正規分布**という．元の分布がどんな分布であってもこの決まった分布に近づくのであるから，確率・統計のなかで最も現れやすい確率分布である．これを $X \sim \mathrm{N}(0,1)$ と表す．標準化の極限分布なので自身も標準化されており，$X \sim \mathrm{N}(0,1)$ なら $E(X) = 0, V(X) = 1$．もちろん，計算でも示せる．

　$Y = \mu + \sigma X$ とおくと $E(Y) = \mu, V(Y) = \sigma^2$ となるが，この Y の確率分布を（一般の）**正規分布**といい，$\mathrm{N}(\mu, \sigma^2)$ で表す．

解答

$\boxed{1}$ (1) X が標準正規分布に従うとき，$f_X(x) = ce^{-\frac{x^2}{2}}$（$c$ は定数）となるが，この c は以下のように求められる．★1

$$\int_{-\infty}^{\infty} e^{-\frac{x^2}{2}} dx = 2\int_0^{\infty} e^{-\frac{x^2}{2}} dx \text{★2}$$
$$= 2\int_0^{\infty} e^{-u} \sqrt{2}\frac{1}{2} u^{-1/2} du \quad (x = \sqrt{2u})$$
$$= \sqrt{2}\,\Gamma\left(\frac{1}{2}\right) = \sqrt{2\pi} \text{★3} から，\sqrt{2\pi}\,c = 1$$
$$\therefore c = \frac{1}{\sqrt{2\pi}} より，f_X(x) = \frac{1}{\sqrt{2\pi}} e^{-\frac{x^2}{2}}.$$

(2) $E(X) = \dfrac{1}{\sqrt{2\pi}} \displaystyle\int_{-\infty}^{\infty} xe^{-\frac{x^2}{2}} dx$ ★4 $= \dfrac{1}{\sqrt{2\pi}} \left[-e^{-\frac{x^2}{2}}\right]_{-\infty}^{\infty} = 0$

★1 通常はこの c は既知としてよい．
★2 標準正規分布の密度関数は y 軸対称．

★3 ガンマ関数の性質より $\Gamma(\tfrac{1}{2}) = \sqrt{\pi}$．

★4 じつは $xe^{-\frac{x^2}{2}}$ が奇関数だから，0．

問題 39 [基本] 標準正規分布, 正規分布 $N(0,1), N(\mu, \sigma^2)$ 85

(3)★5 $E(X^2) = \dfrac{1}{\sqrt{2\pi}} \int_{-\infty}^{\infty} x^2 e^{-\frac{x^2}{2}} dx = 2\dfrac{1}{\sqrt{2\pi}} \int_{0}^{\infty} x^2 e^{-\frac{x^2}{2}} dx$

$= 2\dfrac{1}{\sqrt{2\pi}} \int_{0}^{\infty} (2u) e^{-u} \sqrt{2} \dfrac{1}{2} u^{-\frac{1}{2}} du = 2\dfrac{1}{\sqrt{\pi}} \Gamma\left(\dfrac{3}{2}\right) = 1$

よって, $V(X) = E(X^2) - (E(X))^2 = 1 - 0^2 = 1$

(4) $E(|X|) = \dfrac{1}{\sqrt{2\pi}} \int_{-\infty}^{\infty} |x| e^{-\frac{x^2}{2}} dx = \sqrt{\dfrac{2}{\pi}} \int_{0}^{\infty} x e^{-\frac{x^2}{2}} dx$

$= \sqrt{\dfrac{2}{\pi}} \left[-e^{-\frac{x^2}{2}}\right]_{0}^{\infty} = \sqrt{\dfrac{2}{\pi}}$

(5) $P(X < \sqrt{2}) = \Phi(\sqrt{2})$

(6) $P(|X| < 1.96) = 1 - 2P(X > 1.96) = 1 - 2 \times 0.025$★6 $= 0.95$

(7) $P(|X| > x) = 0.1$ なら, $P(X > x) = 0.05$

よって, $\Phi(x) = 0.95$★7, $x = 1.645$

(8) $E(e^{\alpha X})$★8 $= \int_{-\infty}^{\infty} e^{\alpha x} \dfrac{1}{\sqrt{2\pi}} e^{-\frac{x^2}{2}} dx = \dfrac{1}{\sqrt{2\pi}} \int_{-\infty}^{\infty} e^{-\frac{x^2}{2} + \alpha x} dx$

$= \dfrac{1}{\sqrt{2\pi}} \int_{-\infty}^{\infty} e^{-\frac{(x-\alpha)^2}{2} + \frac{\alpha^2}{2}} dx = e^{\frac{\alpha^2}{2}} \dfrac{1}{\sqrt{2\pi}} \int_{-\infty}^{\infty} e^{-\frac{u^2}{2}} du$

$= e^{\frac{\alpha^2}{2}}$

[2] (1) $F_Y(x) = P(\mu + \sigma X \leqq x) = P\left(X \leqq \dfrac{x-\mu}{\sigma}\right)$

$= F_X\left(\dfrac{x-\mu}{\sigma}\right)$ ★9

$f_Y(x) = f_X\left(\dfrac{x-\mu}{\sigma}\right) \dfrac{1}{\sigma} = \dfrac{1}{\sqrt{2\pi}\sigma} e^{-\frac{(x-\mu)^2}{2\sigma^2}} \quad (-\infty < x < \infty)$

(2) $E(Y) = E(\mu + \sigma X) = \mu + \sigma E(X) = \mu$

$V(Y) = V(\mu + \sigma X) = \sigma^2 V(X) = \sigma^2$ ★10

(3) $P(Y < 1) = P(\mu + \sigma X < 1) = P\left(X < \dfrac{1-\mu}{\sigma}\right) = \Phi\left(\dfrac{1-\mu}{\sigma}\right)$

(4) $P(0 < Y < 1) = P\left(\dfrac{-\mu}{\sigma} < \dfrac{Y-\mu}{\sigma} < \dfrac{1-\mu}{\sigma}\right)$

$= \Phi\left(\dfrac{1-\mu}{\sigma}\right) - \Phi\left(\dfrac{-\mu}{\sigma}\right)$

(5) $P(N(0,1) > 2x) = P(N(0,1) < -2x) = \Phi(-2x)$ ★11

よって, $\dfrac{x-\mu}{\sigma} = -2x$, $x = \dfrac{\mu}{1+2\sigma}$

(6) $E(Y^3) = E((\mu + \sigma X)^3)$

$= E(\mu^3 + 3\mu^2 \sigma X + 3\mu \sigma^2 X^2 + \sigma^3 X^3) = \mu^3 + 3\mu\sigma^2$

★5 $\Gamma(\frac{3}{2}) = \frac{1}{2}\Gamma(\frac{1}{2}) = \frac{\sqrt{\pi}}{2}$

★6 $1 - \Phi(1.96) = P(X > 1.96) = 0.025$ は覚えておく。
★7 $\Phi(1.645) = 0.95$ も覚えておく。
★8 これはモーメント母関数という重要な概念。p.98, 問題46で研究する。

★9 x で微分する。

★10 これより, $N(\mu, \sigma^2)$ の記号は μ が平均 (期待値), σ^2 が分散を表している。

★11 $P(N(0,1) > x) = P(N(0,1) < -x)$

問題 40　ガンマ分布，ベータ分布　$\Gamma(a,\lambda), \beta(a,b)$　標準

1 $X \sim \Gamma(a,\lambda)$ $(f_X(x) = cx^{a-1}e^{-\lambda x} \ (x>0))$ のとき，
(1) 定数 c　(2) $E(X)$　(3) $V(X)$　(4) $E(X^3)$　(5) $E(e^{-3X})$ を求めよ。

2 (1) $\mathrm{Exp}(\lambda) \sim \Gamma(x,y)$ となる x, y　(2) $\mathrm{N}(0,1)^2 \sim \Gamma(x,y)$ となる x, y
(3) $k\mathrm{Exp}(1) \sim \Gamma(1,a)$ となる k　(4) $b > -a$ に対して $E(\Gamma(a,1)^b)$ を求めよ。

3 $X \sim \beta(a,b)$ $(f_X(x) = cx^{a-1}(1-x)^{b-1} \ (a,b$ は正の定数, $0<x<1))$
のとき，　(1) 定数 c　(2) $E(X)$　(3) $V(X)$　(4) $E(X^3)$ を求めよ。

4 $X \sim \beta(a,b)$ で $Y = X/(1-X)$ のとき，
(1) $f_Y(x)$　(2) $E(Y)$ を求めよ。

解説

指数分布や標準正規分布の2乗，その独立和などを含む分布として，**ガンマ分布**がある。定義に**ガンマ関数**が用いられるため，ガンマ分布という。

$P(0 < X < \infty) = 1$ で正の定数 a, λ をとり，連続確率変数 X の密度関数が
$$f_X(x) = \begin{cases} cx^{a-1}e^{-\lambda x} & (x>0) \\ 0 & (\text{その他}) \end{cases} \quad \text{のとき，}$$
X の分布はパラメーター a, λ の**ガンマ分布**といい，$X \sim \Gamma(a, \lambda)$ と書く。

$\Gamma(a, \lambda)$ を平均 $a\lambda$ のガンマ分布とする流儀もあるが，本書では平均 $\frac{a}{\lambda}$ のガンマ分布を意味するものとする．

また，$X \sim \Gamma(a,\lambda), Y \sim \Gamma(b,\lambda)$ で独立のとき $X + Y \sim \Gamma(a+b, \lambda)$（これをガンマ分布の**再生性**といい，問題 46 (p.98) でモーメント母関数を用いて証明する）。

じつは，$\frac{X}{X+Y} \sim \beta(a,b)$ （パラメータ a,b のベータ分布）となり，これも確率統計のいろいろなところで顔を出す確率分布である。

$P(0 < X < 1) = 1$ で正の定数 a, b をとり，連続確率変数 X の密度関数が
$$f_X(x) = \begin{cases} cx^{a-1}(1-x)^{b-1} & (0<x<1) \\ 0 & (\text{その他}) \end{cases} \quad \text{のとき，}$$
X の分布はパラメーター a, b の**ベータ分布**といい，$X \sim \beta(a, b)$ と書く。

解答

1 (1) $\int_0^\infty x^{a-1}e^{-\lambda x}dx = \frac{\Gamma(a)}{\lambda^a}$. よって，$c = \frac{\lambda^a}{\Gamma(a)}$ ★1．

(2) $E(X) = \frac{\lambda^a}{\Gamma(a)} \int_0^\infty x^a e^{-\lambda x} dx = \frac{\lambda^a}{\Gamma(a)} \cdot \frac{\Gamma(a+1)}{\lambda^{a+1}} = \frac{a}{\lambda}$ ★2

★1 問題 35 (p.76) 参照。

★2 $E(\Gamma(a,\lambda)) = \frac{a}{\lambda}$

問題 40 [標準] ガンマ分布, ベータ分布 $\Gamma(a,\lambda), \beta(a,b)$ 87

(3) $E(X^2) = \dfrac{\lambda^a}{\Gamma(a)} \int_0^\infty x^{a+1} e^{-\lambda x} dx = \dfrac{\lambda^a}{\Gamma(a)} \dfrac{\Gamma(a+2)}{\lambda^{a+2}} = \dfrac{a(a+1)}{\lambda^2}$

よって, $V(X) = E(X^2) - (E(X))^2 = \dfrac{a}{\lambda^2}$ ★3.

★3
$V(\Gamma(a,\lambda)) = \dfrac{a}{\lambda^2}$

(4) $E(X^3) = \dfrac{\lambda^a}{\Gamma(a)} \int_0^\infty x^{a+2} e^{-\lambda x} dx = \dfrac{\lambda^a}{\Gamma(a)} \dfrac{\Gamma(a+3)}{\lambda^{a+3}}$
$= \dfrac{a(a+1)(a+2)}{\lambda^3}$

(5) $E(e^{-3X}) = \dfrac{\lambda^a}{\Gamma(a)} \int_0^\infty e^{-3x} x^{a-1} e^{-\lambda x} dx = \dfrac{\lambda^a}{\Gamma(a)} \dfrac{\Gamma(a)}{(\lambda+3)^a}$
$= \dfrac{\lambda^a}{(\lambda+3)^a}$ ★4

★4 $E(e^{\alpha \Gamma(p,\lambda)})$
$= \left(\dfrac{\lambda}{\lambda-\alpha}\right)^p$ であり, これはガンマ分布のモーメント母関数.

2 (1) $\mathrm{Exp}(\lambda) \sim \Gamma(1,\lambda)$ (2) $x > 0$ として,
$F_{N(0,1)^2}(x) = P(N(0,1)^2 \leq x) = P(-\sqrt{x} \leq N(0,1) \leq \sqrt{x})$
$= \Phi(\sqrt{x}) - \Phi(-\sqrt{x})$. 両辺を微分して,
$f_{N(0,1)^2}(x) = \dfrac{d}{dx}(\Phi(\sqrt{x}) - \Phi(-\sqrt{x})) = \dfrac{1}{\sqrt{2\pi x}} e^{\frac{-1}{2}x}$ ($x > 0$) $= f_{\Gamma(\frac{1}{2},\frac{1}{2})}(x)$
から, $\Gamma(1/2, 1/2)$.

(3) $k = \dfrac{1}{a}$ ★5   (4) **1**(3)(4) とほとんど同様の計算で, $\dfrac{\Gamma(a+b)}{\Gamma(a)}$.

★5 問題 36 (p.78) より, $a > 0$ に対して $f_{aX}(x) = \dfrac{1}{a} f_X(\dfrac{x}{a})$.
よって, $k > 0$ のとき
$f_{k\mathrm{Exp}(1)}(x)$
$= \dfrac{1}{k} f_{\mathrm{Exp}(1)}(\dfrac{x}{k})$
$= \dfrac{e^{-\frac{x}{k}}}{k}$
$= f_{\Gamma(1,\frac{1}{k})}(x)$.

3 (1) ベータ関数の定義より,
$\int_0^1 x^{a-1}(1-x)^{b-1} dx = B(a,b)$ となるから, $c = \dfrac{1}{B(a,b)}$

(2) $E(X) = \dfrac{1}{B(a,b)} \int_0^1 x \cdot x^{a-1}(1-x)^{b-1} dx = \dfrac{B(a+1,b)}{B(a,b)}$
$= \dfrac{\frac{\Gamma(a+1)\Gamma(b)}{\Gamma(a+b+1)}}{\frac{\Gamma(a)\Gamma(b)}{\Gamma(a+b)}} = \dfrac{\Gamma(a+1)}{\Gamma(a)} \dfrac{\Gamma(a+b)}{\Gamma(a+b+1)} = \dfrac{a}{a+b}$

(3)★6 $E(X^2) = \dfrac{\Gamma(a+2)}{\Gamma(a)} \dfrac{\Gamma(a+b)}{\Gamma(a+b+2)} = \dfrac{a(a+1)}{(a+b)(a+b+1)}$
つまり, $V(X) = E(X^2) - (E(X))^2 = \dfrac{ab}{(a+b)^2(a+b+1)}$.

★6 (2) と同様の計算である.

(4) $E(X^3) = \dfrac{\Gamma(a+3)}{\Gamma(a)} \dfrac{\Gamma(a+b)}{\Gamma(a+b+3)} = \dfrac{a(a+1)(a+2)}{(a+b)(a+b+1)(a+b+2)}$

4 (1) $P(0 < X < 1) = 1$ より, $P(0 < Y = \dfrac{X}{1-X} < \infty) = 1$.
$x > 0$ として, $F_Y(x) = P(Y \leq x) = P\left(\dfrac{X}{1-X} \leq x\right) = P\left(X \leq \dfrac{x}{1+x}\right)$
微分して, $x > 0$ で
$f_Y(x) = f_X\left(\dfrac{x}{1+x}\right) \dfrac{1}{(1+x)^2} = \dfrac{1}{B(a,b)} \dfrac{x^{a-1}}{(1+x)^{a+b}}$ ★7.

★7 第2種ベータ分布という. 問題 35 (p.76) のベータ関数の解説を参照.

(2) $E(Y) = \dfrac{1}{B(a,b)} \int_0^\infty \dfrac{x^a}{(1+x)^{a+b}} dx = \dfrac{B(a+1, b-1)}{B(a,b)}$
$= \begin{cases} \dfrac{a}{b-1} & (b > 1) \\ \infty & (0 < b \leq 1) \end{cases}$

問題 41 χ^2 分布, t 分布, F 分布, 対数正規分布 　　　　　標準

1 $Y_n \sim \chi_n^2$ とするとき, 以下を求めよ.
(1) $f_{Y_n}(x)(= f_{\chi_n^2}(x))$ 　　(2) $E(Y_n)$ と $V(Y_n)$ 　　(3) $E(e^{-3Y_n})$

2 自由度 n の t 分布 t_n について, (1) $E(t_n)$ 　　(2) $V(t_n)$ を求めよ.

3 自由度 m, n の F 分布 $F_{m,n}$ について, 以下を求めよ.
(1) $E(F_{m,n})$ 　　(2) $V(F_{m,n})$ 　　(3) $(t_n)^2 \sim F_{x,y}$ となる $F_{x,y}$

4 $Y = e^{\mu+\sigma X}$ $(X \sim N(0,1))$ のとき, 次を求めよ.
(1) $F_Y(x)$ 　　(2) $f_Y(x)$ 　　(3) $E(Y), V(Y)$

解説
ここであげた確率分布は重要であり, 統計への応用については後の章で説明する.

正規母集団からの n 個の独立な標本 $X_1 \sim X_2 \sim \cdots \sim X_n \sim N(0,1)$ をとるとき, $Y_n = X_1^2 + \cdots + X_n^2$ の分布を自由度 n の χ^2 分布といい, χ_n^2 で表す.

$X_1^2 \sim \chi_1^2 \sim \Gamma\left(\frac{1}{2}, \frac{1}{2}\right)$ (∵ p.86, 問題 40 **2** (2)) で, さらにガンマ分布の再生性 より, $\chi_n^2 \sim \Gamma\left(\frac{n}{2}, \frac{1}{2}\right)$ である.

$Z \sim N(0,1)$, で χ_n^2 と独立とするとき, $Z/\sqrt{\frac{\chi_n^2}{n}}$ の分布を自由度 n の t 分布 (スチューデントの t 分布) といい, t_n で表す.

$Y_m \sim \chi_m^2, Y_n' \sim \chi_n^2$ (同じことであるが, $X_i \sim X_j' \sim N(0,1), 1 \leq i \leq m, 1 \leq j \leq n$) が独立とするとき, $\frac{Y_m}{m} / \frac{Y_n'}{n} = \frac{X_1^2 + \cdots + X_m^2}{m} / \frac{X_1'^2 + \cdots + X_n'^2}{n}$ の分布を自由度 m, n の F 分布といい, $F_{m,n}$ で表す.

これらも統計において分散の推定, 検定などによく用いられる分布である.

$Y = e^{\mu+\sigma X} = e^{N(\mu, \sigma^2)}$ $(X \sim N(0,1))$ の分布を**対数正規分布**という.

対数正規分布はファイナンスにおいて重要である.

解答

1 (1)★1 $f_{\chi_n^2}(x) = f_{\Gamma\left(\frac{n}{2}, \frac{1}{2}\right)}(x) = \frac{1}{2^{n/2}\Gamma(n/2)} x^{n/2-1} e^{-x/2}$ $(x > 0)$

★1 $\chi_n^2 \sim \Gamma\left(\frac{n}{2}, \frac{1}{2}\right)$

(2) $E(Y_n) = E\left(\Gamma\left(\frac{n}{2}, \frac{1}{2}\right)\right) = \frac{n/2}{1/2} = n$, $V(Y_n) = \frac{n/2}{(\frac{1}{2})^2} = 2n$

問題 41 [標準] χ^2 分布, t 分布, F 分布, 対数正規分布　　89

(3) $E(e^{-3Y_n}) = \left(\frac{1/2}{1/2+3}\right)^{\frac{n}{2}} = 7^{-\frac{n}{2}}$

[2] 以下, $Y_n \sim \chi_n^2, Y_m \sim \chi_m^2$ で独立とする。

(1) $E(t_n) = E\left(\frac{X}{\sqrt{Y_n/n}}\right) = E(X)E(\sqrt{\frac{n}{Y_n}}) = 0$ ★2 $(n \geqq 2)$

注 $E(Y_n^{-\frac{1}{2}}) = E(\Gamma(\frac{n}{2}, \frac{1}{2})^{-\frac{1}{2}})$

$= E(2\Gamma(\frac{n}{2}, 1)^{-\frac{1}{2}}) = \begin{cases} 2^{-\frac{1}{2}} \frac{\Gamma(\frac{n-1}{2})}{\Gamma(\frac{n}{2})} & (n \geqq 2) \\ +\infty & (n = 1) \end{cases}$

つまり, $n=1$ のときは, $E(t_n)$ は存在しない。

★2 独立性と $E(X) = 0$.

(2) $V(t_n) = E(t_n^2) = E\left(\frac{X^2}{\frac{Y_n}{n}}\right) = E\left(\frac{n}{\Gamma(n/2, 1/2)}\right) \cdot E(X^2)$

$= \frac{n}{2} E((\Gamma(n/2, 1)^{-1})$ ★3 $= \frac{n}{2} \frac{\Gamma(n/2 - 1)}{\Gamma(n/2)}$

$= \frac{n}{n-2}$ $(n > 2)$, ∞ $(n = 1, 2)$

★3 問題 40 [2] (4) 参照。

[3] (1) $E(F_{m,n}) = E\left(\frac{Y_m}{m} \Big/ \frac{Y_n}{n}\right)$

$= \frac{n}{m} E(Y_m) E(1/Y_n) = \frac{n}{m} E(\Gamma(m/2, 1)) E(\Gamma(n/2, 1)^{-1})$

$= \frac{n}{m} \frac{m}{2} \frac{\Gamma(n/2 - 1)}{\Gamma(n/2)} = \frac{n}{n-2}$ $(n > 2)$, ∞ $(n = 1, 2)$

(2) $E((F_{m,n})^2) = E\left(\left(\frac{Y_m}{m} \Big/ \frac{Y_n}{n}\right)^2\right)$

$= \frac{n^2}{m^2} E((Y_m)^2) E((1/Y_n)^2) = \frac{n^2}{m^2} E((\Gamma(\frac{m}{2}, 1))^2) E\left(\Gamma(\frac{n}{2}, 1)^{-2}\right)$

$= \frac{n^2}{m^2} \frac{\Gamma(m/2 + 2)}{\Gamma(m/2)} \frac{\Gamma(n/2 - 2)}{\Gamma(n/2)} = \frac{n^2(m+2)}{m(n-2)(n-4)}$ $(n > 4)$

よって,
$V(F_{m,n}) = \frac{2n^2(m+n-2)}{m(n-2)^2(n-4)}$ $(n > 4)$, ∞ $(n = 3, 4)$

(3)★4 $F_{1,n}$

★4 $F_{1,n}$
$= N(0,1)^2 / \frac{\chi_n^2}{n}$
$\sim \left(N(0,1)/\sqrt{\frac{\chi_n^2}{n}}\right)^2$
$\sim t_n^2$

[4] (1) $x > 0$ として,
$F_Y(x) = P(Y \leqq x) = P(e^{\mu + \sigma X} \leqq x) = P(\mu + \sigma X \leqq \log x)$
$= P\left(X \leqq \frac{\log x - \mu}{\sigma}\right) = F_X\left(\frac{\log x - \mu}{\sigma}\right)$

(2) 微分して, $0 < x < \infty$ で
$f_Y(x) = f_X\left(\frac{\log x - \mu}{\sigma}\right) \frac{1}{x\sigma} = \frac{1}{\sqrt{2\pi} x\sigma} e^{-\frac{(\log x - \mu)^2}{2\sigma^2}}$

(3) $E(Y) = E(e^{\mu + \sigma X}) = e^{\mu} E(e^{\sigma X}) = e^{\mu + \frac{\sigma^2}{2}}$
$V(Y) = E(Y^2) - E(Y)^2 = E(e^{2\mu + 2\sigma X}) - E(Y)^2$
$= e^{2\mu}(e^{2\sigma^2} - e^{\sigma^2})$

| 問題 | 42 | 期待値としっぽ確率 | 発展 |

$\boxed{1}$ X を $\{0,1,2,\cdots\} = \mathbb{N} \cup \{0\}$ に値をとる離散確率変数とする。このとき，

$$E(X) = \sum_{k=1}^{\infty} P(X \geqq k) = \sum_{k=0}^{\infty} P(X > k)$$

を示せ。また，これを用いて以下の (1)～(3) で $k \geqq 0$ として $E(X)$ を計算せよ。
(1) Fs(p) (2) $P(X \geqq k) = (k+1)3^{-k}$ (3) $P(X \geqq k) = \dfrac{6}{(k+1)(k+2)(k+3)}$

$\boxed{2}$ X を $P(X \geqq 0) = 1$ である連続確率変数とする。このとき，

$$E(X) = \int_0^{\infty} P(X \geqq t)dt$$

を示せ。また，これを用いて以下の各場合に $E(X), E(X^2)$ を計算せよ。
(1) $\Gamma(2, \lambda)$ (2) $P(X > t) = (t+1)^2 e^{-3t}$ $\quad(t > 0)$

解説 期待値の計算は前にいろいろ見てきたが，**しっぽ確率** $= P(X \geqq x)$ を用いる計算方法も重要である。

X のとる値は $\{0,1,2,\cdots\}$ のとき，しっぽ確率を加えると期待値になる。

$$\sum_{k=1}^{\infty} P(X \geqq k) = \sum_{k=1}^{\infty} \sum_{l=k}^{\infty} P(X = l) = \sum_{l=1}^{\infty} \sum_{k=1}^{l} P(X = l)$$
$$= \sum_{l=1}^{\infty} l P(X = l) = E(X) \left(= \sum_{k=0}^{\infty} P(X > k) \right)$$

$P(X > 0) = 1$ である連続確率変数ではしっぽ確率を積分すればよい。

$$\int_0^{\infty} P(X > t)dt = \int_0^{\infty} \left(\int_t^{\infty} f_X(u)du \right) dt$$
$$= \iint_{0 \leqq t \leqq u < \infty} f_X(u)du = \int_0^{\infty} du \int_0^{u} f_X(u)dt$$
$$= \int_0^{\infty} u f_X(u)du = E(X)$$

$$\int_0^{\infty} at^{a-1} P(X > t)dt = \int_0^{\infty} \left(\int_t^{\infty} at^{a-1} f_X(u)du \right) dt$$
$$= \int_0^{\infty} du \int_0^{u} at^{a-1} f_X(u)dt = \int_0^{\infty} u^a f_X(u)du = E(X^a)$$

例題 $E(\text{Ge}(p)) = \sum_{k=1}^{\infty} P(\text{Ge}(p) \geqq k) = \sum_{k=1}^{\infty} (1-p)^k = \dfrac{1-p}{1-(1-p)} = \dfrac{1-p}{p}$

問題 42 発展 期待値としっぽ確率　91

$$E(\text{Exp}(\lambda)) = \int_0^\infty P(\text{Exp}(\lambda) \geqq t)dt = \int_0^\infty e^{-\lambda t}dt = \frac{1}{\lambda}$$

$$E((\text{Exp}(\lambda)^2) = \int_0^\infty P((\text{Exp}(\lambda))^2 > t)dt \ = \int_0^\infty e^{-\lambda\sqrt{t}}dt = \frac{2\Gamma(2)}{\lambda^2} = \frac{2}{\lambda^2}$$

解答

$\boxed{1}$ ★1 $\sum_{k=1}^\infty P(X \geqq k) = \sum_{k=1}^\infty E(1_{X \geqq k})$

$$= E\left(\sum_{k=1}^\infty 1_{X \geqq k}\right) = E\left(\sum_{k=1}^X 1\right) = E(X)$$

(1) ★2 $E(Fs(p)) = \sum_{k=1}^\infty P(Fs(p) \geqq k) = \frac{1}{p}$

(2) $E(X) = \sum_{k=1}^\infty (k+1)3^{-k} = \sum_{k=1}^\infty k 3^{-(k-1)} 3^{-1} + \sum_{k=1}^\infty 3^{-k}$

$$= \frac{1}{3}\frac{1}{(1-\frac{1}{3})^2} + \frac{\frac{1}{3}}{1-\frac{1}{3}} = \frac{5}{4}$$

(3) $E(X) = \sum_{k=1}^\infty \frac{6}{(k+1)(k+2)(k+3)}$

$$= \sum_{k=1}^\infty \left(\frac{3}{(k+1)(k+2)} - \frac{3}{(k+2)(k+3)}\right) = \frac{1}{2}\text{★3}$$

$\boxed{2}$ $\int_0^\infty P(X \geqq t)dt = \int_0^\infty E(1_{X \geqq t})dt$

$$= E\left(\int_0^\infty 1_{X \geqq t}dt\right) = E\left(\int_0^X 1dt\right) = E(X)$$

(1) $P(\Gamma(2,\lambda) \geqq t) = \int_t^\infty \lambda^2 u e^{-\lambda u}du = \int_{\lambda t}^\infty y e^{-y}dy$

$$= \left[-(y+1)e^{-y}\right]_{\lambda t}^\infty = (\lambda t + 1)e^{-\lambda t}$$

よって，$E(\Gamma(2,\lambda)) = \int_0^\infty (\lambda t + 1)e^{-\lambda t}dt = \frac{2}{\lambda}$

$E(\Gamma(2,\lambda)^2) = \int_0^\infty 2t P(\Gamma(2,\lambda) \geqq t)dt = \int_0^\infty 2t(\lambda t + 1)e^{-\lambda t}dt$

$$= \frac{6}{\lambda^2} \text{ ★4}$$

(2) $E(X) = \int_0^\infty P(X > t)dt = \int_0^\infty (t+1)^2 e^{-3t}dt$

$$= \int_1^\infty u^2 e^{-3(u-1)}du = e^3 \int_3^\infty \left(\frac{x}{3}\right)^2 e^{-x}\frac{dx}{3}$$

$$= \frac{e^3}{27}\left[-(x^2 + 2x + 2)e^{-x}\right]_3^\infty = \frac{17}{27}$$

$E(X^2) = \int_0^\infty 2t P(X > t)dt = \frac{2}{3}$

★1
ここでは，指示関数
$1_A = \begin{cases} 1(\text{事象 } A \text{ が起こる}) \\ 0(A \text{ が起こらない}) \end{cases}$
を用いてみた。また，
$E(1_A) = 1P(A) + 0P(A^c) = P(A)$ も用いた。

★2
$P(Fs(p) \geqq k) = (1-p)^{k-1}$

★3 問題 05 (p.10) の解説参照。

★4 問題 40 $\boxed{2}$ (4) を利用すれば，
$E(\Gamma(2,\lambda)^2) = E(\frac{1}{\lambda}\Gamma(2,1)^2) = \frac{1}{\lambda^2}\frac{\Gamma(2+2)}{\Gamma(2)} = \frac{6}{\lambda^2}$.

問題 43 総合問題 I 基本

$A \sim \mathrm{U}(0,1), B \sim \mathrm{Exp}(\lambda), C \sim \mathrm{N}(0,1), D \sim \mathrm{N}(2,5), K \sim \Gamma(3,\lambda)$ で，以上は独立，また，$A_1 \sim A_2 \sim A_3 \sim \mathrm{U}(0,1), B_1 \sim B_2 \sim \mathrm{Exp}(\lambda)$ でそれぞれ独立のとき，以下を求めよ．

(1) $E(A^4)$ (2) $E(\max(A_1, A_2, A_3))$ (3) $P(B \geq 3)$ (4) $E(e^{-3B})$
(5) $P(B \geq 90 | B \geq 60)$ (6) $P(B \geq 60 | B \leq 90)$ (7) $E(C^6)$
(8) $E(C^{99})$ (9) $P(C \leq x) = P(D \geq x)$ となる x (10) $f_D(x)$
(11) $E(K)$ (12) $f_{\log K}(x)$ (13) $E(\max(B_1, B_2))$ (14) $f_{K+B}(x)$

解説

ここでは，問題のヒントを与えておこう．

$f_A(x) = 1 \ (0 < x < 1)$, B は平均 $\frac{1}{\lambda}$ より，$f_B(x) = \lambda e^{-\lambda x} (x > 0)$,

$f_C(x) = \frac{1}{\sqrt{2\pi}} e^{-\frac{x^2}{2}} \ (-\infty < x < \infty), f_D(x) = \frac{1}{\sqrt{10\pi}} e^{-\frac{(x-2)^2}{10}} \ (-\infty < x < \infty)$

また，C, D の相互関係 $D \sim 2 + \sqrt{5}C$，$C \sim \frac{D-2}{\sqrt{5}}$, $f_K(x) = \frac{\lambda^3}{\Gamma(3)} x^2 e^{-\lambda x} (x > 0)$
B と K の関係（指数分布とガンマ分布の関係，ガンマ分布の再生性）などに注意．

解答

(1) $A \sim \mathrm{U}(0,1)$ より，$\int_0^1 x^4 dx = \frac{1}{5}$ ★1

★1 $E(h(A)) = \int h(x) f_A(x) dx$ を思い出す．

(2) $0 < x < 1$ として，
$F_{\max(A_1, A_2, A_3)}(x) = P(A_1 \leq x \cap A_2 \leq x \cap A_3 \leq x)$
$= P(A_1 \leq x) P(A_2 \leq x) P(A_3 \leq x) = x \cdot x \cdot x = x^3$

微分して，$f_{\max(A_1, A_2, A_3)}(x) = 3x^2 (0 < x < 1)$

よって，$E(\max(A_1, A_2, A_3)) = \int_0^1 x(3x^2) dx = \frac{3}{4}$.

(3) $P(B \geq 3) = \int_3^\infty \lambda e^{-\lambda x} dx = \left[-e^{-\lambda x} \right]_3^\infty = e^{-3\lambda}$

(4) $E(e^{-3B}) = \int_0^\infty e^{-3x} \lambda e^{-\lambda x} dx = \lambda \left[\frac{-e^{-(\lambda+3)x}}{\lambda+3} \right]_0^\infty = \frac{\lambda}{\lambda+3}$

(5) $P(B \geq 90 | B \geq 60) = \frac{P(B \geq 90 \cap B \geq 60)}{P((B \geq 60)}$
$= \frac{P(B \geq 90)}{P(B \geq 60)} = \frac{e^{-90\lambda}}{e^{-60\lambda}} = e^{-30\lambda}$

(6) $P(B \geq 60 | B \leq 90) = \frac{P(B \geq 60 \cap B \leq 90)}{P(B \leq 90)} = \frac{e^{-60\lambda} - e^{-90\lambda}}{1 - e^{-90\lambda}}$

(7)
$E(C^6) = \frac{1}{\sqrt{2\pi}} \int_{-\infty}^\infty x^6 e^{-\frac{x^2}{2}} dx$

$$= \frac{2}{\sqrt{2\pi}} \int_0^\infty x^6 e^{-\frac{x^2}{2}} dx = \frac{2}{\sqrt{2\pi}} \int_0^\infty (\sqrt{2u})^6 e^{-u} \sqrt{2} \frac{1}{2} u^{-1/2} du \text{★2}$$
$$= (\sqrt{2})^6 \frac{\Gamma(7/2)}{\sqrt{\pi}} = 8 \times \frac{5}{2} \times \frac{3}{2} \times \frac{1}{2} = 15$$

(8) $E(C^{99}) = \frac{1}{\sqrt{2\pi}} \int_{-\infty}^\infty x^{99} e^{-\frac{x^2}{2}} dx = 0$ ★3

(9) $P(C \leqq x) = \Phi(x)$ ★4
$$P(D \geqq x) = P(2 + \sqrt{5}C \geqq x) = P\left(C \geqq \frac{x-2}{\sqrt{5}}\right)$$
$$= P\left(C \leqq \frac{2-x}{\sqrt{5}}\right) = \Phi\left(\frac{2-x}{\sqrt{5}}\right) \text{★5} = \Phi(x) \text{ から } x = \frac{2}{\sqrt{5}+1}.$$

(10) $F_D(x) = P(D \leqq x) = P(2 + \sqrt{5}C \leqq x)$
$$= P\left(C \leqq \frac{x-2}{\sqrt{5}}\right) = \Phi\left(\frac{x-2}{\sqrt{5}}\right)$$

両辺を x で微分して,
$$f_D(x) = \Phi'\left(\frac{x-2}{\sqrt{5}}\right)\left(\frac{x-2}{\sqrt{5}}\right)' = \frac{1}{\sqrt{10\pi}} e^{-\frac{(x-2)^2}{10}}.$$

(11) $E(K) = E(\Gamma(3, \lambda)) = \frac{3}{\lambda}$ ★6

(12) $P(0 < K < \infty) = 1$ より, $P(-\infty < \log K < \infty) = 1$. すると,
$F_{\log K}(x) = P(\log K \leqq x) = P(K \leqq e^x) = F_K(e^x)$,
$f_{\log K}(x) = f_K(e^x)(e^x)' = \frac{\lambda^3}{2}(e^x)^2 e^{-\lambda e^x} e^x \quad (-\infty < x < \infty).$

(13) $F_{\max(B_1, B_2)}(x) = P(\max(B_1, B_2) \leqq x) = P(B_1 \leqq x \cap B_2 \leqq x)$
$= P(B_1 \leqq x)P(B_2 \leqq x) = F_B(x)^2$, 両辺を微分して,
$f_{\max(B_1, B_2)}(x) = 2F_B(x)f_B(x) = 2(1 - e^{-\lambda x})\lambda e^{-\lambda x} \quad (x > 0)$
$$E(\max(B_1, B_2)) = \int_0^\infty x f_{\max(B_1, B_2)}(x) dx$$
$$= \int_0^\infty 2x(1 - e^{-\lambda x})\lambda e^{-\lambda x} dx = \frac{3}{2\lambda}.$$

別解 $\min(B_1, B_2) \sim \text{Exp}(2\lambda)$ ★7,
$\max(B_1, B_2) + \min(B_1, B_2) = B_1 + B_2$ より,
$E(\max(B_1, B_2)) = E(B_1) + E(B_2) - E(\min(B_1, B_2))$
$\qquad = \frac{1}{\lambda} + \frac{1}{\lambda} - \frac{1}{2\lambda} = \frac{3}{2\lambda}.$

(14) ガンマ分布の再生性より, $f_{K+B}(x) = f_{\Gamma(4,\lambda)}(x) = \frac{\lambda^4 x^3}{\Gamma(4)} e^{-\lambda x}$ ★8
$(x > 0)$.

★2 $u = x^2/2$ として, $du = x\,dx$ から, $dx = (2u)^{-\frac{1}{2}} du$.

★3 被積分関数を $g(x)$ とおくと, $g(-x) = -g(x)$ (原点対称, 奇関数) となり, 定積分は 0 である.

★4 $\Phi(x) = P(N(0,1) \leqq x)$ は標準正規分布の分布関数.

★5 D の標準化 $= \frac{D-2}{\sqrt{5}} \sim N(0,1)$ と対称性 $P(C \geqq x) = P(C \leqq -x) = \Phi(-x)$ を用いた.

★6 $\Gamma(3, \lambda)$ は 3 つの独立な指数分布 $\text{Exp}(\lambda) = \Gamma(1, \lambda)$ の和.

★7 問題 38 (p.82).

★8 問題 40 より, $\text{Exp}(\lambda) = \Gamma(1, \lambda)$ として, ガンマ分布の再生性を用いる.

問題 44 総合問題 II　　発展

$\boxed{1}$ 3つの電話ボックスに3人の客が入っている。各通話時間が $\text{Exp}(\lambda)$ のとき，最後の客が通話を終わるまでの平均待ち時間を求めよ。

$\boxed{2}$ $f_X(x) = 2e^{-2x}$ $(0 < x \leq 3)$, ce^{-4x} $(x > 3)$, 0 $(x \leq 0)$ のとき，
(1) 定数 c　(2) $E(X)$　(3) 分布関数 $F_X(x)$　(4) $E(e^{\alpha X})$　を求めよ。

$\boxed{3}$ $X \sim Y \sim \text{Exp}(1)$ で独立，Z, W を $Z = X$ $(0 < X < 1)$, $\frac{1}{X}$ $(X > 1)$, $W = X$ $(0 < Y < 1)$, $\frac{1}{X}$ $(Y > 1)$ と定めるとき，
(1) $F_Z(x), f_Z(x)$, (2) $F_W(x), f_W(x)$ を求めよ。

解説　ここでは，各問題のヒントを与えておこう。

$\boxed{1}$ ボックスが3つなので待ち時間は3つの独立な指数分布の最大値である。

$\boxed{2}$ 場合分けに注意して，$1 = P(X > 0) = P(0 < X \leq 3) + P(3 < X)$ で考える。(4) は後でみるように X のモーメント母関数である。

$\boxed{3}$ (1)(2) ともに場合分けに注意する。
(1) は，$P(0 < Z < 1) = 1$ に注意し $0 < x < 1$ として，
$$F_Z(x) = P(Z \leq x) = P(X \leq x \cap 0 < X < 1) + P(\tfrac{1}{X} \leq x \cap X > 1)$$
$$= P(0 < X \leq x) + P(\tfrac{1}{x} \leq X) \text{ に注意。}$$
(2) は，$F_W(x) = P(W \leq x) = P(X \leq x \cap 0 < Y < 1) + P(\tfrac{1}{X} \leq x \cap Y > 1)$ に注意。

解答

$\boxed{1}$ $X_1 \sim X_2 \sim X_3 \sim \text{Exp}(\lambda)$ で独立とすると題意より，待ち時間 T は $T = \max(X_1, X_2, X_3)$ と書ける。すると，$x > 0$ として，
$$F_T(x) = P(T \leq x) = P(\max(X_1, X_2, X_3) \leq x)$$
$$= P(X_1 \leq x \cap X_2 \leq x \cap X_3 \leq x) = P(X_1 \leq x)P(X_2 \leq x)P(X_3 \leq x)$$
$$= (1 - e^{-\lambda x})^3 = 1 - 3e^{-\lambda x} + 3e^{-2\lambda x} - e^{-3\lambda x}$$

微分して，$f_T(x) = 3\lambda e^{-\lambda x} - 6\lambda e^{-2\lambda x} + 3\lambda e^{-3\lambda x}$　よって，
$$E(T) = \int_0^\infty x(3\lambda e^{-\lambda x} - 6\lambda e^{-2\lambda x} + 3\lambda e^{-3\lambda x}) dx$$
$$= \frac{3}{\lambda} - \frac{6}{4\lambda} + \frac{3}{3^2 \lambda} = \frac{11}{6\lambda}$$

別解 しっぽ定理より，$E(T) = \int_0^\infty P(T \geq x) dx = \int_0^\infty (1 - F_T(x)) dx$

$$= \int_0^\infty (3e^{-\lambda x} - 3e^{-2\lambda x} + e^{-3\lambda x})dx = \frac{3}{\lambda} - \frac{3}{2\lambda} + \frac{1}{3\lambda} = \frac{11}{6\lambda}$$

2 (1) $1 = \int_0^3 e^{-2x}dx + \int_3^\infty c \cdot e^{-4x}dx$

$$= \left[-e^{-2x}\right]_0^3 + \left[c\frac{e^{-4x}}{-4}\right]_3^\infty = 1 - e^{-6} + c\frac{e^{-12}}{4}$$

よって, $c = 4e^6$

(2) $E(X) = \int_0^3 x 2e^{-2x}dx + c\int_3^\infty xe^{-4x}dx$

$$= \int_0^6 u e^{-u}\frac{du}{2} + c\int_{12}^\infty \frac{u}{4}e^{-u}\frac{du}{4}$$

$$= \frac{1}{2}\left[-(u+1)e^{-u}\right]_0^6 + \frac{c}{16}\left[-(u+1)e^{-u}\right]_{12}^\infty$$

$$= \frac{1 - 7e^{-6}}{2} + \frac{13e^{-6}}{4} = \frac{2 - e^{-6}}{4}$$

(3) $0 \leqq x \leqq 3$ のとき $F_X(x) = P(0 \leqq X \leqq x) = \int_0^x 2e^{-2u}du = 1 - e^{-2x}$. $3 \leqq x$ のとき $F_X(x) = P(X \leqq x) = P(0 \leqq X \leqq 3) + P(3 \leqq X \leqq x) = 1 - e^{-6} + \int_3^x e^{-4u}du = 1 - e^{-4x+6}$

(4) $E(e^{\alpha X}) = \int_0^3 e^{\alpha x}2e^{-2x}dx + c\int_3^\infty e^{\alpha x}e^{-4x}dx$

$$= \frac{2}{2-\alpha}\left(1 - e^{-3(2-\alpha)}\right) + \frac{4e^6}{4-\alpha}e^{-3(4-\alpha)} \quad (\alpha < 4)$$

3 (1) $0 < x < 1$ として★1 ,

$F_Z(x) = P(Z \leqq x)$
$= P(X \leqq x \cap 0 < X < 1) + P\left(\frac{1}{X} \leqq x \cap X > 1\right)$
$= P(0 < X \leqq x) + P\left(\frac{1}{x} \leqq X\right) = 1 - e^{-\lambda x} + e^{-\frac{\lambda}{x}}$

よって, 微分して

$f_Z(x) = \lambda e^{-\lambda x} + e^{-\frac{\lambda}{x}}\left(-\frac{\lambda}{x}\right)' = \lambda e^{-\lambda x} + \frac{\lambda}{x^2}e^{-\frac{\lambda}{x}} \quad (0 < x < 1)$

(2) $x > 0$★2 として,

$F_W(x)$
$= P(W \leqq x) = P(X \leqq x \cap 0 < Y < 1) + P\left(\frac{1}{X} \leqq x \cap Y > 1\right)$
$= P(X \leqq x)P(0 < Y < 1) + P\left(\frac{1}{x} \leqq X\right)P(Y > 1)$
$= (1 - e^{-\lambda x})(1 - e^{-\lambda}) + e^{-\frac{\lambda}{x}}e^{-\lambda}$★3

微分して, $f_W(x) = (1 - e^{-\lambda})\lambda e^{-\lambda x} + e^{-\lambda}e^{-\frac{\lambda}{x}}\frac{\lambda}{x^2} \quad (x > 0)$

★1 定義より, $P(0 < Z < 1) = 1$.

★2 本問では, W のとる値はすべての非負実数.

★3 X, Y は独立.

Chapter.4 1次元連続確率分布

問題 45　確率母関数　　　　　　　　　　　　　　　　　　　標準

$\boxed{1}$ 離散確率変数 X が非負整数に値をとるものとする。
(1) $E(X), V(X)$ を確率母関数 $g_X(t) = E(t^X)$ を用いて表せ。
(2) X, Y を独立とするとき，$g_{X+Y}(t)$ を $g_X(t), g_Y(t)$ を用いて求めよ。
$\boxed{2}$ 以下を求めよ。
(1) $g_{\mathrm{B}(n,p)}(t), E(\mathrm{B}(n,p)), V(\mathrm{B}(n,p))$　(2) $g_{\mathrm{Ge}(p)}(t), E(\mathrm{Ge}(p)), V(\mathrm{Ge}(p))$
(3) $g_{\mathrm{Po}(\lambda)}(t), E(\mathrm{Po}(\lambda)), V(\mathrm{Po}(\lambda))$
$\boxed{3}$ $X \sim \mathrm{B}(n,p), Y \sim \mathrm{B}(m,p)$ で独立のとき，確率母関数を用いて $X+Y \sim \mathrm{B}(m+n, p)$ を示せ（2項分布の再生性）。

解説　非負整数に値をとる離散確率変数の場合，$P(X=k)$ を t^k の係数にもつ（無限次数）t の多項式，つまり，$g_X(t) = E(t^X) = \sum_{k=0}^{\infty} P(X=k) t^k$ を X の**確率母関数** (Probability generating function) という。以下の性質がある。

- $g_X(1) = 1$
- $g_X'(t) = E(Xt^{X-1}), \quad E(X) = g_X'(1)$
- $g_X''(1) = E(X(X-1)), \quad V(X) = g_X''(1) + g_X'(1) - (g_X'(1))^2$
- $g_X(0) = P(X=0)$　（検算にも用いる）
- $g_X(t) = g_Y(t) \iff P(X=k) = P(Y=k)$

つまり，確率母関数は確率分布を決定する。確率母関数がわかれば確率分布のすべてがわかるのだが，たとえば，$E(X)$ や $V(X)$ は上のようにしてわかる。

注意　確率母関数の変数の t には意味がない。それは高校数学での多項式の展開，因数分解を表す文字にとくに意味を考えないことと同様である。

- X と Y が独立のとき，$g_{X+Y}(t) = E(t^{X+Y}) = E(t^X)E(t^Y) = g_X(t)g_Y(t)$

注意　$g_{X+Y}(t) = g_X(t)g_Y(t)$ でも X, Y は独立は言えないので逆は成立しない。

同時確率母関数，$g_{(X,Y)}(t,s) = E(t^X s^Y)$ を考えると，

$$X, Y \text{ が独立} \iff g_{(X,Y)}(t,s) = g_X(t)g_Y(s) \text{ が成立する。}$$

つまり，X, Y の独立性を証明したいときは，$E(t^X s^Y) = E(t^X) E(s^Y)$ を示す。

解答

1 (1) $g'_X(t) = E\left(\dfrac{d}{dt}t^X\right) = E(Xt^{X-1})$ ★1 より, $E(X) = g'_X(1)$.
$g''_X(t) = E(X(X-1)t^{X-2})$ より,
$V(X) = E(X(X-1)) + E(X) - (E(X))^2 = g''_X(1) + g'_X(1) - (g'_X(1))^2$

(2) $g_{X+Y}(t) = E(t^{X+Y}) = E(t^X t^Y)$
$\qquad\qquad = E(t^X)E(t^Y) = g_X(t)g_Y(t)$

2 (1) $g_{\mathrm{B}(n,p)}(t) = E(t^{\mathrm{B}(n,p)})$
$= \sum_{k=0}^{n} t^k P(\mathrm{B}(n,p) = k) = \sum_{k=0}^{n} \binom{n}{k} p^k (1-p)^{n-k} t^k$
$= \sum_{k=0}^{n} \binom{n}{k} (pt)^k (1-p)^{n-k} = (1-p+pt)^n$ ★2
$g'_{\mathrm{B}(n,p)}(t) = n(1-p+pt)^{n-1} p$
よって, $E(\mathrm{B}(n,p)) = g'_{\mathrm{B}(n,p)}(1) = np$
$g''_{\mathrm{B}(n,p)}(t) = n(n-1)(1-p+pt)^{n-2} p^2$
$V(\mathrm{B}(n,p)) = g''_{\mathrm{B}(n,p)}(1) + g'_{\mathrm{B}(n,p)}(1) - (g'_{\mathrm{B}(n,p)}(1))^2$
$\qquad\qquad = np(1-p)$

(2) $g_{\mathrm{Ge}(p)}(t) = \sum_{k=0}^{\infty} t^k p(1-p)^k = \dfrac{p}{1-(1-p)t}$ $\left(|t| < \dfrac{1}{1-p}\right)$ ★3

$g'_{\mathrm{Ge}(p)}(t) = p(-1)(1-(1-p)t)^{-2}(-(1-p)) = \dfrac{p(1-p)}{(1-(1-p)t)^2}$

$E(\mathrm{Ge}(p)) = g'_{\mathrm{Ge}(p)}(1) = \dfrac{1-p}{p}$

$g''_{\mathrm{Ge}(p)}(t) = 2p(1-(1-p)t)^{-3}(1-p)^2 = \dfrac{2p(1-p)^2}{(1-(1-p)t)^3}$

$V(\mathrm{Ge}(p)) = g''_{\mathrm{Ge}(p)}(1) + g'_{\mathrm{Ge}(p)}(1) - (g'_{\mathrm{Ge}(p)}(1))^2 = \dfrac{1-p}{p^2}$

(3) $g_{\mathrm{Po}(\lambda)}(t) = \sum_{k=0}^{\infty} t^k P(\mathrm{Po}(\lambda) = k) = \sum_{k=0}^{\infty} t^k \dfrac{\lambda^k}{k!} e^{-\lambda} = e^{\lambda(t-1)}$
$g'_{\mathrm{Po}(\lambda)}(t) = \lambda e^{\lambda(t-1)}$, $E(\mathrm{Po}(\lambda)) = g'_{\mathrm{Po}(\lambda)}(1) = \lambda$
$g''_{\mathrm{Po}(\lambda)}(t) = \lambda^2 e^{\lambda(t-1)}$
$V(\mathrm{Po}(\lambda)) = g''_{\mathrm{Po}(\lambda)}(1) + g'_{\mathrm{Po}(\lambda)}(1) - (g'_{\mathrm{Po}(\lambda)}(1))^2 = \lambda$

3 $g_{X+Y}(t) = g_X(t)g_Y(t) = (1-p+pt)^{m+n} = g_{\mathrm{B}(m+n,p)}(t)$
よって, 確率母関数は確率分布を決定するので, $X + Y \sim \mathrm{B}(m+n, p)$.

★1 具体的に書くと
$\sum_{k=0}^{\infty} P(X=k)kt^{k-1}$.

★2 2項定理
$(x+y)^n = \sum_{k=0}^{n} \binom{n}{k} x^k y^{n-k}$.

★3 $\mathrm{NB}(n,p)$ は独立な n 個の $\mathrm{Ge}(p)$ の和なので, $g_{\mathrm{NB}(n,p)}(t) = \left(\dfrac{p}{1-(1-p)t}\right)^n$.

問題 46 モーメント母関数 　　標準

1 X のモーメント母関数 $M_X(\alpha) = E(e^{\alpha X})$ について，以下を求めよ。
(1) $M_{\mathrm{Exp}(\lambda)}(\alpha)$, $E(\mathrm{Exp}(\lambda))$, $V(\mathrm{Exp}(\lambda))$
(2) $M_{\mathrm{N}(\mu,\sigma^2)}(\alpha)$, $E(\mathrm{N}(\mu,\sigma^2))$, $V(\mathrm{N}(\mu,\sigma^2))$
(3) $M_{\Gamma(p,\lambda)}(\alpha)$, $E(\Gamma(p,\lambda))$, $V(\Gamma(p,\lambda))$

2 $X \sim \Gamma(p,\lambda)$, $Y \sim \Gamma(p',\lambda)$ で独立のとき，モーメント母関数を用いて $X+Y \sim \Gamma(p+p',\lambda)$ を示せ（ガンマ分布の再生性）。また，正規分布の再生性を書き，証明せよ。

解説
確率変数 X のモーメント(積率)母関数 $M_X(\alpha) = E(e^{\alpha X})$ の性質

- $M_X(0) = 1$
- $M'_X(\alpha) = E(Xe^{\alpha X})$, $E(X) = M'_X(0)$
- $M_X^{(n)}(\alpha) = E(X^n e^{\alpha X})$, $E(X^n) = M_X^{(n)}(0)$
- $M_X(\alpha) = M_Y(\alpha) \iff X$ の分布 $= Y$ の分布
- X, Y が独立のとき，$M_{X+Y}(\alpha) = M_X(\alpha) M_Y(\alpha)$
- $E(e^{\alpha X + \beta Y}) = E(e^{\alpha X}) E(e^{\beta Y}) \iff X, Y$ は独立

確率母関数は非負整数の値をとる確率変数のみが対象だが，モーメント母関数は連続確率変数でもよく，$M_X(\alpha)$ が X の確率分布を決定することは重要である。

例題 $f_X(x) = f_Y(x) = 9xe^{-3x}$ $(x>0)$, $f_Z(x) = \frac{27}{2}x^3 e^{-3x}$ $(x>0)$ で独立とする。このとき，(1) $M_X(\alpha), M_Z(\alpha)$ 　(2) $f_{X+Y}(x)$ を求めよ。

解答
$$M_X(\alpha) = \int_0^\infty e^{\alpha x} 9xe^{-3x} dx = 9\int_0^\infty xe^{-(3-\alpha)x}dx$$
$$= \frac{9}{(3-\alpha)^2}\int_0^\infty ue^{-u}du = \frac{9}{(3-\alpha)^2} \quad (\alpha < 3)$$

同様に，$M_Z(\alpha) = \dfrac{81}{(3-\alpha)^4}$ $(\alpha < 3)$.

(2) 　$M_{X+Y}(\alpha) = E(e^{\alpha(X+Y)}) = E(e^{\alpha X}e^{\alpha Y}) = E(e^{\alpha X})E(e^{\alpha Y})$
$$= \frac{9}{(3-\alpha)^2}\frac{9}{(3-\alpha)^2} = \frac{81}{(3-\alpha)^4} = M_Z(\alpha)$$

よって，モーメント母関数は確率分布を決定することより，
$$f_{X+Y}(x) = f_Z(x) = \frac{27}{2}x^3 e^{-3x} \ (x > 0).$$

解答

1 (1) $M_{\text{Exp}(\lambda)}(\alpha) = \int_0^\infty e^{\alpha x} \lambda e^{-\lambda x} dx = \dfrac{\lambda}{\lambda - \alpha}$ $(\alpha < \lambda)$

$M'_{\text{Exp}(\lambda)}(\alpha) = \lambda(\lambda - \alpha)^{-2}$

$E(\text{Exp}(\lambda)) = M'_{\text{Exp}(\lambda)}(0) = \dfrac{1}{\lambda}$

$M''_{\text{Exp}(\lambda)}(\alpha) = 2\lambda(\lambda - \alpha)^{-3}$

$V(\text{Exp}(\lambda)) = M''_{\text{Exp}(\lambda)}(0) - (M'_{\text{Exp}(\lambda)}(0))^2 = \dfrac{1}{\lambda^2}$

(2) $Y \sim N(\mu, \sigma^2)$ とすると, Y の標準化は $\dfrac{Y - \mu}{\sigma} = X \sim N(0, 1)$ ★1 .
つまり, $Y = \mu + \sigma X$.

$M_Y(\alpha) = E(e^{\alpha(\mu + \sigma X)}) = e^{\alpha \mu} M_X(\alpha \sigma) = e^{\alpha \mu + \frac{\alpha^2 \sigma^2}{2}}$

$M'_Y(\alpha) = (\mu + \sigma^2 \alpha) M_Y(\alpha)$

よって, $E(Y) = \mu M_Y(0) = \mu$.

$M''_Y(\alpha) = \sigma^2 M_Y(\alpha) + (\mu + \sigma^2 \alpha)^2 M_Y(\alpha)$

よって, $E(Y^2) = M''_Y(0) = \sigma^2 + \mu^2$.

よって, $V(Y) = M''_Y(0) - (M'_Y(0))^2 = \sigma^2$.

(3) $M_{\Gamma(p,\lambda)}(\alpha) = \int_0^\infty e^{\alpha x} \dfrac{\lambda^p x^{p-1}}{\Gamma(p)} e^{-\lambda x} dx$

$= \dfrac{\lambda^p}{\Gamma(p)} \int_0^\infty x^{p-1} e^{-(\lambda - \alpha)x} dx = \left(\dfrac{\lambda}{\lambda - \alpha}\right)^p$ $(\alpha < \lambda)$

$M'_{\Gamma(p,\lambda)}(\alpha) = p\left(\dfrac{\lambda}{\lambda - \alpha}\right)^{p-1} \lambda(\lambda - \alpha)^{-2}$

よって, $E(\Gamma(p, \lambda)) = \dfrac{p}{\lambda}$.

また, $M''_{\Gamma(p,\lambda)}(\alpha) = \lambda^p p(p+1)(\lambda - \alpha)^{-(p+2)}$.

つまり, $V(\Gamma(p, \lambda)) = M''_{\Gamma(p,\lambda)}(0) - (M'_{\Gamma(p,\lambda)}(0))^2 = \dfrac{p}{\lambda^2}$.

2 $M_{X+Y}(\alpha) = M_X(\alpha) M_Y(\alpha)$

$= \left(\dfrac{\lambda}{\lambda - \alpha}\right)^p \left(\dfrac{\lambda}{\lambda - \alpha}\right)^{p'} = \left(\dfrac{\lambda}{\lambda - \alpha}\right)^{p+p'}$

$= M_{\Gamma(p+p', \lambda)}(\alpha)$

よって, モーメント母関数は確率分布を決定するので, $X + Y \sim \Gamma(p + p', \lambda)$. 正規分布の場合は $X \sim N(\mu_1, \sigma_1^2), Y \sim N(\mu_2, \sigma_2^2)$ で独立のときは, $X + Y \sim N(\mu_1 + \mu_2, \sigma_1^2 + \sigma_2^2)$.

★1
正規分布で見たように
$M_{N(0,1)}(\alpha) = e^{\frac{\alpha^2}{2}}$
$M'_{N(0,1)}(\alpha) = \alpha e^{\frac{\alpha^2}{2}}$,
$E(N(0,1))$
$= M'_{N(0,1)}(0) = 0$,
$M''_{N(0,1)}(\alpha)$
$= e^{\frac{\alpha^2}{2}} + \alpha^2 e^{\frac{\alpha^2}{2}}$.
よって,
$V(N(0,1))$
$= M''_{N(0,1)}(0)$
$-(M'_{N(0,1)}(0))^2$
$= 1$.

問題 47　大数の法則　　　　　　　　　　　　　　　　　　　　　　基本

1 $X_1 \sim X_2 \sim \cdots \sim X_n$ は独立で同分布 ($E(X_i) = \mu$, $V(X_i) = \sigma^2$) とする。$\bar{X} = \frac{X_1 + X_2 + \cdots + X_n}{n}$ とおくとき，$\lim_{n \to \infty} M_{\bar{X}}(\alpha)$ を求め，結果を分析せよ。

2 以下の場合に $\lim_{n \to \infty} \frac{X_1 + X_2 + \cdots + X_n}{n}$ と $\lim_{n \to \infty} \frac{X_1 + X_2 + \cdots + X_n}{X_1^2 + X_2^2 + \cdots + X_n^2}$ を求めよ。

(1) $X_1 \sim X_2 \sim \cdots \sim B(n, p)$ で独立
(2) $X_1 \sim X_2 \sim \cdots \sim \text{Po}(\lambda)$ で独立
(3) $X_1 \sim X_2 \sim \cdots \sim \Gamma(p, \lambda)$ で独立

解説

まず，確率とはどういうものか？　ということだが，正しいサイコロのどの面も出る確率が $\frac{1}{6}$ というのは当然である．これについては対称性（一様性）より，$P(\{1\}) = \cdots = P(\{6\})$ は明らかで，よって，$1 = P(\{1, 2, \cdots, 6\}) = P(\{1\}) + \cdots + P(\{6\})$ と合わせて $P(\{1\}) = \cdots = P(\{6\}) = \frac{1}{6}$ である．これはいわば確率の公理と対称性より，$P(\{6\}) = \frac{1}{6}$ を導出したものであるが，一方，直感的にはサイコロの目が出る確率が $\frac{1}{6}$ であるとは，N 回投げればそのうち $\frac{1}{6}N$ 回 6 が出るという頻度を用いる考え方がある．そこで数学的に，無限回サイコロを投げると次にのべるように頻度が収束して数学的な確率と一致するのである．これを保証するのが，次に述べる**大数の法則**である．

$X_1, X_2, \cdots, X_n, \cdots$ は独立で同分布（サイコロを振り続けるなどの同じ実験のくり返し）とする．すると
$$\frac{X_1 + X_2 + \cdots + X_n}{n} \longrightarrow m(= E(X_1)) \quad (n \to \infty)$$

注意　近づき方（トポロジー）はこれが確率 1 で成立する（概収束）．つまり，
$$P\left(\lim_{n \to \infty} \frac{X_1 + X_2 + \cdots + X_n}{n} = m\right) = 1$$
を**大数の強法則**という．ただし，証明は測度論的確率論の知識が必須で，本書の程度を超える．

注意　$\frac{X_1 + X_2 + \cdots + X_n}{n} \longrightarrow m(= E(X_1)) \quad (n \to \infty)$ （確率収束）を**大数の弱法則**という（p.104，問題 49 の **3**）．

例. 正しいサイコロを何回も投げるとき，$X_i = \begin{cases} 1 & (i \text{ 回目のサイコロの目} = 6) \\ 0 & (i \text{ 回目のサイコロの目} \neq 6) \end{cases}$
とおくと，これは明らかに独立で同分布．また，$X_i \sim \text{Be}\left(\frac{1}{6}\right)$ より，

$$E(X_i) = \frac{1}{6},\ V(X_i) = \frac{5}{36}$$

すると，

$$\frac{X_1 + X_2 + \cdots + X_n}{n}$$
$$= \left(\frac{n \text{ 回のうちの 6 の目が出る回数}}{n} = \text{素朴な頻度による確率概念}\right) \longrightarrow E(X_1) = \frac{1}{6}$$

と素朴な頻度による確率概念も，試行回数を ∞ に近づけることによって，正当化される．

解 答

[1] $M_{\bar{X}}(\alpha) = M_{\frac{X_1}{n} + \frac{X_2}{n} + \cdots + \frac{X_n}{n}}(\alpha) = E(e^{\alpha \frac{X_1}{n}})^n = M_X\left(\frac{\alpha}{n}\right)^n$

$= \left(1 + E\left(\frac{X_1}{n}\right)\alpha + \frac{1}{2}E\left(\left(\frac{X_1}{n}\right)^2\right)\alpha^2 + \cdots\right)^n$

$= \left(1 + \frac{\mu}{n}\alpha + \frac{(\mu^2 + \sigma^2)\alpha^2}{2n^2} + \cdots\right)^n$

よって，

$\lim_{n \to \infty} M_{\bar{X}}(\alpha) = \lim_{n \to \infty} \left(1 + \frac{\mu}{n}\alpha + \frac{(\mu^2 + \sigma^2)\alpha^2}{2n^2} + \cdots\right)^n$

$= e^{\mu\alpha} = M_\mu(\alpha)$ (定数μのモーメント母関数)

つまり，$\bar{X} \xrightarrow[n \to \infty]{} \mu$ (分布収束)[★1]

[2] 大数の強法則より，$\lim_{n \to \infty} \frac{X_1 + X_2 + \cdots + X_n}{n} = E(X)$,

$\lim_{n \to \infty} \frac{X_1 + X_2 + \cdots + X_n}{X_1^2 + X_2^2 + \cdots + X_n^2} = \lim_{n \to \infty} \frac{\frac{X_1 + X_2 + \cdots + X_n}{n}}{\frac{X_1^2 + X_2^2 + \cdots + X_n^2}{n}} = \frac{E(X)}{E(X^2)}$

(1) したがって，$E(\mathrm{B}(n, p)) = np$,

$\dfrac{E(\mathrm{B}(n, p))}{E(\mathrm{B}(n, p)^2)} = \dfrac{E(\mathrm{B}(n.p))}{V(\mathrm{B}(n, p)) + E(\mathrm{B}(n.p))^2} = \dfrac{np}{np(1-p) + (np)^2}$

(2) $E(\mathrm{Po}(\lambda)) = \lambda$,

$\dfrac{E(\mathrm{Po}(\lambda))}{E(\mathrm{Po}(\lambda)^2)} = \dfrac{E(\mathrm{Po}(\lambda)}{V(\mathrm{Po}(\lambda)) + E(\mathrm{Po}(\lambda))^2} = \dfrac{\lambda}{\lambda + \lambda^2} = \dfrac{1}{1 + \lambda}$

(3) $E(\Gamma(p, \lambda)) = \dfrac{p}{\lambda}$,

$\dfrac{E(\Gamma(p, \lambda))}{E(\Gamma(p, \lambda)^2)} = \dfrac{E(\Gamma(p, \lambda)}{V(\Gamma(p, \lambda)) + E(\Gamma(p, \lambda))^2} = \dfrac{\lambda}{1 + p}$

[★1] 実はあとに見るように，もっと強く確率収束する．測度論的確率論の知識が必要となるが，確率1で収束（概収束）する．この概収束の場合を大数の強法則という．

問題 48　中心極限定理　　　　　　　　　　　　　　　　　　　　標準

$X_1 \sim X_2 \sim \cdots \sim X_n$ は独立 $(E(X_i) = \mu, V(X_i) = \sigma^2)$ とする。また，$\bar{X} = \frac{X_1 + X_2 + \cdots + X_n}{n}$ とおく。

(1) $\bar{X}$ の標準化 $\bar{X}^* = \frac{\bar{X} - E(\bar{X})}{\sqrt{V(\bar{X})}}$ で，$\lim_{n \to \infty} M_{\bar{X}^*}(\alpha)$ を求め，結果を分析せよ。

(2) $X_1 \sim X_2 \sim \cdots \sim X_n \sim \mathrm{Po}(\lambda)$ は独立とする。以下を求めよ。
   (a) $\lim_{n \to \infty} \bar{X}$，　(b) $\lim_{n \to \infty} \frac{\bar{X} - a_n}{b_n} \sim \mathrm{N}(0,1)$ となる a_n, b_n

解説

$X_1 \sim X_2 \sim \cdots \sim X_n$ が独立で平均と分散が存在すれば，$\frac{X_1 + X_2 + \cdots + X_n}{n}$ の標準化（$= X_1 + X_2 + \cdots + X_n$ の標準化）が標準正規分布 $\mathrm{N}(0,1)$ に近づいていく。

■中心極限定理

$X_1, X_2, \cdots, X_n$ が独立同分布（$(i.i.d)$ と略記する），$E(X_i) = \mu$，$V(X_i) = \sigma^2$ のとき
$$X'_n = X_1 + X_2 + \cdots + X_n \text{ の標準化}$$
$$= \frac{X_1 + X_2 + \cdots + X_n - n\mu}{\sqrt{n}\sigma} \overset{n \to \infty}{\Longrightarrow} \mathrm{N}(0,1) \quad (\text{分布収束})$$

証明
$$M_{X'_n}(t) = \left(M_{\frac{X-\mu}{\sigma}}\left(\frac{t}{\sqrt{n}}\right) \right)^n = \left(1 + \frac{t^2}{2n} + \cdots \right)^n$$
$$\overset{n \to \infty}{\Longrightarrow} e^{\frac{t^2}{2}} = M_{\mathrm{N}(0,1)}(t)$$

この中心極限定理を用いて，たとえば，2項分布の正規近似が得られる。

■2項分布の正規近似

a, b を非負整数として，
$$P(a \leqq \mathrm{B}(n,p) \leqq b) = P\left(a - \frac{1}{2} < \mathrm{B}(n,p) < b + \frac{1}{2}\right)$$
$$\fallingdotseq P\left(\frac{a - \frac{1}{2} - np}{\sqrt{np(1-p)}} < \mathrm{N}(0,1) < \frac{b + \frac{1}{2} - np}{\sqrt{np(1-p)}}\right)$$
$$= \Phi\left(\frac{b + \frac{1}{2} - np}{\sqrt{np(1-p)}}\right) - \Phi\left(\frac{a - \frac{1}{2} - np}{\sqrt{np(1-p)}}\right)$$

最初の式の右辺のように補正をしておくと近似の精度が上がる（半整数補正）。

例題　正しいサイコロを120回投げて6の目が出た回数を X とする。半整数補

正を用いる2項分布の正規近似を用いて，$P(25 \leqq X < 35)$ の近似値を標準正規分布の分布関数 $\Phi(x)$ を用いて表せ。

解答 $E(X) = 120 \times \frac{1}{6} = 20$, $V(X) = 120 \times \frac{1}{6} \times \frac{5}{6} = \frac{100}{6}$.

よって，$\frac{X-20}{\sqrt{\frac{100}{6}}} \fallingdotseq \mathrm{N}(0,1)$ である。半整数補正も用いて，

$$P(25 \leqq X < 35) = P\left(\frac{24.5 - 20}{\sqrt{\frac{100}{6}}} < \frac{X - 20}{\sqrt{\frac{100}{6}}} < \frac{34.5 - 20}{\sqrt{\frac{100}{6}}}\right)$$

$$\fallingdotseq P\left(\frac{9\sqrt{6}}{20} < \mathrm{N}(0,1) < \frac{29\sqrt{6}}{20}\right)$$

$$= \Phi\left(\frac{29\sqrt{6}}{20}\right) - \Phi\left(\frac{9\sqrt{6}}{20}\right)$$

解答

(1) まず，X_i の標準化 $= X_i^* = \frac{X_i - \mu}{\sigma}$ は，
$E(X_i^*) = 0$, $V(X_i^*) = E((X_i^*)^2) = 1$ を満たすので，
$M_{X_i^*}(\alpha) = 1 + 0 \times \alpha + \frac{\alpha^2}{2} + \cdots$．よって，

$$M_{\bar{X}^*}(\alpha) = E\left(e^{\frac{\alpha}{\sqrt{n}}\left(\frac{X_1 - \mu}{\sigma} + \cdots + \frac{X_n - \mu}{\sigma}\right)}\right)$$

$$= M_{X_1^*}\left(\frac{\alpha}{\sqrt{n}}\right)^n = \left(1 + \frac{\alpha^2}{2n} + \cdots\right)^n$$

$$\lim_{n \to \infty} M_{\bar{X}^*}(\alpha) = e^{\frac{\alpha^2}{2}} = M_{\mathrm{N}(0,1)}(\alpha)$$

つまり，$\bar{X} \xrightarrow[n \to \infty]{} \mathrm{N}(0,1)$ （分布収束）★1
つまり，すべての $a < b$ に対して，

$$\lim_{n \to \infty} P\left(a < \frac{\bar{X} - \mu}{\frac{\sigma}{\sqrt{n}}} < b\right) = P(a < \mathrm{N}(0,1) < b)$$

$$= \int_a^b \frac{1}{\sqrt{2\pi}} e^{-\frac{x^2}{2}} dx$$

(2) (a) 大数の法則より，λ ★2．

(b) $a_n = \lambda$, $V(\bar{X}) = \frac{1}{n} V(X_1) = \frac{\lambda}{n}$ から，$b_n = \sqrt{\frac{\lambda}{n}}$．

★1 この収束は，法則収束とも呼ばれ，収束の関係でいうと，概収束 $\subset$ 確率収束 $\subset$ 法則収束 の順に，強→弱となっている。

★2 問題47参照。

| 問題 | 49 | 確率における 3 つの不等式 | 発展 |

$\boxed{1}$ コーシー＝シュワルツの不等式から $(\mathrm{Cov}(X,Y))^2 \leqq V(X)V(Y)$ を導き，X,Y の相関係数 $\rho(X,Y)$ が $|\rho(X,Y)| \leqq 1$ を満たすことを示せ．

$\boxed{2}$ イェンセンの不等式 $g(E(X)) \leqq E(g(X))$ を利用して，相加・相乗平均の不等式 $a_1, a_2, \cdots, a_n \geqq 0$ として，$\frac{a_1+a_2+\cdots+a_n}{n} \geqq \sqrt[n]{a_1 a_2 \cdots a_n}$ を示せ．

$\boxed{3}$ チェビシェフの不等式：h が非負値関数のとき，$a > 0$ に対して $P(h(X) \geqq a) \leqq \frac{E(h(X))}{a}$ を示せ．これより，$X_i, i = 1, 2, \cdots, n$ が独立同分布で $m = E(X_i)$ のとき，$\lim_{n\to\infty} P\left(\left|\frac{X_1+\cdots+X_n}{n} - m\right| \geqq \varepsilon\right) = 0$ を示せ．

解説 不等式は数学における基本的で重要な道具のひとつであり，確率統計にとっても，もちろんそうである．まず，コーシー＝シュワルツの不等式を述べる．

コーシー＝シュワルツの不等式
$E(XY)^2 \leqq E(X^2)E(Y^2)$　等号成立は $Y = aX$ となる a が存在するとき

証明 2 次関数
$g(t) = E((Xt-Y)^2) = E(X^2t^2 - 2tXY + Y^2) = E(X^2)t^2 - 2E(XY)t + E(Y^2)$
は任意の実数 t に対して非負だから，方程式 $g(t) = 0$ の判別式が正とならず，
$$D/4 = (E(XY))^2 - E(X^2)E(Y^2) \leqq 0$$
から示された．等号成立は $g(a) = E((aX - Y)^2) = 0$ となる $t = a$ のときだから，$Y = aX$ となる a がある（X と Y が比例関係の）とき．

注意 $P(Z \geqq 0) = 1$ かつ $E(Z) = 0$ なら，確率 1 で $Z = 0$．

イェンセンの不等式
g が 2 回微分可能で下に凸 $(g''(x) \geqq 0)$ なら $g(E(X)) \leqq E(g(X))$

証明 下に凸な関数 g の接線が g のグラフより下にあることを利用して，イェンセンの不等式を示す．$E(X) = m$ とおいて，g 上の点 $(m, g(m))$ における接線 $y = g'(m)(x-m) + g(m)$ を考える．g は下に凸より，$g(m) + g'(m)(x-m) \leqq g(x)$．よって，$x = X$ を代入して，$g(m) + g'(m)(X - m) \leqq g(X)$
両辺の期待値をとって，$E(g(m) + g'(m)(X - m)) \leqq E(g(X))$．したがって，$g(E(X)) = g(m) \leqq E(g(X))$　（等号は X が定数，つまり，$P(X = m) = 1$ のとき）

チェビシェフの不等式は，本問では少し一般的なスタイルで扱ったが，通常は
$$P(|X| \geqq a) \leqq \frac{E(X^2)}{a^2}$$

問題 49 [発展] 確率における 3 つの不等式

と書かれる。これから，大数の弱法則が導かれる。

解答

$\boxed{1}$ コーシー = シュワルツの不等式より，$m_X = E(X), m_Y = E(Y)$ として，
$$(E((X - m_X)(Y - m_Y)))^2 \leq E((X - m_X)^2)E((Y - m_Y)^2)$$
$$= V(X)V(Y)$$

したがって，$\rho(X,Y)^2 = \dfrac{(\text{Cov}(X,Y))^2}{V(X)V(Y)} \leq 1$ なので，

相関係数 ρ は，$|\rho(X,Y)| \leq 1$. 等号は $Y - m_Y = c(X - m_X)$ となる c が存在する（X と Y が線形関係の）とき。

$\boxed{2}$ $P(X = a_i) = \frac{1}{n}$ $(i = 1, 2, \cdots, n)$ とし，$g(x) = -\log x$★1 とすると，イェンセンの不等式より

$$g(E(X)) = -\log\left(\dfrac{a_1 + a_2 + \cdots + a_n}{n}\right)$$
$$\leq E(g(X))$$
$$= -\dfrac{\log a_1 + \log a_2 + \cdots + \log a_n}{n}$$
$$= -\log(\sqrt[n]{a_1 a_2 \cdots a_n})$$

よって，$\sqrt[n]{a_1 a_2 \cdots a_n} \leq \dfrac{a_1 + a_2 + \cdots + a_n}{n}$
（等号は $a_1 = a_2 = \cdots = a_n$）

★1 $g(x) = -\log x$ は，2 回微分可能で下に凸だから，イェンセンの不等式の条件を満たしている。

$\boxed{3}$ $E(h(X)) = \displaystyle\int_{-\infty}^{\infty} h(x)f_X(x)dx$
$$= \int_{h(x) < a} h(x)f_X(x)dx + \int_{h(x) \geq a} h(x)f_X(x)dx$$
$$\geq \int_{h(x) \geq a} h(x)f_X(x)dx^{★2}$$
$$\geq \int_{h(x) \geq a} af_X(x)dx$$
$$= aP(h(X) \geq a)$$

一般に，$P(|X - E(X)| \geq a) \leq \dfrac{V(X)}{a^2}$ となるので，

$P\left(\left|\dfrac{X_1 + X_2 + \cdots + X_n}{n} - m\right| \geq \varepsilon\right) \leq \dfrac{\sigma^2}{\varepsilon^2 n}$ $(\sigma^2 = V(X_1))$

$V\left(\dfrac{X_1 + X_2 + \cdots + X_n}{n}\right) = \dfrac{\sigma^2}{n}$

よって，任意の $\varepsilon(>0)$ に対し，
$$\lim_{n \to \infty} P\left(\left|\dfrac{X_1 + X_2 + \cdots + X_n}{n} - m\right| \geq \varepsilon\right) = 0 \ ^{★3}$$

★2 ここで，$h(x) < a$ の範囲の積分を捨てたことで，チェビシェフの不等式になる。（分布によっては）かなり粗い評価である。

★3 このことを $\dfrac{X_1 + X_2 + \cdots + X_n}{n} \xrightarrow[n \to \infty]{} m$（確率収束）と定義する。

Tea Time ・・・・・・・・・・・・・・・・・・・・・・・・・・・・ $\int_{-\infty}^{\infty} e^{-x^2}dx = \sqrt{\pi}$

物理学者ケルヴィンは
「数学者とは $\int_{-\infty}^{\infty} e^{-x^2}dx = \sqrt{\pi}$ が 2+2=4 と同じくらい当たり前の人である」
といった。このように（数学者でない人には？）$\int_{-\infty}^{\infty} e^{-x^2}dx = \sqrt{\pi}$ は e と π を結びつける不思議な式である。この本ではガンマ関数とベータ関数の関係を用いて証明したが，ここでは，高校生の知識 $+\alpha$ で証明してみよう。p.122 の図のような

$$xyz \text{ 空間内の曲面}: z = e^{-(x^2+y^2)} \quad (\text{最大値は } x = y = 0 \text{ のとき } 1)$$

を考える。この曲面と平面 $y = t$ との交わりは曲線 $z = e^{-(x^2+t^2)}$ であり，この曲線と $z = 0 \cap y = t$ の間にある部分の面積は $\int_{-\infty}^{\infty} e^{-(x^2+t^2)}dx = e^{-t^2}\int_{-\infty}^{\infty} e^{-x^2}dx$ であり，それを $-\infty < t < \infty$ で積分すれば $\int_{-\infty}^{\infty}(e^{-t^2}\int_{-\infty}^{\infty} e^{-x^2}dx)dt = \int_{-\infty}^{\infty} e^{-t^2}dt \int_{-\infty}^{\infty} e^{-x^2}dx$ は，曲面 $z = e^{-x^2+y^2}$ と $z = 0$ との間の部分の体積 V となる。

この体積を $z = s(0 < s < 1)$ との切り口の面積から求めてみると，$z = s \cap e^{-(x^2+y^2)} = s$ は円 $x^2 + y^2 = -\log s$ となり，切り口の面積は $\pi(-\log s)$ である。したがって，

$$V = \int_0^1 \pi(-\log s)ds = \pi\Big[-s\log s + s\Big]_0^1 = \pi \quad (\because \lim_{s \to 0} s\log s = 0)$$

つまり，$\left(\int_{-\infty}^{\infty} e^{-x^2}dx\right)^2 = \pi$ より，$\int_{-\infty}^{\infty} e^{-x^2}dx = \sqrt{\pi}$

Tea Time ・・・・・・・・・・・・・・・・・・・・・・・・・・ 偏差値と標準正規分布

偏差値 Z は，X が標準正規分布に従う $(X \sim N(0,1))$ ときに

$$Z = 50 + 10X \quad (E(Z) = 50, V(Z) = 100)$$

となるように標準化したものである。すると，

$$P(0 < X < 0.5) = P(50 < Z < 55)$$
$$= 0.1915 = P(-0.5 < X < 0) = P(45 < Z < 50),$$
$$P(0.5 < X < 1) = P(55 < Z < 60)$$
$$= 0.1498 = P(-1 < X < -0.5) = P(40 < Z < 45),$$
$$P(1 < X) = P(60 < Z) = 0.1587 = P(X < -1) = P(Z < 40)$$

これらの確率は，もっとラフに見てすべて $\frac{1}{6}$ くらいと理解しておくとよい。

$$P(1.96 < X) = 1 - \Phi(1.96) = 0.025 = 2.5\,\%,$$
$$P(1.645 < X) = 1 - \Phi(1.645) = 0.05 = 5\,\%,$$
$$P(2.33 < X) = 1 - \Phi(2.33) = 0.01 = 1\,\%,$$
$$P(2.58 < X) = 1 - \Phi(2.58) = 0.005 = 0.5\,\%$$

といった標準正規分布の上側確率の値は覚えておくべきである。偏差値でいうと，

$$P(65 < Z) = 0.0668 \fallingdotseq 7\ \%,$$
$$P(70 < Z) = 0.0228 \fallingdotseq 2\ \%,$$
$$P(75 < Z) = 0.0062 \fallingdotseq 0.6\ \%,$$
$$P(80 < Z) = 0.0013 \fallingdotseq 0.1\ \%,$$
$$P(90 < Z) = 0.00003 \fallingdotseq 0.003\ \%,$$
$$P(100 < Z) \fallingdotseq 3 \times 10^{-7}$$

Tea Time　　　　　　　　　　　　　　　　● 幾何分布と指数分布の関係

Δt 秒ごと $(t = \Delta t, 2\Delta t, \cdots)$ に成功確率が $\lambda \Delta t$（失敗確率 $1 - \lambda \Delta t$）の独立ベルヌーイ試行を考える。

はじめて成功するまでの試行回数 $\times \Delta t$（= はじめて成功した時刻 t）$= X^{\Delta t}$ とおくとすると，$x \geqq 0$ として

$$F_{X^{\Delta t}}(x) = P(X^{\Delta t} \leqq x) = \sum_{k=1}^{\frac{x}{\Delta t}} P(\mathrm{Fs}(\lambda \Delta t) = k)$$
$$= \sum_{k=1}^{\frac{x}{\Delta t}} \lambda \Delta t (1 - \lambda \Delta t)^{k-1} = 1 - (1 - \lambda \Delta t)^{\frac{x}{\Delta t}}$$

つまり，

$$\lim_{\Delta t \to 0} F_{X^{\Delta t}}(x) = \lim_{\Delta t \to 0} 1 - (1 - \lambda \Delta t)^{\frac{x}{\lambda \Delta t}} = 1 - e^{-\lambda x} \quad (x > 0)$$

となり，これはパラメータ λ の指数分布の分布関数 $F_{\mathrm{Exp}(\lambda)}(x)$ と一致するので，

$$\lim_{\Delta t \to 0} X^{\Delta t} = \mathrm{Exp}(\lambda)$$

がわかる。また，モーメント母関数の収束としても，
$$M_{X^{\Delta t}}(\alpha) = E(e^{\alpha X^{\Delta t}}) = E(e^{\alpha \Delta t \mathrm{Ge}(\lambda \Delta t)})$$
$$= \frac{\lambda \Delta t}{1 - (1 - \lambda \Delta t)e^{\alpha \Delta t}} = \frac{\lambda \Delta t}{1 - (1 - \lambda \Delta t)(1 + \alpha \Delta t + \cdots)}$$
$$\longrightarrow \frac{\lambda}{\lambda - \alpha} = M_{\mathrm{Exp}(\lambda)}(\alpha)$$

これより，幾何分布やファーストサクセス分布の極限が，指数分布であることがわかる。

Tea Time ……………………… いろいろな分布のグラフ

Chapter.4 で登場したさまざまな分布のなかから、代表的なグラフをフリーソフトの R で作成したものを、下にいくつか紹介しておく。

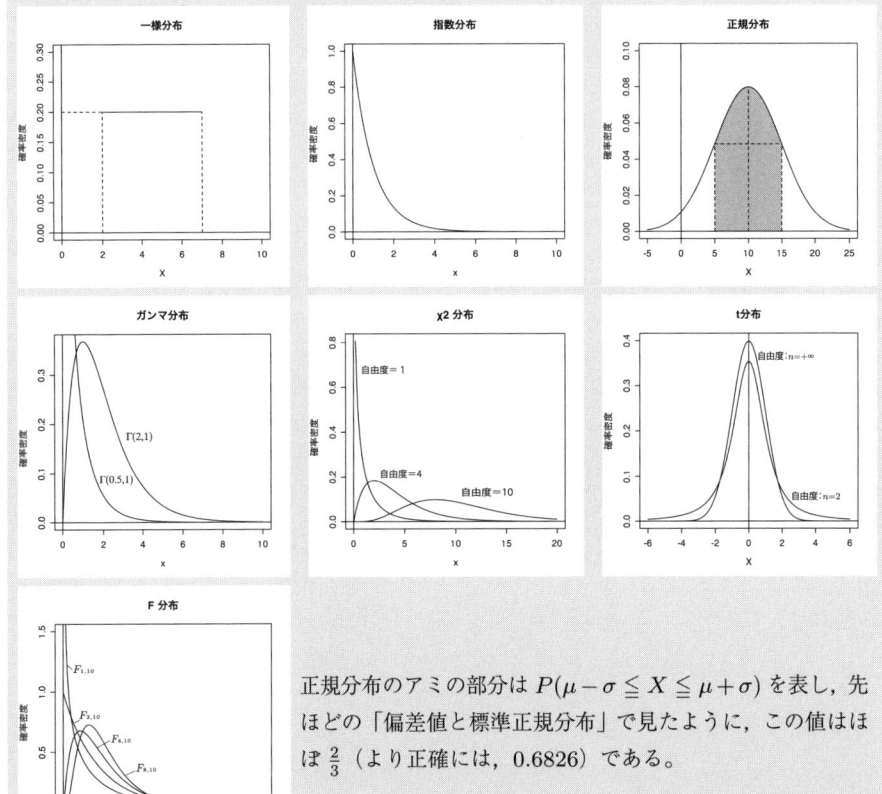

正規分布のアミの部分は $P(\mu-\sigma \leqq X \leqq \mu+\sigma)$ を表し、先ほどの「偏差値と標準正規分布」で見たように、この値はほぼ $\frac{2}{3}$（より正確には、0.6826）である。

Chapter 5

多次元確率分布

複数の確率変数を同時に扱うことは確率・統計において
きわめて重要である。また，多次元での分布を考えるこ
とから，定積分の計算がさらに重積分の計算に変わって
いく。変数変換などのテクニックをきっちりマスターし
ておこう。

問題 50　多次元連続確率分布 I　　　　　　　　　　　基本

以下の X, Y の同時確率密度関数 $f_{(X,Y)}(x,y)$ において，指定範囲外では値 0 をとるものとするとき，(a)〜の値を求めよ．

(1) $f_{(X,Y)}(x,y) = c$ $(0 \leq x \leq 1$ かつ $0 \leq y \leq 1)$
　　(a) 定数 c　(b) $P(X+Y<1)$　(c) $\mathrm{Cov}(X,Y)$　(d) $P(2X+3Y \leq 1)$

(2) $f_{(X,Y)}(x,y) = c$ $(0 \leq y \leq x \leq 1)$
　　(a) 定数 c　(b) $P(X+Y<1)$　(c) $f_X(x)$ と $E(X)$
　　(d) $\mathrm{Cov}(X,Y)$　(e) $P(Y+2X \leq 1)$

(3) $f_{(X,Y)}(x,y) = ce^{-2x}e^{-3y}$ $(0 \leq 5x < y < \infty)$
　　(a) 定数 c　(b) $f_X(x)$　(c) $f_Y(y)$

解説

連続確率変数 X, Y に対し非負値 2 変数関数 $f_{(X,Y)}(x,y)$ が存在して，任意の $D(\subset \mathbb{R}^2)$ に対し，$P((X,Y) \in D) = \iint_D f_{(X,Y)}(x,y)dxdy$ のとき，$f_{(X,Y)}(x,y)$ は 2 次元連続確率変数 (X,Y) の**同時確率密度関数**という．

こうした確率密度関数で表される分布が 2 次元連続確率分布（一般には，**多次元連続確率分布**）である．具体的な確率計算は，たとえば，
$D = \{(X,Y) | a \leq x \leq b \cap c \leq y \leq d\} = [a,b] \times [c,d]$ であれば，
$$P((X,Y) \in D) = \iint_{[a,b] \times [c,d]} f_{(X,Y)}(x,y)dxdy = \int_a^b dx \int_c^d f_{(X,Y)}(x,y)dy$$
であり，たとえば, $D = \{(x,y) | y \leq x\}$ なら，
$$P(Y \leq X) = \iint_{-\infty < y \leq x < \infty} f_{(X,Y)}(x,y)dxdy$$
$$= \int_{-\infty}^{\infty} dx \int_{-\infty}^{x} f_{(X,Y)}(x,y)dy \left(= \int_{-\infty}^{\infty} dy \int_y^{\infty} f_{(X,Y)}(x,y)dx \right)$$
など簡単なほうで計算する．

X, Y が独立であるとはすべての a, b, c, d で $P(a < X < b \cap c < Y < d) = P(a < X < b)P(c < Y < d)$ が満たされることであるが，これは $f_{(X,Y)}(x,y) = f_X(x)f_Y(y)$ となることと同じである．

1 次元の場合と同様に，$\iint_{\mathbb{R} \times \mathbb{R}} f_{(X,Y)}(x,y)dxdy = 1$ が成立する．期待値計算は $E(h(X,Y)) = \iint_{\mathbb{R}^2} h(x,y)f_{(X,Y)}(x,y)dxdy$ で行う．

また，任意の a, b で $P(a < X < b) = P(a < X < b \cap -\infty < Y < \infty)$ より，$\int_a^b f_X(x)dx = \int_a^b dx \int_{-\infty}^{\infty} f_{(X,Y)}(x,y)dy$ となるので，$f_X(x) = \int_{-\infty}^{\infty} f_{(X,Y)}(x,y)dy$

問題 50 [基本] 多次元連続確率分布 I   111

(X の周辺密度関数)。$f_Y(y)$ も同様である。

解答

(1) (a) $1 = c \iint_{\substack{0 \leq x \leq 1 \\ 0 \leq y \leq 1}} dxdy = c\int_0^1 dx \int_0^1 dy = c$

(b) $P(X+Y<1) = \iint_{\substack{0 \leq x,y \leq 1 \\ x+y<1}} dxdy = \int_0^1 dx \int_0^{1-x} dy = \frac{1}{2}$ ★1

(c) $E(XY) = \iint_{0 \leq x,y \leq 1} xy dxdy = \int_0^1 x\,dx \int_0^1 y\,dy = \frac{1}{4}$ よって、
$\mathrm{Cov}(X,Y) = E(XY) - E(X)E(Y) = \frac{1}{4} - \frac{1}{2}\cdot\frac{1}{2} = 0$

(d) $P(2X+3Y \leq 1) = \{(x,y) | 0 \leq x,y \leq 1 \text{ かつ } 2x+3y \leq 1\}$ の面積は、$\frac{1}{2}\cdot\frac{1}{2}\cdot\frac{1}{3} = \frac{1}{12}$ ★2

(2) (a) $1 = c \iint_{0 \leq y \leq x \leq 1} dxdy = c\int_0^1 dx \int_0^x dy = c\int_0^1 x\,dx = \frac{c}{2}$,
$c = 2$

(b) $P(X+Y<1) = 2\iint_{\substack{0 \leq y \leq x \leq 1 \\ x+y<1}} dxdy = 2\int_0^{1/2} dy \int_y^{1-y} dx$
$= 2\int_0^{1/2} (1-2y)dy = \frac{1}{2}$

(c) $f_X(x) = \int_0^x f_{(X,Y)}(x,y)dy = 2x \ (0<x<1)$,
$E(X) = \int_0^1 2x^2 dx = \frac{2}{3}$ ★3

(d) $E(XY) = 2\iint_{0 \leq y \leq x \leq 1} xy dxdy = 2\int_0^1 x\,dx \int_0^x y\,dy = \frac{1}{4}$ ★4
$\mathrm{Cov}(X,Y) = E(XY) - E(X)E(Y) = \frac{1}{4} - \frac{2}{3}\cdot\frac{1}{3} = \frac{1}{36}$

(e) $P(Y+2X \leq 1) = P(Y+2X \leq 1 \cap 0 \leq Y \leq X \leq 1)$
$= 2\iint_{\substack{y+2x \leq 1, \\ 0 \leq y \leq x \leq 1}} dxdy = 2\int_0^{1/3} dy \int_y^{\frac{1-y}{2}} dx$
$= 2\int_0^{1/3} \frac{1-3y}{2} dy = \frac{1}{6}$

(3) (a) $1 = c\int_0^\infty e^{-2x} dx \int_{5x}^\infty e^{-3y} dy = \frac{c}{3}\int_0^\infty e^{-2x} e^{-15x} dx = \frac{c}{51}$,
$c = 51$

(b) $f_X(x) = 51 e^{-2x} \int_{5x}^\infty e^{-3y} dy = 17 e^{-17x} \quad (x>0)$

(c) $y>0$ に対して、$0<y<\infty$ で
$f_Y(y) = 51\int_0^{y/5} e^{-2x} e^{-3y} dx = \frac{51}{2}\left(e^{-3y} - e^{-\frac{17}{5}y}\right)$

★1 $f_X(x) = \int_0^1 f_{(X,Y)}(x,y) dy = \int_0^1 dy = 1$
$(0<x<1)$ より $X \sim \mathrm{U}(0,1)$ となり、$E(X) = \frac{1}{2}$, $V(X) = \frac{1}{12}$ である。

★2 面積を考えればよい。

★3 $E(X^2) = \int_0^1 2x^3 dx = \frac{1}{2}$,
$V(X) = E(X^2) - (E(X))^2 = \frac{1}{18}$

★4 $f_Y(y) = \int_y^1 2dx = 2(1-y)$
$(0<y<1)$
$E(Y) = \int_0^1 2y(1-y)dy = \frac{1}{3}$

問題 51 多次元連続確率分布 II　　標準

以下の X, Y の同時確率密度関数 $f_{(X,Y)}(x,y)$ において，指定範囲外では値 0 をとるものとするとき，(a)〜(c) を求めよ．

(1) $f_{(X,Y)}(x,y) = c \quad (x^2 + y^2 < 1)$
   (a) 定数 c　(b) $f_X(x)$　(c) $E(X), E(X^2), V(X)$

(2) $f_{(X,Y)}(x,y) = cx^2 \quad (x^2 + y^2 < 1, x > 0, y > 0)$
   (a) 定数 c　(b) $f_X(x)$　(c) $E(X)$

(3) $f_{(X,Y)}(x,y) = ce^{-(x^2+y^2)} \quad (0 < y < \sqrt{3}x)$
   (a) 定数 c　(b) $E(X)$　(c) $E(e^{-(X^2+Y^2)})$

解説

本問では**極座標**を用いる **2 重積分**計算を見る．

(x,y) は原点からの距離 r $(r > 0)$ と x 軸とのなす角 θ $(0 \leq \theta < 2\pi, (0,0)$ と (x,y) を結ぶ半直線と x 軸のなす角$)$ を用いて $x = r\cos\theta, y = r\sin\theta$ となる．

また，逆に解くと $r = \sqrt{x^2 + y^2}, \tan\theta = \frac{y}{x}$ である．ヤコビアンの絶対値を計算すると，

$$\left|\frac{dxdy}{drd\theta}\right| = \left\|\begin{matrix}\frac{\partial x}{\partial r} & \frac{\partial x}{\partial \theta} \\ \frac{\partial y}{\partial r} & \frac{\partial y}{\partial \theta}\end{matrix}\right\| = \left\|\begin{matrix}\cos\theta & -r\sin\theta \\ \sin\theta & r\cos\theta\end{matrix}\right\| = r$$

つまり，$h(x,y)dxdy = h(r\cos\theta, r\sin\theta)rdrd\theta$ となる．

$$\iint_D h(x,y)dxdy = \iint_{\tilde{D}} h(r\cos\theta, r\sin\theta)rdrd\theta$$

ここで $\tilde{D}$ は D を極座標で書き直したもの．たとえば $D = \{(x,y) \,|\, x^2 + y^2 \leq 1\}$ なら，$\tilde{D} = \{(r,\theta) \,|\, 0 \leq r \leq 1, 0 \leq \theta < 2\pi\}$．また，$D = \{(x,y) \,|\, x^2 + y^2 < 8, \frac{1}{\sqrt{3}}x < y < \sqrt{3}x, x > 0\}$ なら，$\tilde{D} = \{(r,\theta) \,|\, 0 < r < 2\sqrt{2}, \frac{\pi}{6} < \theta < \frac{\pi}{3}\}$ などに注意する．

解答

(1) (a) $\iint_{x^2+y^2<1} cdxdy = c \times$ 半径 1 の円の面積 $= \pi \cdot c$　よって，$c = \dfrac{1}{\pi}$

(b) $-1 < x < 1$ として，

$$f_X(x) = \frac{1}{\pi} \int_{-\sqrt{1-x^2}}^{\sqrt{1-x^2}} dy = \frac{2}{\pi}\sqrt{1-x^2} \quad (-1 < x < 1)$$

(c) $E(X) = \int_{-1}^{1} x \cdot \frac{2}{\pi}\sqrt{1-x^2}dx = 0$ [★1]

★1　$x\sqrt{1-x^2}$ は奇関数．

問題 51 [標準] 多次元連続確率分布 II   113

別解 $E(X) = \frac{1}{\pi}\iint_{x^2+y^2<1} x\,dxdy$
$= \frac{1}{\pi}\iint_{\substack{0<r<1,\\ 0<\theta<2\pi}} r\cos\theta\, rdrd\theta = \frac{1}{\pi}\int_0^1 r^2 dr \int_0^{2\pi} \cos\theta\, d\theta = 0$

$E(X^2) = \frac{1}{\pi}\iint_{x^2+y^2<1} x^2 dxdy = \frac{1}{\pi}\iint_{\substack{0<r<1,\\ 0<\theta<2\pi}} (r\cos\theta)^2 rdrd\theta$
$= \frac{1}{\pi}\int_0^1 r^3 dr \int_0^{2\pi} \cos^2\theta\, d\theta = \frac{1}{\pi}\cdot\frac{1}{4}\cdot\frac{2\pi}{2} = \frac{1}{4}$

$V(X) = E(X^2) - (E(X))^2 = \frac{1}{4} - 0^2 = \frac{1}{4}$

(2) (a) $1 = c\iint_{\substack{x^2+y^2<1,\\ x>0, y>0}} x^2 dxdy$
$= c\iint_{\substack{0<r<1,\\ 0<\theta<\frac{\pi}{2}}} r^2(\cos^2\theta)rdrd\theta = \frac{c}{4}\cdot\frac{\pi}{4} = \frac{c\pi}{16},\ c = \frac{16}{\pi}$

(b) $0 < x < 1$ として,
$$f_X(x) = \frac{16}{\pi}\int_0^{\sqrt{1-x^2}} x^2 dy = \frac{16}{\pi}x^2\sqrt{1-x^2}\ (0<x<1)$$

(c) $E(X) = \frac{16}{\pi}\iint_{\substack{x^2+y^2<1,\\ x>0, y>0}} x^3 dxdy = \frac{16}{\pi}\iint_{\substack{0<r<1,\\ 0<\theta<\frac{\pi}{2}}} (r\cos\theta)^3 rdrd\theta$
$= \frac{16}{\pi}\int_0^1 r^4 dr \int_0^{\pi/2} \cos^3\theta\, d\theta = \frac{8}{5\pi}B(2, 1/2) = \frac{32}{15\pi}$ ★2

別解 $\frac{16}{\pi}\int_0^1 x^3\sqrt{1-x^2}dx = \frac{16}{\pi}\int_0^1 u^{3/2}(1-u)^{1/2}\frac{1}{2}u^{-1/2}du$
$= \frac{8}{\pi}B(2, 3/2) = \frac{32}{15\pi}$ でもよい.

(3) (a) $1 = c\iint_{0<y<\sqrt{3}x} e^{-x^2-y^2}dxdy$
$= c\iint_{\substack{0<r<\infty,\\ 0<\theta<\frac{\pi}{3}}} e^{-r^2}rdrd\theta = \frac{c}{2}\Big[-e^{-r^2}\Big]_0^\infty\left(\frac{\pi}{3}\right) = \frac{c\pi}{6},$
$c = \frac{6}{\pi}$

(b) $E(X) = \frac{6}{\pi}\iint_{0<y<\sqrt{3}x} xe^{-(x^2+y^2)}dxdy$
$= \frac{6}{\pi}\iint_{\substack{0<r<\infty,\\ 0<\theta<\frac{\pi}{3}}} r\cos\theta e^{-r^2}rdrd\theta$ ★3
$= \frac{3}{\pi}\Gamma\left(\frac{3}{2}\right)\sin\frac{\pi}{3} = \frac{3\sqrt{3}}{4\sqrt{\pi}}$

(c) $E(e^{-(X^2+Y^2)}) = \frac{6}{\pi}\iint_{0<y<\sqrt{3}x} e^{-(x^2+y^2)}e^{-(x^2+y^2)}dxdy$
$= \frac{6}{\pi}\iint_{\substack{0<r<\infty,\\ 0<\theta<\frac{\pi}{3}}} e^{-2r^2}rdrd\theta = \frac{1}{2}$

★2
$\int_0^{\pi/2}\cos^n\theta\, d\theta$
$= \int_0^{\pi/2}\sin^n\theta\, d\theta$
$= \frac{1}{2}B\left(\frac{n+1}{2}, \frac{1}{2}\right)$
また,
$B\left(\frac{n+1}{2}, \frac{1}{2}\right) = \frac{n-1}{n}B\left(\frac{n-1}{2}, \frac{1}{2}\right)$
から,
$\int_0^{\pi/2}\cos^{n+2}\theta\, d\theta = \frac{n+1}{n+2}\int_0^{\pi/2}\cos^n\theta\, d\theta$
などを利用してもよい.

★3 $\Gamma(t) = 2\int_0^\infty u^{2t-1}e^{-u^2}du$
から,
$\int_0^\infty r^2 e^{-r^2}dr = \frac{1}{2}\Gamma\left(\frac{3}{2}\right).$

問題 52　確率分布の和　　　　　　　　　　　　　　　　　　基本

次の問いに答えよ。

(1) $f_{(X,Y)}(x,y)$ を (X,Y) の同時密度関数とするとき, $F_{X+Y}(x) = P(X+Y \leq x)$ を $f_{(X,Y)}(x,y)$ の累次積分として表し, $f_{X+Y}(x)$ を求めよ。また, 独立な場合, 独立で $P(X>0) = P(Y>0) = 1$ の場合のそれぞれで, $f_{X+Y}(x)$ を $f_X(x), f_Y(y)$ で表せ。

(2) $X \sim Y \sim \text{Exp}(\lambda)$ で独立のとき, $f_{X+Y}(x)$ を求めよ。

(3) $X \sim Y \sim \text{U}(0,1)$ で独立のとき, $F_{X+Y}(x), f_{X+Y}(x)$ を求めよ。

解説

まず一般の離散確率変数の場合は,

$$P(X+Y=k) = \sum_{x+y=k} P(X=x \cap Y=y) = \sum_x P(X=x \cap Y=k-x)$$

さらに X,Y が独立なら,　$P(X+Y=k) = \sum_x P(X=x)P(Y=k-x)$

となる。さらに, $P(X \geq 0) = P(Y \geq 0) = 1$ なら,

$$P(X+Y=k) = \sum_{x=0}^{k} P(X=x)P(Y=k-x)$$

一般に, 数列 a_n, b_n から新しい数列 c_n を $c_n = \sum_{k=0}^{n} a_k b_{n-k}$ で作ると, c_n を**離散たたみこみ** (discrete convolution) という。

注意　これは a_n が x^n の係数となる多項式 $g(x)$ と b_n が x^n の係数となる多項式 $h(x)$ の積 $g(x)h(x)$ の x^n の係数が c_n であり, 高校数学以来おなじみの概念であった。

これを連続で考えると, シグマが積分にかわり,

$P(X>0) = P(Y>0) = 1$ で独立なら, $x>0$ として
$$f_{X+Y}(x) = \int_0^x f_X(u) f_Y(x-u) du$$

であり, f_X と f_Y の**たたみこみ** (convolution) と呼ばれる。

解答

(1) $F_{X+Y}(x) = P(X+Y \leq x) = \iint_{u+v \leq x} f_{(X,Y)}(u,v) du dv$
$\phantom{F_{X+Y}(x)} = \int_{-\infty}^{\infty} du \int_{-\infty}^{x-u} f_{(X,Y)}(u,v) dv$

よって, x で微分して,

$$f_{X+Y}(x) = \int_{-\infty}^{\infty} du \frac{d}{dx} \int_{-\infty}^{x-u} f_{(X,Y)}(u,v) dv$$
$$= \int_{-\infty}^{\infty} f_{(X,Y)}(u, x-u) du$$

まず独立な場合,$f_{(X,Y)}(x,y) = f_X(x) f_Y(y)$ より,

$$f_{X+Y}(x) = \int_{-\infty}^{\infty} f_X(x-u) f_Y(u) du$$

$P(X > 0) = P(Y > 0) = 1$ の場合は $x < 0$ のとき, $f_X(x) = 0$ となるので,

$$f_{X+Y}(x) = \int_{-\infty}^{\infty} \underbrace{f_X(x-u)}_{(x-u>0\ \text{のときだけ正})} \underbrace{f_Y(u)}_{(u>0\ \text{のときだけ正})} du$$
$$= \int_0^x f_X(x-u) f_Y(u) du$$

(2) ★1 $x > 0$ として,

$$f_{X+Y}(x) = \int_0^x \lambda e^{-\lambda u} \lambda e^{-\lambda(x-u)} du$$
$$= \lambda^2 \int_0^x e^{-\lambda x} du = \lambda^2 x e^{-\lambda x} \quad (x > 0)$$

(3) ★2 $P(0 < X < 1) = P(0 < Y < 1) = 1$ より,
$P(0 < X+Y < 2) = 1, 0 < x < 2$ として,

$$F_{X+Y}(x) = P(X+Y \leqq x) = \iint_{\substack{u+v \leqq x \\ 0 \leqq u,v \leqq 1}} 1 du dv$$
$$= \begin{cases} \dfrac{x^2}{2} & (0 \leqq x \leqq 1) \\ 1 - \dfrac{(2-x)^2}{2} & (1 \leqq x \leqq 2) \end{cases}$$

よって,x で微分して,

$$f_{X+Y}(x) = \begin{cases} x & (0 \leqq x \leqq 1) \\ 2-x & (1 \leqq x \leqq 2) \\ 0 & (\text{その他}) \end{cases}$$

注:一様分布の場合は,公式によらず上のように分布関数を計算し,微分するとよい。

★1 ガンマ分布の再生性より,
$\Gamma(1, \lambda) + \Gamma(1, \lambda)$
$= \Gamma(2, \lambda)$.

★2 公式を用いると
$f_{X+Y}(x)$
$= \int_0^x f_X(u) f_Y(u-x) du$
$= \int_0^x \underbrace{f_X(u)}_{(0<u<1)} \underbrace{f_Y(u-x)}_{(0<u-x<1)} du$.
つまり,
$0 \leqq x \leqq 1$ のとき,
$\int_0^x 1 du = x$
$1 \leqq x \leqq 2$ のとき,
$\int_{x-1}^1 1 du = 2 - x$.

問題 53 確率分布の差・積・商 [標準]

1 (1) $F_{X-Y}(x) = P(X - Y \leq x)$ を X, Y の同時密度関数 $f_{(X,Y)}(x,y)$ の累次積分として表し，$f_{X-Y}(x)$ を求めよ．また X と Y が独立な場合，$f_{X-Y}(x)$ を f_X, f_Y で表せ．

(2) $X \sim Y \sim \mathrm{U}(0,1)$ で独立のとき，$F_{X-Y}(x), f_{X-Y}(x)$ を求めよ．

(3) $X \sim Y \sim \mathrm{Exp}(\lambda)$ で独立のとき，$f_{X-Y}(x)$ を求めよ．

2 (1) $P(X > 0 \cap Y > 0) = 1$ のとき，$F_{XY}(x) = P(XY \leq x)$ を同時密度関数 $f_{(X,Y)}(x,y)$ の累次積分として表し，$f_{XY}(x)$ を求めよ．また X と Y が独立な場合，$f_{XY}(x)$ を f_X, f_Y で表せ．

(2) $X \sim Y \sim \mathrm{U}(0,1)$ で独立のとき，$F_{XY}(x), f_{XY}(x)$, を求めよ．

(3) $X \sim \mathrm{Exp}(\lambda_1), Y \sim \mathrm{Exp}(\lambda_2)$ で独立のとき，$f_{\frac{Y}{X}}(x)$ を求めよ．

解説 差・積・商についても基本は分布関数を2重積分で表し，微分する．

差について，X, Y が独立なら，
$$f_{X-Y}(x) = \int_{-\infty}^{\infty} f_X(u+x) f_Y(u) du$$

積・商を $P(X > 0) = P(Y > 0) = 1$ で独立な場合に書いておくと，$x > 0$ として，
$$f_{XY}(x) = \int_0^{\infty} f_X(u) f_Y\left(\frac{x}{u}\right) \frac{1}{u} du \quad f_{\frac{Y}{X}}(x) = \int_0^{\infty} f_X(u) f_Y(ux) u \, du$$

積・商で負の値もとる場合は絶対値をつけて，
$$f_{XY}(x) = \int_{-\infty}^{\infty} f_X(u) f_Y\left(\frac{x}{u}\right) \frac{1}{|u|} du \quad f_{\frac{Y}{X}}(x) = \int_{-\infty}^{\infty} f_X(u) f_Y(ux) |u| du$$

計算例 $X \sim Y \sim \mathrm{N}(0,1)$ で独立なら，$-\infty < x < \infty$ で
$$f_{\frac{Y}{X}}(x) = \frac{1}{2\pi} \int_{-\infty}^{\infty} e^{-\frac{u^2}{2}} e^{-\frac{u^2 x^2}{2}} |u| du = \frac{1}{\pi} \int_0^{\infty} u e^{-\frac{(1+x^2)u^2}{2}} du = \frac{1}{\pi(1+x^2)}$$

この分布は**コーシー分布**で，平均，分散などが存在しない分布としても有名．

注：一般に平均が存在するとは，$E(|X|) < \infty$ となること，つまり，平均が存在しない $\rightleftharpoons E(|X|) = \infty$．

解答

1 (1) $F_{X-Y}(x) = P(X - Y \leq x) = \iint_{u-v \leq x} f_{(X,Y)}(u,v) du dv$

$$= \int_{-\infty}^{\infty} dv \int_{-\infty}^{x+v} f_{(X,Y)}(u,v) du$$

よって x で微分して，
$$f_{X-Y}(x) = \int_{-\infty}^{\infty} dv \frac{d}{dx} \int_{-\infty}^{x+v} f_{(X,Y)}(u,v) du$$

問題 53 [標準] 確率分布の差・積・商　117

$$= \int_{-\infty}^{\infty} f_{(X,Y)}(x+v,v)dv$$

X,Y が独立な場合は $f_{X-Y}(x) = \int_{-\infty}^{\infty} f_X(x+u)f_Y(u)du$

(2) $P(0<X<1) = P(0<Y<1) = 1$ より，$P(-1<X-Y<1) = 1$ なので $-1<x<1$ として，★1

$$F_{X-Y}(x) = P(X-Y \leqq x) = \iint_{\substack{u-v \leqq x, \\ 0 \leqq u,v \leqq 1}} 1\,dudv$$

$$= 1 - \frac{(1-x)^2}{2} \ (0 \leqq x \leqq 1), \quad \frac{(1+x)^2}{2} \ (-1 \leqq x \leqq 0)$$

よって，$f_{X-Y}(x) = 1-x \ (0 \leqq x \leqq 1), \quad 1+x \ (-1 \leqq x \leqq 0)$ ★2

(3) $-\infty < x < \infty$ として，

$$f_{X-Y}(x) = \int_{-\infty}^{\infty} f_X(x+u)f_Y(u)du = \int_{0}^{\infty} f_X(x+u)\lambda e^{-\lambda u}du$$

$$= \begin{cases} \int_{0}^{\infty} \lambda^2 e^{-\lambda(x+2u)}du = \frac{\lambda}{2}e^{-\lambda x} & (x \geqq 0) \\ \int_{-x}^{\infty} \lambda^2 e^{-\lambda(x+2u)}du = \frac{\lambda}{2}e^{\lambda x} & (x \leqq 0) \end{cases}$$

2 (1)★3 $x>0$ として，

$$F_{XY}(x) = \iint_{uv \leqq x} f_{(X,Y)}(u,v)dudv = \int_{0}^{\infty} du \int_{0}^{\frac{x}{u}} f_{(X,Y)}(u,v)dv$$

よって x で微分して，

$$f_{XY}(x) = \int_{0}^{\infty} du \frac{d}{dx} \int_{0}^{\frac{x}{u}} f_{(X,Y)}(u,v)dv$$

$$= \int_{0}^{\infty} f_{(X,Y)}\left(u, \frac{x}{u}\right) \frac{1}{u} du \text{★4}$$

また，X,Y が独立な場合，$f_{XY}(x) = \int_{0}^{\infty} f_X(u) f_Y\left(\frac{x}{u}\right) \frac{1}{u} du$

(2) $P(0<XY<1) = 1$ に注意して，$0 \leqq x \leqq 1$ に対して，

$$F_{XY}(x) = P(XY \leqq x) = \int_{0}^{x} du + \int_{x}^{1} \frac{x}{u} du$$

$$= x - x\log x \quad (0 < x < 1)$$

微分して，$f_{XY}(x) = -\log x \quad (0 < x < 1)$

(3) $x>0$ として，

$$f_{\frac{Y}{X}}(x) = \int_{0}^{\infty} f_X(u) f_Y(ux) u\, du$$

$$= \lambda_1 \lambda_2 \int_{0}^{\infty} u e^{-(\lambda_1+\lambda_2 x)u} du = \frac{\lambda_1 \lambda_2}{(\lambda_1 + \lambda_2 x)^2} \quad (x>0)$$

★1 一様分布の場合は，公式ではなく，面積計算にもちこむのが簡単。

★2 公式を用いると，
$f_{X-Y}(x)$
$= \int_{-\infty}^{\infty} f_X(u+x)f_Y(u)du$
$= \int_{0}^{1} \underbrace{f_X(u+x)}_{(0<u+x<1)} \underbrace{f_Y(u)}_{(0<u<1)} du$.
つまり，
$0 \leqq x \leqq 1$ のとき，
$\int_{0}^{1-x} 1\,du = 1-x$.
$-1 \leqq x \leqq 0$ のとき，
$\int_{-x}^{1} 1\,du = 1+x$.

★3 $P(X>0) = P(Y>0) = 1$ に注意する。

★4 一般に，
$H(u) = \int h(u)du$
として，
$\frac{d}{dx} \int_{0}^{g(x)} h(u)du$
$= H'(g(x))g'(x)$
$= h(g(x))g'(x)$.

問題 54 多次元連続確率分布の変換 〔発展〕

連続確率変数 X, Y が独立で以下の分布に従うとき,それぞれの変換 $(X, Y) \longmapsto (S, T)$ に対する $f_{(S,T)}(s, t)$ を求めよ.
(1) $X \sim Y \sim N(0, 1)$ で,$S = 2X - 3Y, T = X + 2Y$
(2) $X \sim Y \sim U(0, 1)$ で,$S = 2X - 3Y, T = X + 2Y$
(3) $X \sim Y \sim \text{Exp}(\lambda)$ で,$S = 2X - 3Y, T = X + 2Y$
(4) $X \sim Y \sim |N(0, 1)|$ で,$S = \sqrt{X^2 + Y^2}, T = \tan^{-1}\frac{Y}{X}$
(5) $X \sim \Gamma(p_1, a), Y \sim \Gamma(p_2, a)$ で,
$S = X + Y, \quad T = \frac{X}{X+Y}$

解説
複数の確率変数の変換でも,1 対 1 変換なら簡単に求められる.その際,ヤコビアンは微小面積要素 $dxdy$ と $dsdt$ の面積比 $\frac{dxdy}{dsdt}$ に注意する.

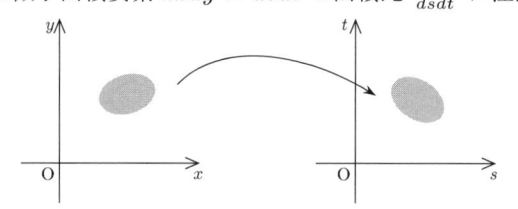

$$f_{(S,T)}(s, t)dsdt = P((S, T) \in dsdt) = P((X, Y) \in dxdy) = f_{(X,Y)}(x, y)dxdy$$

より,

$$f_{(S,T)}(s, t) = f_{(X,Y)}(x, y)\left|\frac{dxdy}{dsdt}\right| = f_{(X,Y)}(x, y)\left\|\begin{matrix}\frac{\partial x}{\partial s} & \frac{\partial x}{\partial t} \\ \frac{\partial y}{\partial s} & \frac{\partial y}{\partial t}\end{matrix}\right\|$$

$$= f_{(X,Y)}(x, y)\left|\frac{\partial x}{\partial s}\frac{\partial y}{\partial t} - \frac{\partial x}{\partial t}\frac{\partial y}{\partial s}\right|$$

(この x, y を逆に s, t に関して解き,代入する)

また,以下でもよい.

$$= f_{(X,Y)}(x, y)\left|\frac{dsdt}{dxdy}\right|^{-1} = f_{(X,Y)}(x, y)\left\|\begin{matrix}\frac{\partial s}{\partial x} & \frac{\partial s}{\partial y} \\ \frac{\partial t}{\partial x} & \frac{\partial t}{\partial y}\end{matrix}\right\|^{-1}$$

$$= f_{(X,Y)}(x, y)\left|\frac{\partial s}{\partial x}\frac{\partial t}{\partial y} - \frac{\partial s}{\partial y}\frac{\partial t}{\partial x}\right|^{-1} \quad ((x, y) \text{ を } s, t \text{ で表し,代入する})$$

また,$S = X + Y, T = X$ なら,明らかに |**ヤコビ行列式**| (ヤコビアンの絶対値) $= 1$ なので,$f_{(S,T)}(s, t) = f_{(X,Y)}(x, y) = f_{(X,Y)}(t, s - t)$ となるので,$f_{X+Y}(s) = f_S(s) = \int_{-\infty}^{\infty} f_{(X,Y)}(t, s - t)dt$ と前に見た公式が得られる.

ここで和の分布の求め方をまとめておくと,

問題 54 [発展] 多次元連続確率分布の変換   119

・分布関数 $F_{X+Y}(x)$ を直接計算し微分する（独立な一様分布の場合に有効）．
・たたみこみ公式 $f_{X+Y}(x) = \int_{-\infty}^{\infty} f_X(y)f_Y(x-y)dy$ を用いる．
  　　　　　　　　　　　　　　　　　　　　　（独立な指数分布の場合に有効）
・$(X+Y, X)$ の同時分布を求めてその周辺分布を求める．
・モーメント母関数 $M_{X+Y}(\alpha)$ を計算する．
  　　　　　　　　　　　　　（独立な正規分布，ガンマ分布などで有効）

解 答

(1) $f_{(S,T)}(s,t) = f_{(X,Y)}(x,y) \dfrac{1}{\left|\dfrac{dsdt}{dxdy}\right|} = \dfrac{1}{2\pi} e^{-\frac{x^2+y^2}{2}} \left\| \begin{matrix} 2 & -3 \\ 1 & 2 \end{matrix} \right\|^{-1}$ ★1

$= \dfrac{1}{2\pi} e^{-\frac{\left(\frac{2s+3t}{7}\right)^2 + \left(\frac{-s+2t}{7}\right)^2}{2}} \dfrac{1}{7}$

$= \dfrac{1}{14\pi} e^{-\frac{1}{2}\left\{\left(\frac{2s+3t}{7}\right)^2 + \left(\frac{-s+2t}{7}\right)^2\right\}}$

★1 $\binom{s}{t} = \binom{2\ -3}{1\ \ 2}\binom{x}{y}$ より，$\binom{x}{y} = \binom{2\ -3}{1\ \ 2}^{-1}\binom{s}{t} = \dfrac{1}{7}\binom{2\ \ 3}{-1\ 2}\binom{s}{t}$．

(2) $f_{(S,T)}(s,t) = f_{(X,Y)}(x,y) \dfrac{1}{\left|\dfrac{dsdt}{dxdy}\right|} = f_{(X,Y)}(x,y) \left\| \begin{matrix} 2 & -3 \\ 1 & 2 \end{matrix} \right\|^{-1}$

$= \dfrac{1}{7} \quad (0 < 2s+3t < 7 \cap 0 < -s+2t < 7)$★2

(3) $f_{(S,T)}(s,t) = f_{(X,Y)}(x,y) \dfrac{1}{\left|\dfrac{dsdt}{dxdy}\right|} = \lambda^2 e^{-\lambda(x+y)} \left\| \begin{matrix} 2 & -3 \\ 1 & 2 \end{matrix} \right\|^{-1}$

$= \dfrac{\lambda^2}{7} e^{-\lambda\left(\frac{2s+3t}{7} + \frac{-s+2t}{7}\right)} \quad (2s+3t > 0, -s+2t > 0)$

★2 $s=2x-3y$, $t=x+2y$ で $0<x<1$, $0<y<1$ なら $x=\dfrac{2s+3t}{7}$, $y=\dfrac{-s+2t}{7}$ より，$0<2s+3t<7$, $0<-s+2t<7$

(4) $f_{(X,Y)}(x,y) = \dfrac{2}{\pi} e^{-\frac{x^2+y^2}{2}} \quad (x>0, y>0)$ に注意して★3，

$f_{(S,T)}(s,t) = f_{(X,Y)}(x,y) \dfrac{1}{\left|\dfrac{dsdt}{dxdy}\right|}$

$= \dfrac{2}{\pi} e^{-\frac{x^2+y^2}{2}} \left\| \begin{matrix} \dfrac{x}{\sqrt{x^2+y^2}} & \dfrac{y}{\sqrt{x^2+y^2}} \\ \dfrac{-y}{x^2+y^2} & \dfrac{x}{x^2+y^2} \end{matrix} \right\|^{-1}$

$= \dfrac{2}{\pi} e^{-\frac{s^2}{2}} s \quad (s>0, 0<t<\frac{\pi}{2})$

★3 $f_X(x) = f_Y(x) = \dfrac{2}{\sqrt{2\pi}} e^{-\frac{x^2}{2}}$．

(5) ★4 $f_{(S,T)}(s,t) = f_{(X,Y)}(x,y) \left|\dfrac{dxdy}{dsdt}\right| = f_X(ts)f_Y((1-t)s)|s|$

$= \dfrac{a^{p_1+p_2}}{\Gamma(p_1+p_2)} s^{p_1+p_2-1} e^{-as} \dfrac{t^{p_1-1}(1-t)^{p_2-1}}{B(p_1,p_2)}$

$= f_{\Gamma(p_1+p_2,a)}(s) f_{\beta(p_1,p_2)}(t) \quad (s>0, 0<t<1)$

★4 これより，$X+Y$ と $\dfrac{X}{X+Y}$ は独立で，$X+Y \sim \Gamma(p_1+p_2, a)$（ガンマ分布の再生性），$\dfrac{X}{X+Y} \sim \beta(p_1, p_2)$（ガンマ分布とベータ分布の関係）などがわかる．また，$s>0, 0<t<1$ に注意．

となる．

問題 55 多次元離散確率分布　多項分布　　　　発展

サイコロを N 回投げ，6 の目は X 回，1 の目は Y 回，5 の目は Z 回，奇数の目は W 回出たとする。以下を求めよ。

(1) $E(X), V(X)$　(2) $P(X=k \cap Y=l), E(XY), \text{Cov}(X,Y)$

(3) $P(X=k \cap Y=l \cap Z=m), P(X=k \cap Y=l \cap W=m)$,
　$P(X=k \cap Y=l \cap Z=m \cap W=n)$

(4) $\text{Cov}(X,W), \text{Cov}(Y,W), V(X+Y), V(X-5W)$

解説　前に 2 項分布（成功，失敗しかない場合）は詳しく調べた。世の中には 2 つの場合だけではない（サイコロのような）場合も考察しなければならないことも多い。このような状況での確率分布を**多項分布**という。

簡単のため，3 項分布で説明する。1 つの試行で A,B,C の 3 種類のうちどれか 1 つが必ず起こり，2 つ以上同時に起こることはないとする。A が起こる確率を p_A，同様に $p_B, p_C(=1-p_A-p_B)$ を考える。N 回の試行で，A が出た回数を X，B が出た回数を Y（C が出た回数は必然的に $N-X-Y$）とすると，

$$P(X=k \cap Y=l) = \frac{N!}{k!l!(N-k-l)!}(p_A)^k(p_B)^l(1-p_A-p_B)^{N-k-l}$$
$$(k,l \geqq 0, k+l \leqq N)$$

となる。なぜなら，k 個の A, l 個の B, $N-k-l$ 個の C を並べる順列の個数は $\frac{N!}{k!l!(N-k-l)!}$ となるからである。この (X,Y) の分布をパラメータ $N, (p_A, p_B)$ の 3 項分布と呼び，$mult(N; p_A, p_B)$ と表す。

また，多項展開を用いることにより，

$$\sum_{k,l \geqq 0, k+l \leqq N} P(X=k \cap Y=l)$$
$$= \sum_{k,l \geqq 0, k+l \leqq N} \frac{N!}{k!l!(N-k-l)!}(p_A)^k(p_B)^l(1-p_A-p_B)^{N-k-l}$$
$$= (p_A+p_B+p_C)^N = 1^N = 1$$

さらに，周辺分布 X は A が成功，$B \cup C$ は失敗と見なした 2 項分布なので，$X \sim B(N, p_A)$. よって，$E(X) = Np_A, V(X) = Np_A(1-p_A)$ である。また

$(\star)\,(X,Y) \sim mult(N; p_A, p_B)$ なら，　$X \sim B(N, p_A), \text{Cov}(X,Y) = -Np_Ap_B$
　　　　　　　　　　　　　　　　　　　　　　　　　　　（p.138 の TeaTime 参照）

問題 55 [発展] 多次元離散確率分布　多項分布　121

例. N 人でじゃんけんを行うとき，k 人がグー，l 人がチョキを出す確率は，

$$\frac{N!}{k!l!(N-k-l)!}\left(\frac{1}{3}\right)^N, \quad \text{Cov}(グー, チョキ) = -\frac{N}{9}$$

解答

(1) $X \sim B(N, \frac{1}{6})$ なので $E(X) = \frac{N}{6}$, $V(X) = \frac{5N}{36}$

(2) $P(X = k \cap Y = l) = \frac{N!}{k!l!(N-k-l)!}\left(\frac{1}{6}\right)^k\left(\frac{1}{6}\right)^l\left(\frac{2}{3}\right)^{N-k-l}$

$E(XY) = \frac{1}{36}N(N-1)$ ★1

$\text{Cov}(X, Y) = E(XY) - E(X)E(Y) = \frac{N(N-1)}{36} - \left(\frac{N}{6}\right)^2 = \frac{-N}{36}$

別解 $V(X+Y) = V(N - (X+Y)) = V(B(N, \frac{2}{3})) = \frac{2N}{9}$,

$\text{Cov}(X, Y) = \frac{1}{2}\{V(X+Y) - V(X) - V(Y)\} = \frac{-N}{36}$.

(3) $P(X = k \cap Y = l \cap Z = m)$

$= \frac{N!}{k!l!m!(N-k-l-m)!}\left(\frac{1}{6}\right)^k\left(\frac{1}{6}\right)^l\left(\frac{1}{6}\right)^m\left(\frac{1}{2}\right)^{N-k-l-m}$

$W' = 3, 5$ が出た回数とすると，

$P(X = k \cap Y = l \cap W = m) = P(X = k \cap Y = l \cap W' = m - l)$

$= \frac{N!}{k!l!(m-l)!(N-k-m)!}\left(\frac{1}{6}\right)^k\left(\frac{1}{6}\right)^l\left(\frac{1}{3}\right)^{m-l}\left(\frac{1}{3}\right)^{N-k-m}$

$W'' = 3$ が出た回数とすると，

$P(X = k \cap Y = l \cap Z = m \cap W = n)$
$= P(X = k \cap Y = l \cap Z = m \cap W'' = n - l - m)$
$= \frac{N!}{k!l!m!(n-l-m)!(N-k-n)!}$
$\times \left(\frac{1}{6}\right)^k\left(\frac{1}{6}\right)^l\left(\frac{1}{6}\right)^m\left(\frac{1}{6}\right)^{n-l-m}\left(\frac{1}{3}\right)^{N-k-n}$

(4) $\text{Cov}(X, W) = \frac{-N}{12}$ ★2

$\text{Cov}(Y, W) = \text{Cov}(Y, Y + W') = V(Y) + \text{Cov}(Y, W')$

$= \frac{5N}{36} - \frac{N}{18} = \frac{N}{12}$

$V(X + Y) = V(N - (X+Y)) = V\left(B\left(N, \frac{2}{3}\right)\right) = \frac{2N}{9}$

$V(X - 5W) = V(X) - 10\text{Cov}(X, W) + 25V(W)$

$= \frac{5N}{36} - 10\left(\frac{-N}{12}\right) + \frac{25N}{4} = \frac{65N}{9}$

★1 p.138 の TeaTime, または問題 10 解説 (p.20) 参照。

★2 左頁解説の一番下の式を参照。

問題 56 多次元正規分布　　　発展

$S \sim T \sim N(0,1)$ で独立, (X,Y) が 2 次元正規分布 $X = \mu_1 + \sigma_1 S$, $Y = \mu_2 + \sigma_2(\rho S + \sqrt{1-\rho^2}T)$ に従うとき, 以下を求めよ.
(1) $E(X), E(Y), V(X), V(Y), \text{Cov}(X,Y)$　　(2) $aX + bY$ の分布
(3) $(aX + bY, cX + dY)$ の分布

解説

ここでは正規分布の多次元バージョン, **多次元正規分布**も重要である. 多次元正規分布の周辺分布は正規分布で, また, それら周辺分布の情報と共分散だけで分布が決まってしまうことが多次元正規分布の著しい特徴である.

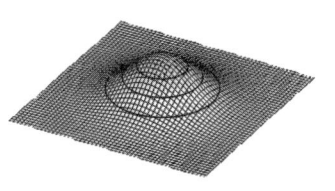

X, Y を $X = \mu_1 + \sigma_1 S, Y = \mu_2 + \sigma_2(\rho S + \sqrt{1-\rho^2}T), S \sim T \sim N(0,1)$ で S, T は独立とおくとき, X, Y の確率分布を **2 次元正規分布**といい,
$$(X, Y) \sim N\left(\begin{pmatrix} \mu_1 \\ \mu_2 \end{pmatrix}, \begin{pmatrix} \sigma_1^2 & \rho\sigma_1\sigma_2 \\ \rho\sigma_1\sigma_2 & \sigma_2^2 \end{pmatrix}\right) = N(\vec{\mu}, V)$$
($\vec{\mu}$ = 平均ベクトル, V = 分散共分散行列) と書く.

(X, Y) の同時密度関数 $f_{(X,Y)}(x,y)$ は
$$f_{(X,Y)}(x,y) = \frac{1}{2\pi\sigma_1\sigma_2\sqrt{1-\rho^2}} e^{-\frac{1}{2}\frac{1}{1-\rho^2}\left(\left(\frac{x-\mu_1}{\sigma_1}\right)^2 - 2\rho\frac{x-\mu_1}{\sigma_1}\frac{y-\mu_2}{\sigma_2} + \left(\frac{y-\mu_2}{\sigma_2}\right)^2\right)}.$$

この密度関数をもつ (X, Y) を 2 次元正規分布と定義してもよい. このとき,
$$E(X) = \mu_1, \quad E(Y) = \mu_2, \quad V(X) = \sigma_1^2, \quad V(Y) = \sigma_2^2, \quad \rho_{X,Y} = \rho$$
である. なぜなら, 周辺密度関数を計算すると,

$f_X(x) = \int_{-\infty}^{\infty} f_{(X,Y)}(x,y) dy$

$= \int_{-\infty}^{\infty} \frac{1}{2\pi\sigma_1\sigma_2\sqrt{1-\rho^2}} e^{-\frac{1}{2}\frac{1}{1-\rho^2}\left(\left(\frac{x-\mu_1}{\sigma_1}\right)^2 - 2\rho\frac{x-\mu_1}{\sigma_1}\frac{y-\mu_2}{\sigma_2} + \left(\frac{y-\mu_2}{\sigma_2}\right)^2\right)} dy$

$= \frac{1}{\sqrt{2\pi}\sigma_1} e^{-\frac{(x-\mu_1)^2}{2\sigma_1^2}} \int_{-\infty}^{\infty} \frac{1}{\sqrt{2\pi(1-\rho^2)}\sigma_2} e^{-\frac{(y-(\mu_2+\rho\frac{\sigma_2}{\sigma_1}(x-\mu_1)))^2}{2(1-\rho^2)\sigma_2^2}} dy$

(後の積分は, $\mu = \mu_2 + \rho\frac{\sigma_2}{\sigma_1}(x-\mu_1)$, $\sigma = \sigma_2\sqrt{1-\rho^2}$ とおくと 1 になるので)

$= \frac{1}{\sqrt{2\pi}\sigma_1} e^{-\frac{(x-\mu_1)^2}{2\sigma_1^2}} \int_{-\infty}^{\infty} \frac{1}{\sqrt{2\pi}\sigma} e^{-\frac{(y-\mu)^2}{2\sigma^2}} dy = \frac{1}{\sqrt{2\pi}\sigma_1} e^{-\frac{(x-\mu_1)^2}{2\sigma_1^2}}$

よって $E(X) = \mu, V(X) = \sigma^2$ となり, いまの μ, σ を使って

$E((X-\mu_1)(Y-\mu_2)) = \int_{-\infty}^{\infty} \frac{x-\mu_1}{\sqrt{2\pi}\sigma_1} e^{-\frac{(x-\mu_1)^2}{2\sigma_1^2}} dx \int_{-\infty}^{\infty} \frac{y-\mu_2}{\sqrt{2\pi}\sigma} e^{-\frac{(y-\mu)^2}{2\sigma^2}} dy$

問題 56 [発展] 多次元正規分布　123

$$= \int_{-\infty}^{\infty} \frac{x-\mu_1}{\sqrt{2\pi}\sigma_1} e^{-\frac{(x-\mu_1)^2}{2\sigma_1^2}} dx \left\{ \int_{-\infty}^{\infty} \frac{y}{\sqrt{2\pi}\sigma} e^{-\frac{(y-\mu)^2}{2\sigma^2}} dy - \mu_2 \int_{-\infty}^{\infty} \frac{1}{\sqrt{2\pi}\sigma} e^{-\frac{(y-\mu)^2}{2\sigma^2}} dy \right\}$$

$$= \int_{-\infty}^{\infty} \frac{x-\mu_1}{\sqrt{2\pi}\sigma_1} e^{-\frac{(x-\mu_1)^2}{2\sigma_1^2}} (\mu-\mu_2) dx = \int_{-\infty}^{\infty} \frac{x-\mu_1}{\sqrt{2\pi}\sigma_1} e^{-\frac{(x-\mu_1)^2}{2\sigma_1^2}} \rho \frac{\sigma_2}{\sigma_1} (x-\mu_1) dx$$

$$= \rho \frac{\sigma_2}{\sigma_1} \int_{-\infty}^{\infty} \frac{(x-\mu_1)^2}{\sqrt{2\pi}\sigma_1} e^{-\frac{(x-\mu_1)^2}{2\sigma_1^2}} dx = \rho \frac{\sigma_2}{\sigma_1} V(X) = \rho\sigma_1\sigma_2$$

また，多次元モーメント母関数 $E(e^{\alpha X + \beta Y})$ は

$$E(e^{\alpha X + \beta Y}) = e^{\alpha\mu_1 + \beta\mu_2 + \frac{1}{2}(\sigma_1^2\alpha^2 + 2\rho\sigma_1\sigma_2\alpha\beta + \sigma_2^2\beta^2)}$$

となり，これは

$$\alpha X + \beta Y \sim N(\alpha\mu_1 + \beta\mu_2, \sigma_1^2\alpha^2 + 2\rho\sigma_1\sigma_2\alpha\beta + \sigma_2^2\beta^2)$$

を意味する（多次元正規分布の基本性質）。

解答

(1) $E(X) = E(N(\mu_1, \sigma_1^2)) = \mu_1$, $E(Y) = E(N(\mu_2, \sigma_2^2)) = \mu_2$,
$V(X) = V(N(\mu_1, \sigma_1^2)) = \sigma_1^2$, $V(Y) = V(N(\mu_2, \sigma_2^2)) = \sigma_2^2$,
$\mathrm{Cov}(X, Y) = \rho\sigma_1\sigma_2$

(2) $M_{aX+bY}(\alpha) = E(e^{\alpha(aX+bY)})$
$= e^{\alpha(a\mu_1+b\mu_2)+\frac{\alpha^2}{2}(a^2\sigma_1^2+2ab\rho\sigma_1\sigma_2+b^2\sigma_2^2)}$ となるから★1
$E(aX + bY) = a\mu_1 + b\mu_2$,
$V(aX + bY) = a^2\sigma_1^2 + 2ab\rho\sigma_1\sigma_2 + b^2\sigma_2^2$
多次元正規分布の基本性質より 1 次結合の分布はまた正規分布になるので，
$aX + bY \sim N(a\mu_1 + b\mu_2, a^2\sigma_1^2 + 2ab\rho\sigma_1\sigma_2 + b^2\sigma_2^2)$

★1
$aX + bY \sim N(a\mu_1 + b\mu_2, a^2\sigma_1^2 + 2ab\rho\sigma_1\sigma_2 + b^2\sigma_2^2)$

(3) $(aX + bY, cX + dY)$ の分布★2
平均ベクトル $= \begin{pmatrix} E(aX+bY) \\ E(cX+dY) \end{pmatrix} = \begin{pmatrix} a & b \\ c & d \end{pmatrix}\begin{pmatrix} \mu_1 \\ \mu_2 \end{pmatrix}$ で，
$V(aX + bY) = a^2\sigma_1^2 + 2ab\rho\sigma_1\sigma_2 + b^2\sigma_2^2$,
$V(cX + dY) = c^2\sigma_1^2 + 2cd\rho\sigma_1\sigma_2 + d^2\sigma_2^2$,
$\mathrm{Cov}(aX+bY, cX+dY) = ac\sigma_1^2 + (ad+bc)\rho\sigma_1\sigma_2 + bd\sigma_2^2$ より，
分散共分散行列は

$$\begin{pmatrix} V(aX+bY) & \mathrm{Cov}(aX+bY, cX+dY) \\ \mathrm{Cov}(aX+bY, cX+dY) & V(cX+dY) \end{pmatrix}$$

$$= \begin{pmatrix} a & b \\ c & d \end{pmatrix} \begin{pmatrix} \sigma_1^2 & \rho\sigma_1\sigma_2 \\ \rho\sigma_1\sigma_2 & \sigma_2^2 \end{pmatrix} \begin{pmatrix} a & c \\ b & d \end{pmatrix}$$

$\therefore (aX + bY, cX + dY)$
$\sim N\left(\begin{pmatrix} a & b \\ c & d \end{pmatrix}\begin{pmatrix} \mu_1 \\ \mu_2 \end{pmatrix}, \begin{pmatrix} a & b \\ c & d \end{pmatrix}\begin{pmatrix} \sigma_1^2 & \rho\sigma_1\sigma_2 \\ \rho\sigma_1\sigma_2 & \sigma_2^2 \end{pmatrix}\begin{pmatrix} a & c \\ b & d \end{pmatrix}\right)$

★2 計算すればほとんど明らかであるが $(aX+bY, cX+dY)$ の分布も 2 次元正規分布である。したがって，平均ベクトルと分散共分散行列が求まればよい。

問題 57 多次元ベータ分布 〔発展〕

1 X, Y が多次元ベータ分布 $\beta(a, b, c)$ に従うとして，(1) ディリクレ積分
$$B(a,b,c) = \iint_{\substack{x>0,\ y>0,\\ x+y<1}} x^{a-1} y^{b-1} (1-x-y)^{c-1}\, dx\, dy = \frac{\Gamma(a)\Gamma(b)\Gamma(c)}{\Gamma(a+b+c)}$$
を示し，(2) $f_X(x), E(X), V(X), E(XY), \mathrm{Cov}(X,Y)$ を求めよ．

2 $U_1 \sim U_2 \sim U_3 \sim \mathrm{U}(0,1)$ で独立とするとき，以下を求めよ．
(1) $P(U_1 + U_2 < 1),\ P(U_1 + 2U_2 < 1)$
(2) $P(U_1 + U_2 + U_3 < 1),\ P(2U_1 + 5U_2 + 7U_3 < 1)$
(3) $P(U_1^2 + U_2^2 + U_3^2 < 1),\ P(U_1 + U_2^2 + U_3 < 1),\ P(U_1 + U_2^2 + U_3^2 < 1)$

解説

X, Y がパラメータ $a, b, c\ (a, b, c > 0)$ の**多次元ベータ分布** $[(X, Y) \sim \beta(a, b, c)]$ に従うとは，その確率密度関数 $f_{(X,Y)}(x, y)$ が，

$$f_{(X,Y)}(x, y) = \frac{1}{d} x^{a-1} y^{b-1} (1-x-y)^{c-1} \quad (x > 0,\ y > 0,\ x + y < 1)$$

で表されることであるが，このときの上式の d，

$$d = B(a, b, c) = \iint_{\substack{x>0,\ y>0,\\ x+y<1}} x^{a-1} y^{b-1} (1-x-y)^{c-1}\, dx\, dy$$

を**多次元ベータ関数**という．これはガンマ関数を用いて，以下で表される．

$$B(a, b, c) = \frac{\Gamma(a)\Gamma(b)\Gamma(c)}{\Gamma(a+b+c)}$$

例． $\displaystyle\iiint_{\substack{x,y,z>0,\\ x+y+z<1}} x^3 y^4 z^5\, dx\, dy\, dz = B(4,5,6,1) = \frac{\Gamma(4)\Gamma(5)\Gamma(6)}{\Gamma(16)} = \frac{3!\,4!\,5!}{15!}$

変数が増えても同様である．確率・統計においてもそれ以外の数学でもよく出てくる関数である．たとえば半径 1 の n 次元球の体積 V_n を求めてみると

$$V_3 = 8 \iiint_{\substack{x>0,\ y>0,\ z>0,\\ x^2+y^2+z^2<1}} dx\, dy\, dz = 8 \left(\frac{1}{2}\right)^3 \iiint_{\substack{u>0,\ v>0,\ w>0,\\ u+v+w<1}} u^{-\frac{1}{2}} v^{-\frac{1}{2}} w^{-\frac{1}{2}}\, du\, dv\, dw$$

$$= B\left(\frac{1}{2}, \frac{1}{2}, \frac{1}{2}, 1\right) = \frac{\Gamma\left(\frac{1}{2}\right)^3}{\Gamma\left(\frac{5}{2}\right)} = \frac{\pi\sqrt{\pi}}{\frac{3}{2}\frac{1}{2}\sqrt{\pi}} = \frac{4\pi}{3}$$

$$V_4 = 16 \iiiint_{\substack{x>0,\ y>0,\ z>0,\ s>0,\\ x^2+y^2+z^2+s^2<1}} dx\, dy\, dz\, ds$$

$$= 16 \left(\frac{1}{2}\right)^4 \iiiint_{\substack{u>0,\ v>0,\ w>0,\ t>0,\\ u+v+w+t<1}} u^{-\frac{1}{2}} v^{-\frac{1}{2}} w^{-\frac{1}{2}} t^{-\frac{1}{2}}\, du\, dv\, dw\, dt$$

$$=B\left(\frac{1}{2},\frac{1}{2},\frac{1}{2},\frac{1}{2},1\right) = \frac{\Gamma\left(\frac{1}{2}\right)^4}{\Gamma(3)} = \frac{\pi^2}{2}$$

同様に,$V_n = B\left(\frac{1}{2},\frac{1}{2},\cdots,1\right) = \frac{\sqrt{\pi}^n}{\Gamma\left(\frac{n}{2}+1\right)}$

解答

$\boxed{1}$ (1) 変換 $y = (1-x)u$ を考えることにより,

$$B(a,b,c) = \int_0^1 x^{a-1}\,dx \int_0^{1-x} y^{b-1}(1-x-y)^{c-1}\,dy$$
$$= \int_0^1 x^{a-1}\,dx \int_0^1 ((1-x)u)^{b-1}(1-x)^{c-1}(1-u)^{c-1}(1-x)\,du$$
$$= \int_0^1 x^{a-1}\,dx \int_0^1 (1-x)^{b+c-1} u^{b-1}(1-u)^{c-1}\,du$$
$$= B(a,b+c)B(b,c) = \frac{\Gamma(a)\Gamma(b)\Gamma(c)}{\Gamma(a+b+c)}$$

(2) 周辺分布は

$$f_X(x) = \int_0^{1-x} f_{(X,Y)}(x,y)\,dy = \frac{x^{a-1}}{B(a,b,c)} \int_0^{1-x} y^{b-1}(1-x-y)^{c-1}\,dy$$
$$= \frac{x^{a-1}(1-x)^{b+c-1}}{B(a,b,c)} B(b,c) = \frac{x^{a-1}(1-x)^{b+c-1}}{B(a,b+c)} \quad\bigstar 1$$

よって,$E(X) = \dfrac{a}{a+b+c}$

$$V(X) = V(\beta(a,b+c)) = \frac{a(b+c)}{(a+b+c)^2(a+b+c+1)}$$

$$E(XY) = \frac{B(a+1,b+1,c)}{B(a,b,c)}$$
$$= \frac{\Gamma(a+b+c)}{\Gamma(a)\Gamma(b)\Gamma(c)} \times \frac{\Gamma(a+1)\Gamma(b+1)\Gamma(c)}{\Gamma(a+b+c+2)}$$
$$= \frac{ab}{(a+b+c+1)(a+b+c)}$$

$$\mathrm{Cov}(X,Y) = E(XY) - E(X)E(Y)$$
$$= \frac{-ab}{(a+b+c)^2(a+b+c+1)} \quad\bigstar 2$$

$\boxed{2}$ (1) $P(U_1+U_2<1) = \dfrac{1}{2}$,$P(U_1+2U_2<1) = \dfrac{1}{4}$ $\bigstar 3$

(2) $P(U_1+U_2+U_3<1) = \dfrac{1}{6}$,

$$P(2U_1+5U_2+7U_3<1) = \frac{1}{6}\cdot\frac{1}{2}\cdot\frac{1}{5}\cdot\frac{1}{7} = \frac{1}{420} \quad\bigstar 4$$

(3) $P(U_1^2+U_2^2+U_3^2<1) = $ 第1象限のなかの半径1の球の体積 $= \dfrac{\pi}{6}$

$P(U_1+U_2^2+U_3<1) = \frac{1}{2}B(1,\frac{1}{2},1,1) = \dfrac{4}{15}$ $\bigstar 5$

$P(U_1+U_2^2+U_3^2<1) = \frac{1}{4}B(1,\frac{1}{2},\frac{1}{2},1) = \dfrac{\pi}{8}$

★1 つまり,
$X \sim \beta(a,b+c)$.

★2
$X+Y \sim \beta(a+b,c)$
から $V(X+Y)$ を
計算しても
$\mathrm{Cov}(X,Y)$ は出る。

★3 2次元の正方形
の中の面積で考えよ。

★4 3次元の立方体
の中の体積で考えよ。

★5 $u_2^2 = x$ と置
換。

問題 58 条件付き期待値 I $E(X|a \leq X \leq b)$ 　　　標準

離散確率変数 X に対して，以下の条件付き期待値をそれぞれ求めよ．
(1) $N \geq 3$ として，1 から N までのカードのなかから無作為に 1 枚選び，そのカードを X とするとき，$E(X|2 \leq X \leq N-1)$
(2) サイコロを何回も投げ，はじめて 6 の目が出るまでに 6 の目以外が出た回数を X とするとき，$E(X|X \geq 10)$
(3) $X \sim \mathrm{Po}(\lambda)$ のとき，$E(X|X > 0), E(X|X > 1)$

解説

X を離散確率変数，A を事象とするとき，A のもとでの X の**条件付き期待値**は**条件付き確率**で期待値を計算すればよく，つまり，

$$E(X|A) = \sum_k k P(X = k|A) = \sum_k k \frac{P(X = k \cap A)}{P(A)}$$

で定義する．本問はとくに事象 $A = \{a \leq X \leq b\}$ なので，

$$E(X|a \leq X \leq b) = \sum_{k=-\infty}^{\infty} k P(X = k|a \leq X \leq b) = \sum_{k=a}^{b} k \frac{P(X = k)}{P(a \leq X \leq b)}$$

と X に関係する事象を条件にとった場合の計算である．

例題 $P(X = k) = \frac{1}{80}\left(\frac{79}{80}\right)^k$ $(0 \leq k)$ のとき，以下を求めよ．
　　(1) $P(X = k|X \geq 60)$　(2) $E(X|X \geq 60)$　(3) $E(X|X \leq 60)$

解答 (1) $k \geq 60$ のとき，

$$P(X = k|X \geq 60) = \frac{P(X = k \cap X \geq 60)}{P(X \geq 60)} = \frac{P(X = k)}{P(X \geq 60)} = \frac{1}{80}\left(\frac{79}{80}\right)^{k-60}$$

(2) $$E(X|X \geq 60) = \sum_{k=60}^{\infty} k P(X = k|X \geq 60) = \sum_{k=60}^{\infty} k \frac{1}{80}\left(\frac{79}{80}\right)^{k-60}$$
$$= \sum_{l=0}^{\infty} (l + 60) \frac{1}{80}\left(\frac{79}{80}\right)^l = 139$$

別解 $k \geq 0$ として，

$$P(X - 60 = k|X \geq 60) = \frac{P(X = k + 60 \cap X \geq 60)}{P(X \geq 60)}$$
$$= \frac{1}{80}\left(\frac{79}{80}\right)^k \left(= P(X = k) = P\left(\mathrm{Ge}\left(\frac{1}{80}\right) = k\right)\right)$$

問題 58 [標準] 条件付き期待値 I $E(X|a \leq X \leq b)$

これより，条件 $X \geq 60$ のもとで余命 $X - 60$ の分布は X の分布，つまり，$\text{Ge}(\frac{1}{80})$ に等しくなる（これを**幾何分布の無記憶性**という）。したがって，

$$E(X|X \geq 60) = E(60 + X - 60|X \geq 60) = 60 + E(X - 60|X \geq 60)$$
$$= 60 + E\left(\text{Ge}\left(\frac{1}{80}\right)\right) = 60 + 79 = 139$$

(3) $E(X|X \leq 60) = \dfrac{E(X, X \leq 60)}{P(X \leq 60)} = \dfrac{E(X) - E(X, X \geq 61)}{1 - P(X \geq 61)}$

$\qquad = \dfrac{E(X) - E(X|X \geq 61)P(X \geq 61)}{1 - P(X \geq 61)} = \dfrac{79 - 140(\frac{79}{80})^{61}}{1 - (\frac{79}{80})^{61}}$

解 答

(1) $E(X|a \leq X \leq b) = \dfrac{E(X, a \leq X \leq b)}{P(a \leq X \leq b)}$ で，

$E(X, a \leq X \leq b) = \sum_k kP(X = k \cap a \leq X \leq b) = \sum_{k=a}^{b} kP(X = k)$

から計算すると

$P(2 \leq X \leq N-1) = \dfrac{N-2}{N}$

$E(X, 2 \leq X \leq N-1) = \sum_{k=2}^{N-1} kP(X = k) = \dfrac{(N-2)(N+1)}{2N}$ ★1

よって，$E(X|2 \leq X \leq N-1) = \dfrac{N+1}{2}$

★1 $P(X = k) = \dfrac{1}{N}$．問題 24 (p.52) 参照。

(2) 幾何分布の無記憶性より，

$E(X|X \geq 10) = 10 + E(X - 10|X \geq 10) = 10 + E\left(\text{Ge}(\frac{1}{6})\right) = 15$ ★2

★2 例題のように $P(X = k|X \geq 10) = \frac{1}{6}(\frac{5}{6})^{k-10}$ $(k \geq 10)$ から計算してもよい。

★3 $k - 1 = l$．

(3) $P(X > 0) = 1 - P(X = 0) = 1 - e^{-\lambda}$

$E(X, X > 0) = \sum_{k=1}^{\infty} kP(X = k) = \sum_{l=0}^{\infty} \dfrac{\lambda^{l+1}}{l!}e^{-\lambda} = \lambda$ ★3

$E(X|X > 0) = \dfrac{E(X, X > 0)}{P(X > 0)} = \dfrac{\lambda}{1 - e^{-\lambda}}$

同様に，

$E(X|X > 1) = \dfrac{E(X, X > 1)}{P(X > 1)}$

$\qquad = \sum_{k=2}^{\infty} k\dfrac{\lambda^k}{k!}e^{-\lambda} \Big/ (1 - P(X = 0) - P(X = 1))$

$\qquad = \sum_{l=1}^{\infty} \dfrac{\lambda^{l+1}}{l!}e^{-\lambda} \Big/ (1 - e^{-\lambda} - \lambda e^{-\lambda})$

$\qquad = \dfrac{\lambda(e^{\lambda} - 1)e^{-\lambda}}{1 - (1+\lambda)e^{-\lambda}} = \dfrac{\lambda(1 - e^{-\lambda})}{1 - (1+\lambda)e^{-\lambda}}$

問題 59 条件付き期待値 II $E(Y|X)$ 【標準】

1 $N \geq 1$ として，1 から N までのカードのなかから無作為に 1 枚選び，そのカードを X とする。そして，X より小さいカードは全部捨てて X から N までのなかから無作為にカードを選び，これを Y とする。このとき，
 (1) $E(Y|X=x)$　(2) $V(Y|X=x)$　(3) $E(Y)$　を求めよ。

2 c を定数として，
$$P(X=i \cap Y=j) = \begin{cases} c(i+j) & (1 \leq i \leq N \cap 1 \leq j \leq N) \\ 0 & (その他) \end{cases}$$ のとき，
 (1) $E(Y|X=x)$　(2) $E(Y^2|X=x)$　を求めよ。

解説　ここでは，他の確率変数で条件づけた条件付き期待値 $E(Y|X)$ を見る。まず，これは条件付き期待値という名前であるが，(X の関数としての）確率変数であることに注意しておく。

> X, Y を離散確率変数とするとき，
> $$E(Y|X=a) = \sum_{y=-\infty}^{\infty} y P(Y=y|X=a) = \sum_{y=-\infty}^{\infty} y \frac{P(Y=y \cap X=a)}{P(X=a)}$$
> を，**条件 $X=a$ のもとでの Y の条件付き期待値**という。

これを $g(a)$ とおいたとき，X で条件付けた Y の条件付き期待値を $E(Y|X) = g(X)$ で定義する。これは X の関数，つまり確率変数であることに注意する。

金融商品（p.228 の Tea Time 参照）で説明すれば，$E(Y|X)$ は近未来 X までわかったという条件のもとでのより遠い未来の Y 金融商品の期待値（価格）であるが，近未来も現在からみると，不確実性 X をもつ確率変数なのである。

■条件付き期待値の基本性質

(1) $E(E(Y|X)) = E(Y)$　（条件付き期待値の期待値は元の期待値，重要な性質）
(2) $E(g(X)h(Y)|X) = g(X)E(h(Y)|X)$
(3) X, Y が独立なら $E(Y|X) = E(Y)$　（独立なら条件があってもなくても同じで重要）
(4) $E(X|X) = X$

証明

(1) $\quad E(E(Y|X)) = \sum_k E(Y|X=k) P(X=k)$

問題 59 [標準] 条件付き期待値 II $E(Y|X)$ 129

$$= \sum_k \sum_y y P(Y = y | X = k) P(X = k)$$
$$= \sum_k \sum_y y P(Y = y \cap X = k) = \sum_y y P(Y = y) = E(Y)$$

(2) $E(g(X)h(Y)|X=x) = E(g(x)h(Y)|X=x) = g(x)E(h(Y)|X=x)$ の x のところに X を代入して，$E(g(X)h(Y)|X) = g(X)E(h(Y)|X)$

(3) $E(Y|X=x) = \sum_y y P(Y=y|X=x) = \sum_y y P(Y=y) = E(Y)$

(4) $E(X|X=x) = E(x|X=x) = x$

解答

$\boxed{1}$ $P(Y=y|X=x) = \dfrac{1}{N-x+1}$ ★1．よって，

(1) $E(Y|X=x) = \sum\limits_{k=x}^{N} k \dfrac{1}{N-x+1} = \dfrac{x+N}{2}$

(2) $V(Y|X=x) = V(\mathrm{DU}\{x,\cdots,N\}) = V(\mathrm{DU}\{0,\cdots,N-x\})$
$= \dfrac{(N-x)(N-x+2)}{12}$

(3) $E(Y) = E(E(Y|X)) = E\left(\dfrac{X+N}{2}\right)$
$= \dfrac{\frac{1+N}{2}+N}{2} = \dfrac{3N+1}{4}$ ★2

$\boxed{2}$ (1) $P(Y=j|X=i) = \dfrac{P(X=i \cap Y=j)}{P(X=i)} = \dfrac{i+j}{N\left(i+\frac{N+1}{2}\right)}$ ★3

$E(Y|X=x) = \sum\limits_{j=1}^{N} j P(Y=j|X=x) = \dfrac{x\frac{N+1}{2} + \frac{(N+1)(2N+1)}{6}}{x+\frac{N+1}{2}}$

注 $E(E(Y|X)) = E\left(\dfrac{X\frac{N+1}{2}+\frac{(N+1)(2N+1)}{6}}{X+\frac{N+1}{2}}\right)$

$= \sum\limits_{i=1}^{N} \dfrac{i\frac{N+1}{2}+\frac{(N+1)(2N+1)}{6}}{i+\frac{N+1}{2}} \cdot \dfrac{i+\frac{N+1}{2}}{N(N+1)}$

$= \dfrac{7N+5}{12} = E(Y)$ を確かめておくとよい。

(2) $E(Y^2|X=x) = \sum\limits_{j=1}^{N} j^2 P(Y=j|X=x)$
$= \dfrac{\frac{(N+1)(2N+1)}{6}x + \frac{N(N+1)^2}{4}}{x+\frac{N+1}{2}}$

★1 $x \sim N$ の $N-x+1$ 枚のカードが残る。

★2 $E(E(Y|X)) = E(Y)$ を用いる。
★3 問題 18 の離散確率分布の計算 (p.38) より
$c = \dfrac{1}{N^2(N+1)}$,
$P(X=i) = cN(i+\frac{N+1}{2})$.

問題 60　条件付き期待値 III　連続の場合　　発展

$\boxed{1}$　$X \sim N(0,1), Y \sim N(\mu, \sigma^2)$ のとき，$\Phi(x)$ を用いて以下を求めよ．
(1) $E(X|X>1)$　　(2) $E(X|a<X<b)$　　(3) $E(Y|Y \leqq a)$

$\boxed{2}$　$f_{(X,Y)}(x,y) = 51e^{-2x}e^{-3y}$　$(0<5x<y<\infty)$ のとき，
(1) $f_{Y|X}(y|x)$　　(2) $E(Y|X)$　　を求めよ．

解説　X が連続確率変数のときもほとんど同様に条件付き期待値が定義できる．また，条件付き密度関数として，次のようにも書く．

$$E(X|a \leqq X \leqq b) = \int_a^b x \frac{f_X(x)dx}{P(a \leqq X \leqq b)}$$

条件付き密度関数　$\dfrac{f_X(x)}{P(a \leqq X \leqq b)} = f_{X|a \leqq X \leqq b}(x)$

例題　$X \sim \mathrm{Exp}(\lambda)$ のとき，次を求めよ．

(1) $E(X|X>10)$,　　(2) $E(X-10|X>10)$,　　(3) $E(X|X \leqq 10)$

解答　(1)　$E(X, X>10) = \int_{10}^{\infty} x\lambda e^{-\lambda x}dx = \dfrac{1}{\lambda}\int_{10\lambda}^{\infty} ue^{-u}du$
$= \dfrac{1}{\lambda}\Big[-(u+1)e^{-u}\Big]_{10\lambda}^{\infty} = \dfrac{1}{\lambda}(1+10\lambda)e^{-10\lambda}$

よって，$E(X|X>10) = \dfrac{E(X, X>10)}{P(X>10)} = 10 + \dfrac{1}{\lambda}$

(2)　$E(X-10|X>10) = E(X|X>10) - 10E(1|X>10) = \dfrac{1}{\lambda}$

(3)　$E(X, X \leqq 10) = \int_0^{10} x\lambda e^{-\lambda x}dx$
$= \dfrac{1}{\lambda}\int_0^{10\lambda} ue^{-u}du = \dfrac{1}{\lambda}\Big[-(u+1)e^{-u}\Big]_0^{10\lambda}$
$= \dfrac{1}{\lambda}(1-(1+10\lambda)e^{-10\lambda})$

よって，$E(X|X \leqq 10) = \dfrac{\frac{1}{\lambda}(1-(1+10\lambda)e^{-10\lambda})}{1-e^{-10\lambda}}$

注意　指数分布の無記憶性より，

$$P(X-x > y | X > x) = e^{-\lambda y}$$
$$f_{X-x|X>x}(y) = -\dfrac{d}{dy}P(X-x > y | X > x) = \lambda e^{-\lambda y}$$

問題 60 [発展] 条件付き期待値 III 連続の場合   131

つまり, $X > x$ の条件のもとで $X - x \sim \mathrm{Exp}(\lambda)$ であり, $E(X - x | X > x) = E(\mathrm{Exp}(\lambda)) = \dfrac{1}{\lambda}$. もちろん, 具体的に計算してもよい。

次に連続の $E(Y|X)$ の場合は,

$$E(Y|X = x) = \int_{-\infty}^{\infty} y f_{Y|X}(y|x) dy = \int_{-\infty}^{\infty} y \dfrac{f_{(X,Y)}(x, y)}{f_X(x)} dy$$

また $E(Y|X) = E(Y|X = x)|_{x=X} = \displaystyle\int_{-\infty}^{\infty} y f_{Y|X}(y|X) dy$ (p.139, TeaTime 参照)。

解 答

$\boxed{1}$ (1) $E(X, X > 1) = \displaystyle\int_1^\infty \dfrac{1}{\sqrt{2\pi}} x e^{-\frac{x^2}{2}} dx$
$\qquad = \dfrac{1}{\sqrt{2\pi}} \left[-e^{-\frac{x^2}{2}} \right]_1^\infty = \dfrac{1}{\sqrt{2\pi}} e^{-1/2}$

よって, $E(X|X > 1) = \dfrac{\frac{1}{\sqrt{2\pi}} e^{-1/2}}{1 - \Phi(1)}$ ★1

(2) $E(X, a < X < b) = \dfrac{1}{\sqrt{2\pi}} (e^{-a^2/2} - e^{-b^2/2})$
よって, $E(X|a < X < b) = \dfrac{\frac{1}{\sqrt{2\pi}} (e^{-a^2/2} - e^{-b^2/2})}{\Phi(b) - \Phi(a)}$

(3) $E(Y|Y \leqq a) = E(\mu + \sigma X | \mu + \sigma X \leqq a)$
$\qquad = \mu + \sigma E\left(X \middle| X \leqq \dfrac{a - \mu}{\sigma}\right)$
$\qquad = \mu + \sigma \dfrac{\frac{1}{\sqrt{2\pi}} (-e^{-(a-\mu)^2/(2\sigma^2)})}{\Phi(\frac{a-\mu}{\sigma})}$ ★2

$\boxed{2}$ (1) $f_X(x) = \displaystyle\int_{5x}^\infty 51 e^{-2x} e^{-3y} dy = 17 e^{-17x}$ $(x > 0)$
よって, $f_{Y|X}(y|x) = \dfrac{f_{(X,Y)}(x, y)}{f_X(x)} = 3 e^{-3(y - 5x)}$ $(y > 5x)$

(2) $E(Y|X = x) = \displaystyle\int_{5x}^\infty y f_{Y|X}(y|x) dy$
$\qquad = \displaystyle\int_0^\infty 3(u + 5x) e^{-3u} du = 5x + \dfrac{1}{3}$

よって, $E(Y|X) = 5X + \dfrac{1}{3}$

注 $E(Y) = E(E(Y|X)) = E(5X + \frac{1}{3}) = 5 E(\mathrm{Exp}(17)) + \frac{1}{3} = \frac{32}{51}$ である。$f_Y(y)$ を計算し, 確かめてみるとよい。

★1 $P(X > 1)$
$= 1 - P(X \leqq 1)$
$= 1 - \Phi(1),$
$P(X > 1)$
$= P(X < -1)$
$= \Phi(-1)$ でもよい。

★2 標準正規分布に直して計算することが基本である。
また, $E(X) = 0$ なので, $E(X|X \leqq a) < 0$ である。

| 問題 | 61 | 条件付き期待値 IV　最小二乗法との関連 | 発展 |

$\boxed{1}$ n 人でじゃんけんをしたとき，$X =$ グーの数，$Y =$ パーの数とする。
(1) $P(Y = y|X = x)$, $E(Y|X = x)$　(2) $E((Y - g(X))^2)$ を最小とする関数 g を求めよ。

$\boxed{2}$ $\xi_1, \xi_2, \cdots$ は独立で同分布で，$P(\xi_i = 1) = P(\xi_i = -1) = \frac{1}{2}$ とし，また，$Z_t = \xi_1 + \xi_2 + \cdots + \xi_t$, $t \leq T$ のときに $Y_t = E(Z_T^2|\xi_1, \xi_2, \cdots, \xi_t)$ と定めたとき，$Y_t, E(Y_{t+1}|\xi_1, \cdots, \xi_t)$, $E(Y_t)$ を求めよ。

解説　他にも条件付き期待値の重要な性質を述べておこう。

$$E((Y - g(X))^2) \text{ を最小にする } g(X) = E(Y|X)$$

である。

証明
$$E((Y - g(X))^2) = E((Y - E(Y|X) + E(Y|X) - g(X))^2)$$
$$= E((Y - E(Y|X))^2) + E((E(Y|X) - g(X))^2)$$
$$+ 2E((Y - E(Y|X))(E(Y|X) - g(X)))$$

であり，$Z = (Y - E(Y|X))(E(Y|X) - g(X))$ として $E(Z) = E(E(Z|X))$ から
$$E((Y - E(Y|X))(E(Y|X) - g(X)))$$
$$= E(E((Y - E(Y|X))(E(Y|X) - g(X))|X))$$
$$= E((E(Y|X) - E(Y|X))(E(Y|X) - g(X))) = 0$$
$$\therefore E((Y - g(X))^2) = E((Y - E(Y|X))^2) + E((E(Y|X) - g(X))^2)$$

よって，平方完成より $g(X) = E(Y|X)$ のとき，$E((Y - g(X))^2)$ は最小となる。

$E(Y|X)$ は，X の関数のなかで Y との二乗誤差が最も小さいもので Y を近似したいときに最もふさわしいものであるといえる。これは回帰分析における最小二乗法と同じ考え方であることに注意しておく。実際 (X, Y) が 2 次元正規分布なら $E(Y|X = x)$ は y の x による回帰直線に等しい（問題 62, 71(p.158) 参照）。

他にも，
$$E(E(Z|X, Y)|X) = E(Z|X)$$
一般に $m \geq n$ として，
$$E(E(Y|X_1, \cdots, X_m)|X_1, \cdots, X_n) = E(Y|X_1, \cdots, X_n)$$

は重要である。

証明
$$E(Z|X=x \cap Y=y)$$
$$=\sum_z zP(Z=z|X=x \cap Y=y) \ (=g(x,y) \text{ とおく})$$

であることに注意して，

$$E(E(Z|X,Y)|X=x) = E(g(X,Y)|X=x) = E(g(x,Y)|X=x)$$
$$=\sum_y g(x,y)P(X=x \cap Y=y|X=x)$$
$$=\sum_y \left(\sum_z zP(Z=z|X=x \cap Y=y)\right) P(X=x \cap Y=y|X=x)$$
$$=\sum_z z \sum_y P(X=x \cap Y=y \cap Z=z)/P(X=x)$$
$$=\sum_z zP(X=x \cap Z=z)/P(X=x) = E(Z|X=x)$$

解答

$\boxed{1}$ (1) $P(Y=y|X=x) = \dfrac{P(X=x \cap Y=y)}{P(X=x)}$
$$= \dfrac{\frac{n!}{x!y!(n-x-y)!}3^{-n}}{\binom{n}{x}\left(\frac{1}{3}\right)^x\left(\frac{2}{3}\right)^{n-x}} = \binom{n-x}{y}2^{-(n-x)}$$

である。つまり，$X=x$ のもとで，Y の分布は $\mathrm{B}(n-x, \frac{1}{2})$ となるので，
$E(Y|X=x) = E(\mathrm{B}(n-x, \frac{1}{2})) = \dfrac{n-x}{2}$

(2) 解説より，求める g は，$g(X) = E(Y|X) = \dfrac{n-X}{2}$.

$\boxed{2}$
$Y_t = E((Z_t + \xi_{t+1} + \cdots + \xi_T)^2|\xi_1, \cdots, \xi_t)$
$\quad = Z_t^2 + 2Z_t E(\xi_{t+1} + \cdots + \xi_T|\xi_1, \cdots, \xi_t)$
$\qquad + E((\xi_{t+1} + \cdots + \xi_T)^2|\xi_1, \cdots, \xi_t)$
$\quad = Z_t^2 + 2Z_t E(\xi_{t+1} + \cdots + \xi_T) + E((\xi_{t+1} + \cdots + \xi_T)^2)$★1
$\quad = Z_t^2 + E((\xi_{t+1})^2 + \cdots + (\xi_T)^2 + 2\xi_{t+1}\xi_{t+2} + \cdots + 2\xi_{T-1}\xi_T)$★2
$\quad = Z_t^2 + T - t$
$E(Y_{t+1}|\xi_1, \cdots, \xi_t) = E(E(Z_T^2|\xi_1, \cdots, \xi_t, \xi_{t+1})|\xi_1, \cdots, \xi_t))$★3
$\quad = E(Z_T^2|\xi_1, \cdots, \xi_t) = Y_t$★4
$E(Y_t) = E(E(Z_T^2|\xi_1, \cdots, \xi_t)) = V(Z_T) + (E(Z_T))^2 = E(Z_T^2) = T$

★1 X, Y が独立なら，$E(Y|X) = E(Y)$.

★2 $E(\xi_{t+1} + \cdots + \xi_T) = 0$

★3 解説より，$E(E(Y|X_1, \cdots, X_m)|X_1, \cdots, X_n) = E(Y|X_1, \cdots, X_n)$.

★4 Chapter.7 で見るように，Y_t のこの性質をマルチンゲールと呼ぶ。

問題 62 条件付き期待値 V　条件付き分散 $V(Y|X)$　　発展

$\boxed{1}$ $(X,Y) \sim \mathrm{N}\left(\binom{2}{3}, \binom{5\ -1}{-1\ \ 4}\right)$ のとき，次を求めよ．
(1) $f_{Y|X}(y|x)$　　(2) $E(Y|X)$　　(3) $V(Y|X)$

$\boxed{2}$ $X \sim \mathrm{N}(\mu, \sigma^2)$ で $X = x$ の条件の下で，$Y \sim \mathrm{N}(2x+1, x^2)$ のとき，$E(Y), V(Y)$ を求めよ．

$\boxed{3}$ $X \sim \mathrm{Exp}(\lambda)$ のとき，$E(X^2|X \geq x)$ を求めよ．

解 説　$g(x) = V(Y|X=x) = E((Y - E(Y|X=x))^2|X=x)$
$= E(Y^2|X=x) - (E(Y|X=x))^2$ としたとき，条件付き分散は $V(Y|X) = g(X)$ で定義される．このとき，条件付き分散公式

$$V(Y) = E(V(Y|X)) + V(E(Y|X))$$

も重要である（証明は，p.139, TeaTime を参照）．

例題　$X \sim \mathrm{Ge}(p), X = k$ の下で $Y \sim B(k, p')$ のとき，$E(Y), V(Y)$ を求めよ．
解答　$E(Y|X=k) = E(B(k, p')) = kp'$,
$\quad V(Y|X=k) = V(B(k, p')) = kp'(1-p')$

$$E(Y) = E(E(Y|X)) = E(Xp') = \frac{p'(1-p)}{p}$$

$$V(Y) = E(V(Y|X)) + V(E(Y|X)) = E(Xp'(1-p')) + V(Xp')$$
$$= \frac{p'(1-p')(1-p)}{p} + \frac{(p')^2(1-p)}{p^2}$$

例題　$(X,Y) \sim \mathrm{N}\left(\binom{\mu_1}{\mu_2}, \binom{\sigma_1^2\ \ \rho\sigma_1\sigma_2}{\rho\sigma_1\sigma_2\ \ \sigma_2^2}\right)$ なら，独立な $Z_1 \sim Z_2 \sim \mathrm{N}(0,1)$ を用いて，$X = \mu_1 + \sigma_1 Z_1, Y = \mu_2 + \sigma_2(\rho Z_1 + \sqrt{1-\rho^2} Z_2)$ とおけるが，このとき，$E(Y|X=x), V(Y|X=x)$ を求めよ．

解答　$E(Y|X=x) = E\left(\mu_2 + \sigma_2\left(\rho\frac{x-\mu_1}{\sigma_1}\right) + \sigma_2\sqrt{1-\rho^2} Z_2 \Big| Z_1 = \frac{x-\mu_1}{\sigma_1}\right)$
$\qquad\qquad\qquad = E\left(\mu_2 + \sigma_2\left(\rho\frac{x-\mu_1}{\sigma_1}\right) + \sigma_2\sqrt{1-\rho^2} Z_2\right)$
$\qquad\qquad\qquad = \mu_2 + \sigma_2\left(\rho\frac{x-\mu_1}{\sigma_1}\right)$

同様に，

問題 62 [発展] 条件付き期待値 V 条件付き分散 $V(Y|X)$

$$V(Y|X=x) = V\left(\mu_2 + \sigma_2\left(\rho\frac{x-\mu_1}{\sigma_1}\right) + \sigma_2\sqrt{1-\rho^2}Z_2 \Big| Z_1 = \frac{x-\mu_1}{\sigma_1}\right)$$

$$= V\left(\sigma_2\sqrt{1-\rho^2}Z_2 \Big| Z_1 = \frac{x-\mu_1}{\sigma_1}\right) = V\left(\sigma_2\sqrt{1-\rho^2}Z_2\right) = (1-\rho^2)\sigma_2^2$$

解 答

$\boxed{1}$ (1) $\begin{vmatrix} 5 & -1 \\ -1 & 4 \end{vmatrix} = 5 \times 4 - (-1) \times (-1) = 19$ となることから,

$f_{(X,Y)}(x,y) = \frac{1}{2\pi\sqrt{19}}e^{-\frac{u}{2}}$ となり, 指数の u を計算すると

$$u = {}^t\begin{pmatrix}x-2\\y-3\end{pmatrix} \cdot \frac{1}{19}\begin{pmatrix}4 & 1\\1 & 5\end{pmatrix}\begin{pmatrix}x-2\\y-3\end{pmatrix} \bigstar 1$$

$$= \frac{1}{19}\{4(x-2)^2 + 2(x-2)(y-3) + 5(y-3)^2\}.$$

よって,

$$f_{(X,Y)}(x,y) = \frac{1}{2\pi\sqrt{19}}e^{\frac{-1}{38}(4(x-2)^2+2(x-2)(y-3)+5(y-3)^2)}$$

また, $X \sim N(2,5)$ より, $f_X(x) = \frac{1}{\sqrt{10\pi}}e^{\frac{-(x-2)^2}{10}}$

よって, $f_{Y|X}(y|x) = \frac{f_{(X,Y)}(x,y)}{f_X(x)} = \frac{1}{\sqrt{2\pi \cdot \frac{19}{5}}}e^{-\frac{1}{2\frac{19}{5}}(y-(\frac{-x}{5}+\frac{17}{5}))^2}$

(2) (1) の結果より $X=x$ の条件のもとで, $Y \sim N\left(\frac{-x}{5}+\frac{17}{5}, \frac{19}{5}\right)$

したがって, $E(Y|X=x) = E\left(N\left(\frac{-x}{5}+\frac{17}{5}, \frac{19}{5}\right)\right) = \frac{-x}{5}+\frac{17}{5}$

よって, $E(Y|X) = \frac{-X}{5}+\frac{17}{5}$

(3) $V(Y|X=x) = V\left(N\left(\frac{-x}{5}+\frac{17}{5}, \frac{19}{5}\right)\right) = \frac{19}{5}$

よって, $V(Y|X) = \frac{19}{5}$ ★2

$\boxed{2}$ $E(Y|X=x) = E(N(2x+1, x^2)) = 2x+1$ より,
$E(Y) = E(E(Y|X)) = E(2X+1) = 2\mu+1$
$V(Y|X=x) = V(N(2x+1, x^2)) = x^2$ より, $V(Y|X) = X^2$ なので,

$V(Y) = V(E(Y|X)) + E(V(Y|X)) = V(2X+1) + E(X^2)$
$= 4V(X) + V(X) + (E(X))^2 = 5\sigma^2 + \mu^2$

$\boxed{3}$ $E(X^2|X \geqq x) = V(X|X \geqq x) + (E(X|X \geqq x))^2$ ★3
$= V(X-x|X \geqq x) + (E(X|X \geqq x))^2$
$= V(\text{Exp}(\lambda)) + (E(x+\text{Exp}(\lambda)))^2 = x^2 + \frac{2x}{\lambda} + \frac{2}{\lambda^2}$ ★4

★1 $\begin{pmatrix}a & b\\c & d\end{pmatrix}^{-1} = \frac{1}{ad-bc}\begin{pmatrix}d & -b\\-c & a\end{pmatrix}$

★2 $V(Y) = E(V(Y|X)) + V(E(Y|X))$ を確かめておくとよい.

★3 $E(Z^2) = V(Z) + (E(Z))^2$ は条件付き期待値でも成立.

★4 指数分布の無記憶性より $V(X-x|X \geqq x) = V(\text{Exp}(\lambda))$.

問題 63 サイコロのいろいろな問題 （発展）

サイコロを n 回投げ，$i\,(1 \leqq i \leqq n)$ 回目に出た目を X_i として，$Y_n = \sum_{i=1}^{n} X_i$，$Z_n = \prod_{i=1}^{n} X_i,\ M_n = \max X_i,\ m_n = \min X_i$ とするとき，

(1) $P(Y_n = n)$　(2) $P(Y_n = n+1)$　(3) $P(Y_n \leqq n+2)$　(4) $P(Y_n = 偶数)$
(5) $P(Y_n = 6 の倍数)$　(6) $P(Y_n = 7 の倍数)$　(7) $P(Z_n = 2 の倍数)$
(8) $P(Z_n = 3 の倍数)$　(9) $P(Z_n = 4 の倍数)$　(10) $P(Z_n \neq 6 の倍数)$
(11) $E(Y_n), V(Y_n)$　(12) $E(Z_n), V(Z_n)$　(13) $P(M_n \leqq k)$　(14) $P(M_n = k)$
(15) $P(m_n \geqq k)$　(16) $P(m_n = k)$　(17) $E(M_3)$　(18) $E(m_3)$

解説　ここでもヒントを述べる。

(1)(2)(3) は n 回のうちの 1 が出る回数で場合分け，(4)(5)(6) は p_n に関する漸化式を作ればよい。(7)(8)(9)(10) は余事象を考えるほうが簡単で，あとは整数の倍数を考慮すればよい。(11)(12) は期待値や分散の基本公式を用いる。(13)–(18) は最大，最小の基本的な性質を用いる。

解答

(1) $P(Y_n = n) = P(n \text{ 回とも } 1) = \left(\dfrac{1}{6}\right)^n$

(2) $P(Y_n = n+1) = P(n-1 \text{ 回 1 の目が出て，1 回 2 の目が出る}) = n\left(\dfrac{1}{6}\right)^n$

(3) $P(Y_n = n+2)$
$= P(n-2 \text{ 回 1 の目が出て，2 回 2 の目}) + (n-1 \text{ 回 1 の目が出て，1 回 3 の目})$
$= \binom{n}{2}\left(\dfrac{1}{6}\right)^n + n\left(\dfrac{1}{6}\right)^n = \dfrac{n(n+1)}{2}\left(\dfrac{1}{6}\right)^n$

(1)(2) とあわせて，$P(Y_n \leqq n+2) = \dfrac{(n+1)(n+2)}{2}\left(\dfrac{1}{6}\right)^n$

別解　$x_1 + x_2 + \cdots + x_n \leqq n+2,\ x_i \geqq 1 \leftrightarrow x_1 + \cdots + x_n + x_{n+1} = n+3,\ x_i \geqq 1$ つまり，この自然数解の個数は $\binom{n+3-1}{3-1} = \dfrac{(n+1)(n+2)}{2}$ ★1

(4) $P(Y_n = 偶数) = p_n$ とおくと，
$p_n = P(Y_{n-1} = 偶数 \cap X_n = 2,4,6) + P(Y_{n-1} = 奇数, X_n = 1,3,5)$
$= \dfrac{1}{2}p_{n-1} + \dfrac{1}{2}(1 - p_{n-1}) = \dfrac{1}{2}$

(5) $P(Y_n = 6 の倍数)$
$= P(Y_{n-1} = 6 の倍数)P(X_n = 6) + P(Y_{n-1} = 6 の倍数 +1)P(X_n = 5)$
$\quad + \cdots + P(Y_{n-1} = 6 の倍数 +5)P(X_n = 1)$
$= \dfrac{1}{6}P(Y_{n-1} = 6 の倍数) + \dfrac{1}{6}(1 - P(Y_{n-1} = 6 の倍数)) = \dfrac{1}{6}$

★1 $x_i = 7$ となることはないので，問題 02 (p.4) の (7) と同じ。

問題 63 [発展] サイコロのいろいろな問題　137

(6) $P(Y_{n+1} = 7 \text{ の倍数}) = P(Y_n = 7 \text{ の倍数} + 1)P(X_{n+1} = 6) + \cdots$
$\qquad\qquad\qquad\qquad\quad + P(Y_n = 7 \text{ の倍数} + 6)P(X_{n+1} = 1)$
$\qquad\qquad\qquad\qquad = \dfrac{1}{6}(1 - P(Y_n = 7 \text{ の倍数}))$ ★2

★2 漸化式
$a_{n+1} = \frac{1}{6}(1 - a_n)$,
$a_1 = 0$ を解く。

$P(Y_1 = 7 \text{ の倍数}) = 0$ より，$P(Y_n = 7 \text{ の倍数}) = \dfrac{1}{7}\left(1 - \left(\dfrac{-1}{6}\right)^{n-1}\right)$

(7) $P(Z_n = 2 \text{ の倍数}) = 1 - P(\text{すべて奇数}) = 1 - \left(\dfrac{1}{2}\right)^n$

(8) $P(Z_n = 3 \text{ の倍数}) = 1 - P(X_1 \sim X_n \text{ のすべてが } \{1,2,4,5\})$
$\qquad\qquad\qquad\quad = 1 - \left(\dfrac{2}{3}\right)^n$

(9) $P(Z_n \neq 4 \text{ の倍数}) = P(\{2,6\} \text{ が 1 回出て残りは奇数}) + P(\text{すべて奇数})$
$\qquad\qquad\qquad\quad = 2n \cdot \dfrac{1}{6}\left(\dfrac{3}{6}\right)^{n-1} + \left(\dfrac{1}{2}\right)^n$

つまり，$P(Z_n = 4 \text{ の倍数}) = 1 - \dfrac{2n+3}{3}\left(\dfrac{1}{2}\right)^n$

(10) $P(Z_n \neq 6 \text{ の倍数}) = P(2 \text{ の倍数ではない} \cup 3 \text{ の倍数ではない})$
$\qquad\qquad\qquad\quad = P(2 \text{ の倍数ではない}) + P(3 \text{ の倍数ではない})$
$\qquad\qquad\qquad\quad\quad - P(2 \text{ の倍数ではない} \cap 3 \text{ の倍数ではない})$
$\qquad\qquad\qquad\quad = \left(\dfrac{1}{2}\right)^n + \left(\dfrac{2}{3}\right)^n - P(\text{すべてが } \{1,5\})$
$\qquad\qquad\qquad\quad = \left(\dfrac{1}{2}\right)^n + \left(\dfrac{2}{3}\right)^n - \left(\dfrac{1}{3}\right)^n$

注意 同様に $P(Z_n = 8 \text{ の倍数}) = 1 - \dfrac{2n^2 + 7n + 9}{9}\left(\dfrac{1}{2}\right)^n$

(11) $E(Y_n) = \dfrac{7}{2}n, V(Y_n) = \dfrac{35}{12}n$ ★3

(12) $E(Z_n) = \left(\dfrac{7}{2}\right)^n, E(Z_n^2) = \left(\dfrac{91}{6}\right)^n$ ★4．よって，
$V(Z_n) = E(Z_n^2) - (E(Z_n))^2 = \left(\dfrac{91}{6}\right)^n - \left(\dfrac{49}{4}\right)^n$

(13) $P(M_n \leqq k) = \dfrac{k^n}{6^n}$ $(k = 1, 2, \cdots, 6)$ ★5

(14) $P(M_n = k) = \dfrac{k^n - (k-1)^n}{6^n}$ $(k = 1, 2, \cdots, 6)$ ★6

(15) $P(m_n \geqq k) = \left(\dfrac{6-k+1}{6}\right)^n$ $(k = 1, 2, \cdots, 6)$ ★7

(16) $P(m_n = k) = \dfrac{(7-k)^n - (6-k)^n}{6^n}$ $(k = 1, 2, \cdots, 6)$

(17) $E(M_3) = \sum_{k=1}^{6} P(M_3 \geqq k) = \sum_{k=1}^{6}\left(1 - \dfrac{(k-1)^3}{6^3}\right) = 6 - \dfrac{25}{24} = \dfrac{119}{24}$

(18) $E(m_3) = \sum_{k=1}^{6} P(m_3 \geqq k) = \sum_{k=1}^{6}\left(\dfrac{6-k+1}{6}\right)^3 = \sum_{k=1}^{6}\left(\dfrac{k}{6}\right)^3 = \dfrac{49}{24}$

別解 $E(m_3) = E(\min(X_1, X_2, X_3)) = E(\min(7-X_1, 7-X_2, 7-X_3)) = E(7 - M_3) = 7 - \dfrac{119}{24} = \dfrac{49}{24}$

★3 $E(Y_1) =$
$E(\text{DU}\{1, \cdots, 6\})$
$= \dfrac{7}{2}$
$V(Y_1) =$
$V(\text{DU}\{1, \cdots, 6\})$
$= \dfrac{35}{12}$

★4
X, Y が独立なら，
$E(XY) = E(X)E(Y)$.

★5 n 回の試行で，すべて k 以下。

★6 $P(M_n = k)$
$= P(M_n \geqq k)$
$- P(M_n \geqq k+1)$.

★7 n 回の試行で，すべて k 以上。

Tea Time ●多項分布 $\mathrm{Cov}(X,Y)$ の計算

X, Y が多項分布であるとき，
$$E(XY) = \sum_{k,l \geq 0, k+l \leq N} kl P(X=k \cap Y=l)$$
$$= \sum_{k,l \geq 1, k+l \leq N} \frac{N(N-1)(N-2)!}{(k-1)!(l-1)!(N-2-(k-1)-(l-1))!}(p_A)^k(p_B)^l(1-p_A-p_B)^{N-k-l}$$
$$= N(N-1) \sum_{k',l' \geq 0, k'+l' \leq N-2} \frac{(N-2)!}{(k')!(l')!(N-2-k'-l')!}(p_A)^{k'+1}(p_B)^{l'+1}(1-p_A-p_B)^{N-2-k'-l'}$$
$$= N(N-1)p_A p_B (p_A+p_B+p_C)^{N-2} = N(N-1)p_A p_B$$
$$\mathrm{Cov}(X,Y) = E(XY) - E(X)E(Y) = N(N-1)p_A p_B - (Np_A)(Np_B) = -Np_A p_B$$

少し発想が難しいが，以下の手順でもよい．
$$Np_C(1-p_C) = V(N-(X+Y)) = V(X+Y)$$
$$= V(X) + 2\mathrm{Cov}(X,Y) + V(Y)$$
$$= Np_A(1-p_A) + 2\mathrm{Cov}(X,Y) + Np_B(1-p_B)$$

より，
$$\mathrm{Cov}(X,Y) = \frac{1}{2}(N(p_A+p_B)(1-p_A-p_B) - Np_A(1-p_A) - Np_B(1-p_B))$$
$$= -Np_A p_B$$

としても導ける．
また，$\mathrm{Cov}(X,Y) = \mathrm{Cov}(X_1+\cdots+X_N, Y_1+\cdots+Y_N) = N\mathrm{Cov}(X_1,Y_1) = N(E(X_1Y_1)-E(X_1)E(Y_1)) = N(0-p_A p_B) = -Np_A p_B$ でもよい．ここで，$X_i = 1(i$ 回目が $A), 0(i$ 回目が A でない$)$　$Y_i = 1(i$ 回目が $B), 0(i$ 回目が B でない$)$ である（問題29「確率変数の分解」参照）．

Tea Time ●多次元正規分布

まず，$f_{(X,Y)}(x,y)$ の計算であるが，$S \sim T \sim N(0,1)$ で独立とし，$X = \mu_1 + \sigma_1 S$，$Y = \mu_2 + \sigma_2(\rho S + \sqrt{1-\rho^2}T)$ のとき，
$$f_{(X,Y)}(x,y) = f_S(s)f_T(t)\frac{1}{\frac{dxdy}{dsdt}} = \frac{1}{2\pi}e^{-\frac{s^2+t^2}{2}}\frac{1}{\sqrt{1-\rho^2}\sigma_1\sigma_2}$$
$$= \frac{1}{2\pi\sqrt{\det V}}e^{-\frac{1}{2}((\frac{x-\mu_1}{\sigma_1})^2 + \frac{1}{1-\rho^2}(\frac{y-\mu_2}{\sigma_2} - \rho\frac{x-\mu_1}{\sigma_1})^2)}$$
$$= \frac{1}{2\pi\sqrt{\det V}}e^{-\frac{1}{2(1-\rho^2)}((\frac{x-\mu_1}{\sigma_1})^2 - 2\rho\frac{x-\mu_1}{\sigma_1}\frac{y-\mu_2}{\sigma_2} + (\frac{y-\mu_2}{\sigma_2})^2)}$$

ただし, $V = \begin{pmatrix} \sigma_1^2 & \rho\sigma_1\sigma_2 \\ \rho\sigma_1\sigma_2 & \sigma_2^2 \end{pmatrix}$ である。

$(X, Y) \sim \mathrm{N}(\begin{pmatrix} \mu_1 \\ \mu_2 \end{pmatrix}, \begin{pmatrix} \sigma_1^2 & \rho\sigma_1\sigma_2 \\ \rho\sigma_1\sigma_2 & \sigma_2^2 \end{pmatrix})$ のとき,
$\vec{X} = \begin{pmatrix} X \\ Y \end{pmatrix}, \vec{x} = \begin{pmatrix} x \\ y \end{pmatrix}, \vec{\mu} = \begin{pmatrix} \mu_1 \\ \mu_2 \end{pmatrix}, \vec{\alpha} = \begin{pmatrix} \alpha \\ \beta \end{pmatrix}$ とおくと
$E(e^{\alpha X+\beta Y}) = E(e^{t\vec{\alpha}\vec{X}}) = \iint_{\mathbb{R}^2} \frac{1}{2\pi\sqrt{\det V}} e^{t\vec{\alpha}\vec{x}} e^{-\frac{1}{2}{}^t(\vec{x}-\vec{\mu})V^{-1}(\vec{x}-\vec{\mu})} dxdy$
$= \iint_{\mathbb{R}^2} \frac{1}{2\pi\sqrt{\det V}} e^{-\frac{1}{2}{}^t(\vec{x}-(\vec{\mu}+V\vec{\alpha}))V^{-1}(\vec{x}-(\vec{\mu}+V\vec{\alpha}))} e^{t\vec{\alpha}\vec{\mu}+\frac{1}{2}{}^t\vec{\alpha}V\vec{\alpha}} dxdy = e^{t\vec{\alpha}\vec{\mu}+\frac{1}{2}{}^t\vec{\alpha}V\vec{\alpha}}$
$= e^{\alpha\mu_1+\beta\mu_2+\frac{1}{2}(\sigma_1^2\alpha^2+2\rho\sigma_1\sigma_2\alpha\beta+\sigma_2^2\beta^2)}$.

これより多次元正規分布では, X, Y が独立であるための必要十分条件が $\mathrm{Cov}(X, Y) = 0$ であることがわかる。
つまり, 独立ならば無相関は無条件で成立なので, 逆に無相関ならば $\rho = 0$ となり, $E(e^{\alpha X+\beta Y}) = E(e^{\alpha X})E(e^{\beta Y})$ が成立し, X, Y が独立になることがわかる。

Tea Time ● 連続の場合の $E(Y|X = x)$ の定義

$E(Y|X = x) = \lim_{\Delta x \to 0} E(Y|x \leqq X \leqq x + \Delta x) = \lim_{\Delta x \to 0} \frac{E(Y, x \leqq X \leqq x + \Delta x)}{P(x \leqq X \leqq x + \Delta x)}$

$= \lim_{\Delta x \to 0} \frac{\int_x^{x+\Delta x} du \int_{-\infty}^{\infty} y f_{(X,Y)}(u, y) dy}{\int_x^{x+\Delta x} f_X(u) du}$

$= \lim_{\Delta x \to 0} \frac{\frac{1}{\Delta x}\int_x^{x+\Delta x} du \int_{-\infty}^{\infty} y f_{(X,Y)}(u, y) dy}{\frac{1}{\Delta x}\int_x^{x+\Delta x} f_X(u) du} = \int_{-\infty}^{\infty} y \frac{f_{(X,Y)}(x, y)}{f_X(x)} dy$

で計算される。なので $f_{Y|X}(y|x) = \frac{f_{(X,Y)}(x,y)}{f_X(x)}$ で定義し, $X = x$ のもとでの Y の条件付き密度関数という。これを用いると, $E(Y|X) = \int_{-\infty}^{\infty} y f_{Y|X}(y|X) dy$ と書ける。

Tea Time ● 条件付き分散公式の証明

$V(Y|X) = E(Y^2|X) - (E(Y|X))^2$. よって,

$E(V(Y|X)) + V(E(Y|X))$
$= E(E(Y^2|X)) - E(E(Y|X)^2) + E(E(Y|X)^2) - (E(E(Y|X)))^2$
$= E(Y^2) - (E(Y))^2 = V(Y)$

Tea Time　　　　　オイラーのリーマンゼータの特殊値と確率論

オイラーはリーマンゼータ関数 $\zeta(n) = \sum_{k=1}^{\infty} \frac{1}{k^n}$ の性質をいろいろ解析学，整数論両方の視点から精力的に調べた。その中でもっとも不思議なもののひとつに

$$\zeta(2) = \sum_{k=1}^{\infty} \frac{1}{k^2} = \frac{\pi^2}{6}$$

自然数の逆数の 2 乗和が不思議なことに π と関係するのである。この等式の証明は現在までに何通りも知られている。筆者は初等確率論を用いてこのオイラー等式を得ることに成功したので以下に示しておこう。

まず，前に見た次の初等確率論の結果 (p.116, 問題 53) に注意する。

補題　2 つの独立な正値確率変数 X, Y を考え，それらの確率密度関数を $f_X(x), f_Y(x)$ とする。すると，XY の確率密度関数 $f_{XY}(x)$ は，

$$f_{XY}(x) = \int_0^{\infty} f_X(u) f_Y\left(\frac{x}{u}\right) \frac{1}{u} du$$

この補題を $f_X(x) = f_Y(x) = \frac{2}{\pi} \frac{1}{1+x^2} 1_{x>0}$，つまり，$X \sim Y \sim |C|$ (C はコーシー分布に従い，$f_C(x) = \frac{1}{\pi} \frac{1}{1+x^2}$) で適用すると，$x > 0$ において

$$\begin{aligned}
f_{XY}(x) &= \frac{4}{\pi^2} \int_0^{\infty} \frac{1}{(1+u^2)} \frac{1}{\left(1+\left(\frac{x}{u}\right)^2\right)} \frac{1}{u} du \\
&= \frac{2}{\pi^2} \int_0^{\infty} \frac{1}{(u+1)(u+x^2)} du \\
&= \frac{2}{\pi^2} \int_0^{\infty} \left(\frac{1}{u+x^2} - \frac{1}{u+1}\right) \frac{du}{1-x^2} \\
&= \lim_{A \to \infty} \frac{2}{\pi^2} \int_0^A \left(\frac{1}{u+x^2} - \frac{1}{u+1}\right) \frac{du}{1-x^2} \\
&= \frac{4}{\pi^2} \frac{\log x}{x^2 - 1}
\end{aligned}$$

$1 = \int_0^{\infty} f_{XY}(x) dx$，なので，

$$\frac{\pi^2}{4} = \int_0^{\infty} \frac{\log x}{x^2 - 1} dx$$

右辺 R は

$$R = \int_0^1 \frac{\log x}{x^2 - 1} dx + \int_1^\infty \frac{\log x}{x^2 - 1} dx \quad (\because 2 \text{つめの積分は、} v = \tfrac{1}{x} \text{と置換})$$

$$= 2 \int_0^1 \frac{-\log x}{1 - x^2} dx = 2 \int_0^1 (-\log x) \sum_{k=0}^\infty x^{2k} dx$$

$$= 2 \sum_{k=0}^\infty \int_0^1 (-\log x) x^{2k} dx = 2 \sum_{k=0}^\infty \int_0^\infty u e^{-2ku} e^{-u} du \quad (\because u = -\log x)$$

$$= 2 \sum_{k=0}^\infty \int_0^\infty \frac{y}{2k+1} e^{-y} \frac{dy}{2k+1} = 2\Gamma(2) \sum_{k=0}^\infty \frac{1}{(2k+1)^2}$$

つまり,
$$\sum_{k=0}^\infty \frac{1}{(2k+1)^2} = \frac{\pi^2}{8}$$

を得る。$\zeta(2) = \sum_{k=1}^\infty \frac{1}{k^2} = \sum_{k=0}^\infty \frac{1}{(2k+1)^2} + \frac{1}{2^2} \zeta(2)$ に注意すると,

$$\zeta(2) = \frac{4}{3} \sum_{k=0}^\infty \frac{1}{(2k+1)^2} = \frac{\pi^2}{8} \cdot \frac{4}{3} = \frac{\pi^2}{6}$$

Chapter 6

統計

ここでは，検定・推定や統計量，回帰分析など，数理統計学の基本事項をこれまでの章で学んだことを土台にして展開している。統計的な判断のベースとなっている数理をきちんと理解してほしい。

問題 64 統計量 I 標本平均, 不偏標本分散 〔基本〕

1 正規母集団 $N(\mu, \sigma^2)$ からの n 個の標本 $X_1, X_2, \cdots, X_n$ とその標本平均 $\bar{X}$, 不偏標本分散 $\hat{S}^2$ について, 次を求めよ.
(1) $E(\bar{X})$ (2) $V(\bar{X})$ (3) $\bar{X}$ の分布 (4) $E(\hat{S}^2)$

2 指数母集団 $\text{Exp}(\lambda)$ から n 個の標本 $X_1, X_2, \cdots, X_n$ をとる. $\bar{X}$ を X の標本平均として, $\dfrac{c_n}{\bar{X}}$ が λ の不偏推定量となる定数 c_n を求めよ.

3 $U(0, \theta)$ 母集団から n 個の標本 $X_1, X_2, \cdots, X_n$ をとるとき, 母パラメータ θ の不偏推定量が $c_n \max(X_1, X_2, \cdots, X_n)$ の形のとき, 定数 c_n を求めよ.

解説 身長, 体重, 試験の点数, ……, など数値の集まりを考える範囲を**母集団**という. 通常, 母集団の数は大きく**全数調査**に適しないので, 部分から全体を調べる. これが統計の大事な考え方である. 母集団の確率分布を仮定し, 確率を用いて分析を行う. また, 部分とは母集団からとった n 個の標本のことで, 断らない限り n 個の標本とは $X_1 \sim X_2 \sim \cdots \sim X_n \sim $ 母集団分布 で独立とする.

なかでも母集団が正規分布の場合の**正規母集団**がいちばん重要である. 正規母集団 $N(\mu, \sigma^2)$ から n 個の標本 $X_1, X_2, \cdots, X_n$ をとったとき, $X_1 \sim X_2 \sim \cdots \sim X_n \sim N(\mu, \sigma^2)$ で $X_1, X_2, \cdots, X_n$ は独立である.

n 個の標本の関数 $\theta(X_1, X_2, \cdots, X_n)$ を**統計量**(推定量)という. それを用いて母パラメータ(平均, 分散などの母集団のパラメータ)の推定・検定を行う. そのなかで最も重要なものが**標本平均** $\bar{X} = \dfrac{X_1 + X_2 + \cdots + X_n}{n}$ である. すると母集団分布の平均(**母平均**)を μ, 母集団分布の分散(**母分散**)を σ^2 とすると,

$$E(\bar{X}) = \frac{E(X_1) + E(X_2) + \cdots + E(X_n)}{n} = \frac{n\mu}{n} = \mu$$

となる. このように統計量 $\theta(X_1, X_2, \cdots X_n)$ の平均(期待値)が推定する母パラメータ θ に一致するとき, 統計量 $\theta(X_1, X_2, \cdots, X_n)$ は母パラメータ θ の**不偏推定量**であるという. また,

$$V(\bar{X}) = V\left(\frac{X_1 + X_2 + \cdots + X_n}{n}\right) = \frac{1}{n^2}(n\sigma^2) = \frac{\sigma^2}{n}$$

不偏標本分散 $\hat{S}^2 = \dfrac{1}{n-1} \sum_{i=1}^{n} (X_i - \bar{X})^2$ は母分散 σ^2 の不偏推定量. また正規母集団の場合, $\dfrac{(n-1)\hat{S}^2}{\sigma^2}$ の分布は χ^2_{n-1}. なぜなら, $\dfrac{(n-1)\hat{S}^2}{\sigma^2} = \sum_{i=1}^{n} \left(\dfrac{X_i - \bar{X}}{\sigma}\right)^2$

でカッコの中の $\bar{X}$ が母平均 μ におき換われば，カイ二乗分布の定義より χ_n^2 となるのだが，$\frac{X_i - \bar{X}}{\sigma}$ なのでその n 個の和はプラスマイナスが相殺されて 0 となってしまうので，自由度が1つ下がり，χ_{n-1}^2（自由度 $n-1$ のカイ二乗分布）となる（証明は p.162 の TeaTime）。

解答

$\boxed{1}$ (1) 期待値の線形性から，$E(\bar{X}) = E\left(\dfrac{X_1 + \cdots X_n}{n}\right) = \dfrac{n\mu}{n} = \mu$ ★1

(2) $V(\bar{X}) = V\left(\dfrac{X_1 + \cdots X_n}{n}\right) = \dfrac{n\sigma^2}{n^2} = \dfrac{\sigma^2}{n}$

(3) (1), (2) と正規分布の再生性より，$\bar{X} \sim N(\mu, \sigma^2/n)$

(4) $E(\hat{S}^2) = \dfrac{1}{n-1} E\left(\sum_{i=1}^{n}(X_i - \bar{X})^2\right)$

$= \dfrac{1}{n-1} E\left(\sum_{i=1}^{n}(X_i^2 - 2X_i\bar{X} + \bar{X}^2)\right)$

$= \dfrac{1}{n-1}(nE(X_1^2) - 2nE(\bar{X}^2) + nE(\bar{X}^2))$

$= \dfrac{1}{n-1}(n(V(X_1) + E(X_1)^2) - n(V(\bar{X}) + E(\bar{X})^2))$

$= \dfrac{n}{n-1}\left(\sigma^2 - \dfrac{\sigma^2}{n}\right) = \sigma^2$

★1 この標本平均 $\bar{X}$ が母平均の，また，$\hat{S}^2$ が母分散 σ^2 の不偏推定量であることは，正規母集団に限らず，一般の母集団で言えることである。

$\boxed{2}$ ★2 $\mathrm{Exp}(\lambda) = \Gamma(1, \lambda)$ でガンマ分布の再生性より，

$E\left(\dfrac{c_n}{\bar{X}}\right) = E\left(\dfrac{nc_n}{X_1 + X_2 + \cdots + X_n}\right) = E\left(\dfrac{nc_n}{\Gamma(n, \lambda)}\right)$

$= nc_n \int_0^\infty \dfrac{1}{x} \dfrac{\lambda^n x^{n-1}}{\Gamma(n)} e^{-\lambda x} dx = nc_n \lambda \dfrac{\Gamma(n-1)}{\Gamma(n)} = \dfrac{nc_n \lambda}{n-1} (= \lambda)$

よって，求める c_n は，$c_n = \dfrac{n-1}{n}$．

★2 $E(\bar{X}) = \dfrac{E(X_1) + \cdots + E(X_n)}{n} = \dfrac{1}{\lambda}$ なので，$\bar{X}$ は λ の不偏推定量ではない（$\dfrac{1}{\lambda}$ の不偏推定量ではある）。

$\boxed{3}$ $F_{\max(X_1, \cdots, X_n)}(x) = P(X_1 \leq x \cap \cdots \cap X_n \leq x)$

$= P(X_1 \leq x)P(X_2 \leq x) \cdots P(X_n \leq x) = \left(\dfrac{x}{\theta}\right)^n \quad (0 < x < \theta)$

$f_{\max(X_1, X_2, \cdots, X_n)}(x) = n\dfrac{x^{n-1}}{\theta^n} \quad (0 < x < \theta)$．よって，

$E(c_n \max(X_1, \cdots, X_n)) = c_n \int_0^\theta xn \dfrac{x^{n-1}}{\theta^n} dx = \dfrac{nc_n \theta}{n+1}, \quad c_n = \dfrac{n+1}{n}$．

注 同様に，$0 < x < \theta$ で

$F_{\min(X_1, \cdots, X_n)}(x) = 1 - P(X_1 \geq x \cap \cdots \cap X_n \geq x) = 1 - \left(\dfrac{\theta - x}{\theta}\right)^n$

$f_{\min(X_1, X_2, \cdots, X_n)}(x) = n\dfrac{(\theta - x)^{n-1}}{\theta^n}$．

よって，$E(d_n \min(X_1, \cdots, X_n)) = d_n \int_0^\theta xn\dfrac{(\theta-x)^{n-1}}{\theta^n} dx$

$= nd_n \int_0^\theta (\theta - u) \dfrac{u^{n-1}}{\theta^n} du = \dfrac{d_n \theta}{n+1}$．ゆえに，$d_n = (n+1)$．

| 問題 | 65 | 区間推定 I　正規母集団の母平均の推定 | 基本 |

$X_1, X_2, \cdots, X_n$ を $N(\mu, \sigma^2)$ 母集団からの n 個の標本とする。

(1) 標本平均 $\bar{X} = \dfrac{X_1 + X_2 + \cdots + X_n}{n}$ の標準化を求め，その分布も書け。

(2) (1)の結果を用いて，母分散 σ^2 が既知の場合，母平均 μ の信頼度 $1 - \varepsilon$ の信頼区間 (a, b) を求めよ。

(3) 母分散 σ^2 が未知の場合は，母平均 μ の信頼度 $1 - \varepsilon$ の信頼区間 (a, b) を $\bar{X}, n$ と t_{n-1} の上側 ε 点 $t_{n-1}(\varepsilon)$ $(P(t_{n-1}(\varepsilon) < t_{n-1}) = \varepsilon)$ で書け。

解説　統計量標本平均 $\bar{X} = \dfrac{X_1 + X_2 + \cdots + X_n}{n}$ はもちろん母集団の平均 (**母平均**) の推定・検定に用いる。いちばん簡単な場合は**正規母集団** $N(\mu, \sigma^2)$ の場合で，正規分布の再生性より $\bar{X}$ も正規分布に従う。$E(\bar{X}) = \mu$ (μ : 母平均)，$V(\bar{X}) = \sigma^2/n$ なので $\bar{X} \sim N(\mu, \sigma^2/n)$ である。すると，これを標準化して $(\bar{X} - \mu)/\sqrt{\sigma^2/n} \sim N(0, 1)$ となり，正規分布 (表) を利用して解のように母平均の推定区間が求まる。

母集団が正規分布と限らない場合は，標本数が多い**大標本**だと，中心極限定理より，標本平均の標準化は標準正規分布に従うので，正規母集団の結果と同じ。

$$\text{標本平均の\underline{標準化}} = \frac{\bar{X} - \mu}{\sqrt{\dfrac{\sigma^2}{n}}}$$

は統計における重要な基本の 1 つである。

母分散が未知の場合は，$(\bar{X} - \mu)/\sqrt{\sigma^2/n}$ が，母分散 σ^2 の代わりに不偏標本分散 $\hat{S}^2 = \dfrac{1}{n-1} \displaystyle\sum_{i=1}^{n}(X_i - \bar{X})^2$ を代入して，$(\bar{X} - \mu)/\sqrt{\hat{S}^2/n}$ となることが重要。

$$\text{標本平均の\underline{標準化}の}\sigma^2\text{を}\hat{S}^2\text{に置き換えたもの} = \frac{\bar{X} - \mu}{\sqrt{\dfrac{\hat{S}^2}{n}}} = \frac{\dfrac{\bar{X} - \mu}{\sqrt{\dfrac{\sigma^2}{n}}}}{\sqrt{\dfrac{\hat{S}^2}{\sigma^2}}} \sim \frac{N(0, 1)}{\sqrt{\dfrac{\chi^2_{n-1}}{n-1}}} \sim t_{n-1}$$

も大事である。この分母，分子の未知パラメータ σ^2 を消すというトリックを**スチューデントのトリック**という。

注意：スチューデント (本名：ゴセット) は 20 世紀初めのギネスビールの技術者で，数理統計学者。

以下，母平均の差の区間推定も調べてみよう。

例題　2 つの母分散が既知の $N(\mu_1, \sigma_1^2)$ 母集団から n 個の標本 $X_1, \cdots, X_n$ をとり，これと独立な $N(\mu_2, \sigma_2^2)$ 母集団から m 個の標本 $Y_1, \cdots, Y_m$ をとる。

問題 65 基本 区間推定 I 正規母集団の母平均の推定

母平均の差 $\mu_1 - \mu_2$ の信頼度 $1-\varepsilon$ の信頼区間（確率 $1-\varepsilon$ で $a < \mu < b$ となる区間 (a,b)）を標本平均 $\bar{X}, \bar{Y}$ と n, m と $N(0,1)$ の上側 ε 点 $u(\varepsilon)$　$(P(u(\varepsilon) < N(0,1)) = \varepsilon))$ で表せ。

解答 正規分布の再生性と $E(\bar{X}-\bar{Y}) = \mu_1-\mu_2$, $V(\bar{X}+\bar{Y}) = V(\bar{X}) + V(\bar{Y}) = \sigma_1^2/n + \sigma_2^2/m$ より,

$$\frac{\bar{X} - \bar{Y} - (\mu_1 - \mu_2)}{\sqrt{\sigma_1^2/n + \sigma_2^2/m}} \sim N(0,1)$$

よって, $N(0,1)$ の上側確率点 $u\left(\frac{\varepsilon}{2}\right), P(N(0,1) > u\left(\frac{\varepsilon}{2}\right)) = \frac{\varepsilon}{2}$ をとると,

$$P\left(|N(0,1)| < u\left(\frac{\varepsilon}{2}\right)\right) = P\left(\left|\frac{\bar{X} - \bar{Y} - (\mu_1 - \mu_2)}{\sqrt{\sigma_1^2/n + \sigma_2^2/m}}\right| < u\left(\frac{\varepsilon}{2}\right)\right) = 1 - \varepsilon$$

であり, $\mu_1 - \mu_2$ の信頼度 $1-\varepsilon$ の信頼区間は, $\bar{x}, \bar{y}$ を $\bar{X}, \bar{Y}$ の実現値として,

$$\bar{x} - \bar{y} - u\left(\frac{\varepsilon}{2}\right)\sqrt{\frac{\sigma_1^2}{n} + \frac{\sigma_2^2}{m}} < \mu_1 - \mu_2 < \bar{x} - \bar{y} + u\left(\frac{\varepsilon}{2}\right)\sqrt{\frac{\sigma_1^2}{n} + \frac{\sigma_2^2}{m}}$$

解答

(1) $E(\bar{X}) = \mu, V(\bar{X}) = \sigma^2/n$ より,

$\bar{X}$ の標準化 $= \dfrac{\bar{X} - \mu}{\sqrt{\sigma^2/n}} \sim N(0,1)$ ★1

(2) $1-\varepsilon = P(-u(\varepsilon/2) < N(0,1) < u(\varepsilon/2))$ となる $u(\varepsilon/2)$ をとると,

$1-\varepsilon = P\left(-u(\varepsilon/2) < \dfrac{\bar{X} - \mu}{\sqrt{\sigma^2/n}} < u(\varepsilon/2)\right)$ より, 求める信頼度 $1-\varepsilon$ での母平均 μ の信頼区間は,

$$\bar{x} - u\left(\frac{\varepsilon}{2}\right)\sqrt{\frac{\sigma^2}{n}} < \mu < \bar{x} + u\left(\frac{\varepsilon}{2}\right)\sqrt{\frac{\sigma^2}{n}} \; ★2$$

(3) 問題 64 の解説 (p.144) より, $\dfrac{(n-1)\hat{S}^2}{\sigma^2} \sim \chi_{n-1}^2$ で,

また独立な $N(0,1)$ と χ_{n-1}^2 での $\dfrac{N(0,1)}{\sqrt{\chi_{n-1}^2/(n-1)}} \sim t_{n-1}$ なので,

(1) において, 母分散 σ^2 を不偏標本分散 $\hat{S}^2$ で置き換えることにより,

$$\frac{\bar{X} - \mu}{\sqrt{\hat{S}^2/n}} = \frac{\bar{X} - \mu}{\sqrt{\sigma^2/n}} \Big/ \sqrt{\frac{\hat{S}^2}{\sigma^2}} = \frac{N(0,1)}{\sqrt{\chi_{n-1}^2/(n-1)}} \sim t_{n-1}$$

となるので, 求める信頼度 $1-\varepsilon$ での母平均 μ の信頼区間は,

$$\bar{x} - t_{n-1}\left(\frac{\varepsilon}{2}\right)\sqrt{\frac{\hat{S}^2}{n}} < \mu < \bar{x} + t_{n-1}\left(\frac{\varepsilon}{2}\right)\sqrt{\frac{\hat{S}^2}{n}}$$

★1 正規分布の再生性に注意する。

★2 $\bar{x}$ は確率変数 $\bar{X}$ の実現値, つまり $\bar{x} = \dfrac{x_1 + x_2 + \cdots + x_n}{n}$ (X_i の実現値が x_i)。一般に推定量の実現値を推定値ともいう。

問題 66　区間推定 II　母比率の推定，母分散比の推定　　基本

1 $X_1, X_2, \cdots, X_n$ を $\mathrm{Be}(p)$ 母集団からの n 個の標本とする。このとき，標本平均 $\bar{X}$ の標準化を求め，その分布を書け。また，母比率 p の信頼度 $1-\varepsilon$ の信頼区間を求めよ。

2 (1) 無作為に選んだ 1000 人に A 内閣の支持率を調査したところ，208 人が「支持」，792 人が「支持しない」と答えた。A 内閣の支持率の信頼区間 (a, b) を，(a) 信頼度 95 %，(b) 信頼度 90 % の 2 つの場合で求めよ。

(2) (1) での信頼度 99 % における信頼区間の長さ $b-a$（信頼度 $1-\varepsilon$ での誤差）を 1 % より小さくするためには標本数 n を何個以上にとればよいか。

3 不偏標本分散 $\hat{S}^2$ と自由度 $n-1$ の χ^2 分布の上側確率点 $\chi^2_{n-1}(\varepsilon)$ を用いて，$\mathrm{N}(\mu, \sigma^2)$ 母集団の母分散 σ^2 の信頼度 $1-\varepsilon$ の信頼区間を求めよ。

解説　■母比率（支持率）の推定

支持率，視聴率などのように**比率の推定，検定**は重要なものである。

支持率で説明すると，支持するか，支持しないかのどちらかなので，支持すれば 1，指示しなければ 0 とおくと，母集団は**ベルヌーイ分布** $\mathrm{Be}(p)$（p：支持率）となる。この場合は標本数が大きいときは，前問で述べたように中心極限定理より標本平均（標本支持率）の標準化 $\dfrac{\bar{X}-p}{\sqrt{\frac{p(1-p)}{n}}}$ は標準正規分布で近似できるのである。

しかし，母分散に当たる部分 $p(1-p)$ に未知パラメータ p が入っていることに注意する必要がある。近似的には p を標本支持率 $\bar{X}=\bar{p}$ におきかえればよい。

■母分散比の推定

以下，F **分布**を用い，2 つの母集団の母分散比を調べてみよう。

例題　正規母集団 $\mathrm{N}(\mu_1, \sigma_1^2)$ からの n 個の標本 $X_1, \cdots, X_n$ と正規母集団 $\mathrm{N}(\mu_2, \sigma_2^2)$ からの m 個の標本 $Y_1, \cdots, Y_m$ がある。不偏標本分散 $\hat{S_X^2} = \dfrac{1}{n-1}\sum_{i=1}^{n}(X_i-\bar{X})^2$，$\hat{S_Y^2} = \dfrac{1}{m-1}\sum_{i=1}^{m}(Y_i-\bar{Y})^2$ から母分散比 $\dfrac{\sigma_1^2}{\sigma_2^2}$ の信頼度 $1-\varepsilon$ の信頼区間を求めよ。

解答　F 分布の定義より，$\dfrac{\frac{1}{(n-1)\sigma_1^2}\sum_{i=1}^{n}(X_i-\bar{X})^2}{\frac{1}{(m-1)\sigma_2^2}\sum_{i=1}^{m}(Y_i-\bar{Y})^2} \sim F_{n-1, m-1}$

よって，$P\left(F_{n-1, m-1}(1-\frac{\varepsilon}{2}) < F_{n-1, m-1} < F_{n-1, m-1}(\frac{\varepsilon}{2})\right) = 1-\varepsilon$ をとれば，σ_1^2/σ_2^2 の信頼度 $1-\varepsilon$ の信頼区間は，

$$\frac{\hat{S_X^2}/\hat{S_Y^2}}{F_{n-1,m-1}\left(\frac{\varepsilon}{2}\right)} < \frac{\sigma_1^2}{\sigma_2^2} < \frac{\hat{S_X^2}/\hat{S_Y^2}}{F_{n-1,m-1}\left(1-\frac{\varepsilon}{2}\right)}$$

解答

$\boxed{1}$ $\bar{X} = \frac{X_1 + \cdots + X_n}{n}$ より,$E(\bar{X}) = p$,$\sqrt{V(\bar{X})} = \sqrt{\frac{p(1-p)}{n}}$.
よって,中心極限定理より $\frac{\bar{X}-p}{\sqrt{\frac{p(1-p)}{n}}} \sim N(0,1)$.
$P(-u(\varepsilon/2) < N(0,1) < u(\varepsilon/2)) = 1-\varepsilon$ をとると,

$$P\left(-u\left(\frac{\varepsilon}{2}\right) < \frac{\bar{X}-p}{\sqrt{\frac{p(1-p)}{n}}} < u\left(\frac{\varepsilon}{2}\right)\right) = 1-\varepsilon$$

よって,信頼度 $1-\varepsilon$ での母比率 p の信頼区間は,

$$\bar{x} - u\left(\frac{\varepsilon}{2}\right)\sqrt{\frac{p(1-p)}{n}} < p < \bar{x} + u\left(\frac{\varepsilon}{2}\right)\sqrt{\frac{p(1-p)}{n}}$$

このままだと p に関して解かなければならないので,近似的に p を $\bar{x}$ におき換えて

$$\bar{x} - u\left(\frac{\varepsilon}{2}\right)\sqrt{\frac{\bar{x}(1-\bar{x})}{n}} < p < \bar{x} + u\left(\frac{\varepsilon}{2}\right)\sqrt{\frac{\bar{x}(1-\bar{x})}{n}}$$

$\boxed{2}$ (1) $\bar{p} = \frac{208}{1000} = 0.208$. よって $\boxed{1}$ の結果に代入して,
p の (a) 95 %信頼区間は $[0.183, 0.233]$
(b) 90 %信頼区間は $[0.187, 0.229]$ ★1

(2) $2.576 = u(0.005)$ より,$2 \times 2.576\sqrt{\frac{\bar{x}(1-\bar{x})}{n}} \leqq 0.01$ ★2. $\bar{x} = \frac{1}{2}$ として★3 不等式を解いて,$n \geqq 66358$

$\boxed{3}$ $(n-1)\frac{\hat{S}^2}{\sigma^2} \sim \chi_{n-1}^2$ なので,

$$\begin{aligned}1-\varepsilon &= P\left(\chi_{n-1}^2\left(1-\frac{\varepsilon}{2}\right) < \chi_{n-1}^2 < \chi_{n-1}^2\left(\frac{\varepsilon}{2}\right)\right) \\ &= P\left(\chi_{n-1}^2\left(1-\frac{\varepsilon}{2}\right) < (n-1)\frac{\hat{S}^2}{\sigma^2} < \chi_{n-1}^2\left(\frac{\varepsilon}{2}\right)\right) \\ &= P\left((n-1)\frac{\hat{S}^2}{\chi_{n-1}^2\left(\frac{\varepsilon}{2}\right)} < \sigma^2 < (n-1)\frac{\hat{S}^2}{\chi_{n-1}^2\left(1-\frac{\varepsilon}{2}\right)}\right)\end{aligned}$$

つまり,求める信頼度 $1-\varepsilon$ での母分散 σ^2 の信頼区間は,

$$(n-1)\frac{\hat{S}^2}{\chi_{n-1}^2\left(\frac{\varepsilon}{2}\right)} < \sigma^2 < (n-1)\frac{\hat{S}^2}{\chi_{n-1}^2\left(1-\frac{\varepsilon}{2}\right)}$$

★1 99 %信頼区間の場合も考えてみること。

★2 $\boxed{1}$ より $b-a = 2u\left(\frac{\varepsilon}{2}\right)\sqrt{\frac{\bar{x}(1-\bar{x})}{n}}$.

★3 $\bar{x}$ はあらかじめわからないのでどの値にも適用できるように $\bar{x}(1-\bar{x})$ の最大値 $\frac{1}{4}$ をとる。

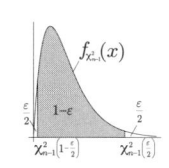

問題 67　検定 I　　基本

表 ある貝の取引で，国内産表示のものが外国産なのではないかと疑っている。国内産の貝の大きさは $N(6, \sigma^2)$ に従い，外国産の貝の大きさの母平均は国内産より小さいことはわかっている。まず，10個の標本をとったところ，
1.2, 3.5, 6.3, 5.5, 3.6, 6.8, 4.2, 2.5, 7.0, 3.2（cm）のデータが得られた。

(1) 母分散が $\sigma^2 = 0.64$ とわかっているとき，有意水準 $\varepsilon = 0.05 = 5\%$ で，帰無仮説 $H_0 : \mu = 6$，対立仮説 $H_1 : \mu < 6$ として，片側検定を実行せよ。また，有意水準 $\varepsilon = 5\%$ のときの棄却域 $\{\bar{X} < c_0\}$ を求めよ。

(2) 母分散 σ^2 が未知の場合，t 検定で有意水準 5% の片側検定を実行せよ。

(3) 国内産貝の母分散が $\sigma^2 = 0.64$，外国産貝の分布が $N(4.5, 2)$ とわかっているとき，(1)の検定の第1種の誤り，第2種の誤りを求めよ。

解説　**検定**とは，裁判に例えると原告の主張（**対立仮説**：H_1），被告の主張（**帰無仮説**：H_0）のどちらが正しいかを確率論を裁判官として判断することである。

普通の数学における背理法のように，対立仮説 H_1 を証明するために帰無仮説 H_0 と呼ばれる対立仮説の否定（もしくは対立仮説の反対）を仮定し，矛盾の代わりに小さい確率での基準（**有意水準**といい，通常5％，1％，10％などにとる）を設定した上で，帰無仮説のもとでの標本に関するある事象（**棄却域**という）の確率を算出し，標本の実現値が棄却域に入るかどうかを見る。この確率が有意水準以下でのごく小さい値であれば，帰無仮説 H_0 を棄却して対立仮説 H_1 を採択する。

逆に帰無仮説のもとで棄却域に入る確率が有意水準より高ければ，帰無仮説を（弱い意味で）採択する　（受容するともいう。裁判でいうと証拠が少ないのでグレーゾーンではあるが無罪にするみたいなもの）。

検定の手順を本問の例でまとめると，

1. H_1：対立仮説，H_0：帰無仮説 を設定。
2. 適当な統計量 $T(X_1, X_2, \cdots, X_n)$ をとってきて，H_0 のもとでの分布を決める。
3. ある棄却域 C を $P(T \in C | H_0) = \alpha$（有意水準）であるように選ぶ。
4a. 対立仮説 H_1 が $H_1 : \mu < \mu_0$ の場合（片側検定）は，棄却域は $\{\bar{X} < c_0\}$ を $P(\bar{X} < c_0) = \alpha$ となるように c_0 をとる。

(a) 標本から算出した実現値が棄却域に入れば，帰無仮説を棄却して対立仮説を採択。
(b) 棄却域にはいらなければ，帰無仮説を受容する。

4b. 対立仮説 H_1 が, $H_1 : \mu > \mu_0$ の場合は片側検定であり, 棄却域は $\{\bar{X} > c_0\}$ を $P(\bar{X} > c_0) = \alpha$ となるように c_0 をとる。

4b′. 対立仮説 H_1 が $H_1 : \mu \neq \mu_0$ の場合は両側検定であり, たとえば母分散 σ^2 が既知のときは, 棄却域は,

$$\left\{\left|\frac{\bar{X}-\mu_0}{\sqrt{\sigma^2/n}}\right| > c_0\right\} = \left\{\bar{X} < \mu_0 - c_0\sqrt{\sigma^2/n}\right\} \cup \left\{\bar{X} > \mu_0 + c_0\sqrt{\sigma^2/n}\right\}$$

を $P\left(\left|\frac{\bar{X}-\mu_0}{\sqrt{\sigma^2/n}}\right| > c_0\right) = \alpha$ となるように, c_0 をとる。

ここで, H_0 が正しいのに H_0 を棄却する誤りを**第1種の誤り**（確率$=P($棄却域$|H_0) = \alpha$ で有意水準と一致), H_1 が正しいのに H_0 を受容する誤りを**第2種の誤り**（確率$=\beta$ で表す) というが, これについては次の問題68で詳しく扱う。

解答

$X_i \sim N(\mu, \sigma^2)$, $H_0 : \mu = 6$, $H_1 : \mu < 6$

(1) 10個の標本データから, $\bar{x} = 4.38$, $\sigma^2 = 0.64$ より,
$\frac{\bar{x}-6}{\sqrt{\frac{0.64}{10}}} = -6.4036 < -1.645 = -\Phi^{-1}(0.05) = -u(0.05)$
となるので, 帰無仮説 H_0 は棄却され, 対立仮説 H_1 を採択する。つまり, 取引した貝は外国産である。棄却域は $\frac{c_0-6}{\sqrt{\frac{0.64}{10}}} = -1.645$ より, $c_0 = 5.584$.
よって, 求める棄却域は, $\{\bar{X} < 5.584\}$ ★1.

★1 標本平均の実現値 $\bar{x}$ がこの5.584より小さければ帰無仮説 H_0 を棄却して対立仮説 H_1 を採択するということ。

(2) $\hat{S}^2$の実現値 $= 3.790$. ここで $\frac{4.38-6}{\sqrt{\frac{3.790}{10}}} = -2.63 < -1.833 = -t_9(0.05)$ となるので, 帰無仮説 H_0 は棄却され, 対立仮説 H_1 を採択する。つまり, 取引した貝は外国産である。棄却域は $\frac{c_0-6}{\sqrt{\frac{3.790}{10}}} = -1.833$ より, $c_0 = 4.872$.
よって, 求める棄却域は, $\{\bar{X} < 4.872\}$.

(3) H_0（帰無仮説）のもとで $\bar{X} \sim N(6, \frac{0.64}{n})$ ★2 に注意する。よって,

$\alpha = P(\bar{X} < 5.584|H_0) = P(N(6, \frac{0.64}{10}) < 5.584)$
$= P\left(6 + \sqrt{\frac{0.64}{10}}N(0,1) < 5.584\right) = \Phi\left(\frac{5.584-6}{\sqrt{\frac{0.64}{10}}}\right) = 0.05$ ★3

★2 $\frac{\bar{X}-6}{\sqrt{\frac{0.64}{n}}} \sim N(0,1)$

★3 この場合 α を有意水準であるように棄却域を定めたので当然 α = 有意水準。

★4 $\frac{\bar{X}-4.5}{\sqrt{\frac{2}{n}}} \sim N(0,1)$

H_1（対立仮説）のもとで $\bar{X} \sim N(4.5, \frac{2}{n})$ ★4 に注意する。よって,

$\beta = P(\bar{X} > 5.584|H_1) = P(N(4.5, \frac{2}{10}) > 5.584)$
$= P\left(4.5 + \sqrt{\frac{2}{10}}N(0,1) > 5.584\right) = 1 - \Phi(2.424) = 0.0077$

問題 68 検定II 第1種の誤り，第2種の誤り，適合度検定 【基本】

1 母集団は $H_0: \mathrm{Ge}(1/6)$ または $H_1: \mathrm{Ge}(5/6)$ のどちらかであることはわかっている。これから2個の標本を取り出し，1個でも1以下なら帰無仮説 H_0 を棄却して対立仮説 H_1 を採択する。第1種の誤り α，第2種の誤り β，検出力 $1-\beta$ をそれぞれ求めよ。棄却域を1個でも0なら H_0 を棄却するとしたときも α, β を求めよ。

2 サイコロを60回投げたところ，1の目が5回，2の目が5回，3の目が7回，4の目が11回，5の目が11回，6の目が21回でた。このサイコロは正しいサイコロ（どの目も出る確率は $\frac{1}{6}$）といえるか？ 有意水準5％で適合度検定せよ。1,2の目が5回，3,4の目が10回，5,6の目が15回ならどうか？

解説 ■第1種の誤り，第2種の誤り

裁判においても有罪の人を無罪する誤りと無罪の人を有罪にする誤りの2種類ある。日本の司法制度では「疑わしきは罰せず」と有罪にするためにはその証拠が厳しい条件で求められているのである。統計においても同様で，H_0 が正しいのに H_0 を棄却してしまう誤りの確率＝$P($棄却域$|H_0)=\alpha$ を**第1種の誤り**（の起こる確率，有意水準と一致）と H_1 が正しいのに H_0 が棄却できない誤りの確率＝**第2種の誤り**（の起こる確率）$=\beta$ と誤りには2種類あり，通常は第1種の誤り（有意水準）を小さくする（5％程度）ように設定される。また，$1-\beta$ を**検出力**：対立仮説 H_1 が正しいとき，帰無仮説 H_0 を棄却して正しく対立仮説を採択する確率，と定義する。

また，この2種類の誤りはトレードオフ（一方が増えれば一方は減る）の関係にあるので，両方を小さくすることは不可能である。たとえば，試験でも実力があるのに落ちる誤り＝α と実力がないのに通る誤り＝β の2種類あるが，最低合格点を甘めに設定すると，α は減る代わりに β は増え，最低合格点を厳しめに設定すると，β は減る代わりに α は増える。

■適合度検定

以下，適合度検定の解説を行う。母集団が k 種類に分割されるとし，i 番目の種類が起こる確率を p_i とする。N 個標本を抽出したとき，i 種類が n_i 回出た $(n_1+n_2+\cdots+n_k=N)$ とすると，帰無仮説 H_0：すべての $i(1\leq i\leq k)$ に対して i 番目の種類が起こる確率を p_i のもとで近似的に（ただし，すべての $i(1\leq i\leq k)$

問題 68 [基本] 検定 II 第 1 種の誤り, 第 2 種の誤り, 適合度検定

に対して, $Np_i \geqq 5, n_i \geqq 5$ が成り立っている必要あり)

$$T = \frac{(n_1 - Np_1)^2}{Np_1} + \frac{(n_2 - Np_2)^2}{Np_2} + \cdots + \frac{(n_k - Np_k)^2}{Np_k} \text{ は, } \chi^2_{k-1} \text{ の実現値}$$

と見なせる (p.162 の TeaTime 参照)。すると, $P(\chi^2_{k-1} > \chi^2_{k-1}(\alpha)) = \alpha$ となる $\chi^2_{k-1}(\alpha)$ をとって, $T > \chi^2_{k-1}(\alpha)$ なら有意水準 α で帰無仮説が棄却される。

解答

$\boxed{1}$ 2 個の標本を X_1, X_2 とすると,
H_0 のもとでは $X_1 \sim X_2 \sim \text{Ge}(1/6)$,

$$1 - P(X_1 \geqq 2 \cap X_2 \geqq 2) = 1 - P(X_1 \geqq 2)P(X_2 \geqq 2)$$
$$= 1 - \left(\frac{5}{6}\right)^2\left(\frac{5}{6}\right)^2 \quad \text{より,}$$

$\alpha = P(X_1 \leqq 1 \cup X_2 \leqq 1 | H_0) = P(X_1 \leqq 1 \cup X_2 \leqq 1) = \dfrac{671}{1296}$ ★1.

H_1 のもとでは $X_1 \sim X_2 \sim \text{Ge}(5/6)$,
$\beta = P(X_1 \geqq 2 \cap X_2 \geqq 2 | H_1) = P(X_1 \geqq 2)P(X_2 \geqq 2) = \dfrac{1}{1296}$ ★2

棄却域を 1 個でも 0 なら H_0 を棄却するとしたときは,

$$\alpha = P(X_1 \leqq 0 \cup X_2 \leqq 0 | H_0) = 1 - P(X_1 \geqq 1)P(X_2 \geqq 1) = \frac{11}{36}$$

$\beta = P(X_1 \geqq 1 \cap X_2 \geqq 1 | H_1) = \dfrac{1}{6} \cdot \dfrac{1}{6} = \dfrac{1}{36}$ ★3

$\boxed{2}$ 正しいサイコロであるという帰無仮説の下で, すべての目の期待値は 10 となることから

$$T = \frac{(5-10)^2}{10} + \frac{(5-10)^2}{10} + \frac{(7-10)^2}{10} + \frac{(11-10)^2}{10} + \frac{(11-10)^2}{10} + \frac{(21-10)^2}{10}$$
$$= \frac{182}{10} = 18.2 > 11.07 = \chi^2_5(0.05)$$

となり, サイコロの正しさは棄却される。
2 番目のデータでは $T = 10 < 11.07 = \chi^2_5(0.05)$ となり, サイコロの正しさは棄却されない (サイコロがイカサマであるとは言えない)。

★1 $\{X_1 \geqq 2 \cap X_2 \geqq 2\}^c$ $= \{X_1 \leqq 1 \cup X_2 \leqq 1\}$

★2 $P(X_1 \geqq 2) = \left(\frac{1}{6}\right)^2$

★3 本問でもわかるように α を減らすと β は増え, α を増やすと β は減るので, 両方とも減らすことはできない。

問題 69 統計量 II 最尤推定値 【標準】

(1) $\mathrm{Exp}\left(\frac{1}{\lambda}\right)$ 母集団（平均 λ）での母平均 λ の最尤推定値 $\hat{\lambda}$ を求めよ。
(2) $\mathrm{Po}(\lambda)$ 母集団の母平均 λ の最尤推定値 $\hat{\lambda}$ を求めよ。
(3) $\mathrm{Ge}(p)$ 母集団でのパラメータ p の最尤推定値 $\hat{p}$ を求めよ。
(4) (a) σ^2 を既知とする $\mathrm{N}(\mu, \sigma^2)$ 母集団の母平均 μ の最尤推定値 $\hat{\mu}$ を求めよ。
　　(b) $\mathrm{N}(\mu, \sigma^2)$ 母集団の母平均 μ と母分散 σ^2 の最尤推定値 $\hat{\mu}, \hat{\sigma^2}$ を求めよ。

解説 n 個の標本の実現値 $X_1 = x_1, X_2 = x_2, \cdots, X_n = x_n$ をとるとき，

$$L(x_1, x_2, \cdots, x_n \mid \theta) = \begin{cases} P(X_1 = x_1) \cdots P(X_n = x_n) & (離散の場合) \\ f_{X_1}(x_1) \cdots f_{X_n}(x_n) & (連続の場合) \end{cases}$$

を母パラメータ θ の**尤度関数**といい，標本の実現値 $X_1 = x_1, \cdots, X_n = x_n$ のもとで尤度関数 L の値が最大となる $\theta = \hat{\theta}$ を $x_1, x_2, \cdots, x_n$ の関数として**最尤推定値**（最尤推定量の実現値）という。L を最大にするには $\log L$ を最大にすればよいから，通常，$0 = \frac{\partial \log L}{\partial \theta}$ を解いて，θ を $x_1, x_2, \cdots, x_n$ で表せばよい。

これは，母パラメータが最尤推定値になれば，確率が最大になるからこそ，標本 $x_1, x_2, \cdots, x_n$ が出た，という考え方に基づいている。

例題 $f_X(x) = 2\theta x e^{-\theta x^2}$ $(x > 0)$ とし，X に従う母集団から n 個の標本 $x_1, x_2, \cdots, x_n$ をとる。母パラメータ θ の最尤推定値 $\hat{\theta}$ を求めよ。

解答 尤度関数は，
$$L(x_1, x_2, \cdots, x_n \mid \theta) = 2^n \theta^n x_1 x_2 \cdots x_n e^{-\theta(x_1^2 + \cdots + x_n^2)}$$
となることから，
$$\log L = n\log 2 + n\log \theta + n\log(x_1 x_2 \cdots x_n) - \theta(x_1^2 + x_2^2 + \cdots + x_n^2)$$
$$0 = \frac{\partial \log L}{\partial \theta} = \frac{n}{\theta} - (x_1^2 + x_2^2 + \cdots + x_n^2)$$
よって，$\hat{\theta} = \dfrac{n}{x_1^2 + x_2^2 + \cdots + x_n^2}$

解答

(1) まず，尤度関数を求めると[★1]，尤度関数

★1 解説のように尤度関数の対数を求め，母パラメータで微分しよう。

問題 69 [標準] 統計量 II 最尤推定値   155

$$L(x_1, x_2, \cdots, x_n|\lambda) = \lambda^{-n} e^{-\frac{x_1+x_2+\cdots+x_n}{\lambda}}$$

よって, $\log L = -n\log\lambda - \lambda^{-1}(x_1+x_2+\cdots+x_n)$, つまり,

$$0 = \frac{\partial \log L}{\partial \lambda} = \frac{\partial}{\partial \lambda}(-n\log\lambda - \lambda^{-1}(x_1+x_2+\cdots+x_n))$$
$$= -\frac{n}{\lambda} + \frac{1}{\lambda^2}(x_1+x_2+\cdots+x_n)$$

よって, 求める最尤推定値 $\hat{\lambda}$ は, $\hat{\lambda} = \dfrac{x_1+x_2+\cdots+x_n}{n} = \bar{x}$

(2) この離散分布の尤度関数を求めると,

$$L(x_1, x_2, \cdots, x_n|\lambda) = P(X_1 = x_1)\cdots P(X_n = x_n)$$
$$= 定数 \times \lambda^{x_1} e^{-\lambda} \cdots \lambda^{x_n} e^{-\lambda} = 定数 \times \lambda^{x_1+\cdots+x_n} e^{-n\lambda}$$

よって, $\log L = 定数 + (x_1+x_2+\cdots+x_n)\log\lambda - n\lambda$. つまり,

$$0 = \frac{\partial \log L}{\partial \lambda} = \frac{x_1+\cdots+x_n}{\lambda} - n, \quad \hat{\lambda} = \frac{x_1+\cdots+x_n}{n} = \bar{x}$$

(3) この離散分布の尤度関数を求めると,

$$L(x_1, x_2, \cdots, x_n|p) = P(X_1 = x_1)\cdots P(X_n = x_n)$$
$$= p(1-p)^{x_1}\cdots p(1-p)^{x_n} = p^n(1-p)^{x_1+\cdots+x_n}$$

よって, $\log L = n\log p + (x_1+\cdots+x_n)\log(1-p)$, つまり,
$$0 = \frac{\partial \log L}{\partial p} = \frac{n}{p} - \frac{x_1+\cdots+x_n}{1-p},$$
$$\hat{p} = \frac{n}{n+x_1+\cdots+x_n} = \frac{1}{1+\bar{x}} \quad ★2$$

(4) (a) まず尤度関数 L を求めると,

$$L(x_1, x_2, \cdots, x_n|\mu) = c\exp\left(-\frac{1}{2\sigma^2}\{(x_1-\mu)^2+\cdots+(x_n-\mu)^2\}\right)$$

より, $0 = \dfrac{\partial \log L}{\partial \mu} = \dfrac{-1}{\sigma^2}\{(x_1-\mu)+\cdots+(x_n-\mu)\}$
よって, 最尤推定値 $\hat{\mu}$ は,

$$\hat{\mu} = \frac{x_1+x_2+\cdots+x_n}{n} = \bar{x}$$

(b) 今度は 母分散 σ^2 も未知なので, $0 = \frac{\partial \log L}{\partial \mu}$ と $0 = \frac{\partial \log L}{\partial \sigma^2}$ を連立させて解いて,

$$\hat{\mu} = \bar{x}, \quad \hat{\sigma^2} = \frac{1}{n}\sum_{i=1}^{n}(x_i-\bar{x})^2$$

★2 この $\hat{p}$ は p の不偏推定量ではなく, p の不偏推定量は $\dfrac{n-1}{n-1+x_1+\cdots+x_n}$ である. 証明 (計算) は負の 2 項分布の知識が必要でやや発展的だが意欲ある読者は試みられたい.

問題 70 統計量 III　有効推定量，クラメール＝ラオの不等式　発展

$\boxed{1}$ $U(0, \theta)$ に従う母集団での母パラメータ θ の不偏推定量 $T = 2\bar{X}$, $T' = \frac{n+1}{n}\max(X_1, X_2, \cdots, X_n)$ のどちらがより有効か？ なお，分散が小さいほどより有効であるとする．

$\boxed{2}$ $\mathrm{Exp}(\frac{1}{\lambda})$ に従う母集団において，母平均 λ の不偏推定量 $\bar{X}$ と $T = c_n \min(X_1, X_2, \cdots, X_n)$ を考える．
(1) c_n を求めよ．
(2) $\bar{X}$ と T のどちらがより有効か？
(3) $\bar{X}$ は有効推定量であることを示せ．

$\boxed{3}$ X が $\mathrm{Po}(\lambda)$ 母集団のとき，$\bar{X}$ は有効推定量であることを示せ．

解説　直観的にもわかるように，同じ不偏推定量でも標本数を大きくしていくと，大数の法則より平均に近づいていくのだが，分散が小さければ小さいほどこの近づき方が速くなるので望ましい推定量だと言える．最小のものがあれば最も望ましいが，ここで述べる**クラメール＝ラオの不等式**によれば，同じ不偏推定量のなかで分散の下限がわかり，その下限を達成するような推定量が**最小分散推定量**となる．

T_n を母パラメータ θ の不偏推定量とするとき，そのなかで分散が最小なものを**有効推定量**という．これについては次のクラメール＝ラオの不等式が成立する．

尤度関数
$$L = f(X_1)f(X_2)\cdots\cdots f(X_n)$$

として
$$V(T_n) \geqq \frac{1}{E\left(\left(\frac{\partial}{\partial\theta}\log L\right)^2\right)} = \frac{1}{nI(\theta)}$$

つまり，等号が成り立てば T_n は有効推定量となる（証明は p.162 の Tea Time）．
また，
$$I(\theta) = E\left(\left(\frac{\partial\log f}{\partial\theta}(X_1)\right)^2\right) = V\left(\frac{\partial\log f}{\partial\theta}(X_1)\right)$$

で計算され，**フィッシャー情報量**と呼ばれる．f は連続のときは確率密度関数，離散のときは確率関数 $P(X = k)$ となる．

つまり，母パラメータ θ の不偏推定量 T_n のなかで分散が最小のものは，その分散は $V(T_n) = \frac{1}{nV\left(\frac{\partial\log f}{\partial\theta}(X_1)\right)}$ となっている（p.162 の Tea Time 参照）．このと

問題 70 発展 統計量 III 有効推定量, クラメール＝ラオの不等式

き, T_n は有効推定量（最小分散推定量）と呼ばれる。等号成立条件を考えて, 有効推定量なら最尤推定量である。

解答

$\boxed{1}$ $V(T) = \dfrac{4}{n^2} V(X_1 + \cdots + X_n) = \dfrac{4}{n} V(\mathrm{U}(0, \theta)) = \dfrac{4}{n} \dfrac{\theta^2}{12} = \dfrac{\theta^2}{3n}$ ★1

また, $f_{\max(X_1, \cdots, X_n)}(x) = \dfrac{nx^{n-1}}{\theta^n}$ $(0 < x < \theta)$ より,

$$E(T'^2) = \dfrac{(n+1)^2}{n^2} \int_0^\theta x^2 \dfrac{nx^{n-1}}{\theta^n} dx = \dfrac{(n+1)^2}{n(n+2)} \theta^2$$

つまり, $V(T') = E(T'^2) - E(T')^2 = \dfrac{1}{n(n+2)} \theta^2$

よって, $n \geqq 2$ なら T' のほうが T より有効である。また明らかに $n = 1$ なら $T' = T$, つまり, $V(T') = V(T)$ である。

★1 $V(\mathrm{U}(a, b)) = \dfrac{(b-a)^2}{12}$ を思い出す。

$\boxed{2}$ (1)★2 $x > 0$ として,

$P(\min(X_1, \cdots, X_n) > x) = P(X_1 > x) \cdots P(X_n > x)$
$= (e^{-\frac{x}{\lambda}})^n = e^{\frac{-nx}{\lambda}}$

よって,

$f_{\min(X_1, \cdots, X_n)}(x) = -\dfrac{d}{dx} P(\min(X_1, \cdots, X_n) > x)$
$= \dfrac{n}{\lambda} e^{-\frac{n}{\lambda} x}$ ★3

つまり, $\min(X_1, \cdots, X_n) \sim \mathrm{Exp}\left(\dfrac{n}{\lambda}\right)$

よって, $E(\min(X_1, \cdots, X_n)) = \dfrac{\lambda}{n}$. つまり, $c_n = n$.

★2 問題 38 (p.82) 参照。

★3 $f_X(x)$
$= \dfrac{d}{dx} F_X(x)$
$= \dfrac{d}{dx}(1 - P(X > x))$
$= -\dfrac{d}{dx} P(X > x)$

(2) $V(\bar{X}) = \dfrac{\lambda^2}{n}$ ★4

$V(T) = V\left(n \mathrm{Exp}\left(\dfrac{n}{\lambda}\right)\right) = n^2 \dfrac{\lambda^2}{n^2} = \lambda^2$

つまり, $\bar{X}$ のほうがより有効である。

★4
$V(\mathrm{Exp}(\mu)) = \dfrac{1}{\mu^2}$

(3)

$$\dfrac{\partial \log f_{\mathrm{Exp}(1/\lambda)}(x)}{\partial \lambda} = \dfrac{\partial}{\partial \lambda}\left(-\log \lambda - \dfrac{x}{\lambda}\right) = -\dfrac{1}{\lambda} + \dfrac{x}{\lambda^2}$$

より, フィッシャー情報量 $I(\lambda) = V\left(-\dfrac{1}{\lambda} + \dfrac{X}{\lambda^2}\right) = \dfrac{1}{\lambda^4}(\lambda^2) = \dfrac{1}{\lambda^2}$

また, $V(\bar{X}) = \dfrac{\lambda^2}{n} = \dfrac{1}{nI(\lambda)}$ となり, クラメール＝ラオの不等式の下限と一致する。

$\boxed{3}$ $V(\bar{X}) = \dfrac{\lambda}{n}$, $\dfrac{\partial}{\partial \lambda} \log P(X = x) = \dfrac{x}{\lambda} - 1$

$I(\lambda) = V\left(\dfrac{X_1}{\lambda} - 1\right) = \dfrac{1}{\lambda}$

より, $V(\bar{X}) = \dfrac{1}{nI(\lambda)}$ より, $\bar{X}$ は有効推定量。

問題 71 回帰分析 I 単回帰分析，重回帰分析　　基本

1 2次元確率変数 (X,Y) の実現値が $(x_1,y_1),(x_2,y_2),\cdots,(x_n,y_n)$ の n 個ある。Y を X で回帰した回帰直線を $y = \hat{\alpha} + \hat{\beta}x$ とするとき，$\hat{\alpha},\hat{\beta}$ を
$\bar{x} = \sum\limits_{i=1}^{n} x_i/n,\ \bar{y} = \sum\limits_{i=1}^{n} y_i/n,\ (s_x)^2 = \sum\limits_{i=1}^{n}(x_i-\bar{x})^2/n,\ (s_y)^2 = \sum\limits_{i=1}^{n}(y_i-\bar{y})^2/n,$
$s_{xy} = \sum\limits_{i=1}^{n}(x_i-\bar{x})(y_i-\bar{y})/n$ で表せ。

2 (1) $(x,y) = (1.2, 3.2),\ (2.2, 5.4),\ (3.6, 8.6),\ (0.6, 0.4),\ (1.6, 0.8)$ の 5 個のデータを用いて，y を x で回帰せよ。

(2) $(x',y') = (12, 320),\ (22, 540),\ (36, 860),\ (6, 40),\ (16, 80)$ の 5 個のデータを用いて，y' を x' で回帰せよ。

解説　2 つの確率変数 X,Y で，X,Y の何らかの関係を知りたい状況はよく起こる。Y を X の関数 $h(X)$ で表したいが，ただし，確率変数どうしなのでピッタリ $Y = h(X)$ になることはなく，$Y = h(X) + \varepsilon$ という誤差を考慮しなければならない。とくに h をいちばん簡単な関数である 1 次関数 $h(x) = \alpha + \beta x$ にとったものを**線形回帰**という。y を**被説明変数**，x を**説明変数**という。

実際上は 2 次元確率変数 (X,Y) の n 個の実現値 $(x_1,y_1),(x_2,y_2),\cdots,(x_n,y_n)$ が与えられたとして，**最小二乗法**，つまり，

$$Q = \sum_{i=1}^{n}(y_i - (\alpha + \beta x_i))^2 \text{ を最小にする } \alpha = \hat{\alpha}, \beta = \hat{\beta}$$

をとってきて，$y = \hat{\alpha} + \hat{\beta}x$ を y の x による**回帰直線**と呼ぶ（y を x で回帰するともいう）。すると，解答にもあるように y の x による回帰直線は

$$y = (\bar{y} - \hat{\beta}\bar{x}) + \hat{\beta}x \iff y - \bar{y} = \hat{\beta}(x - \bar{x}) \iff \frac{y - \bar{y}}{s_y} = r_{xy}\frac{x - \bar{x}}{s_x}$$

つまり，

> **回帰直線:**　　y の標準化 = 相関係数 × x の標準化

$\hat{y}_i = \hat{\alpha} + \hat{\beta}x_i\ (y_i \text{の内挿値})$ とおくと，$e_i = y_i - \hat{y}_i$（**残差**という）としたとき，$\sum\limits_{i=1}^{n} e_i = 0, \sum\limits_{i=1}^{n} x_i e_i = 0$ が成立して，

全変動 $= \sum\limits_{i=1}^{n}(y_i - \bar{y})^2$, **回帰変動** $= \sum\limits_{i=1}^{n}(\hat{y}_i - \bar{y})^2$, **残差変動** $= \sum\limits_{i=1}^{n} e_i^2$ と定義すると

問題 71 [基本] 回帰分析 I 単回帰分析, 重回帰分析　159

$$\text{全変動} = \text{回帰変動} + \text{残差変動}$$

となり (p.164, TeaTime 参照), ここで, 決定係数 $R^2 = 1 - \frac{\text{残差変動}}{\text{全変動}} = \frac{\text{回帰変動}}{\text{全変動}}$ と定義すると, $0 \leqq R^2 \leqq 1$ であり, この R^2 が1に近いほど, 回帰直線がデータに良く当てはまっていると考える. なぜなら $R^2 = 1 \rightleftarrows$ 残差変動 $= 0$ (すべての残差 $= 0$ すべてのデータが一直線) となり, $R^2 \fallingdotseq 1$ ならこれに近い状況になっているからである.

$$R^2 = (r_{xy})^2 \qquad \text{証明は TeaTime (p.164) 参照}$$

解答

$\boxed{1}$ Q を最小にする α, β は極値を考えて,
$$0 = \frac{\partial Q}{\partial \alpha} = (-2)\sum_{i=1}^{n}(y_i - (\hat{\alpha} + \hat{\beta}x_i)) = (-2)\left(\sum_{i=1}^{n}y_i - n\hat{\alpha} - \hat{\beta}\sum_{i=1}^{n}x_i\right)$$
$$0 = \frac{\partial Q}{\partial \beta} = (-2)\sum_{i=1}^{n}x_i(y_i - (\hat{\alpha} + \hat{\beta}x_i))$$
$$= (-2)\left(\sum_{i=1}^{n}x_i y_i - \hat{\alpha}\sum_{i=1}^{n}x_i - \hat{\beta}\sum_{i=1}^{n}x_i^2\right) \bigstar 1$$

★1 $\overline{x^2} = \frac{1}{n}\sum_{i=1}^{n}x_i^2$ である.

よって, 正規方程式 $\begin{pmatrix} 1 & \bar{x} \\ \bar{x} & \overline{x^2} \end{pmatrix} \begin{pmatrix} \hat{\alpha} \\ \hat{\beta} \end{pmatrix} = \begin{pmatrix} \bar{y} \\ \overline{xy} \end{pmatrix}$ を $\hat{\alpha}, \hat{\beta}$ は満たす.

すると,
$$\begin{pmatrix} \hat{\alpha} \\ \hat{\beta} \end{pmatrix} = \begin{pmatrix} 1 & \bar{x} \\ \bar{x} & \overline{x^2} \end{pmatrix}^{-1} \begin{pmatrix} \bar{y} \\ \overline{xy} \end{pmatrix} = \frac{1}{\overline{x^2} - (\bar{x})^2}\begin{pmatrix} \overline{x^2} & -\bar{x} \\ -\bar{x} & 1 \end{pmatrix}\begin{pmatrix} \bar{y} \\ \overline{xy} \end{pmatrix}$$
$$= \frac{1}{(s_x)^2}\begin{pmatrix} ((s_x)^2 + (\bar{x})^2)\bar{y} - \bar{x}(s_{xy} + \bar{x}\bar{y}) \\ s_{xy} \end{pmatrix} = \begin{pmatrix} \bar{y} - r_{xy}\frac{s_y}{s_x}\bar{x} \\ r_{xy}\frac{s_y}{s_x} \end{pmatrix} \bigstar 2$$

★2 $E(X^2) = V(X) + (E(X))^2$ なので, データは $\overline{x^2} = (s_x)^2 + (\bar{x})^2$ である. 同様に $\overline{xy} = s_{xy} + \bar{x}\bar{y}$ である.

また, $\bar{y} = \hat{\alpha} + \hat{\beta}\bar{x}$ である. 重心 $(\bar{x}, \bar{y})$ は回帰直線上にある.

$\boxed{2}$ (1) $\bar{x} = 1.84, \bar{y} = 3.68$
$$(s_x)^2 = 1.0464, (s_y)^2 = 9.2896, s_{xy} = 2.8688$$
から★3, $\dfrac{y - 3.68}{\sqrt{9.2896}} = \dfrac{2.8668}{\sqrt{1.0464}\sqrt{9.2896}} \dfrac{x - 1.84}{\sqrt{1.0464}}$ となり, 計算して,
$$y = -1.36453 + 2.74159x$$

★3 回帰直線は y の標準化 $=$ 相関係数 $\times$ x の標準化.

(2) (1) で求めた結果を変形して, $y' = -136.453 + 27.4159x'$ ★4

★4 $s_{x'} = s_{10x} = 10s_x$ などで計算する.

| 問題 | 72 | 回帰分析 II　確率分布の前提を用いた回帰モデル | 発展 |

説明変数 x_i は確率変数でない与えられた値で，$Y_i = \alpha + \beta x_i + \varepsilon_i$ とする。また，誤差 $\varepsilon_i \sim N(0, \sigma^2)$ かつ 各 ε_i は独立 と仮定する。この状況のもとで最小二乗推定量 $\hat{\alpha}, \hat{\beta}$ を確率変数として考えたとき，$\hat{\alpha}, \hat{\beta}$ の分布を求めよ。また，σ^2 が既知のときの β の信頼度 $1-\varepsilon$ の信頼（推定）区間を求めよ。

解説　まず，傾き $\hat{\beta}$ は $\hat{\beta} = \sum_{i=1}^{n}(x_i - \bar{x})(Y_i - \bar{Y}) \Big/ \sum_{i=1}^{n}(x_i - \bar{x})^2$，切片 $\hat{\alpha}$ は $\hat{\alpha} = \bar{Y} - \hat{\beta}\bar{x}$ と確率変数 $Y_1, Y_2, \cdots, Y_n$ の関数で表せることに注意しなければならない。

あとは問題の解答のように変形していき，$\hat{\beta} \sim N(\beta, \frac{\sigma^2}{n(s_x)^2}), \hat{\alpha} \sim N(\alpha, \sigma^2 \frac{\bar{x^2}}{n(s_x)^2})$ がわかる。実はこれにはいい記憶法があり，多次元正規分布を使って，

$$(\hat{\alpha}, \hat{\beta}) \sim N\left(\begin{pmatrix}\alpha \\ \beta\end{pmatrix}, \sigma^2\begin{pmatrix}\frac{\bar{x^2}}{n(s_x)^2} & -\frac{\bar{x}}{n(s_x)^2} \\ -\frac{\bar{x}}{n(s_x)^2} & \frac{1}{n(s_x)^2}\end{pmatrix}\right) = N\left(\begin{pmatrix}\alpha \\ \beta\end{pmatrix}, \frac{\sigma^2}{n}\begin{pmatrix}1 & \bar{x} \\ \bar{x} & \bar{x^2}\end{pmatrix}^{-1}\right)$$

とすると記憶しやすい。

ここで，$\begin{pmatrix}1 & \bar{x} \\ \bar{x} & \bar{x^2}\end{pmatrix}$ は正規方程式の係数行列でその逆行列が現れているのである。これよりたとえば，σ^2 が未知のときの β の**信頼区間**は，統計量として $\hat{\beta}$ の**標準化** $\frac{\hat{\beta}-\beta}{\sqrt{V(\hat{\beta})}}$ を考え，$V(\hat{\beta}) = \frac{\sigma^2}{n(s_x)^2}$ において，σ^2 を $\hat{\sigma}^2 \left(= \frac{1}{n-2}\sum_{i=1}^{n}(Y_i - (\hat{\alpha} + \hat{\beta}x_i)^2)\right)$ におき換えて（p.163 の TeaTime 参照），

$$T = \frac{\hat{\beta} - \beta}{\sqrt{\frac{\hat{\sigma}^2}{n(s_x)^2}}} = \frac{\hat{\beta} - \beta}{\sqrt{\hat{\sigma}^2 \frac{V(\hat{\beta})}{\sigma^2}}} = \frac{\frac{\hat{\beta}-\beta}{\sqrt{V(\hat{\beta})}}}{\sqrt{\frac{(n-2)\frac{\hat{\sigma}^2}{\sigma^2}}{n-2}}} \sim t_{n-2}$$

よって，**信頼度** $1-\varepsilon$ での β の信頼区間

$$\hat{\beta} - t_{n-2}(\varepsilon/2)\sqrt{\frac{\hat{\sigma}^2}{n(s_x)^2}} \leqq \beta \leqq \hat{\beta} + t_{n-2}(\varepsilon/2)\sqrt{\frac{\hat{\sigma}^2}{n(s_x)^2}}$$

解答

$$\hat{\beta} = \frac{\sum_{i=1}^{n}(x_i - \bar{x})(Y_i - \bar{Y})}{\sum_{i=1}^{n}(x_i - \bar{x})^2}$$

問題 72 [発展] 回帰分析 II 確率分布の前提を用いた回帰モデル

$$=\frac{\sum_{i=1}^{n}(x_i-\bar{x})(\alpha+\beta x_i+\varepsilon_i)}{\sum_{i=1}^{n}(x_i-\bar{x})^2}-\bar{Y}\frac{\sum_{i=1}^{n}(x_i-\bar{x})}{\sum_{i=1}^{n}(x_i-\bar{x})^2}$$

$$=\beta\frac{\sum_{i=1}^{n}(x_i-\bar{x})x_i}{\sum_{i=1}^{n}(x_i-\bar{x})^2}+\frac{\sum_{i=1}^{n}(x_i-\bar{x})\varepsilon_i}{\sum_{i=1}^{n}(x_i-\bar{x})^2}=\beta+\sum_{i=1}^{n}c_i\varepsilon_i \text{★1}$$

すると,

$$E(\hat{\beta})=\beta+\sum_{i=1}^{n}c_iE(\varepsilon_i)=\beta \quad (\hat{\beta}\text{は}\beta\text{の不偏推定量})$$

$$V(\hat{\beta})=V\left(\beta+\sum_{i=1}^{n}c_i\varepsilon_i\right)=V\left(\sum_{i=1}^{n}c_i\varepsilon_i\right)=\sum_{i=1}^{n}c_i^2 V(\varepsilon_i)$$

$$=\sigma^2\sum_{i=1}^{n}c_i^2=\sigma^2\frac{\sum_{i=1}^{n}(x_i-\bar{x})^2}{\left(\sum_{i=1}^{n}(x_i-\bar{x})^2\right)^2}=\frac{\sigma^2}{\sum_{i=1}^{n}(x_i-\bar{x})^2}$$

$$\therefore \quad \hat{\beta}\sim N\left(\beta,\frac{\sigma^2}{n(s_x)^2}\right)$$

$$\hat{\alpha}=\bar{Y}-\hat{\beta}\bar{x}=\frac{1}{n}\sum_{i=1}^{n}(\alpha+\beta x_i+\varepsilon_i)-(\beta+\sum_{i=1}^{n}c_i\varepsilon_i)\bar{x}$$

$$=\alpha+\beta\bar{x}+\frac{1}{n}\sum_{i=1}^{n}\varepsilon_i-\beta\bar{x}-\sum_{i=1}^{n}c_i\varepsilon_i\bar{x}=\alpha+\sum_{i=1}^{n}\left(\frac{1}{n}-c_i\bar{x}\right)\varepsilon_i$$

$$E(\hat{\alpha})=\alpha+\sum_{i=1}^{n}\left(\frac{1}{n}-c_i\bar{x}\right)E(\varepsilon_i)=\alpha \quad (\hat{\alpha}\text{は}\alpha\text{の不偏推定量})$$

$$V(\hat{\alpha})=\sum_{i=1}^{n}\left(\frac{1}{n}-c_i\bar{x}\right)^2\sigma^2=\sigma^2\sum_{i=1}^{n}\left(\frac{1}{n^2}-\frac{2}{n}c_i\bar{x}+c_i^2\bar{x}^2\right)$$

$$=\sigma^2\left(\frac{1}{n}+0+\frac{\bar{x}^2}{\sum_{i=1}^{n}(x_i-\bar{x})^2}\right)=\sigma^2\left(\frac{1}{n}+\frac{\bar{x}^2}{\sum_{i=1}^{n}(x_i-\bar{x})^2}\right)$$

$$\therefore \quad \hat{\alpha}\sim N\left(\alpha,\sigma^2\left(\frac{\overline{x^2}}{n(s_x)^2}\right)\right)\text{★2}$$

σ^2 が既知のときは, $\hat{\beta}$ の標準化 $=(\hat{\beta}-\beta)/\frac{\sigma}{\sqrt{n}s_x}\sim N(0,1)$ となるので, $P(N(0,1)>u(\frac{\varepsilon}{2}))=\frac{\varepsilon}{2}$ をとってきて, 求める信頼度 $1-\varepsilon$ での β の信頼区間は,

$$\hat{\beta}-u\left(\frac{\varepsilon}{2}\right)\sqrt{\frac{\sigma^2}{n(s_x)^2}}<\beta<\hat{\beta}+u\left(\frac{\varepsilon}{2}\right)\sqrt{\frac{\sigma^2}{n(s_x)^2}}$$

★1
$c_i=\frac{x_i-\bar{x}}{\sum_{i=1}^{n}(x_i-\bar{x})^2}$
とおくと,
$$\sum_{i=1}^{n}c_i x_i$$
$$=\frac{\sum_{i=1}^{n}x_i(x_i-\bar{x})}{\sum_{i=1}^{n}(x_i-\bar{x})^2}$$
$$=\frac{\sum_{i=1}^{n}(x_i-\bar{x})(x_i-\bar{x})}{\sum_{i=1}^{n}(x_i-\bar{x})^2}$$
$$=1.$$

★2
$(s_x)^2+(\bar{x})^2=\overline{x^2}.$

Tea Time ●適合度検定

一般には証明は難しいので，$k=2$ の場合に説明しよう。この場合は，$n_1(=X$ とおく$)$ は 2 項分布 $B(N, p_1)$ に従い，$n_2 = N - n_1$ である。すると，$p_1 + p_2 = 1$ より

$$\frac{(n_1 - Np_1)^2}{Np_1} + \frac{(n_2 - Np_2)^2}{Np_2} = \frac{(X - Np_1)^2}{Np_1} + \frac{(N - X - (N - Np_1))^2}{Np_2}$$

$$= (X - Np_1)^2 \left(\frac{1}{Np_1} + \frac{1}{Np_2}\right) = (X - Np_1)^2 \frac{Np_1 + Np_2}{Np_1 Np_2}$$

$$= \frac{(X - Np_1)^2}{Np_1(1 - p_1)} = \left(\frac{X - Np_1}{\sqrt{Np_1(1 - p_1)}}\right)^2 \Longrightarrow (N(0,1)^2 = \chi_1^2) \quad \text{(中心極限定理より)}$$

Tea Time ●クラメール＝ラオの不等式の証明

母集団が連続の場合，

$$1 = \int f_X(x_1|\theta)dx_1 \int f_X(x_2|\theta)dx_2 \cdots \int f_X(x_n|\theta)dx_n$$
$$= \iint \cdots \int L(x_1, x_2, \cdots, x_n|\theta)dx_1 dx_2 \cdots dx_n$$

より，θ で微分して，

$$0 = \iint \cdots \int \frac{\partial L(x_1, x_2, \cdots, x_n|\theta)}{\partial \theta} dx_1 dx_2 \cdots dx_n$$
$$= \iint \cdots \int \frac{\partial \log L(x_1, x_2, \cdots, x_n|\theta)}{\partial \theta} L dx_1 dx_2 \cdots dx_n = E\left(\frac{\partial \log L}{\partial \theta}\right)$$

また，T_n は θ の不偏推定量より，

$$\theta = E(T_n) = \iint \cdots \int T_n(x_1, x_2, \cdots, x_n) L(x_1, x_2, \cdots, x_n|\theta) dx_1 dx_2 \cdots dx_n$$

より，θ で微分して，

$$1 = \iint \cdots \int T_n(x_1, x_2, \cdots, x_n) \frac{\partial L(x_1, x_2, \cdots, x_n|\theta)}{\partial \theta} dx_1 dx_2 \cdots dx_n$$
$$= \iint \cdots \int T_n(x_1, x_2, \cdots, x_n) \frac{\partial \log L(x_1, x_2, \cdots, x_n|\theta)}{\partial \theta} L dx_1 dx_2 \cdots dx_n$$
$$= E\left(T_n \frac{\partial}{\partial \theta} \log L\right)$$

よって，θ は定数なので，$0 = E\left(\theta \frac{\partial}{\partial \theta} \log L\right)$ より，

$$1 = E\left((T_n - \theta) \frac{\partial}{\partial \theta} \log L\right)$$

よって，コーシー＝シュワルツの不等式より，

$$1 \leq E((T_n - \theta)^2) E\left(\left(\frac{\partial}{\partial \theta} \log L\right)^2\right)$$

つまり，$V(T_n) \geqq \frac{1}{E\left(\frac{\partial}{\partial \theta} \log L\right)^2}$ また，$0 = E(\frac{\partial \log L}{\partial \theta})$ より，

$$E\left(\frac{\partial}{\partial \theta} \log L\right)^2 = V\left(\frac{\partial \log L}{\partial \theta}\right)$$
$$= V\left(\frac{\partial \log f}{\partial \theta}(X_1) + \frac{\partial \log f}{\partial \theta}(X_2) + \cdots + \frac{\partial \log f}{\partial \theta}(X_n)\right)$$
$$= nV\left(\frac{\partial \log f}{\partial \theta}(X_1)\right) = nV\left(\frac{\frac{\partial f}{\partial \theta}}{f}(X_1)\right)$$

となるが，この $V\left(\frac{\partial \log f}{\partial \theta}(X_1)\right)$ を**フィッシャー情報量**という。

また，コーシー＝シュワルツの等号成立条件は，$T_n - \theta = c\frac{\partial}{\partial \theta} \log L$ である。最尤推定量は $\frac{\partial}{\partial \theta} \log L = 0$ となるので，このとき $\hat{\theta} = T_n$，つまり，有効推定量は最尤推定量である。

Tea Time ●重回帰分析

回帰分析では，説明変数が複数ある場合（重回帰分析）も現実的に重要である。ここでは説明変数が 2 個の場合を考える。データ (x_{1i}, x_{2i}, y_i) $(i = 1, 2, \cdots, n)$ が与えられたとき，x_1, x_2 を説明変数，y を被説明変数とする，次の重回帰分析を考える。$y = \alpha + \beta_1 x_1 + \beta_2 x_2$ として $Q = \sum_{i=1}^{n}(y_i - (\alpha + \beta_1 x_{1i} + \beta_2 x_{2i}))^2$ を最小にする $\hat{\alpha}, \hat{\beta}_1, \hat{\beta}_2$ は，単回帰と同様にして $0 = \frac{\partial Q}{\partial \alpha} = \frac{\partial Q}{\partial \beta_1} = \frac{\partial Q}{\partial \beta_2}$ より，$(\alpha, \beta_1, \beta_2)$ の満たす方程式（正規方程式）は

$$\begin{pmatrix} 1 & \overline{x_1} & \overline{x_2} \\ \overline{x_1} & \overline{x_1^2} & \overline{x_1 x_2} \\ \overline{x_2} & \overline{x_1 x_2} & \overline{x_2^2} \end{pmatrix} \begin{pmatrix} \hat{\alpha} \\ \hat{\beta}_1 \\ \hat{\beta}_2 \end{pmatrix} = \begin{pmatrix} \overline{y} \\ \overline{x_1 y} \\ \overline{x_2 y} \end{pmatrix}$$

Tea Time ●α の信頼区間

σ^2 が未知のときの信頼度 $1 - \varepsilon$ での α の信頼区間は，

$$\hat{\alpha} - t_{n-2}(\varepsilon/2)\sqrt{\hat{\sigma^2}\left(\frac{\overline{x^2}}{n(s_x)^2}\right)} \leqq \alpha \leqq \hat{\alpha} + t_{n-2}(\varepsilon/2)\sqrt{\hat{\sigma^2}\left(\frac{\overline{x^2}}{n(s_x)^2}\right)}$$

となる。

Tea Time　　　　　　　　　　　　　　　全変動と回帰変動，$\hat{\sigma}^2$ の計算

全変動＝回帰変動＋残差変動の計算

$$全変動 = \sum_{i=1}^{n}(y_i - \bar{y})^2 = \sum_{i=1}^{n}(e_i + \hat{y}_i - \bar{y})^2$$

$$= \sum_{i=1}^{n} e_i^2 + 2\sum_{i=1}^{n} e_i(\hat{y}_i - \bar{y}) + \sum_{i=1}^{n}(\hat{y}_i - \bar{y})^2$$

$$= \sum_{i=1}^{n}(\hat{y}_i - \bar{y})^2 + \sum_{i=1}^{n} e_i^2 = 回帰変動 + 残差変動$$

回帰変動＝相関係数^2× 全変動 の計算

$$回帰変動 = \sum_{i=1}^{n}(\hat{y}_i - \bar{y})^2 = \sum_{i=1}^{n}(\hat{\alpha} + \hat{\beta}x_i - (\hat{\alpha} + \hat{\beta}\bar{x}))^2$$

$$= \hat{\beta}^2 \sum_{i=1}^{n}(x_i - \bar{x})^2 = \frac{(r_{xy})^2(s_y)^2}{(s_x)^2} \times n(s_x)^2 = (r_{xy})^2 \times 全変動$$

よって，決定係数 $R^2 = \dfrac{回帰変動}{全変動} = (r_{xy})^2$

$\hat{\sigma}^2$ の実際の計算

$$\hat{\sigma}^2 = \frac{1}{n-2}\sum_{i=1}^{n} e_i^2 = \frac{1}{n-2}(残差変動)$$

$$= \frac{1}{n-2}(全変動 - 回帰変動) = \frac{1}{n-2}(1 - 決定係数\ R^2)(全変動)$$

$$= \frac{1}{n-2}(1 - (r_{xy})^2)(n(s_y)^2)$$

で計算するとよい。

Tea Time　　　　　　　　　　　　　　　$\hat{S}^2$ の分布と $\hat{S}^2, \bar{X}$ の独立性

　$\hat{S}^2$ の分布と $\hat{S}^2, \bar{X}$ の独立性は，数理統計において重要かつ基本的であるが，証明が省略されている本が多いのでよく質問される。そこで，簡単のため，$n=4$ で述べるが，容易に n に拡張できる。
X'_1, X'_2, X'_3, X'_4 を $N(\mu, \sigma^2)$ 母集団からの 4 個の標本（つまり，$X'_1 \sim X'_2 \sim X'_3 \sim X'_4 \sim N(\mu, \sigma^2)$ で独立）とする。このとき，$\hat{S}^2 = \dfrac{1}{3}\sum_{i=1}^{4}(X'_i - \bar{X}')^2 \sim \dfrac{\sigma^2 \chi_3^2}{3}$ で，$\hat{S}^2$ と $\bar{X}'$ は独立である。
　$X_i = X'_i$ の標準化 $= \dfrac{X'_i - \mu}{\sigma}$ とおくと $X_1 \sim X_2 \sim X_3 \sim X_4 \sim N(0,1)$ で独立である。

まず T を直交行列（$T^tT = E(=$ 単位行列$)$）とすると

$\begin{pmatrix} Y_1 \\ Y_2 \\ Y_3 \\ Y_4 \end{pmatrix} = T \begin{pmatrix} X_1 \\ X_2 \\ X_3 \\ X_4 \end{pmatrix}$ は $Y_1 \sim Y_2 \sim Y_3 \sim Y_4 \sim \mathrm{N}(0,1)$ で独立である．なぜなら，

$$E(e^{\alpha_1 Y_1 + \alpha_2 Y_2 + \alpha_3 Y_3 + \alpha_4 Y_4}) = E(\exp((\alpha_1, \alpha_2, \alpha_3, \alpha_4) \begin{pmatrix} Y_1 \\ Y_2 \\ Y_3 \\ Y_4 \end{pmatrix}))$$

$$= E(\exp((\alpha_1, \alpha_2, \alpha_3, \alpha_4) T \begin{pmatrix} X_1 \\ X_2 \\ X_3 \\ X_4 \end{pmatrix}))$$

$$= \exp(\frac{1}{2}|(\alpha_1, \alpha_2, \alpha_3, \alpha_4)T|^2) = \exp(\frac{1}{2}(\alpha_1, \alpha_2, \alpha_3, \alpha_4)T^tT \begin{pmatrix} \alpha_1 \\ \alpha_2 \\ \alpha_3 \\ \alpha_4 \end{pmatrix})$$

$$= \exp(\frac{1}{2}(\alpha_1, \alpha_2, \alpha_3, \alpha_4) \begin{pmatrix} \alpha_1 \\ \alpha_2 \\ \alpha_3 \\ \alpha_4 \end{pmatrix}) = \exp(\frac{1}{2}(\alpha_1^2 + \alpha_2^2 + \alpha_3^2 + \alpha_4^2))$$

となり，これは 4 つの独立な $\mathrm{N}(0,1)$ の同時モーメント母関数である．

そこで直交行列 T として，$T = \begin{pmatrix} \frac{1}{\sqrt{4}} & \frac{1}{\sqrt{4}} & \frac{1}{\sqrt{4}} & \frac{1}{\sqrt{4}} \\ \frac{1}{\sqrt{1\cdot 2}} & \frac{-1}{\sqrt{1\cdot 2}} & 0 & 0 \\ \frac{1}{\sqrt{2\cdot 3}} & \frac{1}{\sqrt{2\cdot 3}} & \frac{-2}{\sqrt{2\cdot 3}} & 0 \\ \frac{1}{\sqrt{3\cdot 4}} & \frac{1}{\sqrt{3\cdot 4}} & \frac{1}{\sqrt{3\cdot 4}} & \frac{-3}{\sqrt{3\cdot 4}} \end{pmatrix}$ をとると，

$\begin{pmatrix} Y_1 \\ Y_2 \\ Y_3 \\ Y_4 \end{pmatrix} = T \begin{pmatrix} X_1 \\ X_2 \\ X_3 \\ X_4 \end{pmatrix} = \begin{pmatrix} \frac{X_1+X_2+X_3+X_4}{\sqrt{4}} \\ \frac{X_1-X_2}{\sqrt{1\cdot 2}} \\ \frac{X_1+X_2-2X_3}{\sqrt{2\cdot 3}} \\ \frac{X_1+X_2+X_3-3X_4}{\sqrt{3\cdot 4}} \end{pmatrix}$ となる．また直交行列の性質（直交行列変換は

距離を変えない）より，$Y_1^2 + Y_2^2 + Y_3^2 + Y_4^2 = X_1^2 + X_2^2 + X_3^2 + X_4^2$ なので，

$$\frac{\hat{S}^2}{\sigma^2} = \frac{1}{3} \sum_{i=1}^{4} \frac{(X_i' - \bar{X}')^2}{\sigma^2}$$

$$= \frac{1}{3} \sum_{i=1}^{4} (X_i - \bar{X})^2 = \frac{1}{3} \sum_{i=1}^{4} (X_i^2 - 2\bar{X}X_i + \bar{X}^2)$$

$$= \frac{1}{3}(\sum_{i=1}^{4} X_i^2 - 4\bar{X}^2) = \frac{1}{3}\left(\sum_{i=1}^{4} X_i^2 - (\sqrt{4}\bar{X})^2\right)$$

$$= \frac{1}{3}(Y_2^2 + Y_3^2 + Y_4^2)$$

となり，$\dfrac{\hat{S}^2}{\sigma^2} \sim \dfrac{\chi_3^2}{3}$ で，$\bar{X}' = \mu + \sigma\bar{X} = \mu + \sigma\dfrac{Y_1}{\sqrt{4}}$ と独立である。

また，回帰モデルの

$$\hat{\sigma^2} = \frac{1}{n-2}\sum_{i=1}^{n}(Y_i - (\hat{\alpha} + \hat{\beta}x_i))^2$$
$$= \frac{1}{n-2}\sum_{i=1}^{n}((\alpha - \hat{\alpha}) + x_i(\beta - \hat{\beta}) + \varepsilon_i)^2$$

も

$$\begin{pmatrix} \frac{1}{\sqrt{n}} & \frac{1}{\sqrt{n}} & \cdots & \frac{1}{\sqrt{n}} \\ \frac{x_1-\bar{x}}{s_x} & \frac{x_2-\bar{x}}{s_x} & \cdots & \frac{x_n-\bar{x}}{s_x} \\ \cdot & \cdot & \cdots & \cdot \\ \cdot & \cdot & \cdots & \cdot \end{pmatrix} \begin{pmatrix} \varepsilon_1 \\ \varepsilon_2 \\ \cdot \\ \cdot \\ \varepsilon_n \end{pmatrix}$$ (第 3 行目以降はグラムシュミットの直交化より 1 行目，2 行目と直交するようにとる) を考えると前と同様にして

$$\hat{\sigma^2} = \frac{1}{n-2}((3\,行目)^2 + (4\,行目)^2 + \cdots + (n\,行目)^2) \sim \sigma^2\frac{\chi_{n-2}^2}{n-2}$$

がわかる (必要な線形代数の知識の復習は，『弱点克服 大学生の線形代数』を参照)。

Tea Time ●統計量とその実現値

確率では確率変数の実現値には関心がないのだが，統計においては実現値は重要である。たとえば，サイコロは振る前は確率変数であるが，振った後，$6, 5, 6, 1, 2, 6, \cdots$ と出れば，それらが実現値となる。統計においても，調査をする際に電話帳で無作為に n 個の標本 $X_1, X_2, \cdots, X_n$ を選んだ段階では確率変数であるが，電話で聴いた後では $x_1, x_2, \cdots, x_n$ と $X_1, X_2, \cdots, X_n$ の実現値になる。推定において，$P()$ の $()$ の中に入る部分は事象なので，大文字の $X_1, X_2, \cdots, X_n$ で表すが，$P()$ の外に出すとそれらの実現値 $x_1, x_2, \cdots, x_n$ におき換わる。

Chapter 7

確率過程とモデリング

ここから，発展的な内容ではあるが，近年とくに注目されている応用範囲の広い事項でもある。なるべく最小限の知識で理解できるように解説を試みたので，意欲をもって学んでほしい。

問題 73　時系列解析 I　$AR(1)$　　基本

Y_t を $Y_t = 0.2 + 0.3Y_{t-1} + \varepsilon_t$, $\varepsilon_t, \varepsilon_{t-1}, \cdots, \varepsilon_1, \varepsilon_0, \varepsilon_{-1}, \cdots$ は独立かつ同分布で，$\varepsilon_i \sim \mathrm{N}(0, \sigma^2)$ と決める．
(1)　Y_t を $\varepsilon_t, \varepsilon_{t-1}, \cdots, \varepsilon_{t-n}, Y_{t-n-1}$ で表せ．
(2)　(1) において $n \to \infty$ として，Y_t を $\varepsilon_t, \varepsilon_{t-1}, \cdots, \varepsilon_1, \varepsilon_0, \varepsilon_{-1}, \cdots$ で表せ．
(3)　$E(Y_t)$, $V(Y_t)$, $\mathrm{Cov}(Y_t, Y_{t-h})$ を求めよ．

解 説　t を時間（$t = 0, 1, 2, \cdots$ または非負実数）として，パラメータ t つきの確率変数 X_t を**確率過程**という．単なる確率変数との違いは，

$0 < t_1 < t_2 < \cdots < t_n$, $k_1, k_2, \cdots, k_n$ に対して，
すべての同時分布（有限次元分布）が $P(X_{t_1} = k_1 \cap X_{t_2} = k_2 \cap \cdots \cap X_{t_n} = k_n)$

と定義され，計算されることにある．これが簡単に計算される，いちばん有名なものに，あと（問題 76）でみる**マルコフ性**があるが，本問のような**時系列解析**における確率過程では，**定常性**（時間がかわっても確率分布が不変）や**正規性**（多次元正規分布なら平均ベクトルと分散共分散行列で分布決定）の条件を重要視する．

$$Y_t = \phi_0 + \phi_1 Y_{t-1} + \varepsilon_t \qquad (*)$$
ここで，$\varepsilon_t, \varepsilon_{t-1}, \cdots, \varepsilon_1, \varepsilon_0, \varepsilon_{-1}, \cdots$ は独立同分布で，$\varepsilon_u \sim \mathrm{N}(0, \sigma^2)$

この意味は，たとえば，Y_t を時刻 t での株価とすると Y_t は 時刻 $t-1$ での株価 Y_{t-1} の ϕ_1 倍分と確実に増える ϕ_0 の分と新しくつけ加えられる不確実性 ε_t の和で表されるということである．

このモデルを $AR(1)$，1 次の**自己回帰モデル**(Autoregressive Model) と呼ぶ．このとき，$Y_t = \phi_0(1 + \phi_1 + \cdots + \phi_1^n) + \phi_1^{n+1} Y_{t-n-1} + (\varepsilon_t + \phi_1 \varepsilon_{t-1} + \cdots + \phi_1^n \varepsilon_{t-n})$ となるので，$-1 < \phi_1 < 1$ の条件を課すと，$n \to \infty$（無限の過去にさかのぼる）として，$Y_t = \dfrac{\phi_0}{1 - \phi_1} + \sum_{i=0}^{\infty} \phi_1^i \varepsilon_{t-i}$ と表され，これを $AR(1)$ の $MA(\infty)$ **表現**という．

この表現をもてば，

$$E(Y_t) = \frac{\phi_0}{1 - \phi_1} + \sum_{i=0}^{\infty} \phi_1^i E(\varepsilon_{t-i}) = \frac{\phi_0}{1 - \phi_1}$$

$$\mathrm{Cov}(Y_t, Y_{t-h}) = \sum_{i=0}^{\infty} \sum_{j=0}^{\infty} \phi_1^i \phi_1^j \mathrm{Cov}(\varepsilon_{t-i}, \varepsilon_{t-j-h}) = \sum_{j=0}^{\infty} \phi_1^{j+h} \phi_1^j \sigma^2 = \frac{\sigma^2 \phi_1^h}{1 - \phi_1^2}$$

となり，定常性がみたされ，さらに平均 $E(Y_t)$，時差 h の共分散 $\mathrm{Cov}(Y_t, Y_{t-h})$ が

計算されることがわかる。逆に，$|\phi_1| \geqq 1$ なら上の表現が収束しないこと，つまり，Y_t が定常 $\longleftrightarrow |\phi_1| < 1$ はすぐにわかる。

また，この定常性のもとでは，(*) の両辺の期待値をとることから，$\mu = \phi_0 + \phi_1 \mu$ より，$\mu = \dfrac{\phi_0}{1 - \phi_1}$ となる。$\gamma_h = \mathrm{Cov}(Y_t, Y_{t-h})$ とおくと，(*) の両辺と Y_t との共分散（両辺の分散）を計算することにより，$\gamma_0 = \phi_1 \gamma_1 + \sigma^2$ となる。

(*) の両辺と Y_{t-1} との共分散を計算することにより，$\gamma_1 = \phi_1 \gamma_0$ で，この連立方程式（**ユールウォーカー方程式**）を解いて，

$$\gamma_0 = \frac{\sigma^2}{1 - \phi_1^2}, \quad \gamma_1 = \frac{\phi_1 \sigma^2}{1 - \phi_1^2}$$

(*) と Y_{t-h} の共分散をとることにより，$h \geqq 1$ として，$\gamma_h = \phi_1 \gamma_{h-1}$ であり，

$$\gamma_h = \frac{\sigma^2 \phi_1^h}{1 - \phi_1^2} \quad (h \geqq 1)$$

解答

(1) $0.2 = \phi_0, 0.3 = \phi_1$ とおくと，

$$\begin{aligned}
Y_t &= \phi_0 + \phi_1(\phi_0 + \phi_1 Y_{t-2} + \varepsilon_{t-1}) + \varepsilon_t \\
&= \cdots = \phi_0 + \phi_0 \phi_1 + \cdots + \phi_0(\phi_1)^n + (\phi_1)^{n+1} Y_{t-n-1} \\
&\quad + \varepsilon_t + \phi_1 \varepsilon_{t-1} + \cdots (\phi_1)^n \varepsilon_{t-n} \\
&= \frac{2}{7}\left(1 - \left(\frac{3}{10}\right)^{n+1}\right) + (0.3)^{n+1} Y_{t-n-1} + \sum_{i=0}^{n} (0.3)^i \varepsilon_{t-i}
\end{aligned}$$

(2) $n \to \infty$ として $Y_t = \dfrac{2}{7} + \sum_{i=0}^{\infty} (0.3)^i \varepsilon_{t-i}$

(3) ★1 $E(Y_t) = \dfrac{2}{7} + \sum_{i=0}^{\infty} (0.3)^i E(\varepsilon_{t-i}) = \dfrac{2}{7}$

$$\begin{aligned}
\gamma_0 = V(Y_t) &= V\left(\frac{2}{7} + \sum_{i=0}^{\infty} (0.3)^i \varepsilon_{t-i}\right) \\
&= \sum_{i=0}^{\infty} V((0.3)^i \varepsilon_{t-i}) = \sum_{i=0}^{\infty} (0.3)^{2i} \sigma^2 = \frac{\sigma^2}{0.91}
\end{aligned}$$

$$\begin{aligned}
\gamma_h = \mathrm{Cov}(Y_t, Y_{t-h}) &= \mathrm{Cov}(0.2 + 0.3 Y_{t-1} + \varepsilon_t, Y_{t-h}) \\
&= 0.3\mathrm{Cov}(Y_{t-1}, Y_{t-h}) + \mathrm{Cov}(\varepsilon_t, Y_{t-h})^{★2} = 0.3 \gamma_{h-1} \ (h \geqq 1)
\end{aligned}$$

$\gamma_h = \gamma_0 (0.3)^h = \dfrac{\sigma^2}{0.91}(0.3)^h$

★1 ここで求める $E(Y_t), V(Y_t), \mathrm{Cov}(Y_t, Y_{t-h})$ は t に依存しない。この性質を Y_t は定常（正確にいうと弱定常）であるという。

★2 Y_{t-h} は $\varepsilon_{t-h}, \varepsilon_{t-h-1}, \cdots$ で書いているので，明らかに ε_t と独立であり，独立ならば無相関である。

問題 74 時系列解析 II $AR(2)$ 標準

$Y_t = \frac{5}{12} + \frac{7}{12}Y_{t-1} - \frac{1}{12}Y_{t-2} + \varepsilon_t$ とする。ここで $\varepsilon_t, \cdots, \varepsilon_1, \varepsilon_0, \varepsilon_{-1}, \cdots$ は独立で同分布 $(E(\varepsilon) = 0, V(\varepsilon) = \sigma^2)$ とする。

(1) $Y_t = \mu + \sum_{i=0}^{\infty} a_i \varepsilon_{t-i}$ とおくとき，μ を求め，

$a_i = \frac{7}{12}a_{i-1} - \frac{1}{12}a_{i-2}$, $a_0 = 1$, $a_1 = \frac{7}{12}$ を示し，a_i を求めよ。

(2) $V(Y_t)$, $\text{Cov}(Y_t, Y_{t-h})$ を求めよ。

解説

$$Y_t = \phi_0 + \phi_1 Y_{t-1} + \phi_2 Y_{t-2} + \varepsilon_t \quad (*)$$

ε_i は $i.i.d.$（独立同分布をこう記す）で $N(0, \sigma^2)$ に従うとき，このモデルを $AR(2)$ という。まず，この定常性を調べてみよう。「$AR(2)$ が定常 $\iff$ 特性方程式 $\phi(t) = t^2 - \phi_1 t - \phi_2 = 0$ のすべての解の絶対値（虚解の場合も含む）が 1 より小さい」となる。

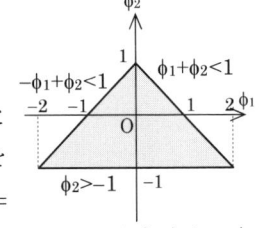

注：計量経済学（時系列解析）では特性方程式を $\phi(t) = 1 - \phi_1 t - \phi_2 t^2 = 0$ としている。

(イ) 実解をもつ場合，$D = \phi_1^2 + 4\phi_2 \geqq 0$. このときは，
$\phi(-1) = 1 + \phi_1 - \phi_2 > 0, \phi(1) = 1 - \phi_1 - \phi_2 > 0, -1 <$ 軸 < 1

(ロ) 2 虚解の場合，$D = \phi_1^2 + 4\phi_2 < 0$
$|\alpha|^2 = |\bar{\alpha}|^2 = \left(\frac{\phi_1}{2}\right)^2 + \left(\frac{\sqrt{-\phi_1^2 - 4\phi_2}}{2}\right)^2 = -\phi_2 < 1$, つまり，$\phi_2 > -1$.

(イ), (ロ) をまとめると，

> $AR(2)$ が定常性をもつ $\rightleftarrows$ $1 + \phi_1 - \phi_2 > 0$ かつ $1 - \phi_1 - \phi_2 > 0$ かつ $\phi_2 > -1$
> （とくに必要条件として，$-1 < \phi_2 < 1$ かつ $-2 < \phi_1 < 2$ を注意しておく）

平均は，期待値をとって，$\mu = \phi_0 + \phi_1 \mu + \phi_2 \mu$ $\therefore$ $\mu = \frac{\phi_0}{1 - \phi_1 - \phi_2}$

分散，自己共分散は，$Y_t - \mu = \phi_1(Y_{t-1} - \mu) + \phi_2(Y_{t-2} - \mu) + \varepsilon_t$（ユールウォーカー）より，

$$\gamma_0 = \phi_1 \gamma_1 + \phi_2 \gamma_2 + \sigma^2$$
$$\gamma_1 = \phi_1 \gamma_0 + \phi_2 \gamma_1 \quad \left[\gamma_1 = \frac{\phi_1}{1 - \phi_2}\gamma_0\right]$$

$$\gamma_2 = \phi_1\gamma_1 + \phi_2\gamma_0 \quad \left[\gamma_2 = \left(\frac{\phi_1{}^2}{1-\phi_2} + \phi_2\right)\gamma_0\right]$$

$n \geqq 3$ のとき $\quad \gamma_n = \phi_1\gamma_{n-1} + \phi_2\gamma_{n-2}$ （この差分方程式（漸化式）を解く）

$$\therefore \quad \gamma_0 = \frac{\sigma^2}{1-\left(\frac{\phi_1^2(1+\phi_2)}{1-\phi_2}+\phi_2^2\right)} = \frac{1-\phi_2}{1+\phi_2}\frac{\sigma^2}{(1-\phi_2)^2-\phi_1^2} \quad (>0)$$

解答

(1) $Y_t = \dfrac{5}{12} + \dfrac{7}{12}Y_{t-1} - \dfrac{1}{12}Y_{t-2} + \varepsilon_t$ より,

$$\mu + \sum_{i=0}^{\infty} a_i\varepsilon_{t-i}$$
$$= \frac{5}{12} + \frac{7}{12}\left(\mu + \sum_{i=0}^{\infty} a_i\varepsilon_{t-1-i}\right) - \frac{1}{12}\left(\mu + \sum_{i=0}^{\infty} a_i\varepsilon_{t-2-i}\right) + \varepsilon_t$$

よって, $\mu = \dfrac{5}{12} + \dfrac{7}{12}\mu - \dfrac{1}{12}\mu$ から, $\mu = \dfrac{5}{6}$

また, $a_0 = 1, a_1 = \dfrac{7}{12}, i \geqq 2$ で, $a_i = \dfrac{7}{12}a_{i-1} - \dfrac{1}{12}a_{i-2}$ ★1

特性解は, $\dfrac{1}{3}, \dfrac{1}{4}$ より, $a_i = C\left(\dfrac{1}{3}\right)^i + D\left(\dfrac{1}{4}\right)^i$ とおける★2 ので,

$a_0 = 1, a_1 = \dfrac{7}{12}$ より, C, D を求めて, $a_i = 4\left(\dfrac{1}{3}\right)^i - 3\left(\dfrac{1}{4}\right)^i$

(2) $\gamma_0 = V(Y_t)$
$$= \mathrm{Cov}(Y_t, Y_t) = \mathrm{Cov}\left(Y_t, \frac{5}{12} + \frac{7}{12}Y_{t-1} - \frac{1}{12}Y_{t-2} + \varepsilon_t\right)$$
$$= \frac{7}{12}\gamma_1 - \frac{1}{12}\gamma_2 + \sigma^2 \text{★3}$$

$\gamma_1 = \mathrm{Cov}(Y_t, Y_{t-1})$
$$= \mathrm{Cov}\left(\frac{5}{12} + \frac{7}{12}Y_{t-1} - \frac{1}{12}Y_{t-2} + \varepsilon_t, Y_{t-1}\right)$$
$$= \frac{7}{12}\gamma_0 - \frac{1}{12}\gamma_1$$

$\gamma_2 = \mathrm{Cov}(Y_t, Y_{t-2})$
$$= \mathrm{Cov}\left(\frac{5}{12} + \frac{7}{12}Y_{t-1} - \frac{1}{12}Y_{t-2} + \varepsilon_t, Y_{t-2}\right)$$
$$= \frac{7}{12}\gamma_1 - \frac{1}{12}\gamma_0$$

これらを解いて, $(\gamma_0, \gamma_1, \gamma_2) = \left(\dfrac{78}{55}\sigma^2, \dfrac{42}{55}\sigma^2, \dfrac{18}{55}\sigma^2\right)$

$h \geqq 2$ とすると, $\gamma_h = \dfrac{7}{12}\gamma_{h-1} - \dfrac{1}{12}\gamma_{h-2}$. これを解いて,

$$\gamma_h = \left(\frac{270}{55}\left(\frac{1}{3}\right)^h - \frac{192}{55}\left(\frac{1}{4}\right)^h\right)\sigma^2$$

★1 $\sum_{i=0}^{\infty} a_i\varepsilon_{t-1-i}$
$= \sum_{j=1}^{\infty} a_{j-1}\varepsilon_{t-j}$
$= \sum_{i=1}^{\infty} a_{i-1}\varepsilon_{t-i}$,
$\sum_{i=0}^{\infty} a_i\varepsilon_{t-2-i}$
$= \sum_{i=2}^{\infty} a_{i-2}\varepsilon_{t-i}$
の変形に注意。

★2 漸化式の特性方程式は,
$0 = x^2 - \dfrac{7}{12}x + \dfrac{1}{12}$
$= (x - \dfrac{1}{3})(x - \dfrac{1}{4})$.

★3
$\mathrm{Cov}(\varepsilon_t, Y_t) =$
$\mathrm{Cov}(\varepsilon_t, \frac{5}{12} + \frac{7}{12}Y_{t-1}$
$\quad - \frac{1}{12}Y_{t-2} + \varepsilon_t)$
$= \mathrm{Cov}(\varepsilon_t, \varepsilon_t)$
$= V(\varepsilon_t) = \sigma^2$

問題 75 時系列解析 III $MA(q)$ 標準

$Y_t = 2 + \varepsilon_t + \frac{1}{3}\varepsilon_{t-1} + \frac{1}{4}\varepsilon_{t-2}$，$\varepsilon_t, \varepsilon_{t-1}, \cdots, \varepsilon_1, \varepsilon_0, \varepsilon_{-1}, \cdots$ は独立で同分布 ($\varepsilon_i \sim N(0, \sigma^2)$) で，$Y_t$ を決める．
(1) $E(Y_t), V(Y_t), \text{Cov}(Y_t, Y_{t-h})$ を求めよ．
(2) Y_t の分布，(Y_t, Y_{t-1}) の同時分布，(Y_t, Y_{t-2}) の同時分布を求めよ．

解説

$AR(p)$ モデルは明日の株価 Y_t を今日から $p-1$ 日前までの株価と新しくつけ加わる不確実性 ε_t で表現したもので，定常性があれば Y_t は ε_{t-i} の重ね合わせ（無限級数）で書ける．なので最初から Y_t を不確実性 $\varepsilon_t, \varepsilon_{t-1}, \cdots, \varepsilon_{t-q}$ の関数（1次関数）で表現したモデルが，$MA(q)$, q 次の **移動平均モデル** (Moving Average Model) である．

$Y_t = \theta_0 + \varepsilon_t - \theta_1 \varepsilon_{t-1} - \cdots - \theta_q \varepsilon_{t-q}$, ε_t は, $Y_{t-1}, Y_{t-2}, \cdots, \varepsilon_{t-1}, \varepsilon_{t-2}, \cdots$ と独立で，$E(\varepsilon_t) = 0, V(\varepsilon_t) = \sigma^2$ とすると，明らかに $MA(q)$ は定常性を満たす．

このとき，

$\gamma_0 = V(Y_t) = (1 + \theta_1^2 + \cdots + \theta_q^2)\sigma^2$

$\gamma_1 = \text{Cov}(Y_t, Y_{t-1})$
$= \text{Cov}(\theta_0 + \varepsilon_t - \theta_1\varepsilon_{t-1} - \cdots - \theta_q\varepsilon_{t-q}, \theta_0 + \varepsilon_{t-1} - \theta_1\varepsilon_{t-2} - \cdots - \theta_q\varepsilon_{t-q-1})$
$= (-\theta_1 + (-\theta_2)(-\theta_1) + \cdots + (-\theta_q)(-\theta_{q-1}))\sigma^2$
$= (-\theta_1 + \theta_1\theta_2 + \cdots + \theta_{q-1}\theta_q)\sigma^2$

同様に，

$\gamma_2 = (-\theta_2 + \theta_1\theta_3 + \cdots + \theta_{q-2}\theta_q)\sigma^2$

$\cdots$

$\gamma_q = (-\theta_q)\sigma^2$, $\gamma_{q+1} = \cdots = 0$ （γ_h は $h = q+1$ 以降, 0）

などと計算できる．

このように，$MA(q)$ は，q 日より前とは無相関である．また，$AR(p)$ は少し相関は残り，たとえば，$AR(1)$ で h 日前との共分散は $\gamma_h = C\phi_1^h, |\phi_1| < 1$ となり，h が大きいと小さくなることに注意する．

解 答

(1) 両辺の期待値をとって，
$$E(Y_t) = 2 + E(\varepsilon_t) + \frac{1}{3}E(\varepsilon_{t-1}) + \frac{1}{4}E(\varepsilon_{t-2}) = 2$$
両辺の分散をとって，
$$V(Y_t) = V\left(2 + \varepsilon_t + \frac{1}{3}\varepsilon_{t-1} + \frac{1}{4}\varepsilon_{t-2}\right)$$
$$= \left(1 + \frac{1}{9} + \frac{1}{16}\right)\sigma^2 = \frac{169}{144}\sigma^2$$
$$\gamma_1 = \text{Cov}(Y_t, Y_{t-1})$$
$$= \text{Cov}\left(2 + \varepsilon_t + \frac{1}{3}\varepsilon_{t-1} + \frac{1}{4}\varepsilon_{t-2}, 2 + \varepsilon_{t-1} + \frac{1}{3}\varepsilon_{t-2} + \frac{1}{4}\varepsilon_{t-3}\right)$$
$$= \sigma^2\left(\frac{1}{3} + \frac{1}{3}\cdot\frac{1}{4}\right) = \frac{5}{12}\sigma^2 \text{★1}$$
同様に，$\gamma_2 = \frac{1}{4}\text{Cov}(Y_t, Y_{t-2}) = \frac{\sigma^2}{4}$
明らかに $h \geqq 3$ なら $\gamma_h = 0$，まとめて，

$$\gamma_h = \text{Cov}(Y_t, Y_{t-h}) = \begin{cases} \dfrac{169}{144}\sigma^2 & (h=0) \\ \dfrac{5}{12}\sigma^2 & (h=1) \\ \dfrac{1}{4}\sigma^2 & (h=2) \\ 0 & (h \geqq 3) \end{cases}$$

★1 $\varepsilon_t, \varepsilon_{t-1}, \varepsilon_{t-2}$ が独立ということと，問題 18 (p.38) 解説の Cov の基本性質 3. を使う。

(2) 正規分布の再生性より，Y_t もまた正規分布となるので，$E(Y_t)$ と $V(Y_t)$ がわかればよいが，それはすでに (1) で計算済みである。
$$Y_t \sim \text{N}(E(Y_t), V(Y_t)) = \text{N}\left(2, \frac{169}{144}\sigma^2\right)$$
同様に，同時分布は 2 次元正規分布になるので，平均ベクトルと分散共分散行列がわかればよい。

$$E(Y_t) = E(Y_{t-1}) = 2, V(Y_t) = V(Y_{t-1}) = \frac{169}{144}\sigma^2$$
$$\text{Cov}(Y_t, Y_{t-1}) = \frac{5}{12}\sigma^2$$
$$\begin{pmatrix} Y_t \\ Y_{t-1} \end{pmatrix} \sim \text{N}\left(\begin{pmatrix} 2 \\ 2 \end{pmatrix}, \begin{pmatrix} \frac{169}{144}\sigma^2 & \frac{5}{12}\sigma^2 \\ \frac{5}{12}\sigma^2 & \frac{169}{144}\sigma^2 \end{pmatrix}\right)$$

同様に，
$$\begin{pmatrix} Y_t \\ Y_{t-2} \end{pmatrix} \sim \text{N}\left(\begin{pmatrix} 2 \\ 2 \end{pmatrix}, \begin{pmatrix} \frac{169}{144}\sigma^2 & \frac{1}{4}\sigma^2 \\ \frac{1}{4}\sigma^2 & \frac{169}{144}\sigma^2 \end{pmatrix}\right)$$

問題 76　マルコフ連鎖 I　　基本

I 先生は

　　授業をした次の授業で授業をする確率は $\frac{2}{3}$，休講にする確率は $\frac{1}{3}$，

　　休講にした次の授業で授業をする確率は $\frac{9}{10}$，休講にする確率は $\frac{1}{10}$

である。最初の授業（$t=0$ とする）で授業をしたとして

$$X_t = \begin{cases} 1 & (t\text{ 回目で授業をした}) \\ 0 & (t\text{ 回目を休講にした}) \end{cases} \text{ とおくとき，以下を求めよ。}$$

(1) $P(X_1 = 1)$　　(2) $P(X_2 = 0)$　　(3) $P(X_3 = 1 | X_2 = 1, X_1 = 1)$
(4) $P(X_3 = 1 | X_2 = 1)$　　(5) $P(X_1 = 0 | X_2 = 1, X_3 = 0)$
(6) $P(X_1 = 0 | X_2 = 1)$　　(7) $P(X_t = 0), P(X_t = 1)$
(8) $\lim_{t \to \infty} (P(X_t = 0), P(X_t = 1))$

解説

確率過程 X_t が**マルコフ過程**（**連鎖**）である（マルコフ性をもつ）とは，4時点で説明すると，すべての $0 \leq t_1 < t_2 < t_3 < t$, x_1, x_2, x_3, x に対して，

$$P(X_t = x | X_{t_3} = x_3, X_{t_2} = x_2, X_{t_1} = x_1) = P(X_t = x | X_{t_3} = x_3)$$

となることである。

つまり，**マルコフ性**とは，過去の情報 $X_{t_3} = x_3, X_{t_2} = x_2, X_{t_1} = x_1$ が現在 $X_{t_3} = x_3$ に集約されることである。このマルコフ性があれば，たとえば，

$$P(X_2 = x_2 \cap X_1 = x_1 \cap X_0 = x_0)$$
$$= P(X_2 = x_2 | X_1 = x_1 \cap X_0 = x_0) P(X_1 = x_1 | X_0 = x_0) P(X_0 = x_0)$$
$$= P(X_2 = x_2 | X_1 = x_1) P(X_1 = x_1 | X_0 = x_0) P(X_0 = x_0)$$

同時分布が推移確率 $P(X_{t+1} = y | X_t = x)$，初期分布 $P(X_0 = z)$ で計算可能。

問題のように**離散マルコフ連鎖**（時間が離散のときは過程でなく連鎖という）X_t が 2 つの値 0,1 しかとらないとする（とる値が n 個でも同じである）。

$P(X_{t+1} = j | X_t = i) = p_{ij}$ とおき，

$$P = \begin{pmatrix} p_{00} & p_{01} \\ p_{10} & p_{11} \end{pmatrix}$$

を**推移確率行列**という。$p_{00} + p_{01} = p_{10} + p_{11} = 1$ に注意する。
$P(X_n = 0) = p_n, P(X_n = 1) = p'_n (= 1 - p_n)$ とおくと，

$$(p_n, p'_n) = (p_{n-1}, p'_{n-1}) \begin{pmatrix} p_{00} & p_{01} \\ p_{10} & p_{11} \end{pmatrix}$$

つまり，$(p_n, p'_n) = (p_0, p'_0)P^n$ と初期分布 (p_0, p'_0) と推移確率行列の n 乗で計算できる。P^n の計算は固有値を計算し，行列の対角化，もしくはスペクトル分解で計算する。$p_n = p_{00}p_{n-1} + p_{10}(1 - p_{n-1})$ と漸化式で求めるのも実践的である。

解答

(1) ★1 $P(X_1 = 1) = P(X_1 = 1|X_0 = 1)P(X_0 = 1) = \dfrac{2}{3} \cdot 1 = \dfrac{2}{3}$

(2) ★2 $P(X_2 = 0) = P(X_2 = 0|X_1 = 0)P(X_1 = 0)$
$\qquad + P(X_2 = 0|X_1 = 1)P(X_1 = 1) = \dfrac{1}{10} \cdot \dfrac{1}{3} + \dfrac{1}{3} \cdot \dfrac{2}{3} = \dfrac{23}{90}$

(3) ★3 $P(X_3 = 1|X_2 = 1, X_1 = 1) = P(X_3 = 1|X_2 = 1) = \dfrac{2}{3}$

(4) ★4 $P(X_3 = 1|X_2 = 1) = \dfrac{2}{3}$

(5) ★5 $P(X_1 = 0|X_2 = 1, X_3 = 0) = \dfrac{P(X_1 = 0 \cap X_2 = 1 \cap X_3 = 0)}{P(X_2 = 1 \cap X_3 = 0)}$
$= \dfrac{P(X_3 = 0|X_2 = 1, X_1 = 0)P(X_2 = 1|X_1 = 0)P(X_1 = 0)}{P(X_3 = 0|X_2 = 1)P(X_2 = 1)}$
$= \dfrac{1/3 \times 9/(10) \times 1/3}{1/3 \times 67/90} = \dfrac{27}{67}$

(6) $P(X_1 = 0|X_2 = 1) = \dfrac{P(X_1 = 0 \cap X_2 = 1)}{P(X_2 = 1)} = \dfrac{27}{67}$ ★6

(7) $(P(X_{t+1} = 0), P(X_{t+1} = 1))$
$= (P(X_t = 0), P(X_t = 1)) \begin{pmatrix} 1/10 & 9/10 \\ 1/3 & 2/3 \end{pmatrix}$ から，
$P(X_{t+1} = 0) = 1/10 \times P(X_t = 0) + 1/3 \times P(X_t = 1)$
$\qquad\qquad\qquad = 1/10 \times P(X_t = 0) + 1/3 \times (1 - P(X_t = 0))$
$\qquad\qquad\qquad = 1/3 - 7/30 P(X_t = 0)$ ★7

$P(X_0 = 0) = 0$ と合わせて解いて，
$$P(X_t = 0) = \dfrac{10}{37}\left(1 - \left(\dfrac{-7}{30}\right)^t\right)$$
$$P(X_t = 1) = 1 - P(X_t = 0) = \dfrac{27}{37} + \dfrac{10}{37}\left(\dfrac{-7}{30}\right)^t$$

(8) $\displaystyle\lim_{t\to\infty} (P(X_t = 0), P(X_t = 1)) = \left(\dfrac{10}{37}, \dfrac{27}{37}\right)$

★1 確率 1 で $X_0 = 1$ であることに注意する。

★2 これは，ひとつ前は $X_1 = 0, 1$ の 2 通りであることに注意する。

★3 マルコフ性に注意する。

★4 推移確率の定義である。

★5 条件付き確率の定義に注意する。

★6 (5) の結果と一致するので マルコフ過程は時間を逆向きに見てもマルコフ過程であることがわかる。

★7 これは漸化式 $u_{n+1} = \dfrac{1}{3} - \dfrac{7}{30}u_n$ で $\alpha = \dfrac{1}{3} - \dfrac{7}{30}\alpha$ を解くと，$\alpha = \dfrac{10}{37}$ より $(u_{n+1} - \dfrac{10}{37}) = (-\dfrac{7}{30})(u_n - \dfrac{10}{37})$.

問題 77 マルコフ連鎖 II 　　　　　　　　　　　　　　　　　標準

1 $\{1,2\}$ に値をとるマルコフ連鎖の推移確率行列 P が $P = \begin{pmatrix} 1/5 & 4/5 \\ 2/3 & 1/3 \end{pmatrix}$ で，$(1,1)$ 成分 $1/5$ が $P(X_1=1|X_0=1)$ であるとする。
$(P(X_0=1), P(X_0=2)) = (1/4, 3/4)$ のとき，以下を求めよ。
(1) $P(X_n=1), P(X_n=2)$ 　(2) $\lim_{n\to\infty} (P(X_n=1), P(X_n=2))$, 定常分布
(3) $T = \inf\{i | X_i = 2\} = $「2 に到達する最初の時間」とするとき，
$P(T=k), E(T)$

2 $\{1,2,3\}$ 値マルコフ連鎖の推移確率行列が $P = \begin{pmatrix} 1 & 0 & 0 \\ 0 & 1 & 0 \\ 1/6 & 1/2 & 1/3 \end{pmatrix}$ で，$(1,1)$ 成分 1 が $P(X_1=1|X_0=1)$ であるとする。
$(P(X_0=1), P(X_0=2), P(X_0=3)) = (0,0,1)$ のとき，以下を求めよ。
(1) $(P(X_n=1), P(X_n=2), P(X_n=3))$
(2) $\lim_{n\to\infty} (P(X_n=1), P(X_n=2), P(X_n=3))$
(3) 最初 3 から出発して最後には 1 にいる確率 $= \lim_{n\to\infty} P(X_n=1|X_0=3)$

解説
マルコフ連鎖の推移確率行列 P で，とくに $\lim_{n\to\infty} P^n$ が存在する場合，

$$\lim_{n\to\infty} P^n = \begin{pmatrix} \pi_1 & \pi_2 \\ \pi_1 & \pi_2 \end{pmatrix} \quad (\pi_1 + \pi_2 = 1)\ \text{で，このとき，}$$

$$\lim_{n\to\infty} (P(X_n=1), P(X_n=2)) = (P(X_0=1), P(X_0=2)) \begin{pmatrix} \pi_1 & \pi_2 \\ \pi_1 & \pi_2 \end{pmatrix} = (\pi_1, \pi_2)$$

となる。$\begin{pmatrix} \pi_1 & \pi_2 \\ \pi_1 & \pi_2 \end{pmatrix} = \lim_{n\to\infty} P^{n+1} = \lim_{n\to\infty} P^n P = \begin{pmatrix} \pi_1 & \pi_2 \\ \pi_1 & \pi_2 \end{pmatrix} P$ より，
$\vec{\pi} = (\pi_1, \pi_2)$ は，$\vec{\pi} = \vec{\pi} P$, $\pi_1 + \pi_2 = 1$ を解いて求めてもよい。

この $\vec{\pi}$ は**定常分布**と呼ばれる。定常分布から出発すれば，各時点での位置の確率分布 $(P(X_n=1), P(X_n=2))$ は n によらず一定となる。

解答

1 (1) $p_n = P(X_n=1) = \frac{1}{5} p_{n-1} + \frac{2}{3}(1 - p_{n-1}), p_0 = \frac{1}{4}$ を解いて[★1]

$$p_n = P(X_n=1) = \frac{5}{11} - \frac{9}{44} \left(\frac{-7}{15} \right)^n$$

[★1] $p_n = \frac{2}{3} - \frac{7}{15} p_{n-1}$.

同様に[★2]，$p'_n = P(X_n = 2) = \dfrac{6}{11} + \dfrac{9}{44}\left(\dfrac{-7}{15}\right)^n$

(2) (1) の結果より，$n \to \infty$ として $\left(\dfrac{5}{11}, \dfrac{6}{11}\right)$

定常分布も同じく，$\left(\dfrac{5}{11}, \dfrac{6}{11}\right)$[★3]

(3) 定義より，$X_0 = 2$ のときは $T = 0$ で，$X_0 = 1$ のもとでは $T \sim Fs\left(\dfrac{4}{5}\right)$ であることに注意して，

$$P(T = 0) = P(T = 0|X_0 = 1)P(X_0 = 1) \\ \qquad\qquad + P(T = 0|X_0 = 2)P(X_0 = 2) \\ = 0 + 1 \times \dfrac{3}{4} = \dfrac{3}{4}$$

$k \geqq 1$ のとき，

$$P(T = k) = P(T = k|X_0 = 1)P(X_0 = 1) \\ \qquad\qquad + P(T = k|X_0 = 2)P(X_0 = 2) \\ = \dfrac{1}{4} \cdot \dfrac{4}{5}\left(\dfrac{1}{5}\right)^{k-1} = \left(\dfrac{1}{5}\right)^k$$

$$E(T) = \sum_{k=0}^{\infty} kP(T = k) = \sum_{k=1}^{\infty} k5^{-k} = \dfrac{1}{5}\sum_{k=1}^{\infty} k\left(\dfrac{1}{5}\right)^{k-1} = \dfrac{5}{16}\text{[★4]}$$

$\boxed{2}$ (1)[★5] $p_n = P(X_n = 1), q_n = P(X_n = 2), r_n = P(X_n = 3)$ とおくと，$(p_n, q_n, r_n) = (p_{n-1}, q_{n-1}, r_{n-1})\begin{pmatrix} 1 & 0 & 0 \\ 0 & 1 & 0 \\ 1/6 & 1/2 & 1/3 \end{pmatrix}$. すると，

$r_n = \dfrac{1}{3}r_{n-1}, r_0 = 1$ より，$r_n = 3^{-n}$. $p_n = p_{n-1} + \dfrac{1}{6}r_{n-1}$ より，

$$p_n = p_0 + \sum_{k=1}^{n}(p_k - p_{k-1}) = \sum_{k=1}^{n} \dfrac{1}{6} 3^{-(k-1)} \\ = \dfrac{1}{6}\dfrac{1 - 3^{-n}}{1 - \frac{1}{3}} = \dfrac{1}{4}(1 - 3^{-n}).$$

同様に，$q_n = \dfrac{3}{4}(1 - 3^{-n})$.

(2) $n \to \infty$ として，$\left(\dfrac{1}{4}, \dfrac{3}{4}, 0\right)$.

(3) 最後には 1 に落ちる確率なので，(2) の答えより $\dfrac{1}{4}$ となる。

[★2] 漸化式は p_n と同じ考え方。

[★3] $(x, y)\begin{pmatrix} 1/5 & 4/5 \\ 2/3 & 1/3 \end{pmatrix} = (x, y)$, $x + y = 1$ を解いてもよい。

[★4] 問題 21(p.46) 解説にある $\sum_{k=1}^{\infty} kx^{k-1} = (1-x)^{-2}$ に注意。

[★5] 状態 1, 2 を吸収壁という。

問題 78 マルコフ連鎖 III 2重マルコフ過程　発展

I 先生は，

　　授業をした次の授業で授業をする確率は $\frac{2}{3}$，休講にする確率は $\frac{1}{3}$，

　　休講にした次の授業で授業をする確率は $\frac{9}{10}$，休講にする確率は $\frac{1}{10}$

である。最初の授業（$t=0$ とする）で授業をしたとして，

$$X_t = \begin{cases} 1 & (t \text{ 回目は授業をした}) \\ 0 & (t \text{ 回目を休講にした}) \end{cases}$$

であるが，休講が 2 回続くと必ず次は授業する。$Y_t = (X_{t-1}, X_t)$ とおくとき，以下を求めよ。

(1)　推移確率行列 P

(2)　$\lim_{t \to \infty} (P(Y_t = (0,0)), P(Y_t = (0,1)), P(Y_t = (1,0)), P(Y_t = (1,1)))$

(3)　$\lim_{t \to \infty} (P(X_t = 0), P(X_t = 1))$

解説

$$P(X_{t+1} \leq x | X_t = x_t, X_{t-1} = x_{t-1}, \cdots, X_1 = x_1, X_0 = x_0)$$
$$= P(X_{t+1} \leq x | X_t = x_t, X_{t-1} = x_{t-1})$$

が成立しているとき X_t を **2 重マルコフ過程** という。つまり，過去の情報が現在と昨日に集約されるということである。この場合は，$Y_t = (X_t, X_{t+1})$ をペアにして考えると，Y_t はマルコフ過程となる。

マルコフ連鎖のとる値を $\{1,2\}$ として，2 重マルコフ連鎖 X_t から作られるマルコフ連鎖 $Y_t = (X_t, X_{t+1})$ のとる値は $\{(1,1), (2,1), (1,2), (2,2)\}$ の 4 個とする。すると，Y_t の推移確率行列 P は，$\begin{pmatrix} p & 0 & 1-p & 0 \\ q & 0 & 1-q & 0 \\ 0 & r & 0 & 1-r \\ 0 & s & 0 & 1-s \end{pmatrix}$ となり，$0 < p, q, r, s < 1$

を仮定すると，$P^2 > 0$（一般に行列 A のすべての成分が正となること）となり，正則。したがって，$\lim_{n \to \infty} P^n$ が存在し，同一の行ベクトル（定常分布）$\vec{\pi}$ をもつ。
$\vec{\pi} = \vec{\pi} P$ を解くと，

$$\vec{\pi} = \left(\frac{sq}{sq + 2s(1-p) + (1-r)(1-p)}, \frac{s(1-p)}{sq + 2s(1-p) + (1-r)(1-p)}, \frac{s(1-p)}{sq + 2s(1-p) + (1-r)(1-p)}, \frac{(1-r)(1-p)}{sq + 2s(1-p) + (1-r)(1-p)} \right)$$

また，これから X_t の極限分布

問題 78 発展 マルコフ連鎖 III　2 重マルコフ過程　179

$$\lim_{t\to\infty}(P(X_t=1), P(X_t=2)) = \left(\frac{sq+s(1-p)}{sq+2s(1-p)+(1-r)(1-p)}, \frac{s(1-p)+(1-r)(1-p)}{sq+2s(1-p)+(1-r)(1-p)}\right)$$

がわかる。

解答

(1) $(0,0)$ を 1 行目, $(0,1)$ を 2 行目, $(1,0)$ を 3 行目, $(1,1)$ を 4 行目 とすると，たとえば，P の $(1,2)$ 成分は $(X_{t-1}, X_t) = (0,0)$ から $(X_t, X_{t+1}) = (0,1)$ に推移する確率で，題意より 1 である。同様に $(2,3)$ 成分は $(0,1)$ から $(1,0)$ に推移する確率で，$\frac{1}{3}$，$(3,4)$ 成分は $(1,0)$ から $(1,1)$ に推移する確率で，明らかに 0 となる。

以上より，$P = \begin{pmatrix} 0 & 1 & 0 & 0 \\ 0 & 0 & \frac{1}{3} & \frac{2}{3} \\ \frac{1}{10} & \frac{9}{10} & 0 & 0 \\ 0 & 0 & \frac{1}{3} & \frac{2}{3} \end{pmatrix}$.

(2) $(x,y,z,u) = (x,y,z,u)\begin{pmatrix} 0 & 1 & 0 & 0 \\ 0 & 0 & \frac{1}{3} & \frac{2}{3} \\ \frac{1}{10} & \frac{9}{10} & 0 & 0 \\ 0 & 0 & \frac{1}{3} & \frac{2}{3} \end{pmatrix}$ ★1

を解いて，
$$\lim_{t\to\infty}(P(Y_t=(0,0)), P(Y_t=(0,1)), P(Y_t=(1,0)), P(Y_t=(1,1)))$$
$$= (x,y,z,u) = \left(\frac{1}{41}, \frac{10}{41}, \frac{10}{41}, \frac{20}{41}\right).$$

(3) (2) の結果より，
$$\lim_{t\to\infty}(P(X_t=0), P(X_t=1))$$
$$= \left(\frac{1}{41} + \frac{10}{41}, \frac{10}{41} + \frac{20}{41}\right)$$
$$= \left(\frac{11}{41}, \frac{30}{41}\right).$$

注　$\lim_{t\to\infty} P(X_t=0)$
$= \lim_{t\to\infty}(P(X_t=0 \cap X_{t+1}=0) + P(X_t=0 \cap X_{t+1}=1))$
$= \lim_{t\to\infty}(P(X_{t-1}=0 \cap X_t=0) + P(X_{t-1}=1 \cap X_t=0))$
のどちらで計算してもよい。

★1 $P^3 > 0$ が確認できるので極限確率が存在し，この方程式を満たす。

問題 79 対称ランダムウォークと非対称ランダムウォーク　　標準

1 硬貨を投げ，表が出れば得点が1増え，裏が出たら1減るゲームをする。$Z_0 = 0$ として，t 回硬貨を投げたあとの得点を Z_t とするとき，以下を求めよ。

(1) $P(Z_3 = 3)$　　(2) $P(Z_3 = 1)$　　(3) $P(Z_3 = 1 \cap Z_7 = 3)$　　(4) $E(Z_3)$
(5) $V(Z_3)$　　(6) $P(Z_t = k)$　　(7) $E(Z_t)$　　(8) $V(Z_t)$
(9) $0 \leqq s \leqq t$ として，$E(Z_s Z_t)$, $\mathrm{Cov}(Z_s, Z_t)$
(10) $M_{Z_t}(\alpha) = E(e^{\alpha Z_t})$

2 表が出る確率が p のインチキな硬貨を投げ，$Z_0^{(p)} = 0$ として，t 回硬貨を投げたあとの得点を $Z_t^{(p)}$ とするとき，**1** の (6) から (10) を求めよ。

解説 重要なマルコフ過程のなかに**独立増分過程**がある。その中でも最も基本的なものが本問の**ランダムウォーク**である（ファイナンスにも応用される）。硬貨の表裏を当てることを何回もくり返し，各回当たれば財産が1増え，外れれば1減るとし，Z_t は $Z_0 = 0$ から出発した t 回目の賭けの直後の財産である。i 回目の賭けを

$$\xi_i = \begin{cases} 1 \text{ （当たり）（確率} \frac{1}{2}） \\ -1 \text{ （はずれ）（確率} \frac{1}{2}） \end{cases} \qquad \xi_1, \xi_2, \cdots, \xi_t \text{ は独立}$$

とおくと，$E(\xi_i) = 1 \times 1/2 + (-1) \times 1/2 = 0$, $V(\xi_i) = E(\xi_i^2) - (E(\xi_i))^2 = 1$ で $Z_t = \xi_1 + \xi_2 + \cdots + \xi_t$ と書ける。

すると，

$$E(Z_t) = E(\xi_1) + E(\xi_2) + \cdots + E(\xi_t) = 0,$$
$$V(\xi_1 + \xi_2 + \cdots + \xi_t) = V(\xi_1) + \cdots + V(\xi_t) = t$$

（独立和の分散は分散の和）。また，$0 < s < t$ として，$Z_s = \xi_1 + \cdots + \xi_s$, $Z_t - Z_s = \xi_{s+1} + \cdots + \xi_t$ はそれぞれ関係している賭けが重なっていないので，Z_s と $Z_t - Z_s$ は独立である。これを Z_t の**独立増分性**という。

また，ξ_i の代わりに

$$\xi_i^{(p)} = \begin{cases} 1 \text{ （当たり）（確率 } p） \\ -1 \text{ （はずれ）（確率 } 1-p） \end{cases}$$

を考えることで，$Z_t^{(p)}$ も同様に考えられる。

問題 79 標準 対称ランダムウォークと非対称ランダムウォーク

解答

1 ★1 (1) 3回とも勝つことなので、$P(Z_3 = 3) = \left(\dfrac{1}{2}\right)^3 = \dfrac{1}{8}$ となる。

(2) 2勝1敗なので、$P(Z_3 = 1) = \binom{3}{2}\left(\dfrac{1}{2}\right)^3 = \dfrac{3}{8}$ となる。

(3) ★2 $P(Z_3 = 1 \cap Z_7 = 3) = P(Z_3 = 1 \cap Z_7 - Z_3 = 2)$
$\qquad\qquad\qquad\qquad = P(Z_3 = 1)P(Z_7 - Z_3 = 2)$
$\qquad\qquad\qquad\qquad = P(Z_3 = 1)P(Z_4 = 2) = \dfrac{3}{8} \cdot \dfrac{1}{4} = \dfrac{3}{32}$ ★3

(4) $E(Z_3) = E(\xi_1) + E(\xi_2) + E(\xi_3) = 0$

(5) $V(Z_3) = V(\xi_1 + \xi_2 + \xi_3) = V(\xi_1) + V(\xi_2) + V(\xi_3) = 3$

(6) t 回のうち $\dfrac{t+k}{2}$ 回勝てば $Z_t = \dfrac{t+k}{2} - \dfrac{t-k}{2} = k$ となるので★4、

$$P(Z_t = k) = \begin{cases} \binom{t}{\frac{t+k}{2}} \left(\dfrac{1}{2}\right)^t & \cdots (-t \leq k \leq t, t+k = \text{偶数}) \\ 0 & \cdots (\text{それ以外}) \end{cases}$$

(7) $E(Z_t) = E(\xi_1) + E(\xi_2) + \cdots + E(\xi_t) = 0$

(8) $V(Z_t) = V(\xi_1) + V(\xi_2) + \cdots + V(\xi_t) = t$

(9) $E(Z_s Z_t)$
$= E(Z_s(Z_s + Z_t - Z_s)) = E(Z_s^2) + E(Z_s(Z_t - Z_s))$
$= V(Z_s) + (E(Z_s))^2 + E(Z_s)E(Z_t - Z_s)$
$= s + 0^2 + 0 \times 0 = s$
$\text{Cov}(Z_s, Z_t) = E(Z_s Z_t) - E(Z_s)E(Z_t) = s - 0 = s$

(10) $E(e^{\alpha Z_t}) = E(e^{\alpha \xi_1} e^{\alpha \xi_2} \cdots e^{\alpha \xi_t})$
$\qquad\qquad = E(e^{\alpha \xi_1})E(e^{\alpha \xi_2}) \cdots E(e^{\alpha \xi_t}) = \left(\dfrac{e^{\alpha} + e^{-\alpha}}{2}\right)^t$

2 ★5 (6) ★6

$$P(Z_t^{(p)} = k) = \begin{cases} \binom{t}{\frac{t+k}{2}} p^{\frac{t+k}{2}} (1-p)^{\frac{t-k}{2}} & (-t \leq k \leq t, t+k = \text{偶数}) \\ 0 & (\text{それ以外}) \end{cases}$$

(7) $E(Z_t^{(p)}) = E(\xi_1^{(p)}) + E(\xi_2^{(p)}) + \cdots + E(\xi_t^{(p)}) = t(2p-1)$

(8) $V(Z_t^{(p)}) = V(\xi_1^{(p)}) + V(\xi_2^{(p)}) + \cdots + V(\xi_t^{(p)}) = 4tp(1-p)$

(9) $E(Z_s^{(p)} Z_t^{(p)}) = \text{Cov}(Z_s^{(p)}, Z_t^{(p)}) + E(Z_s^{(p)})E(Z_t^{(p)})$
$\qquad\qquad\quad = 4p(1-p)s + (2p-1)^2 st,$
$\text{Cov}(Z_s^{(p)}, Z_s^{(p)} + (Z_t^{(p)} - Z_s^{(p)})) = V(Z_s^{(p)}) + 0 = 4p(1-p)s$

(10) $E(e^{\alpha Z_t^{(p)}}) = E(e^{\alpha \xi_1^{(p)}} e^{\alpha \xi_2^{(p)}} \cdots e^{\alpha \xi_t^{(p)}})$
$= E(e^{\alpha \xi_1^{(p)}})E(e^{\alpha \xi_2^{(p)}}) \cdots E(e^{\alpha \xi_t^{(p)}})$
$= (pe^{\alpha} + (1-p)e^{-\alpha})^t$

★1 この Z_t を1次元対称ランダムウォークという。

★2 独立増分性を用いるので Z_3 と $Z_7 - Z_3$ で書く。

★3 Z_3 と Z_7 は独立ではないことに注意。

★4 2項分布との関係は $\dfrac{Z_t + t}{2} \sim B(t, \dfrac{1}{2})$ である。

★5 この $Z_t^{(p)}$ は、1次元非対称ランダムウォークという。

★6 t 回のうち $\dfrac{t+k}{2}$ 回勝てば $Z_t^{(p)} = \dfrac{t+k}{2} - \dfrac{t-k}{2} = k$ となる。

問題 80　条件付き期待値とマルチンゲール　　発展

Z_t が対称ランダムウォーク，$Z_t^{(p)}$ が非対称ランダムウォークのとき，以下の値を求めよ。

1 (1) $E(Z_5|Z_3=x)$, $E(Z_5|Z_3)$　　(2) $E(Z_5|\xi_1,\xi_2,\xi_3)$, $E(Z_5|Z_3,Z_2,Z_1)$
(3) $E(Z_5^2|Z_3)$　　(4) $E(Z_5^2|\xi_1=x_1,\xi_2=x_2,\xi_3=x_3)$
(5) $0 \leq s \leq t$ として，$E(Z_t|\xi_s,\cdots,\xi_1)$　　(6) $E(Z_t^2-t|\xi_s,\cdots,\xi_1)$
2 (1) $E(Z_5^{(p)}|\xi_1^{(p)}=x_1,\xi_2^{(p)}=x_2,\xi_3^{(p)}=x_3)$
(2) $0 \leq s \leq t$ として $E((Z_t^{(p)})^2|Z_s^{(p)}=x)$

解説　マルチンゲールとは「公平な賭け」というものの抽象化で，非常に大事な概念である。さらに，デリバティブの価格付けにも応用される。

X_t が**マルチンゲール**であるとは，すべての t について以下を満たすこと。
$$E(X_{t+1}|X_t, X_{t-1}, \cdots, X_2, X_1) = X_t$$

また，これは $t > s$ について，$E(X_t|X_s, X_{s-1}, \cdots, X_2, X_1) = X_s$ と同値である。また，両辺の期待値をとって，$E(X_t) = E(X_s) = \cdots = E(X_0)$ も満たす。ここで

X_t が $Y_1, Y_2, \cdots, Y_t$ に関してマルチンゲールであるとは，すべての t について
$$E(X_{t+1}|Y_t, Y_{t-1}, \cdots, Y_2, Y_1) = X_t$$

と定義する。すると，条件付き期待値の性質から X_t が $Y_1, Y_2, \cdots, Y_t$ に関してマルチンゲールであるなら，X_t はマルチンゲールである。$Y_1, Y_2, \cdots, Y_t$ が不確実性の源になるような場合（確率微分方程式やブラック＝ショールズモデルのブラウン運動がその典型である）は，こちらの定義のほうが都合がよいことが多い。

■マルチンゲールの意味

時刻 s までの情報のもとでの未来 $t(>s)$ の期待財産＝時刻 s における財産。つまり，s から t までの条件付期待財産増分 $= 0$ である。

これは公平な賭けを行っているギャンブラーの財産過程と考えることができる。

例．平均 0 の独立確率変数の和はマルチンゲール

$X_t = Y_1 + Y_2 + \cdots + Y_t$, $(X_0 = 0)$

ここで $Y_1, Y_2, \cdots, Y_t, \cdots$ は独立で同分布な平均 0 の離散確率変数とする。すると $E(X_{t+1}|Y_t, Y_{t-1}, \cdots, Y_1) = E(X_t + Y_{t+1}|Y_t, Y_{t-1}, \cdots, Y_1) = X_t + E(Y_{t+1}) =$

問題 80 発展 条件付き期待値とマルチンゲール　183

X_t となるので X_t は $Y_1, Y_2, \cdots, Y_t$ に関するマルチンゲール，したがってマルチンゲールである．これにより対称ランダムウォークはマルチンゲール，非対称ランダムウォーク $Z_t^{(p)}$ は $Z_t^{(p)} - (2p-1)t$ がマルチンゲールであることがわかる．

解答

$\boxed{1}$ (1) $E(Z_5|Z_3 = x) = E(Z_5 - Z_3 + x|Z_3 = x)$
$\qquad = E(Z_5 - Z_3|Z_3 = x) + E(x|Z_3 = x)$
$\qquad = E(Z_5 - Z_3) + x = 0 + x = x,\ E(Z_5|Z_3) = Z_3$

(2) $E(Z_5|\xi_3 = x_3, \xi_2 = x_2, \xi_1 = x_1)$
$\quad = E(Z_5 - Z_3 + x_1 + x_2 + x_3|\xi_3 = x_3, \xi_2 = x_2, \xi_1 = x_1)$
$\quad = E(Z_5 - Z_3|\xi_3 = x_3, \xi_2 = x_2, \xi_1 = x_1) + x_1 + x_2 + x_3$
$\quad = E(Z_5 - Z_3) + x_1 + x_2 + x_3 = x_1 + x_2 + x_3$ ★1

よって，$E(Z_5|\xi_3, \xi_2, \xi_1) = \xi_3 + \xi_2 + \xi_1 = Z_3$.
同様に，$E(Z_5|Z_3, Z_2, Z_1) = Z_3$.

(3) $E(Z_5^2|Z_3 = x) = E((Z_5 - Z_3 + x)^2|Z_3 = x)$
$\qquad = E((Z_5 - Z_3)^2 + 2x(Z_5 - Z_3) + x^2|Z_3 = x)$
$\qquad = E((Z_5 - Z_3)^2) + 2xE(Z_5 - Z_3) + x^2 = 2 + 0 + x^2 = x^2 + 2$,

よって，$E(Z_5^2|Z_3) = Z_3^2 + 2$ となる．

(4) $E(Z_5^2|\xi_3 = x_3, \xi_2 = x_2, \xi_1 = x_1)$
$\quad = E((Z_5 - Z_3 + x_1 + x_2 + x_3)^2|\xi_3 = x_3, \xi_2 = x_2, \xi_1 = x_1)$
$\quad = E((Z_5 - Z_3)^2) + 2(x_1 + x_2 + x_3)E(Z_5 - Z_3) + (x_1 + x_2 + x_3)^2$
$\quad = (x_1 + x_2 + x_3)^2 + 2$

(5) (2) と同様に $E(Z_t|\xi_s, \cdots, \xi_1) = E(Z_t - Z_s + Z_s|\xi_s, \cdots, \xi_1) = Z_s$

(6) $E(Z_t^2 - t|\xi_s, \cdots, \xi_1) = E((Z_t - Z_s + Z_s)^2 - t|\xi_s, \cdots, \xi_1)$
$\qquad = E((Z_t - Z_s)^2 + 2Z_s(Z_t - Z_s) + Z_s^2 - t|\xi_s, \cdots, \xi_1)$
$\qquad = t - s + 0 + Z_s^2 - t = Z_s^2 - s$ ★2

$\boxed{2}$ (1) $E(Z_5^{(p)}|\xi_1^{(p)} = x_1, \xi_2^{(p)} = x_2, \xi_3^{(p)} = x_3)$
$\quad = E(Z_5^{(p)} - Z_3^{(p)} + x_1 + x_2 + x_3|\xi_3^{(p)} = x_3, \xi_2^{(p)} = x_2, \xi_1^{(p)} = x_1)$
$\quad = E(Z_5^{(p)} - Z_3^{(p)}) + x_1 + x_2 + x_3 = 2(2p-1) + x_1 + x_2 + x_3$

(2) $E((Z_t^{(p)} - Z_s^{(p)} + x)^2|Z_s^{(p)} = x)$ ★3
$\quad = E((Z_t^{(p)} - Z_s^{(p)})^2) + 2xE((Z_t^{(p)} - Z_s^{(p)})) + x^2$
$\quad = V(Z_t^{(p)} - Z_s^{(p)}) + E(Z_t^{(p)} - Z_s^{(p)})^2 + 2x(2p-1)(t-s) + x^2$
$\quad = 4p(1-p)(t-s) + ((2p-1)(t-s))^2 + 2x(2p-1)(t-s) + x^2$

★1 $Z_5 - Z_3$ と，(ξ_3, ξ_2, ξ_1) は独立なので条件がなくなる．

★2 つまり，Z_t，$Z_t^2 - t$ は $\xi_1, \cdots, \xi_t$ に関してマルチンゲール．

★3 $E(\xi_i^{(p)}) = 1p + (-1)(1-p) = 2p - 1$，$V(\xi_i^{(p)}) = 1 - (2p-1)^2 = 4p(1-p)$ となる．また，$E(X^2) = V(X) + (E(X))^2$ などを用いた．

問題 81　ポアソン過程　　　　　　　　　　　　　　　発展

N_t が強度 λ のポアソン過程であるとき，以下を求めよ．
(1) $P(N_t = 0)$　(2) $P(N_t = 1)$　(3) $P(N_t = k)$　(4) $E(N_t), V(N_t)$
(5) $0 \leq s \leq t$ として $P(N_s = k \cap N_t = l)$, $E(N_s N_t)$, $\text{Cov}(N_s, N_t)$
(6) $M_{N_t}(\alpha) = E(e^{\alpha N_t})$　(7) $f_{T_2}(x)$　(8) $P(T_2 > 3T_1)$　(9) $E(N_{3t}|N_t)$
(10) $V(N_{3t}|N_t = x)$　(11) $E(N_t|N_{3t})$

解説

期間 $(0, t]$ で起こったイベント（事故）の回数を N_t とおく．一般にはこの N_t は**カウンティングプロセス** (Counting Process) と呼ばれる．

ポアソン過程はこのカウンティングプロセスのなかで最も基本的でかつ重要なものである．N_t がポアソン過程であるとは，事故の起こる間隔が独立でパラメータ λ の指数分布 ($\text{Exp}(\lambda)$) のときである．つまり，i 回目の事故が起きた時刻を T_i とすると，$T_1, T_2 - T_1, T_3 - T_2, \cdots$ は独立ですべて $\text{Exp}(\lambda)$ となる．$N_0 = 0$ として $N_t = [0, t]$ で起きた事故の回数 $= \#\{i | T_i \leq t\}$ とおく．すると，（**強度**(intensity)λ の）**ポアソン過程** N_t は次を満たす．

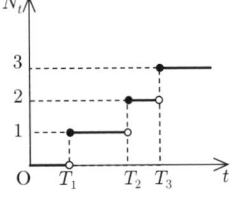

> 時間パラメータ t は非負実数，N_t のとる値は非負整数である．
> - （周辺分布はポアソン）$N_t \sim \text{Po}(\lambda t)$ ($N_0 = 0$)，つまり，$P(N_t = k) = \dfrac{(\lambda t)^k}{k!} e^{-\lambda t}$
> - （独立増分性）　$0 < t_1 < t_2 < t_3 < \cdots$ として，
>   　　　　　　$N_{t_1}, N_{t_2} - N_{t_1}, N_{t_3} - N_{t_2}, \cdots$ は独立．
> - （定常増分性）　$t > s > 0$ として，$N_t - N_s \sim \text{Po}(\lambda(t - s))$

たとえば，i 回目の事故が起こる時刻を T_i とすると，$T_i - T_{i-1} \sim \text{Exp}(\lambda)$ で独立なのでガンマ分布の再生性：$T_i = (T_i - T_{i-1}) + \cdots + (T_2 - T_1) + T_1$ より，$T_i \sim \Gamma(i, \lambda)$ となる．よって，
$P(N_t \leq k) = P(T_{k+1} > t)$,
$P(N_t = k) = P(N_t \leq k) - P(N_t \leq k - 1) = P(T_{k+1} > t) - P(T_k > t)$
$= \displaystyle\int_t^\infty \frac{\lambda^{k+1} x^k}{\Gamma(k+1)} e^{-\lambda x} dx - \int_t^\infty \frac{\lambda^k x^{k-1}}{\Gamma(k)} e^{-\lambda x} dx$
$= -\displaystyle\int_t^\infty \left(e^{-\lambda x} \frac{\lambda^k x^k}{\Gamma(k+1)} \right)' dx$
$= \dfrac{(\lambda t)^k}{k!} e^{-\lambda t} = P(\text{Po}(\lambda t) = k)$　となる．

解答

(1) 定義より $P(N_t = 0) = P(T_1 > t) = e^{-\lambda t}$ となる。

(2) $P(T_1 \leqq t \leqq T_2) = P(T_1 \leqq t \leqq T_1 + T_2 - T_1)$
$= \iint_{\substack{x>0, y>0 \\ x \leqq t \leqq x+y}} \lambda e^{-\lambda x} \lambda e^{-\lambda y} dx dy = \int_0^t \lambda e^{-\lambda x} dx \int_{t-x}^\infty \lambda e^{-\lambda y} dy$
$= \int_0^t \lambda e^{-\lambda x} dx e^{-\lambda(t-x)} = \lambda t e^{-\lambda t}$ となることから,
$P(N_t = 1) = P(\text{Po}(\lambda t) = 1) = \lambda t e^{-\lambda t} \; (= P(\text{Po}(\lambda t) = 1))$

(3) $P(N_t = k) = P(\text{Po}(\lambda t) = k) = \dfrac{(\lambda t)^k}{k!} e^{-\lambda t}$

(4) $E(N_t) = E(\text{Po}(\lambda t)) = \lambda t$, $V(N_t) = V(\text{Po}(\lambda t)) = \lambda t$

(5) ★1 $P(N_s = k \cap N_t = l) = P(N_s = k \cap N_t - N_s = l - k)$
$= P(N_s = k) P(N_t - N_s = l - k)$
$= P(\text{Po}(\lambda s) = k) P(\text{Po}(\lambda(t-s)) = l - k)$
$= \dfrac{(\lambda s)^k}{k!} e^{-\lambda s} \dfrac{(\lambda(t-s))^{l-k}}{(l-k)!} e^{-\lambda(t-s)} \quad (0 \leqq k \leqq l)$
$E(N_s N_t) = E(N_s(N_s + N_t - N_s)) = E(N_s^2) + E(N_s(N_t - N_s))$
$= V(N_s) + (E(N_s))^2 + E(N_s) E(N_t - N_s) = \lambda s + \lambda s \lambda t$
$\text{Cov}(N_s, N_t) = E(N_s N_t) - E(N_s) E(N_t) = \lambda s + \lambda s \lambda t - \lambda s \lambda t = \lambda s$

(6) $M_{N_t}(\alpha) = E(e^{\alpha N_t}) = E(e^{\alpha \text{Po}(\lambda t)}) = e^{-\lambda t(1-e^\alpha)}$ ★2

(7) $T_2 = T_1 + T_2 - T_1$ より $T_2 \sim \Gamma(2, \lambda)$ ★3
よって, $f_{T_2}(x) = f_{\Gamma(2,\lambda)}(x) = \lambda^2 x e^{-\lambda x} \; (x > 0)$ となる。

(8) $P(T_2 > 3T_1) = P(T_2 - T_1 > 2T_1) = E(P(T_2 - T_1 > 2T_1 | T_1))$
$= E(e^{-2\lambda T_1}) = \dfrac{\lambda}{\lambda - (-2\lambda)} = \dfrac{1}{3}$ ★4

(9) ★5 $E(N_{3t} | N_t = x) = E(N_{3t} - N_t + x | N_t = x)$
$= E(N_{3t} - N_t | N_t = x) + x = E(N_{3t} - N_t) + x$
$= E(\text{Po}(2\lambda t)) + x = 2\lambda t + x$. よって, $E(N_{3t} | N_t) = 2\lambda t + N_t$

(10) $V(N_{3t} | N_t = x) = V(N_{3t} - N_t + x | N_t = x)$
$= V(N_{3t} - N_t | N_t = x) = V(N_{3t} - N_t) = V(\text{Po}(2\lambda t)) = 2\lambda t$

(11) $P(N_t = k | N_{3t} = l) = \dfrac{P(N_t = k \cap N_{3t} = l)}{P(N_{3t} = l)}$
$= \dfrac{P(N_t = k \cap N_{3t} - N_t = l - k)}{P(N_{3t} = l)}$
$= \dfrac{\dfrac{(\lambda t)^k}{k!} e^{-\lambda t} \dfrac{(2\lambda t)^{l-k}}{(l-k)!} e^{-2\lambda t}}{\dfrac{(3\lambda t)^l}{l!} e^{-3\lambda t}} = \binom{l}{k} \left(\dfrac{1}{3}\right)^k \left(\dfrac{2}{3}\right)^{l-k} \quad (0 \leqq k \leqq l)$

つまり, 条件 $N_{3t} = l$ のもとで N_t の分布は, $B\left(l, \dfrac{1}{3}\right)$ で★6,
$E(N_t | N_{3t} = l) = E\left(B\left(l, \dfrac{1}{3}\right)\right) = \dfrac{l}{3}$, $E(N_t | N_{3t}) = \dfrac{N_{3t}}{3}$.

★1 独立増分性より N_s と $N_t - N_s$ は独立。

★2 ポアソン分布モーメント母関数を思い出すと
$E(e^{\alpha \text{Po}(\lambda)})$
$= e^{-\lambda(1-e^\alpha)}$.

★3 $T_i - T_{i-1} \sim \text{Exp}(\lambda) = \Gamma(1, \lambda)$ とガンマ分布の再生性。

★4
$\iint_{0 \leq 2y \leq x} \lambda e^{-\lambda x} \lambda e^{-\lambda y}$
$dx dy = \int_0^\infty \lambda e^{-3\lambda y} dy = \dfrac{1}{3}$
でもよい。

★5 独立増分性を用いて $N_{3t} = N_{3t} - N_t + N_t$ と変形する。

★6 問題 26 の (7) を思い出してみよう。

問題 82　ブラウン運動　　発展

1 正しい硬貨を Δt 秒ごとに 1 回投げ，表が出れば得点が $\sqrt{\Delta t}$ 増え，裏が出たら $\sqrt{\Delta t}$ 減るとする。$Z_0^{\Delta t}=0$ として，t 秒直後の得点を $Z_t^{\Delta t}$ とすると，$W_t = \lim_{\Delta t \to 0} Z_t^{\Delta t}$ がブラウン運動となる。以下を求めよ。

(1) $E(Z_t^{\Delta t}), V(Z_t^{\Delta t})$　(2) $\lim_{\Delta t \to 0} M_{Z_t^{\Delta t}}(\alpha)\ (= M_{W_t}(\alpha))$，$W_t$ の分布，$V(W_t)$

(3) $0 \leq s \leq t$ として，$E(W_s W_t)$，$\mathrm{Cov}(W_s, W_t)$，$E(e^{\alpha W_t})$，$E(e^{\alpha W_s + \beta W_t})$

(4) $E(e^{\alpha W_t + \beta W_{5t}}), E(e^{\alpha W_t + \beta W'_{5t}})$ （W' は W と独立なブラウン運動）

(5) $E(|W_t|)$　(6) $E(W_{3t}|W_t)$　(7) $E((W_{3t})^2|W_t)$

解説　問題では対称ランダムウォークの極限を扱ったが，中心極限定理より他の独立同分布和の極限でも同様で，ブラック＝ショールズモデル，確率微分方程式などブラウン運動を用いたモデルは多く，基本的で重要な確率過程である。

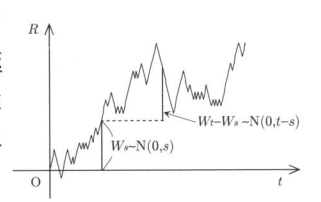

ブラウン運動 W_t は t は非負実数，W_t は正規分布なので，とる値は実数である。
- （周辺分布は正規分布）$W_t \sim N(0, t)$ （$W_0 = 0$）
- （独立増分性）$0 < t_1 < t_2 < t_3 < \cdots$ として，
  　　　　$W_{t_1}, W_{t_2} - W_{t_1}, W_{t_3} - W_{t_2}, \cdots$ は独立。
- （定常増分性）$0 < s < t$ として，$W_t - W_s \sim N(0, t-s)$
  （注意　W_s, W_t は独立でなく，独立増分性より $W_s, W_t - W_s$ が独立は重要）

例題（対数正規分布，ブラック＝ショールズモデル）

$S_t = S e^{\sigma W_t + \mu t}$ を幾何的ブラウン運動（ブラック＝ショールズモデル）という。ここで確率過程 S_t は t における株価，定数 S は $t=0$ における株価（初期株価），σ, μ はそれぞれ株価の収益率の標準偏差，トレンドである。以下を求めよ。

(1) $E(S_t)$　(2) $V(S_t)$　(3) $0 < t < T$ として，$E(S_T | S_t = x)$

解 (1) $E(S_t) = E(Se^{\sigma W_t + \mu t}) = SE(e^{N(\mu t, \sigma^2 t)}) = Se^{\mu t + \frac{\sigma^2 t}{2}}$ となる（∵ 正規分布のモーメント母関数）。

(2) $E(S_t^2) = S^2 E\left(e^{2\sigma W_t + 2\mu t}\right) = S^2 E(e^{N(2\mu t, 4\sigma^2 t)}) = S^2 e^{2\mu t + 2\sigma^2 t}$ となる。つまり，

$$V(S_t) = E(S_t^2) - (E(S_t))^2 = S^2 e^{2\mu t + 2\sigma^2 t} - \left(Se^{\mu t + \frac{\sigma^2 t}{2}}\right)^2 = S^2 e^{2\mu t + \sigma^2 t}\left(e^{\sigma^2 t} - 1\right)$$

(3) $\dfrac{S_T}{S_t}$ を考えて，
$E(S_T | S_t = x) = E(S_t e^{\sigma(W_T - W_t) + \mu(T-t)} | S_t = x)$

問題 82 [発展] ブラウン運動   187

$$= xE(e^{\sigma(W_T - W_t) + \mu(T-t)} | S_t = x) = xE(e^{\sigma(W_T - W_t) + \mu(T-t)})$$
$$= xE(e^{N(\mu(T-t), \sigma^2(T-t))}) = xe^{\mu(T-t) + \frac{\sigma^2(T-t)}{2}}$$

となる（途中で独立増分性を用いた）。

解答

$Z_t^{\Delta t} = \sqrt{\Delta t}(\xi_1 + \cdots + \xi_{\frac{t}{\Delta t}})$ に注意して[★1],

(1) $E(Z_t^{\Delta t}) = 0$, $V(Z_t^{\Delta t}) = \Delta t \times n = t$

(2) $\lim_{\Delta t \to 0} M_{Z_t^{\Delta t}}(\alpha) = \lim_{\Delta t \to 0} \left(\dfrac{e^{\alpha\sqrt{\Delta t}} + e^{-\alpha\sqrt{\Delta t}}}{2} \right)^n$
$= \lim_{\Delta t \to 0} \left(1 + \dfrac{\alpha^2 \Delta t}{2} + \cdots \right)^n = e^{\frac{\alpha^2 t}{2}}$ となる[★2]。

よって、$W_t \sim N(0, t)$, $V(W_t) = t$

(3) $0 \leq s \leq t$ として

$E(W_s W_t) = s$, $E(e^{\alpha W_t}) = E(e^{\alpha N(0,t)}) = e^{\frac{t\alpha^2}{2}}$, $\text{Cov}(W_s, W_t) = s$,
$E(e^{\alpha W_s + \beta W_t}) = E(e^{(\alpha+\beta) W_s + \beta(W_t - W_s)})$
$= E(e^{(\alpha+\beta) W_s}) E(e^{\beta(W_t - W_s)}) = M_{N(0,s)}(\alpha+\beta) M_{N(0,t-s)}(\beta)$ [★3]
$= e^{\frac{1}{2}s(\alpha+\beta)^2 + \frac{1}{2}(t-s)\beta^2}$ となる。

(4) $E(e^{\alpha W_t + \beta W_{5t}}) = E(e^{(\alpha+\beta)(W_t) + \beta(W_{5t} - W_t)})$
$= E(e^{(\alpha+\beta)N(0,t)}) E(e^{\beta N(0,4t)}) = e^{\frac{1}{2}(\alpha+\beta)^2 t + \frac{1}{2}\beta^2(4t)}$,

W と W' は独立より、
$E(e^{\alpha W_t + \beta W'_{5t}}) = E(e^{\alpha W_t}) E(e^{\beta W'_{5t}}) = e^{\frac{\alpha^2 t}{2} + \frac{5\beta^2 t}{2}}$

(5) $E(|W_t|) = E(|N(0,t)|) = E(\sqrt{t}|N(0,1)|)$
$= \sqrt{t} \int_{-\infty}^{\infty} |x| \dfrac{1}{\sqrt{2\pi}} e^{-\frac{x^2}{2}} dx = 2\sqrt{t} \dfrac{1}{\sqrt{2\pi}} \int_0^{\infty} x e^{-\frac{x^2}{2}} dx$
$= 2\sqrt{t} \dfrac{1}{\sqrt{2\pi}} \left[-e^{-\frac{x^2}{2}} \right]_0^{\infty} = \sqrt{\dfrac{2t}{\pi}}$

(6)[★4] $E(W_{3t} | W_t = x) = E(W_{3t} - W_t + x | W_t = x)$
$= E(W_{3t} - W_t | W_t = x) + x = E(W_{3t} - W_t) + x$
$= E(N(0, 2t)) + x = x$. よって、$E(W_{3t} | W_t) = W_t$ となる。

(7) $E((W_{3t} - W_t + W_t)^2 | W_t)$
$= E((W_{3t} - W_t)^2 + 2(W_{3t} - W_t)W_t + W_t^2 | W_t)$
$= E((W_{3t} - W_t)^2 | W_t) + 2W_t E(W_{3t} - W_t | W_t) + W_t^2$
$= E((W_{3t} - W_t)^2) + 2W_t E(W_{3t} - W_t) + W_t^2$
$= V(W_{3t} - W_t) + 0 + W_t^2 = V(N(0, 2t)) + W_t^2 = W_t^2 + 2t$

別解 $E(W_{3t}^2 | W_t) = V(W_{3t} | W_t) + (E(W_{3t} | W_t))^2$
$= V(W_{3t} - W_t + W_t | W_t) + (E(W_{3t} | W_t))^2$
$= V(W_{3t} - W_t | W_t) + W_t^2 = V(W_{3t} - W_t) + W_t^2 = 2t + W_t^2$

[★1] 題意より、$n\Delta t = t$

[★2] $\lim_{\Delta t \to 0} (1 + a\Delta t + o(\Delta t))^{\frac{b}{\Delta t}} = e^{ab}$ となる。

[★3] 独立増分性を利用して、W_t を $W_t - W_s + W_s$ におき換え調整し、$W_t - W_s$ と W_s の独立性を用いる。

[★4] 独立増分性を用いる。

問題 83　シミュレーション I　逆関数法　標準

1 $Y_1 \sim \text{Exp}(\lambda)$, $Y_2 \sim \text{N}(0,1)$, $Y_3 \sim \text{N}(\mu, \sigma^2)$, $Y_4 \sim \text{U}(a,b)$, $Y_5 \sim B(3, \frac{1}{2})$, $Y_6 \sim \text{Ge}(p)$, $f_{Y_7}(x) = \dfrac{1}{\pi(1+x^2)}$ $(-\infty < x < \infty)$, $f_{Y_8}(x) = \dfrac{2}{\pi\sqrt{1-x^2}}$ $(0 < x < 1)$, $f_{Y_9}(x) = 2xe^{-x^2}$ $(0 < x < \infty)$ を,
それぞれ $U \sim \text{U}(0,1)$ を用いて, $Y_i \sim h(U)$ として作れ.

2 表 $U(0,1)$ の 4 個の実現値 $0.16, 0.84, 0.75, 0.25$ を用いて, 次の確率分布に従う確率変数の実現値をそれぞれ 4 個ずつ作れ.
(a) $\text{Exp}(3)$　(b) $\text{N}(0,1)$　(c) $\text{N}(5,4)$　(d) $\text{Ge}\left(\frac{1}{3}\right)$

解説

実際の現象を確率モデル化したとき, それをコンピュータで実験したいことはよく生じる. 物理や化学のように実験することは難しいからである. その際, さまざまな分布に従う確率変数 X を, コンピュータの乱数 $\text{U}(0,1)$ を用いて作る必要が出てくる. たとえば, 離散一様分布 $\text{DU}\{1, 2, \cdots, 6\}$ なら正しいサイコロを使えばよいが, 他の分布ではそうはいかないので, 確率変数 X を作るのにソフトウエアなどに実装された $\text{U}(0,1)$ を用いて, $X \sim h(\text{U}(0,1))$ となる h を求めることになる. その際, 次の逆関数法が最も重要 (p.197 の TeaTime 参照).

逆関数法　$X \sim F_X^{-1}(U)$　ここで $U \sim \text{U}(0,1)$

コンピュータによる実験は**モンテカルロ・シミュレーション**の名前でよく知られているが, たとえば, 大数の強法則によれば

$$\int_{-\infty}^{\infty} g(x) f_X(x) dx = \lim_{n \to \infty} \frac{g(X_1) + g(X_2) + \cdots + g(X_n)}{n}$$

となる ($X_1 \sim X_2 \sim \cdots \sim X$（独立）) ので, 生成法に従い乱数 $X_1 = x_1, \cdots, X_n = x_n$ を発生させ, 定積分を $\dfrac{h(x_1) + \cdots + h(x_n)}{n}$ で近似すればよい. とくに $X_1 \sim X_2 \sim \cdots \sim \text{U}(0,1)$ で $\int_0^1 g(x) dx \fallingdotseq \dfrac{g(x_1) + \cdots + g(x_n)}{n}$.

解答

1 $x > 0$ として, $F_{Y_1}(x) = 1 - e^{-\lambda x} = y$. よって,
$x = \frac{-1}{\lambda}\log(1-y)$ となり, $Y_1 \sim \frac{-1}{\lambda}\log(1-U)$ [★1].
$F_{Y_2}(x) = \Phi(x)$ より, $Y_2 \sim \Phi^{-1}(U)$,　$Y_3 \sim \mu + \sigma\Phi^{-1}(U)$
$\frac{Y_4 - a}{b - a} \sim \text{U}(0,1)$ より, $Y_4 \sim a + (b-a)U$

[★1] $U \sim 1 - U$ より $\frac{-1}{\lambda}\log U$ でもよい.

Y_5	0	1	2	3
確率	$\frac{1}{8}$	$\frac{3}{8}$	$\frac{3}{8}$	$\frac{1}{8}$

これより $Y_5 = \begin{cases} 0 \cdots 0 \leqq U < \frac{1}{8} \\ 1 \cdots \frac{1}{8} \leqq U < \frac{1}{2} \\ 2 \cdots \frac{1}{2} \leqq U < \frac{7}{8} \\ 3 \cdots \frac{7}{8} \leqq U < 1 \end{cases}$,

さらに $Y_6 \sim \left[\dfrac{\log U}{\log(1-p)}\right]$ ★2 である。なぜなら, k を非負整数として,

$P\left(\left[\dfrac{\log U}{\log(1-p)}\right] = k\right) = P\left(k \leqq \dfrac{\log U}{\log(1-p)} < k+1\right)$

$= P\left((1-p)^{k+1} < U \leqq (1-p)^k\right)$

$= (1-p)^k - (1-p)^{k+1} = p(1-p)^k$ となる。

$F_{Y_7}(x) = \int_{-\infty}^{x} \dfrac{1}{\pi(1+u^2)} du = \dfrac{1}{\pi}\left[\tan^{-1}(u)\right]_{-\infty}^{x}$

$= \dfrac{1}{\pi}\left(\tan^{-1} x - \tan^{-1}(-\infty)\right) = \dfrac{1}{\pi}\left(\tan^{-1} x + \dfrac{\pi}{2}\right) (= y)$

よって, $x = \tan\left(\pi y - \dfrac{\pi}{2}\right) = \dfrac{-1}{\tan \pi y}$ となる。

つまり, $Y_7 \sim \dfrac{-1}{\tan \pi U}$ である★3。

$F_{Y_8}(x) = \int_{0}^{x} \dfrac{2}{\pi\sqrt{1-u^2}} du = \dfrac{2}{\pi}\sin^{-1} x (= y)$

より, $Y_8 \sim \sin\left(\dfrac{\pi}{2} U\right)$,

$F_{Y_9}(x) = \int_{0}^{x} 2u e^{-u^2} du = 1 - e^{-x^2} (= y)$

より, $Y_9 \sim \sqrt{-\log(1-U)}$ となる。

★2 ここの [ ] はガウス記号。つまり, $[x]$ は実数 x を超えない最大の整数。

★3 明らかに, $Y_7 \sim -Y_7$ より $Y_7 \sim \dfrac{1}{\tan \pi U}$ でもよい。

2 (a) $-\dfrac{1}{3}\log 0.16 = 0.6109, \ -\dfrac{1}{3}\log 0.84 = 0.0581,$
$-\dfrac{1}{3}\log 0.75 = 0.0959, \ -\dfrac{1}{3}\log 0.25 = 0.4621$ ★4.

(b) $\Phi^{-1}(0.16) = -0.9945, \ \Phi^{-1}(0.84) = 0.9945,$
$\Phi^{-1}(0.75) = 0.6745, \ \Phi^{-1}(0.25) = -0.6745.$

(c) $N(5,4) = 5 + 2N(0,1)$ なので求める答えは, 3.011, 6.989, 6.349, 3.651 となる。

(d) $Ge(p) \sim \left[\dfrac{\log U}{\log(1-p)}\right]$ より $\left[\dfrac{\log 0.16}{\log 2/3}\right] = 4, \ \left[\dfrac{\log 0.84}{\log 2/3}\right] = 0,$
$\left[\dfrac{\log 0.75}{\log 2/3}\right] = 0, \ \left[\dfrac{\log 0.25}{\log 2/3}\right] = 3$

★4 対数表から, $\log 0.16$
$= \log 1.6 - \log 10$
または,
$= 4\log 2 - 2\log 10$
また, $\log 0.84 = \log \dfrac{3 \times 7}{5^2}$
$= \log 3 + \log 7 - 2\log 5$ から求める。

問題 84 シミュレーション II 合成法, 棄却法 〔発展〕

1. 密度関数 $f_X(x) = \frac{4}{3}e^{-2x} + e^{-3x}$ $(x > 0)$ をもつ連続確率変数 X を, 2つの独立な $U_1 \sim U_2 (\sim U(0,1))$ で作れ。

2. 分布関数 $F_X(x) = \begin{cases} \frac{1}{6}(1 - e^{-5x}) + \frac{5}{6}x^7 & (0 \leq x \leq 1) \\ \frac{1}{6}(1 - e^{-5x}) + \frac{5}{6} & (x \geq 1) \end{cases}$
をもつ確率変数 X を 2 つの独立な $U_1 \sim U_2 (\sim U(0,1))$ で作れ。

3. (1) サイコロから, $DU\{1,2,3,4,5\}$, $Be(\frac{1}{5})$, $DU\{1,2,3,4,5,6,7\}$ を作る方法を記せ。

(2) $U_1 \sim U_2 \sim U(0,1)$ を用いて $\beta(3,4)$ を作れ。

(3) $U_1 \sim U_2 \sim U_3 \sim U(0,1)$ (独立) と $Exp(1)$ に対する棄却法から $N(0,1)$, $N(\mu, \sigma^2)$ を作れ。

解説

$F_X(x)$ の逆関数が複雑なとき, 合成法 (混合法), 棄却法を利用する。

● 合成法

$F_Y(x) = h_1 F_{X_1}(x) + h_2 F_{X_2}(x), h_1, h_2 \geq 0, h_1 + h_2 = 1$ をシミュレートしたい。

$Y = \begin{cases} F_{X_1}^{-1}(U_2) & (0 \leq U_1 \leq h_1 \text{ のとき}) \\ F_{X_2}^{-1}(U_2) & (h_1 < U_1 \leq h_1 + h_2 = 1 \text{ のとき}) \end{cases}$ $(U_1 \sim U_2 \sim U(0,1)$ で独立$)$

とすれば, $f_Y(x) = h_1 f_{X_1}(x) + h_2 f_{X_2}(x)$. なぜなら,

$F_Y(x) = P(Y \leq x)$
$= P(F_{X_1}^{-1}(U_2) \leq x \cap 0 \leq U_1 \leq h_1) + P(F_{X_2}^{-1}(U_2) \leq x \cap h_1 \leq U_1 \leq 1)$
$= P(F_{X_1}^{-1}(U_2) \leq x) P(0 \leq U_1 \leq h_1) + P(F_{X_2}^{-1}(U_2) \leq x) P(h_1 \leq U_1 \leq 1)$

(密度関数は微分すればよい).

● 棄却法

$\exists c, \forall y, f_X(y) \leq c f_Y(y)$ とする。f_Y がシミュレートできるという条件のもとで, f_X をシミュレートする。

手順 1　Y の密度が f_Y である Y をとってくる (たとえば, 逆関数法で作る)。

手順 2　$U \sim U(0,1)$ をとってくる。

手順 3　$U \leq \frac{f_X(Y)}{c f_Y(Y)}$ なら $X = Y$ (X として Y をとる),

　　　　$U > \frac{f_X(Y)}{c f_Y(Y)}$ なら (何もしないで) 手順 1 にもどる。

これで OK の理由は次が成立するからである。

定理　X の密度関数は f_X である。

証明 $P(X \leqq x) = P\left(Y \leqq x | U \leqq \dfrac{f_X(Y)}{cf_Y(Y)}\right) = \dfrac{P\left(Y \leqq x \cap U \leqq \dfrac{f_X(Y)}{cf_Y(Y)}\right)}{P\left(U \leqq \dfrac{f_X(Y)}{cf_Y(Y)}\right)}$

$= \dfrac{E\left(\dfrac{f_X(Y)}{cf_Y(Y)} \cap Y \leqq x\right)}{E\left(\dfrac{f_X(Y)}{cf_Y(Y)}\right)} = \dfrac{\int_{-\infty}^{x} \dfrac{f_X(u)}{cf_Y(u)} f_Y(u) du}{\int_{-\infty}^{\infty} \dfrac{f_X(u)}{cf_Y(u)} f_Y(u) du} = \dfrac{\int_{-\infty}^{x} f_X(u) du}{\int_{-\infty}^{\infty} f_X(u) du} = \int_{-\infty}^{x} f_X(u) du$

例． $\Gamma(2,2)$ を $\mathrm{Exp}(1)$ から棄却法を用いて作る．$\dfrac{f_{\Gamma(2,2)}(x)}{f_{\mathrm{Exp}(1)}(x)} = 4xe^{-x}$ より，上の $c=\dfrac{4}{e}$．後は逆関数法に注意し，上の手順に従えばよい．つまり，**手順 1**：独立な $U_1, U_2 \sim \mathrm{U}(0,1)$ を用意し，まず $-\log U_1$ を作る．**手順 2**：$U_2 \leqq -eU_1 \log U_1$ なら $-\log U_1$ を採用．そうでなければ何もしないで手順 1 に戻ることをくり返す．

解答

$\boxed{1}$ $f_X(x) = \dfrac{2}{3} 2e^{-2x} + \dfrac{1}{3} 3e^{-3x}$ より[★1]，$U_1 \sim U_2 \sim \mathrm{U}(0,1)$ を独立にとり
$X = \begin{cases} -\dfrac{1}{2}\log U_1 & (0 \leqq U_2 < \dfrac{2}{3}) \\ -\dfrac{1}{3}\log U_1 & (\dfrac{2}{3} \leqq U_2 < 1) \end{cases}$ となる．

[★1] X は，$\mathrm{Exp}(2)$ と $\mathrm{Exp}(3)$ の $\mathrm{Be}(\frac{1}{3})$ による混合である．

$\boxed{2}$ [★2] 解説より，$X = \begin{cases} -\dfrac{1}{5}\log U_1 & (0 \leqq U_2 < \dfrac{1}{6}) \\ (U_1)^{1/7} & (\dfrac{1}{6} \leqq U_2 < 1) \end{cases}$ となる．

[★2] X は，$\mathrm{Exp}(5)$ と $f_Z(x) = 7x^6$ $(0 < x < 1)$ の $\mathrm{Be}\left(\dfrac{1}{6}\right)$ による混合である．

$\boxed{3}$ (1) $\mathrm{DU}\{1,2,3,4,5\}$ は，正しいサイコロを投げて，6 の目は無視して（棄却して）1 から 5 の目がでたときだけとっていく．
$\mathrm{Be}(1/5)$ は，6 の目は無視して（棄却して），1 から 5 の目のうちで 1 の目がでたら 1，2 から 5 の目がでたら 0 と定める．
$\mathrm{DU}\{1,2,3,4,5,6,7\}$ は正しいサイコロを何回も投げて，1 回と 2 回，3 回と 4 回のように 2 つずつ組み合わせ[★3]，考えられる 36 個の目のペアのうち，たとえば $(6,6)$ を除いた 35 通りを 7 つのグループに分け，そのグループに 1 から 7 の数字を割りあてればよい．

[★3] サイコロが 2 個あるなら，2 個同時に投げる試行をくり返す．

(2) $f_{\beta(3,4)}(x) = \dfrac{1}{B(3,4)} x^{3-1}(1-x)^{4-1} = 60x^2(1-x)^3$, $(0 < x < 1)$
$\max_{0 \leqq x \leqq 1} \dfrac{f_{\beta(3,4)}(x)}{f_{\mathrm{U}(0,1)}(x)} = 60 \times \left(\dfrac{2}{5}\right)^2 \left(\dfrac{3}{5}\right)^3$, $\dfrac{\dfrac{f_{\beta(3,4)}(x)}{f_{\mathrm{U}(0,1)}(x)}}{60\times\left(\frac{2}{5}\right)^2\left(\frac{3}{5}\right)^3} = \dfrac{5^5}{2^2 3^3} x^2 (1-x)^3$ より $U_1 \sim U_2 \sim \mathrm{U}(0,1)$ を独立にとり $U_2 \leqq \dfrac{5^5}{2^2 3^3}(U_1)^2(1-U_1)^3$ なら U_1 をとり，$U_2 > \dfrac{5^5}{2^2 3^3}(U_1)^2(1-U_1)^3$ なら戻る[★4]．

[★4] U_1, U_2 をとり直し，やり直す．

(3) $P(\mathrm{Exp}(1) > 0) = 1$ なので，まず $|\mathrm{N}(0,1)|$ を作る．ここで $f_{|\mathrm{N}(0,1)|}(x) = 2f_{\mathrm{N}(0,1)}(x)$ $(x > 0)$ に注意して，
$\dfrac{f_{|\mathrm{N}(0,1)|}(x)}{f_{\mathrm{Exp}(1)}(x)} = \sqrt{\dfrac{2}{\pi}} e^{-\frac{1}{2}(x-1)^2 + \frac{1}{2}} \leqq \sqrt{\dfrac{2}{\pi}} e^{\frac{1}{2}}$, $\dfrac{\frac{f_{|\mathrm{N}(0,1)|}(x)}{f_{\mathrm{Exp}(1)}(x)}}{\sqrt{\frac{2}{\pi}} e^{\frac{1}{2}}} = e^{-\frac{1}{2}(x-1)^2}$
よって，$U_2 \leqq e^{-\frac{1}{2}(-\log U_1 - 1)^2}$ なら $-\log U_1$ をとり，$U_3 < \dfrac{1}{2}$ なら $-\log U_1$ とし，$U_3 \geqq \dfrac{1}{2}$ なら $\log U_1$ ととる．$U_2 > e^{-\frac{1}{2}(-\log U_1 - 1)^2}$ なら U_1, U_2 をとり直す．また，$\mathrm{N}(\mu, \sigma^2)$ は $\mu + \sigma \mathrm{N}(0,1)$ から作ればよい．

問題 85　危険率，故障率，死力 I　　発展

1 $\{0,1,2,\cdots\}$ に値をとる離散確率変数 X に対して $\mu_x = P(X=x|X \geq x)$ を X の離散死力という（X は生物や機械の寿命で，非負整数値とする）。
(1) $\mu_x = \mu$（離散死力一定）のとき，$P(X=x), E(X)$ を求めよ。
(2) $\mu_x = \frac{2}{3+x}$ のとき，$P(X=x), E(X)$ を求めよ。

2 **1**の各場合について x 歳からの平均余命 $E(X-x|X \geq x)$ を求めよ。

解説

X を寿命確率変数とすると，$P(X \geq 0) = 1$ である。本問では非負整数の値をとるケース，次問では非負実数の値をとるケースを調べる。

離散死力 μ_x は $\mu_x = P(X=x|X \geq x) = \frac{P(X=x)}{P(X \geq x)} = \frac{P(X \geq x) - P(X \geq x+1)}{P(X \geq x)}$
で定義される。事象 $X \geq x$ は x 歳（年始で考える）で生きているということに注意する。また，生まれたときの時刻を $t=0$ とすると，寿命 X が $X=0$ であるとは時刻 $t=1$ までに死ぬことである。したがって，$\mu_x = \frac{P(X \geq x) - P(X \geq x+1)}{P(X \geq x)}$ は $t=x$ で生きている人が $t=x+1$ までに死ぬ確率なのである。

幾何分布 $\mathrm{Ge}(p)$ の場合に求めてみると，
$$\mu_x = \frac{P(X \geq x) - P(X \geq x+1)}{P(X \geq x)} = \frac{(1-p)^x - (1-p)^{x+1}}{(1-p)^x} = p$$

となり，死力 μ_x は定数 p（成功確率，この場合は死ぬことが成功である）となり，問題にみるように逆も成立する。$X \sim \mathrm{NB}(2,p)$ だと，
$$P(X \geq x) = \sum_{k=x}^{\infty} \binom{k+1}{1} p^2 (1-p)^k = \sum_{l=0}^{\infty} (l+x+1) p^2 (1-p)^{x+l} = (px+1)(1-p)^x$$
となるので，$\mu_x = \frac{P(X \geq x) - P(X \geq x+1)}{P(X \geq x)} = 1 - (1-p)\frac{(x+1)p+1}{xp+1} = \frac{p^2(x+1)}{xp+1}$
となる。

離散死力の場合，平均余命（x 歳の人の余命の平均）は $E(X-x|X \geq x) = \sum_{k=x}^{\infty}(k-x)P(X=k|X \geq x) = \sum_{l=0}^{\infty} l P(X-x=l|X \geq x)$ で計算される。

また，離散のしっぽ定理を用いれば $E(X-x|X \geq x) = \sum_{l=1}^{\infty} P(X-x \geq l|X \geq x)$ で計算できる。これで計算すると $X \sim \mathrm{Ge}(p)$ の場合は $P(X-x \geq l|X \geq x) = (1-p)^l$ より，平均余命 $= E(X-x|X \geq x) = \sum_{l=1}^{\infty}(1-p)^l = \frac{1-p}{p}$ となる（もちろん，無記憶性より x によらない）。

問題 85 [発展] 危険率,故障率,死力 I   193

$X \sim \mathrm{NB}(2,p)$ の場合は,$P(X-x \geqq l | X \geqq x) = \dfrac{(x+l)p+1}{xp+1}(1-p)^l$ より,

$E(X-x|X \geqq x) = \sum_{l=1}^{\infty} P(X-x \geqq l|X \geqq x) = \sum_{l=1}^{\infty} \dfrac{(x+l)p+1}{xp+1}(1-p)^l = \dfrac{1-p}{p} \dfrac{xp+2}{xp+1}.$

解 答

$\boxed{1}$ $\mu_x = P(X=x|X \geqq x) = \dfrac{P(X=x \cap X \geqq x)}{P(X \geqq x)} = \dfrac{P(X=x)}{P(X \geqq x)}$

$= \dfrac{P(X \geqq x) - P(X \geqq x+1)}{P(X \geqq x)}.$ $\therefore \dfrac{P(X \geqq x+1)}{P(X \geqq x)} = 1 - \mu_x$ となるので,

$$P(X \geqq x) = \dfrac{P(X \geqq x)}{P(X \geqq x-1)} \dfrac{P(X \geqq x-1)}{P(X \geqq x-2)} \cdots \dfrac{P(X \geqq 1)}{P(X \geqq 0)} P(X \geqq 0)$$
$$= (1-\mu_{x-1})(1-\mu_{x-2})\cdots(1-\mu_0) \text{ で計算できる。}$$

(1)★1 $P(X=x) = P(X \geqq x) - P(X \geqq x+1)$
$\qquad = (1-\mu)^x - (1-\mu)^{x+1} = \mu(1-\mu)^x$

$\therefore X \sim \mathrm{Ge}(\mu),$ よって $E(X) = \dfrac{1-\mu}{\mu}$

★1 $P(X \geqq x) = (1-\mu)^x$

(2) $P(X \geqq x) = \left(1 - \dfrac{2}{3+x-1}\right)\left(1 - \dfrac{2}{3+x-2}\right) \cdots \left(1 - \dfrac{2}{3}\right)$

$= \dfrac{x}{x+2} \dfrac{x-1}{x+1} \cdots \dfrac{1}{3} = \dfrac{2}{(x+1)(x+2)}$

つまり,$P(X=x) = P(X \geqq x) - P(X \geqq x+1)$

$= \dfrac{2}{(x+1)(x+2)} - \dfrac{2}{(x+2)(x+3)} = \dfrac{4}{(x+1)(x+2)(x+3)}$

しっぽ定理より,$E(X) = \sum_{x=1}^{\infty} P(X \geqq x) = \sum_{x=1}^{\infty} \dfrac{2}{(x+1)(x+2)} = 1$

$\boxed{2}$ (1) $u \geqq 0$ として,$P(X-x=u|X \geqq x) = \dfrac{P(X=x+u \cap X \geqq x)}{P(X \geqq x)}$

$= \dfrac{P(X=x+u)}{P(X \geqq x)} = \dfrac{\mu(1-\mu)^{x+u}}{(1-\mu)^x} = \mu(1-\mu)^u$

$\therefore E(X-x|X \geqq x) = E(\mathrm{Ge}(\mu)) = \dfrac{1-\mu}{\mu}$

(2) $u \geqq x$ に対し,$P(X=u|X \geqq x) = \dfrac{P(X=u)}{P(X \geqq x)} = \dfrac{\frac{4}{(u+1)(u+2)(u+3)}}{\frac{2}{(x+1)(x+2)}}.$

$E(X+1|X \geqq x) = 2(x+1)(x+2) \sum_{u=x}^{\infty} (u+1) \dfrac{1}{(u+1)(u+2)(u+3)}$
$= 2(x+1).$

$\therefore E(X-x|X \geqq x) = E(X|X \geqq x) - x = 2(x+1) - 1 - x = x+1$

別解 しっぽ定理より,

$E(X-x|X \geqq x) = \sum_{u=1}^{\infty} P(X-x \geqq u|X \geqq x) = \sum_{u=1}^{\infty} \dfrac{(x+1)(x+2)}{(x+u+1)(x+u+2)}$

$= (x+1)(x+2) \sum_{u=1}^{\infty} \left(\dfrac{1}{x+u+1} - \dfrac{1}{x+u+2}\right) = x+1$

問題 86 危険率，故障率，死力 II （発展）

1 (1) 死力 $\lambda_X(t)$ を $\bar{F}_X(t) = 1 - F_X(t)$ を用いて表せ。また，$f_X(t)$ を用いて表せ。死力 $\lambda_X(t)$ を用いて $F_X(t), f_X(t),$ 生存確率 $P(X > x+t|X > x)$ （保険数理では ${}_t p_x$ と書く）を求めよ。また， x 歳の人の平均余命 $\mathring{e}_x = E(X - x|X > x)$ を ${}_t p_x$ を用いて表せ。

(2) $U_1 \sim U_2 \sim \mathrm{U}(0,T)$ で独立として，$X \sim \mathrm{U}(0,T)$, $X \sim \mathrm{Exp}(\lambda)$, $X \sim \max(U_1,U_2)$, $X \sim \min(U_1,U_2)$ の各場合に，$F_X(t), \lambda_X(t), {}_t p_x, \mathring{e}_x = E(X-x|X>x)$ を求めよ。

2 (1) 死力 $\lambda_X(t) = \dfrac{1}{100-t}$ $(0 < t < 100)$ のとき，60 歳で生きている人が 80 歳より多く生きる確率を求めよ。

(2) $\lambda_X(t) = \dfrac{2}{100-t}$ $(0 < t < 100)$ のときはどうか？

解説

$P(X > 0) = 1$ である連続確率変数に対して，
$$\lambda_X(t) = \lim_{\Delta t \to 0} \frac{P(t < X < t + \Delta t | X > t)}{\Delta t}$$
となる $\lambda_X(t)$ を**死力** (force of mortality)，**故障率** (failure rate)，**危険率** (hazard rate) などと呼ぶ。保険数理・信頼性工学・医学統計・金融工学など，さまざまの分野で使われる重要な概念である。分野で呼び名が異なるが，意味は同じである。

意味は X を機械や生物，対象物の寿命としたとき，$P(X > t) = t$ まで生きている確率（生存関数=$\bar{F}_X(t) = 1 - F_X(t)$ と呼ばれる）なので t まで動いている機械が t と $t + \Delta t$ の間に故障する確率が $\lambda_X(t)\Delta t$ となるものである。生保数理では $\lambda_X(t) = \mu_t$ と書かれる。

解答

1 (1) $\lambda_X(t) = \lim_{\Delta t \to 0} \dfrac{P(t < X < t + \Delta t | X > t)}{\Delta t}$
$= \lim_{\Delta t \to 0} \dfrac{\bar{F}_X(t) - \bar{F}_X(t + \Delta t)}{\Delta t \bar{F}_X(t)} = \dfrac{f_X(t)}{\bar{F}_X(t)} = \dfrac{d}{dt}(-\log \bar{F}_X(t))$

また，$\lambda_X(t) = \dfrac{f_X(t)}{\int_t^\infty f_X(u)du}$. すると

$-\log \bar{F}_X(t) = \int_0^t \lambda_X(s)ds, \quad \bar{F}_X(t) = e^{-\int_0^t \lambda_X(s)ds}$

$F_X(t) = 1 - e^{-\int_0^t \lambda_X(s)ds}, \ f_X(t) = \lambda_X(t) e^{-\int_0^t \lambda_X(s)ds}$

のように $\lambda_X(t)$ から確率分布のすべてが再現される。生存確率 ${}_tp_x$（現在 x 歳の人がさらに t 年より多く生きる確率）を考える。すると，

$${}_tp_x = P(X > x+t | X > x) = \frac{\bar{F}_X(x+t)}{\bar{F}_X(x)} = e^{-\int_x^{x+t} \lambda_X(s)ds}$$

$$\mathring{e}_x = E(X-x | X > x) = \int_0^\infty P(X-x > t | X > x)dt$$

$$= \int_0^\infty {}_tp_x \, dt \, ^{\bigstar 1}$$

★1 期待値 ＝ テイル確率（しっぽ確率）の積分 を用いた。

(2) $X \sim U(0,T)$ のとき，$T > t$ として，
$\bar{F}_X(t) = P(X > t) = \frac{T-t}{T}$, $\lambda_X(t) = -\frac{\partial}{\partial t}\log \bar{F}_X(t) = \frac{1}{T-t}$,
$0 < x < T, 0 < t < T-x$ に対して ${}_tp_x = \frac{\bar{F}_X(x+t)}{\bar{F}_X(x)} = \frac{T-t-x}{T-x}$
$X \sim \text{Exp}(\lambda)$ のとき，$t > 0$ として，
$\bar{F}_X(t) = P(X > t) = \int_t^\infty \lambda e^{-\lambda u} du = e^{-\lambda t}$,
$\lambda_X(t) = -\frac{\partial}{\partial t}\log \bar{F}_X(t) = \lambda$
$t > 0$ に対して，${}_tp_x = \frac{\bar{F}_X(x+t)}{\bar{F}_X(x)} = e^{-\lambda t}$ ★2
$X \sim \max(U_1, U_2)$ のとき，$T > t$ として，
$\bar{F}_X(t) = P(X > t) = 1 - \frac{t^2}{T^2}$, $\lambda_X(t) = -\frac{\partial}{\partial t}\log \bar{F}_X(t) = \frac{2t}{T^2-t^2}$
$0 < x < T, 0 < t < T-x$ に対して ${}_tp_x = \frac{\bar{F}_X(x+t)}{\bar{F}_X(x)} = \frac{T^2-(x+t)^2}{T^2-x^2}$
$X \sim \min(U_1, U_2)$ のとき，$T > t$ として，
$\bar{F}_X(t) = P(X > t) = \left(\frac{T-t}{T}\right)^2$
$\lambda_X(t) = -\frac{\partial}{\partial t}\log \bar{F}_X(t) = \frac{2}{T-t}$
$0 < x < T, 0 < t < T-x$ に対して，

$${}_tp_x = \frac{\bar{F}_X(x+t)}{\bar{F}_X(x)} = \left(\frac{T-(x+t)}{T-x}\right)^2$$

★2 これが x に依存しないことが，指数分布の無記憶性の意味。

注意：平均余命 $\mathring{e}_x$ は上から $\frac{T-x}{2}, \frac{1}{\lambda}, \frac{(T-x)(2T+x)}{3(T+x)}, \frac{T-x}{3}$ である。

$\boxed{2}$ (1) ${}_{20}p_{60} = P(X-60 > 20 | X > 60)$
$= e^{-\int_{60}^{80} \lambda_X(t)dt} = e^{-\int_{60}^{80} \frac{1}{100-t}dt} = e^{\int_{20}^{40} \frac{1}{u}du} = e^{[\log u]_{20}^{40}}$
$= e^{-\log(40) + \log(20)} = \frac{20}{40} = \frac{1}{2}$

(2) ${}_{20}p_{60} = e^{-\int_{60}^{80} \frac{2}{100-t}dt}$
$= e^{-2\int_{20}^{40} \frac{1}{u}du} = e^{-2[\log u]_{20}^{40}} = e^{-2\log(40)+2\log(20)} = \left(\frac{20}{40}\right)^2 = \frac{1}{4}$

Tea Time ● AR モデルの定常性

$AR(2)$ モデル $Y_t = \phi_0 + \phi_1 Y_{t-1} + \phi_2 Y_{t-2} + \varepsilon_t (*)$ の定常性を調べてみよう。$Y_t = \mu + \sum_{i=0}^{\infty} a_i \varepsilon_{t-i}$ と仮においたとすると, $(*)$ より, $a_i = \phi_1 a_{i-1} + \phi_2 a_{i-2}, a_0 = 1, a_1 = \phi_1$ となる。この差分方程式（3項間漸化式）の特性方程式は,

$$t^2 = \phi_1 t + \phi_2$$

で, この方程式の2解で,

$$a_n = C\alpha^n + D\beta^n \quad (重解の場合, a_n = (Cn + D)\alpha^n)$$

すると, $(*)$ が収束するための必要十分条件は $|\alpha| < 1, |\beta| < 1$ がすぐにわかるが, いいかえると, 「$AR(2)$ が定常 $\iff$ 特性方程式 $t^2 = \phi_1 t + \phi_2$ のすべての解の絶対値（虚解の場合も含む）が1より小さい」となる。

Tea Time ● マルコフ連鎖

$(p_n, p'_n) = (p_{n-1}, p'_{n-1}) \begin{pmatrix} p_{00} & p_{01} \\ p_{10} & p_{11} \end{pmatrix}$ の計算による証明

$$\begin{aligned}
p_n &= P(X_n = 0) = P(X_n = 0 \cap X_{n-1} = 0) + P(X_n = 0 \cap X_{n-1} = 1) \\
&= P(X_n = 0 | X_{n-1} = 0) P(X_{n-1} = 0) \\
&\quad + P(X_n = 0 | X_{n-1} = 1) P(X_{n-1} = 1) \\
&= p_{00} p_{n-1} + p_{10} p'_{n-1} \\
p'_n &= p_{01} p_{n-1} + p_{11} p'_{n-1}
\end{aligned}$$

Tea Time ● マルコフ連鎖の極限分布が存在するための十分条件

マルコフ連鎖の状態空間の個数（とる値の個数）を N として $P^N > 0$（この不等式は行列成分が正であると言う意味）が満たされれば $\lim_{n \to \infty} P^n = P^\infty$ が存在することが知られている。この P^∞ の各行ベクトルは等しくすべて正の成分で, それを $\vec{\pi}$ とおくと, $\vec{\pi}$ は $\vec{\pi} P = \vec{\pi}$ の唯一解である。つまり, それはマルコフ連鎖の定常分布となる。

また, マルコフ連鎖の状態空間に属する任意の i, j に対してある番号 $N = N(i, j)$ が存在して $P(X_N = j | X_0 = i) > 0$ となるなら, $\lim_{n \to \infty} \frac{E + P + \cdots P^{n-1}}{n} = P^\infty$ が存在することが知られている。この P^∞ の各行ベクトル $\vec{\pi}$ は等しくすべて正の成分で $\vec{\pi}$ は $\vec{\pi} P = \vec{\pi}$ の

唯一解で定常分布である。

Tea Time ・・・・・・・・・・・・・・・ ● シミュレーションにおける逆関数法

まず，連続確率変数 X の分布関数を $F_X(x) = P(X \leqq x)$ とするとき，$F_X(X)$ の分布，$E(F_X(X)), V(F_X(X))$ を求めてみると $F_X(x)$ のとる値は $0 \leq F_X(x) \leq 1$ なので，$0 \leqq x \leqq 1$ として，

$$P(F_X(X) \leqq x) = P(X \leqq F_X^{-1}(x)) = F_X(F_X^{-1}(x)) = x$$

よって，$F_X(X) \sim U(0,1)$ なので，

$$E(F_X(X)) = E(U(0,1)) = \frac{1}{2}$$
$$V(F_X(X)) = V(U(0,1)) = \frac{1}{12}$$

となる。この性質も重要だが，これの裏返しが次の**逆関数法**である．

$U \sim U(0,1)$ とするとき，$F_X^{-1}(U) \sim X$．ここで $F_X^{-1}(x)$ は $F_X(x)$ の逆関数，つまり，$F_X(x) = y$ を逆に解いて x を y で表す。

証明

$$F_{F_X^{-1}(U)}(x) = P(F_X^{-1}(U) \leqq x) = P(U \leqq F_X(x)) = F_X(x)$$

つまり，$F_X^{-1}(U) \sim X$, $f_{F_X^{-1}(U)}(x) = f_X(x)$ となる。

Chapter 8

保険金融数理入門

　この「保険金融数理入門」は，いわば，ガイダンス的な内容であり，本格的な保険金融数理の理論への道標となるように，入口のところを紹介したつもりである。意欲のあるかたは，より深い内容の解説書にあたってほしい。

問題 87 年金数理入門 I　終価・現価・銀行ローン　〔基本〕

1 年利率 r の複利とする。以下を求めよ。
(1) 1 を n 年間預けるときの元利合計（終価），終価が元金の 2 倍になる年数。
(2) 年初に 1 ずつ n 年間預けるときの終価。

2 年利率 r の複利（割引率 r）とする。
(1) 現在は年初とし，年末にクーポンが a 円ずつ n 年間支払われる債券の現在価値（現価）を求めよ。
(2) (1) で $n \to \infty$ とすればどうなるか？

3 月複利 r で銀行から A 円借り，T か月ローンで均等払いで返済するとき毎月の返済金はいくらか？

解説　■複利計算と終価・現価

年利率 i の複利を考える。$t=0$（1 年目の年始）に 1 を預けると，

$t=1$（1 年目の年末 $=2$ 年目の年始）で，元利合計は　$1+i$

になる。複利だと 2 年目は $1+i$ を元金としてそれに利子（利息）が加わるので，

$t=2$（2 年目の年末）で，元利合計は　$(1+i)^2$

となり，同様に

$t=n$（n 年目の年末）での元利合計は　$(1+i)^n$

となる。お金の時間的価値を考慮すれば，$t=0$ での価値 1 は $t=n$ で価値 $(1+i)^n$ となるから，$t=0$ での価値 1 と $t=n$ で価値 $(1+i)^n$ は等価値と考えられる。したがって，これを $t=n$ における**終価**ともいう。

逆に，$t=n$ での価値 1 は $t=0$ での価値 $(1+i)^{-n}$ と等しい。これを $t=n$ での価値 1 の**現価（現在価値）**は $(1+i)^{-n}$ であるという。つまり，将来の価値を現在の価値に変換するときに $(1+i)^{-n}$ をかけるのである。アクチュアリー数理では $(1+i)^{-1}=v$ を**現価率**といい，ファイナンス数理では v を**割引率**という。

年利率 j のとき，$\frac{1}{k}$ 年での利子は $\frac{j}{k}$ であるが，利子を元金に組み入れる期間を $\frac{1}{k}$ 年にすると，1 年後の元利合計は $(1+\frac{j}{k})^k$ となる。この j を**名称（名目）利子率**，k を**転化回数**，$1+i=(1+\frac{j}{k})^k$，つまり，$i=(1+\frac{j}{k})^k-1$ を**実利率**という。

■連続利子率と 70 の法則

$k \to \infty$ とすると $\lim_{k \to \infty}(1+\frac{j}{k})^k = e^j$ となり，非負整数だけでなく，非負実数値の t に対しても，元利合計は e^{jt} と考えられる。このような考えを**連続利子**と

いい，この j を**連続利子率（瞬間利子率）**という。

このとき $e^{0.7} \fallingdotseq 1 + 0.7 + \frac{(0.7)^2}{2} + \cdots \fallingdotseq 2.02 \fallingdotseq 2$，$e^{0.4} \fallingdotseq 1.5$，$e^{1.1} \fallingdotseq 3$ などを覚えておくとよい。これより有名な

70の法則：年複利 r ％ で $\frac{70}{r}$ 年預けると元利合計が 2 倍

$$(\because (1+\tfrac{r}{100})^{\frac{70}{r}} = ((1+\tfrac{r}{100})^{\frac{100}{r}})^{0.7} \fallingdotseq e^{0.7} \fallingdotseq 2)$$

になる（同様に $\frac{40}{r}$ 年預けると元利合計が $\frac{3}{2}$ 倍，$\frac{110}{r}$ 年預けると元利合計が 3 倍）。

例題（連続利子率）

(1) $\displaystyle\lim_{n\to\infty}\left(1+\frac{a}{n}\right)^{bn}$ を求めよ。 (2) 期間 Δt での利子 $r\Delta t$ がつくとし，1 を T 年間（$\frac{T}{\Delta t}$ 期間）預けるときの元利合計（終価）を求め，$\Delta t \to 0$ とせよ。

解答

(1) $\displaystyle\lim_{n\to\infty}\left(1+\frac{a}{n}\right)^{bn} = \lim_{h\to 0}(1+h)^{\frac{ab}{h}} = e^{ab}$ となる。

(2) 元利合計は $(1+r\Delta t)^{\frac{T}{\Delta t}}$ となる。よって $\displaystyle\lim_{\Delta t\to 0}(1+r\Delta t)^{\frac{T}{\Delta t}} = e^{rT}$

解答

$\boxed{1}$ (1) 元利合計は $(1+r)^n$ となるので $(1+r)^n = 2$ を解いて，
$n = \dfrac{\log 2}{\log(1+r)}$ となる★1。

(2) $(1+r)^n + (1+r)^{n-1} + \cdots + (1+r)$
$= \dfrac{(1+r)^n - (1+r)\frac{1}{1+r}}{1 - \frac{1}{1+r}} = \dfrac{1+r}{r}((1+r)^n - 1)$ となる★2。

$\boxed{2}$ (1) $\dfrac{a}{1+r} + \dfrac{a}{(1+r)^2} + \cdots + \dfrac{a}{(1+r)^n} = \dfrac{a}{r}\left(1 - \dfrac{1}{(1+r)^n}\right)$

(2) (1) より，$n\to\infty$ として，$\dfrac{a}{r}$★3 となる。

$\boxed{3}$ 毎月の返済額を x とすると，$\boxed{2}$(1) より $\dfrac{x}{r}\left(1 - \left(\dfrac{1}{1+r}\right)^T\right) = A$

よって，$x = \dfrac{rA}{1-(1+r)^{-T}}$ となる。

別解 $t = 0, 1, \cdots, T$ として $a_t = $ 時刻 t でのローンの残り（t 回ローンを返したときのローンの残り）とおくと，定義より $a_0 = A$，$a_T = 0$ である。また，t から $t+1$ 月目の間に利子がつき $(1+r)a_t$ を返さねばならないが，x 払うため，ローンの残りは $a_{t+1} = (1+r)a_t - x$ となる。

この漸化式を解いて，$a_t = \dfrac{x}{r} + (1+r)^t\left(A - \dfrac{x}{r}\right)$。また $a_T = 0$ を解いて，

$x = \dfrac{rA}{1-(1+r)^{-T}}$。

★1 $e^{0.7} \fallingdotseq 2$ を利用して，これを $\log 2 \fallingdotseq 0.7$，$\log(1+r) \fallingdotseq r$ で近似すると 70 の法則となる。

★2 問題 04 の等比数列の和の公式に注意。

★3 土地は毎月，毎年地代が a はいるので土地の理論的価値 $= \dfrac{a}{r}$ と考えられる。

問題 88 年金数理入門 II　　標準

以下では，年間（実）利率を i とし，現価率（割引率）$v = \frac{1}{1+i}$ とする。また利力 δ を $e^\delta = 1+i, -\log v = \delta$ で決める。

(1) 1ずつ期始払いで支払われる n 年満期（支払は n 回）の確定年金の現価 $\ddot{a}_{\overline{n}|}$，期始払い永久年金の現価 $\ddot{a}_{\overline{\infty}|}$ を求めよ。

(2) 1ずつ期末払いで支払われる n 年満期の確定年金の現価 $a_{\overline{n}|}$，期末払い永久年金の現価 $a_{\overline{\infty}|}$ を求めよ。

(3) 連続払いで支払われる n 年満期の確定年金（年金金額1）の現価 $\bar{a}_{\overline{n}|}$，連続払い永久年金の現価 $\bar{a}_{\overline{\infty}|}$ を求めよ。

(4) 1ずつ期始払い n 年満期逓増確定年金，期始払い永久逓増年金の現価 $(I\ddot{a})_{\overline{n}|}, (I\ddot{a})_{\overline{\infty}|}$，期末払い n 年満期逓増確定年金，期末払い永久逓増年金の現価 $(Ia)_{\overline{n}|}, (Ia)_{\overline{\infty}|}$，連続払い n 年満期逓増確定年金の現価，連続払い逓増永久年金の現価, $(\bar{I}\bar{a})_{\overline{n}|}, (\bar{I}\bar{a})_{\overline{\infty}|}$ をそれぞれ求めよ。

解説 ■**期始払い n 年満期確定年金の場合**

問題と同様，年利率を i，現価率（ファイナンスでは割引率）を $v = (1+i)^{-1}$ として，以下の表で考えてみる。期始に1ずつ n 年満期（n 回払い）で受け取り，最初に $\ddot{a}_{\overline{n}|}$ 支払うので，

t(時間)	0	(期間1)	1	(期間2)	2	$\cdots$	$n-1$	(期間 n)	n
(会社の) 収入現価	$\ddot{a}_{\overline{n}|}$								
(会社の) 支出現価	1		v		v^2		v^{n-1}		

となり，収入現価と支出現価が一致するので，**収支相等の法則**（後に生死も考えた収支相等の法則を用いる）により，$\ddot{a}_{\overline{n}|} = 1 + v + \cdots + v^{n-1} = \dfrac{1-v^n}{1-v}$ となる。なお $\ddot{a}_{\overline{n}|}$ は国際アクチュアリー記号で，¨ は期始払いを，$\overline{n}|$ は n 年満期，a は年金を表す。

■**連続払い n 年満期確定年金の場合**

連続払いは年 k 回払いで $k \to \infty$ として考える。年 k 回払いで年額1（したがって1回）の払いは $\frac{1}{k}$ の n 年満期（したがって nk 回払い）期始払いの確定年金の現価を $\ddot{a}_{\overline{n}|}^{(k)}$ で表すと，$\ddot{a}_{\overline{n}|}^{(k)} = \dfrac{1}{k}\sum_{t=0}^{nk-1} v^{\frac{t}{k}} = \dfrac{1}{k}\dfrac{1-v^n}{1-v^{\frac{1}{k}}}$ となる。

したがって $k \to \infty$ とすると, $\lim_{k \to \infty} \dfrac{1-v^{\frac{1}{k}}}{\frac{1}{k}} = -\log v = \delta$ となる。

よって $\bar{a}_{\overline{n}|} = \dfrac{1-e^{-\delta n}}{\delta}$ となる。また, 区分求積法からも,

$$\bar{a}_{\overline{n}|} = \lim_{k \to \infty} \dfrac{1}{k} \sum_{t=0}^{nk-1} v^{\frac{t}{k}} = \int_0^n v^t dt = \int_0^n e^{-\delta t} dt = \dfrac{1-e^{-\delta n}}{\delta}$$

である。

解答

(1) 期始払いであることに注意して, あとは等比数列の和の公式から,

$\ddot{a}_{\overline{n}|} = 1 + v + v^2 + \cdots + v^{n-1} = \dfrac{1-v^n}{1-v}$

$\ddot{a}_{\overline{\infty}|} = \dfrac{1}{1-v} \left(= \dfrac{1+i}{i} = \dfrac{1}{d} \right)$ ★1

(2) これは期末払いであることに注意し, あとは等比数列の和の公式より,

$a_{\overline{n}|} = v + v^2 + \cdots + v^n = \dfrac{v-v^{n+1}}{1-v} (= v\ddot{a}_{\overline{n}|})$

$a_{\overline{\infty}|} = \dfrac{v}{1-v} \left(= \dfrac{1}{i} \right)$

(3) 解説にある区分求積法より,

$\bar{a}_{\overline{n}|} = \int_0^n v^t dt = \int_0^n e^{-\delta t} dt = \dfrac{1-e^{-\delta n}}{\delta}$, $\bar{a}_{\overline{\infty}|} = \dfrac{1}{\delta}$

(4) ★2 Chapter.1 での数列の和の公式 (あるいは, (2) の $a_{\overline{n}|}$ を微分) より,

$(I\ddot{a})_{\overline{n}|} = 1 + 2v + 3v^2 + \cdots + nv^{n-1}$

$\quad = \dfrac{1-v^n}{(1-v)^2} - \dfrac{nv^n}{1-v} \left(= \dfrac{1-(nd+1)v^n}{d^2} \right)$ ★3,

$(I\ddot{a})_{\overline{\infty}|} = \dfrac{1}{d^2}$,

$(Ia)_{\overline{n}|} = v + 2v^2 + 3v^3 + \cdots + nv^n$

$\quad = v(I\ddot{a})_{\overline{n}|} = \dfrac{v(1-v^n)}{(1-v)^2} - \dfrac{nv^{n+1}}{1-v} \left(= \dfrac{1-(nd+1)v^n}{di} \right)$,

$(Ia)_{\overline{\infty}|} = \dfrac{1}{di}$,

$(\bar{I}\bar{a})_{\overline{n}|} = \int_0^n tv^t dt = \int_0^n te^{-\delta t} dt = \dfrac{1}{\delta^2} \int_0^{n\delta} ue^{-u} du$

$\quad = \dfrac{1}{\delta^2} \left[-(u+1)e^{-u} \right]_0^{\delta n} = \dfrac{1-(\delta n+1)e^{-\delta n}}{\delta^2}$,

$(\bar{I}\bar{a})_{\overline{\infty}|} = \dfrac{1}{\delta^2}$

★1 アクチュアリー記号では $d = \dfrac{i}{1+i}$ と書き, これは利息 i の現価を表している。

★2 ここで逓増とは最初に 1, i 回目の支払を i とする。また, 連続払いの場合の逓増の意味も同様。

★3
$\sum_{k=1}^{\infty} kv^{k-1} - \sum_{k=n+1}^{\infty} kv^{k-1}$
$= \dfrac{1}{(1-v)^2} - \sum_{l=1}^{\infty} (n+l)v^{l+n-1}$
$= \dfrac{1}{(1-v)^2} - v^n \times \left(\dfrac{n}{(1-v)} + \dfrac{1}{(1-v)^2} \right)$

問題 89　生保数理入門 I　　　　　　　　　　　　　　　　基本

下の生命表をもとに，それぞれの保険料を計算せよ。
(1) x 歳加入 n 年契約定期保険の保険料：$A^1_{0:\overline{3}|}, A^1_{0:\overline{5}|}, A^1_{0:\overline{6}|}, A^1_{1:\overline{3}|}, A^1_{2:\overline{4}|}$
(2) x 歳加入 n 年契約生存保険の保険料：$A_{0:\overline{3}|}^{1}, A_{0:\overline{5}|}^{1}, A_{0:\overline{6}|}^{1}, A_{1:\overline{3}|}^{1}, A_{2:\overline{4}|}^{1}$
(3) x 歳加入 n 年契約養老保険の保険料：$A_{0:\overline{3}|}, A_{0:\overline{5}|}, A_{0:\overline{6}|}, A_{1:\overline{3}|}, A_{2:\overline{4}|}$

[生命表]　（下の収入現価と支出現価は (1) の場合。空欄 (a), (b) に入る値を考えよ）

t(時点)	0		1		2		3		4		5		6
生存人数	100		70		60		50		40		20		0
死亡人数		30		10		10		10		20		20	
収入現価	$100A^1_{0:\overline{3}|}$												
支出現価			$30v$		(a)		(b)		0		0		0

解説

$v = $ 現価率 $= \frac{1}{1+i}$ とする。

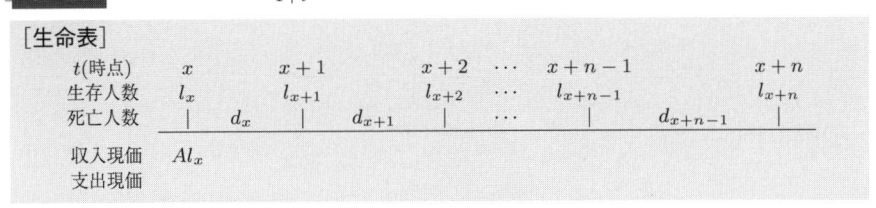

[生命表]

t(時点)	x		$x+1$		$x+2$	$\cdots$	$x+n-1$		$x+n$
生存人数	l_x		l_{x+1}		l_{x+2}	$\cdots$	l_{x+n-1}		l_{x+n}
死亡人数		d_x		d_{x+1}		$\cdots$		d_{x+n-1}	
収入現価	Al_x								
支出現価									

　この表の意味は時点 x（x 歳）で生存人数が l_x で時点 $x+1$ までに d_x 人死ぬので $l_{x+1} = l_x - d_x$ となる。保険会社の収入は，この生命表にある人が全員 x 歳のはじめにある（一時（一括）払い）保険（保険料 A）に加入したとすると，Al_x となる。また，保険の種類によって保険会社の支出が異なるので，それを支出現価の欄に書き，上と下の合計を一致（収支相等の法則）させることにより，（一時払い）保険料 A が決定される。

　ここで，3 つの保険についての定義を述べる。

■ x **歳加入 n 年契約定期保険**は，x 歳で加入後，n 年以内に死亡があったときのみ保険金が支払われ，n 年以内の死亡に対し，死亡年度の年度末に金額 1 が支払われる。この保険の一時払い保険料を $A^1_{x:\overline{n}|}$ で表す。

■ x **歳加入 n 年契約生存保険**は，x 歳で加入後 n 年後に加入者が生存していたときのみ保険金 1 が支払われる。この生存保険の一時払い保険料を $A_{x:\overline{n}|}^{1}$ で表す。

■ x **歳加入 n 年契約養老保険**とは，x 歳で加入後 n 年以内の死亡に対しては死亡年度の年度末に保険金 1 を支払い，さらに n 年後に加入者が生存していたときも保険金 1 を支払う保険である。この養老保険の一時払い保険料を $A_{x:\overline{n}|}$ で表す。

養老保険は定期保険と生存保険を合わせたものになっている。

収支相等の法則が保険の価格を決める基本原理である。上に保険会社からみた収入を書き，下に保険会社からみた支出を書き，どちらもお金の時間的価値を考慮して現在価値に直し，マッチさせればよい。(1) の問題で問題中の生命表の空欄に入るのは，それぞれ (a)$10v^2$, (b)$10v^3$ となる。すると，収支相等の法則より，$100A^1_{0:\overline{3}|} = 30v + 10v^2 + 10v^3$, つまり，$A^1_{0:\overline{3}|} = 0.3v + 0.1v^2 + 0.1v^3$ となる。

その保険会社の保険に加入する人は全人口の一部分であるが，保険に入る人は，

　　　　★ 多数であること　　　　　★ 独立に入ること

という大数の法則（p.100，問題 47 参照）の要件を満たしているので，生命表にある全員が保険に加入したと仮定してさし支えないのである。

解答

(1) 生命表の空欄は，(a)$d_1 v^2 = 10v^2$, (b)$d_2 v^3 = 10v^3$ ★1 である。収支相等の法則より★2，$100A^1_{0:\overline{3}|} = 30v + 10v^2 + 10v^3$ となる。よって，
$A^1_{0:\overline{3}|} = \frac{3}{10}v + \frac{1}{10}v^2 + \frac{1}{10}v^3$ となる。同様に
$A^1_{0:\overline{5}|} = \frac{3}{10}v + \frac{1}{10}v^2 + \frac{1}{10}v^3 + \frac{1}{10}v^4 + \frac{2}{10}v^5$,
$A^1_{0:\overline{6}|} = \frac{3}{10}v + \frac{1}{10}v^2 + \frac{1}{10}v^3 + \frac{1}{10}v^4 + \frac{2}{10}v^5 + \frac{2}{10}v^6$,
$A^1_{1:\overline{3}|} = \frac{1}{7}v + \frac{1}{7}v^2 + \frac{1}{7}v^3$,
$A^1_{2:\overline{4}|} = \frac{1}{6}v + \frac{1}{6}v^2 + \frac{1}{3}v^3 + \frac{1}{3}v^4$ である。

(2) 収支相等の法則より，$100A_{0:\overline{3}|}^{\ \ 1} = 50v^3$ ★3 となる。つまり，
$A_{0:\overline{3}|}^{\ \ 1} = \frac{1}{2}v^3$ となる。以下同様に，$A_{0:\overline{5}|}^{\ \ 1} = \frac{1}{5}v^5$,
$A_{0:\overline{6}|}^{\ \ 1} = 0$, $A_{1:\overline{3}|}^{\ \ 1} = \frac{4}{7}v^3$, $A_{2:\overline{4}|}^{\ \ 1} = 0$

(3) 収支相等の法則より，$A_{0:\overline{3}|} = A^1_{0:\overline{3}|} + A_{0:\overline{3}|}^{\ \ 1}$ ★4 となるから，他も同様に
$A_{0:\overline{3}|} = A^1_{0:\overline{3}|} + A_{0:\overline{3}|}^{\ \ 1} = \frac{3}{10}v + \frac{1}{10}v^2 + \frac{6}{10}v^3$,
$A_{0:\overline{5}|} = \frac{3}{10}v + \frac{1}{10}v^2 + \frac{1}{10}v^3 + \frac{1}{10}v^4 + \frac{4}{10}v^5$,
$A_{0:\overline{6}|} = \frac{3}{10}v + \frac{1}{10}v^2 + \frac{1}{10}v^3 + \frac{1}{10}v^4 + \frac{2}{10}v^5 + \frac{2}{10}v^6$,
$A_{1:\overline{3}|} = \frac{1}{7}v + \frac{1}{7}v^2 + \frac{5}{7}v^3$,
$A_{2:\overline{4}|} = \frac{1}{6}v + \frac{1}{6}v^2 + \frac{2}{6}v^3 + \frac{2}{6}v^4$ となる。

★1 d_t は時点 $t \sim t+1$ 間の死亡人数。

★2 本問はすべて，収入現価（会社の収入）と支払現価（会社の支払）を生命表の下部に書き，収支相等の法則で一致させればよい。

★3 l_x：生存人数，$x=0$ で $l_0 = 100$, 収入現価 $100A_{0:\overline{3}|}^{\ \ 1}$, $x=3$ で $l_3 = 50$, 支払現価 $50v^3$。

★4 養老保険 ＝ 定期保険 ＋ 生存保険。

問題 90 生保数理入門 II 　　　標準

生命年金について，以下の生命表をもとに，次の問いに答えよ．

t(時点)	0		1		2		3		4		5		6
生存人数	100		70		60		50		40		20		0
死亡人数		30		10		10		10		20		20	
収入現価													
支出現価													

(1) $\ddot{a}_{1:\overline{3}|}, \ddot{a}_{x:\overline{n}|}, \ddot{a}_{0:\overline{6}|}, \ddot{a}_{2:\overline{4}|}, \ddot{a}_0, \ddot{a}_2, a_{1:\overline{3}|}, a_{0:\overline{6}|}, a_{2:\overline{4}|}, a_0, a_2$ を求めよ．

(2) $_2P^1_{0:\overline{3}|}, P^1_{0:\overline{3}|}, _2P^1_{2:\overline{3}|}$ を求めよ．

(3) (a) $A^1_{x:\overline{n}|}$，(b) $A_{x:\overline{n}|}^{1}$ を $\ddot{a}_{x:\overline{n}|}, a_{x:\overline{n}|}$ で，(c) $A_{x:\overline{n}|}$ を $\ddot{a}_{x:\overline{n}|}$ で表せ．

解説　x 歳加入 n 年契約生命年金の定義は，以下のとおり．

　x **歳加入 n 年契約期始払い生命年金**は，x 歳で加入後，n 年後までのすべての期始に加入者が生存していたとき，保険金 1 ずつが支払われる．この生命年金の一時払い保険料を $\ddot{a}_{x:\overline{n}|}$ で表す．また，x **歳加入終身期始払い生命年金**の一時払い保険料を $\ddot{a}_{x:\overline{\infty}|}(=\ddot{a}_x)$ で表す．期始払いを期末払いに変えた生命年金の一時払い保険料を $a_{x:\overline{n}|}, a_{x:\overline{\infty}|}(=a_x)$ で表す．本問で，$\ddot{a}_{0:\overline{3}|}$ を求めるときの生命表を以下に示す．

t(時点)	0		1		2		3		4		5		6
生存人数	100		70		60		50		40		20		0
死亡人数		30		10		10		10		20		20	
収入現価	$100\ddot{a}_{0:\overline{3}|}$,												
支出現価	100		$70v$		?		?		0		0		0

0 歳で加入すれば保険会社の収入は全部で $100\ddot{a}_{0:\overline{3}|}$ で，支出は期始払いなのでまず 100 人に対して 1 払う．1 年後（2 年目の期始）では 70 人が生きているので 70 を払うが，その現在価値は $70v$ である．同様に考えていき，上の ? にはいるのはそれぞれ $60v^2, 0$ である．よって収支相等の法則より，

$$100\ddot{a}_{0:\overline{3}|} = 100 + 70v + 60v^2 \longrightarrow \ddot{a}_{0:\overline{3}|} = 1 + 0.7v + 0.6v^2$$

また，x 歳加入 n 年契約定期保険の m 年払い保険料を，$_mP^1_{x:\overline{n}|}$ と表すので，たとえば $_3P^1_{0:\overline{4}|}$ だと，0 歳加入で 4 歳未満の死亡の期末時に 1 払われる保険に入るのに 3 回期始払いで保険料を払うということなので，収支相等の法則より，

$$100\, _3P^1_{0:\overline{4}|} + 70\, _3P^1_{0:\overline{4}|}v + 60\, _3P^1_{0:\overline{4}|}v^2 = 30v + 10v^2 + 10v^3 + 10v^4$$

となり，

$$_3P^1_{0:\overline{4}|} = \frac{30v + 10v^2 + 10v^3 + 10v^4}{100 + 70v + 60v^2}$$

明らかに，上は $\ddot{a}_{0:\overline{3}|} {}_3P^1_{0:\overline{4}|} = A^1_{0:\overline{4}|}$ となり，一般的にも ${}_mP^1_{0:\overline{n}|} = \frac{A^1_{0:\overline{n}|}}{\ddot{a}_{0:\overline{m}|}}$ である．とくに $m = n$ のときは，$P^1_{0:\overline{n}|}$ と書く．

解 答

(1) 収支相等の法則より，x 時点での生存人数を l_x として，
$$\ddot{a}_{1:\overline{3}|} = \frac{70 + 60v + 50v^2}{70},$$
$$l_x \ddot{a}_{x:\overline{n}|} = l_x + vl_{x+1} + \cdots + v^{n-1}l_{x+n-1},$$
$$\ddot{a}_{x:\overline{n}|} = \frac{l_x + vl_{x+1} + \cdots + v^{n-1}l_{x+n-1}}{l_x}$$
となる．よって，[★1]
$$\ddot{a}_{0:\overline{6}|} = \frac{100 + 70v + 60v^2 + 50v^3 + 40v^4 + 20v^5}{100} (= \ddot{a}_0),$$
$$\ddot{a}_{2:\overline{4}|} = \frac{60 + 50v + 40v^2 + 20v^3}{60} (= \ddot{a}_2),$$
$$a_{1:\overline{3}|} = \frac{60v + 50v^2 + 40v^3}{70},$$
$$a_{0:\overline{6}|} = \frac{70v + 60v^2 + 50v^3 + 40v^4 + 20v^5}{100} (= a_0),$$
$$a_{2:\overline{4}|} = \frac{50v + 40v^2 + 20v^3}{60} (= a_2)$$

(2) 解説の考え方，公式を思い出して，
$${}_2P^1_{0:\overline{3}|} = \frac{A^1_{0:\overline{3}|}}{\ddot{a}_{0:\overline{2}|}} = \frac{30v + 10v^2 + 10v^3}{100 + 70v}$$
とする．省略がある場合は $m = n$ に注意すると，
$$P^1_{0:\overline{3}|} = \frac{A^1_{0:\overline{3}|}}{\ddot{a}_{0:\overline{3}|}} = \frac{30v + 10v^2 + 10v^3}{100 + 70v + 60v^2},$$
$${}_2P^1_{2:\overline{3}|} = \frac{A^1_{2:\overline{3}|}}{\ddot{a}_{2:\overline{2}|}} = \frac{10v + 10v^2 + 20v^3}{60 + 50v}$$

(3) (a) $A^1_{x:\overline{n}|} = \frac{d_x v + d_{x+1}v^2 + \cdots + d_{x+n-1}v^n}{l_x}$
$$= \frac{(l_x - l_{x+1})v + (l_{x+1} - l_{x+2})v^2 + \cdots + (l_{x+n-1} - l_{x+n})v^n}{l_x}$$
$$= v\ddot{a}_{x:\overline{n}|} - a_{x:\overline{n}|}$$
(b) $A_{x:\overline{n}|}^{\;\;1} = a_{x:\overline{n}|} - \ddot{a}_{x:\overline{n}|} + 1$ [★2]
(c) $A_{x:\overline{n}|} = A^1_{x:\overline{n}|} + A_{x:\overline{n}|}^{\;\;1} = v\ddot{a}_{x:\overline{n}|} - a_{x:\overline{n}|} + a_{x:\overline{n}|} - \ddot{a}_{x:\overline{n}|} + 1$
$\quad = (v-1)\ddot{a}_{x:\overline{n}|} + 1 (= 1 - d\ddot{a}_{x:\overline{n}|})$

★1 一般に集団の全員が死ぬ年齢（集団の年齢）を ω と書く．$\ddot{a}_x = \ddot{a}_{x:\overline{\omega - x}|}$ で本問の場合，$\omega = 6$ なので，$\ddot{a}_x = \ddot{a}_{x:\overline{6-x}|}$ である．

★2 保険商品の意味を考えても $A_{x:\overline{n}|}^{\;\;1} + \ddot{a}_{x:\overline{n}|} = 1 + a_{x:\overline{n}|}$ は明らかだろう．

| 問題 | 91 | **生保数理入門 III** 保険契約と余命確率変数 | 発展 |

$\boxed{1}$ 非負実数に値をとる寿命（連続）確率変数を X としたとき，
 (1) $\ddot{a}_{x:\overline{n}|}$ (2) $a_{x:\overline{n}|}$
を，余命確率変数 T_x と期待値で表せ。

$\boxed{2}$ $X \sim \mathrm{Exp}(\mu)$ の場合に $[T_x]$ の分布を求め，$\boxed{1}$ の (1)(2) を計算せよ。

解 説 年齢 x における余命 T_x とは $T_x = X - x$ であるが，この確率変数の確率分布には注意が必要で $X \geq x$ という条件のもとで考えなければならない。

なぜなら，保険で x 歳加入というときは，x までに死んだ人は当然加入できないので，除外して考えなければならないからである。数学的にいうと，g を任意の関数とすると $E(g(T_x)) = E(g(X-x)|X>x)$ である。条件付き密度関数を用いると $f_{T_x}(y) = \frac{f_X(x+y)}{P(X>x)}$ と考えてもよい。

保険契約によって受け取る保険金の現価（確率変数）を Z とおく。まず，(1) $A^1_{x:\overline{n}|}$, (2) $A_{x:\overline{n}|}^{1}$ の 2 つの場合を調べてみよう。

(1) x 歳加入 n 年契約定期保険 $(A^1_{x:\overline{n}|})$ の場合

$$Z = \begin{cases} v & 0 \leq T_x < 1 \\ v^2 & 1 \leq T_x < 2 \\ \cdots & \\ v^n & n-1 \leq T_x < n \\ 0 & T_x \geq n \end{cases}$$

まとめて書くと，$Z = v^{[T_x]+1} 1_{T_x < n}$，
$[x]$ は x を超えない整数を表す，ガウス記号。
1_A は指示関数で，A が真のとき，1，
A が偽のとき，0 の値をとる関数。

よって，$A^1_{x:\overline{n}|} = E(v^{[T_x]+1} 1_{T_x<n})$

$X \sim \mathrm{Exp}(\mu)$ なら，指数分布の無記憶性より $T_x \sim \mathrm{Exp}(\mu)$ に注意して，

$$A^1_{x:\overline{n}|} = E(v^{[T_x]+1} 1_{T_x<n}) = \int_0^\infty v^{[x]+1} 1_{x<n} \mu e^{-\mu x} dx = \int_0^n v^{[x]+1} \mu e^{-\mu x} dx$$

$$= \sum_{k=0}^{n-1} \int_k^{k+1} v^{k+1} \mu e^{-\mu x} dx = \sum_{k=0}^{n-1} v^{k+1} (e^{-\mu k} - e^{-\mu(k+1)})$$

$$= \frac{v(1-e^{-\mu})(1-v^n e^{-\mu n})}{1 - v e^{-\mu}}$$

(2) x 歳加入 n 年契約生存保険 $(A_{x:\overline{n}|}^{1})$ の場合

$Z = \begin{cases} 0 & 0 < T_x \leq n \\ v^n & T_x > n \end{cases}$，まとめて書くと $Z = v^n 1_{T_x > n}$ となる。

よって $A_{x:\overline{n}|}^{1} = E(v^n 1_{T_x > n})$ となる。また，$X \sim \mathrm{Exp}(\mu)$ の場合，

$$A_{x:\overline{n}|}^{1} = E(v^n 1_{T_x > n}) = \int_0^\infty v^n 1_{u>n} \mu e^{-\mu u} du = v^n \int_n^\infty \mu e^{-\mu u} du = v^n e^{-\mu n}$$

解 答

1 (1) x 歳加入 n 年契約期始払い生命年金の場合,

$$Z = \begin{cases} 1 + v + \cdots + v^{[T_x]} = \dfrac{1 - v^{[T_x]+1}}{1 - v} & T_x \leqq n-1 \text{ のとき} \\ 1 + v + \cdots + v^{n-1} = \dfrac{1 - v^n}{1 - v} & T_x > n-1 \text{ のとき} \end{cases}$$

となるので,まとめると,$Z = (1 - v^{\min([T_x]+1, n)})/d$ ★1.

よって,$\ddot{a}_{x:\overline{n}|} = E(Z) = E\left((1 - v^{\min([T_x]+1, n)})/d\right)$.

★1 $d + v$
$= \dfrac{i}{1+i} + \dfrac{1}{1+i} = 1$
より $1 - v = d$.

(2) x 歳加入 n 年契約期末払い生命年金の場合,

$$Z = \begin{cases} v + v^2 + \cdots + v^{[T_x]} = \dfrac{v - v^{[T_x]+1}}{1 - v} & T_x \leqq n \text{ のとき} \\ v + \cdots + v^n = \dfrac{v - v^{n+1}}{1 - v} & T_x > n \text{ のとき} \end{cases}$$

まとめると,$Z = \dfrac{v - v^{\min([T_x]+1, n+1)}}{1 - v} = \dfrac{1}{i}(1 - v^{\min([T_x], n)})$. ★2

よって $a_{x:\overline{n}|} = E(Z) = E\left((1 - v^{\min([T_x], n)})/i\right)$ となる。

★2 $\dfrac{1}{1+i} = v$ より,
$\dfrac{v}{1-v} = \dfrac{1}{i}$.

2 $X \sim \text{Exp}(\mu)$ なら,指数分布の無記憶性より $T_x \sim \text{Exp}(\mu)$ である。

よって,$P([T_x] = k) = P(k \leqq T_x < k+1) = (1 - e^{-\mu})e^{-\mu k}$,

∴ $T_x \sim \text{Ge}(1 - e^{-\mu})$

(1) $\ddot{a}_{x:\overline{n}|} = E(Z) = E\left((1 - v^{\min([T_x]+1, n)})/d\right)$,ここで,

$$E(v^{\min([T_x]+1, n)}) = \sum_{k=0}^{\infty} v^{\min(k+1, n)}(1 - e^{-\mu})e^{-\mu k}$$

$$= (1 - e^{-\mu})\left(\sum_{k=0}^{n-1} v^{k+1} e^{-\mu k} + \sum_{k=n}^{\infty} v^n e^{-\mu k}\right)$$

$$= \dfrac{(1 - e^{-\mu})v(1 - v^n e^{-\mu n})}{1 - v e^{-\mu}} + v^n e^{-\mu n}$$

よって,$\ddot{a}_{x:\overline{n}|} = \dfrac{1}{d} - \dfrac{1}{d}\left(\dfrac{(1 - e^{-\mu})v(1 - v^n e^{-\mu n})}{1 - v e^{-\mu}} + v^n e^{-\mu n}\right)$

(2) $a_{x:\overline{n}|} = E\left((1 - v^{\min([T_x], n)})/i\right)$,ここで

$$E(v^{\min([T_x], n)}) = \sum_{k=0}^{\infty} v^{\min(k, n)}(1 - e^{-\mu})e^{-\mu k}$$

$$= (1 - e^{-\mu})\left(\sum_{k=0}^{n-1} v^k e^{-\mu k} + \sum_{k=n}^{\infty} v^n e^{-\mu k}\right)$$

$$= \dfrac{(1 - e^{-\mu})(1 - v^n e^{-\mu n})}{1 - v e^{-\mu}} + v^n e^{-\mu n}$$

よって,$a_{x:\overline{n}|} = \dfrac{1}{i} - \dfrac{1}{i}\left(\dfrac{(1 - e^{-\mu})(1 - v^n e^{-\mu n})}{1 - v e^{-\mu}} + v^n e^{-\mu n}\right)$

$= \dfrac{1}{i}(1 - v^n e^{-\mu n})\left(1 - \dfrac{1 - e^{-\mu}}{1 - v e^{-\mu}}\right) = v e^{-\mu} \dfrac{1 - v^n e^{-\mu n}}{1 - v e^{-\mu}}$ ★3

★3 $\dfrac{1-v}{i} = v$.

問題 | **92** | **生保数理入門 IV** 即時払い，連続払い | 発展

$\boxed{1}$ x 歳加入 n 年契約定期保険で即時払い（死亡時にすぐ保険金が支払われる）のとき，
(1) 保険金の（確率変数としての）現価を T_x で表せ。また，$\bar{A}^1_{x:\overline{n}|}$ を期待値を用いて表し，さらに $\bar{A}^1_{x:\overline{n}|}$ を死力 $\lambda_X(t)$，生命確率 $_tp_x$ を用いて表せ。
(2) $X \sim \mathrm{Exp}(\lambda)$ の場合に，$\bar{A}^1_{x:\overline{n}|}$ を求めよ。

$\boxed{2}$ x 歳加入 n 年契約連続払い（年金金額 1）の保険金の現価（確率変数としての）は $\int_0^n e^{-\delta u} 1_{u<T_x} du$ である。
(1) 現価 $\bar{a}_{x:\overline{n}|}$ を，生命確率 $_tp_x$ を用いて表せ。
(2) $X \sim \mathrm{Exp}(\lambda)$ の場合に $\bar{a}_{x:\overline{n}|}$ を求めよ。

解説 生命保険（契約）は 余命確率変数 T_x によって決まる契約である。したがって，保険契約の内容を T_x で表し，あとは T_x の分布（即時払いのときは T_x は連続確率変数なので，その密度関数 $f_{T_x}(t)$）によって計算するのである。

また，T_x の密度関数は，
$$f_{T_x}(t)dt = P(t < T_x < t + dt) = \lambda_X(x+t)P(T_x > t)dt$$
$$= \lambda_X(x+t) {}_tp_x dt$$
となる。したがって，
$$E(h(T_x)) = \int_0^\infty h(t) \lambda_X(x+t) {}_tp_x dt$$
のように計算する。

例． x 歳加入終身定期保険で即時払いのとき，保険金の現価は $v^{T_x} = e^{-\delta T_x}$ である。したがって，
$$\bar{A}^1_{x:\overline{\infty}|} = E(e^{-\delta T_x}) = \int_0^\infty e^{-\delta t} \lambda_X(x+t) {}_tp_x dt$$
で計算できる。

たとえば，死力が一定 λ のときは $_tp_x = e^{-\lambda t}$ となるので
$$\bar{A}^1_{x:\overline{\infty}|} = \int_0^\infty e^{-\delta t} \lambda e^{-\lambda t} dt = \int_0^\infty \lambda e^{-(\lambda+\delta)t} dt = \left[-\frac{\lambda e^{-(\lambda+\delta)t}}{\lambda+\delta} \right]_0^\infty = \frac{\lambda}{\delta+\lambda}$$

寿命確率変数 X が $\Gamma(2,\lambda)$ のときは
$$P(X > t) = \int_t^\infty \lambda^2 x e^{-\lambda x} dx = \int_{\lambda t}^\infty u e^{-u} du = \left[-(u+1)e^{-u} \right]_{\lambda t}^\infty = (\lambda t + 1)e^{-\lambda t}$$

となる．つまり，
$$_tp_x = \frac{P(X > t+x)}{P(X > x)} = \frac{\lambda(t+x)+1}{\lambda x+1}e^{-\lambda t}$$
となり，また，
$$\lambda_X(x+t) = \frac{\partial}{\partial t}(-\log{_tp_x}) = \frac{\lambda^2(t+x)}{\lambda(t+x)+1}$$
と合わせて
$$\bar{A}^1_{x:\overline{\infty}|} = \int_0^\infty e^{-\delta t}\lambda_X(x+t){_tp_x}dt = \int_0^\infty e^{-\delta t}\frac{\lambda^2(t+x)}{\lambda(t+x)+1}\frac{\lambda(t+x)+1}{\lambda x+1}e^{-\lambda t}dt$$
$$= \frac{\lambda^2}{\lambda x+1}\int_0^\infty (t+x)e^{-(\lambda+\delta)t}dt = \frac{\lambda^2}{(\lambda+\delta)^2}\frac{(\lambda+\delta)x+1}{\lambda x+1}$$
となる．

解 答

$\boxed{1}$ ★1 保険契約によって受け取る保険金の現価（確率変数）を Z とおく．すると
$$Z = \begin{cases} v^{T_x} = e^{-\delta T_x} & 0 \leqq T_x < n \\ 0 & T_x \geqq n \end{cases}$$
となる．まとめて書くと，$Z = e^{-\delta T_x}1_{T_x < n}$ ★2 となる．よって，

$\bar{A}^1_{x:\overline{n}|} = E(e^{-\delta T_x}1_{T_x<n})$,
$\bar{A}^1_{x:\overline{n}|} = \int_0^n e^{-\delta u}f_{T_x}(u)du = \int_0^n e^{-\delta u}\lambda_X(u+x){_up_x}du$

(2) $X \sim \mathrm{Exp}(\lambda)$ なら死力一定なので，
$\bar{A}^1_{x:\overline{n}|} = \int_0^n e^{-\delta u}\lambda e^{-\lambda u}du = \frac{\lambda}{\lambda+\delta}(1-e^{-(\lambda+\delta)n})$

$\boxed{2}$ (1) $\bar{a}_{x:\overline{n}|} = E\left(\int_0^n e^{-\delta u}1_{T_x>u}du\right) = \int_0^n e^{-\delta u}E(1_{T_x>u})du$
$= \int_0^n e^{-\delta u}P(X-x>u|X>x)du = \int_0^n e^{-\delta u}{_up_x}du$ となる．

(2) $X \sim \mathrm{Exp}(\lambda)$ のときは，
$$\bar{a}_{x:\overline{n}|} = \int_0^n e^{-\delta u}e^{-\lambda u}du = \frac{1}{\lambda+\delta}(1-e^{-(\lambda+\delta)n})$$

★1 前頁解説の例題と同じようにやる．

★2 $1_{T_x<n}$
$= \begin{cases} 1 & (T_x < n) \\ 0 & (T_x \geqq n) \end{cases}$
である．

問題 93 損保数理入門 I　ポアソン過程とクレーム総額　[基本]

1 1年間に事故が起こる回数 $X = 0$（確率 $\frac{1}{2}$），1（確率 $\frac{1}{3}$），2（確率 $\frac{1}{6}$） とする。保険金（事故が起こる回数と独立）が $\mathrm{Exp}(\mu)$ のとき，1年間の保険金総額 Y の期待値，分散を求めよ。

2 事故が起こる間隔はパラメータ λ の指数分布で，各事故に対する保険金は独立で X と同分布とする。時刻 $[0,t]$ での保険金総額を Y_t で表すとき，
(1) Y_t のモーメント母関数 $M_{Y_t}(\alpha)$ を $M_X(\alpha)$ で表せ。
(2) $E(Y_t), V(Y_t)$ を $E(X), V(X)$ を用いて求めよ。

解説

損害保険は事故に関する保険なので，事故がどれくらいの割合で起こるか？　また，起こった事故の損害がどれくらいか？　などをもっとも重要視する。そこで事故が時刻 $[0,t]$ で起こる回数（**クレーム件数**）を N_t（**カウンティングプロセス**）とすると，いちばん基本的で重要な N_t は**強度 λ のポアソン過程**である。

また，各（i 番目の）事故の損害金額を X_i とおくと，もちろん事故によって損害金額（保険金，クレーム額）は異なるが，時刻 $[0,t]$ での保険金総額（**クレーム総額**）を Y_t としたとき，$Y_t = \sum_{i=0}^{N_t} X_i$ で表される。このような Y_t の分布を，**複合ポアソン分布**といい，基本的かつ重要な確率分布である。

解答

1 題意より $Y = \sum_{k=1}^{X} Z_k$ [★1]，$Z_k \sim \mathrm{Exp}(\mu)$ となる。すると，

$$E(Y|X=k) = \sum_{l=1}^{k} E(Z_l|X=k) = \sum_{l=1}^{k} E(Z_l) = \frac{k}{\mu}$$

となる[★2]。よって，

$$E(Y) = E(E(Y|X)) = E\left(\frac{X}{\mu}\right) = \frac{2}{3\mu}$$

となる。同様に，

$$E(Y^2|X) = \begin{cases} 0 & (X=0) \\ \dfrac{2}{\mu^2} & (X=1) \\ E((Z_1+Z_2)^2) = \dfrac{6}{\mu^2} & (X=2) \end{cases}$$

となる。すると，

★1　$X=0$ のときは事故がないので，$Y=0$.

★2　題意より Z_l と X は独立となる。

問題 93 基本 損保数理入門 I　ポアソン過程とクレーム総額

$$E(Y^2) = E(E(Y^2|X)) = \frac{0}{\mu^2} \times \frac{1}{2} + \frac{2}{\mu^2} \times \frac{1}{3} + \frac{6}{\mu^2} \times \frac{1}{6} = \frac{5}{3\mu^2}$$

となる．よって，

$$V(Y) = E(Y^2) - (E(Y))^2 = \frac{5}{3\mu^2} - \left(\frac{2}{3\mu}\right)^2 = \frac{11}{9\mu^2}$$

である．
別解 $V(Y) = E(V(Y|X)) + V(E(Y|X))$ ★3 を用いると，
$E(Y|X) = \frac{X}{\mu}, V(Y|X) = \frac{X}{\mu^2}$ より，
$V(Y) = \frac{1}{\mu^2}V(X) + \frac{E(X)}{\mu^2} = \frac{1}{\mu^2}(E(X^2) - (E(X))^2 + E(X))$
$\quad = \frac{1}{\mu^2}(1 - (\frac{2}{3})^2 + \frac{2}{3}) = \frac{11}{9\mu^2}$

★3 p.134, 問題 62 の解説参照．

2 (1) モーメント母関数 $M_{Y_t}(\alpha)$ を計算すると，
$M_{Y_t}(\alpha) = E(e^{\alpha Y_t}) = E(E(e^{\alpha Y_t}|N_t))$ ★4
$\quad = E(E(e^{\alpha(X_1+X_2+\cdots+X_{N_t})}|N_t))$
$\quad = E(M_X(\alpha)^{N_t}) = e^{-\lambda t(1-M_X(\alpha))}$
(2) (1) の $M_{Y_t}(\alpha)$ を α で微分して，

★4 p.128, 問題 59 の条件付き期待値の基本性質 (1) より，$E(E(Y|X)) = E(Y)$．

$$M'_{Y_t}(\alpha) = \lambda t M'_X(\alpha) e^{-\lambda t(1-M_X(\alpha))}$$

となる．よって，

$$E(Y_t) = M'_{Y_t}(0) = \lambda t E(X)$$

である．
もう 1 回 α で微分して，

$$M''_{Y_t}(\alpha) = \lambda t M''_X(\alpha) e^{-\lambda t(1-M_X(\alpha))} + (\lambda t M'_X(\alpha))^2 e^{-\lambda t(1-M_X(\alpha))}$$

となる．よって，

$$E(Y_t^2) = \lambda t E(X^2) + (\lambda t E(X))^2$$

である．したがって，

$$V(Y_t) = E(Y_t^2) - (E(Y_t))^2 = \lambda t(V(X) + (E(X))^2) \text{★5}$$

★5 $E(X^2) = V(X) + (E(X))^2$．

となる．
別解 $V(Y_t) = V(E(Y_t|N_t)) + E(V(Y_t|N_t))$
$\quad = V(E(X)N_t) + E(V(X)N_t) = (E(X))^2 \lambda t + V(X) \lambda t$

| 問題 | 94 | 損保数理入門 II　免責，支払限度 | 発展 |

X を 1 回の事故でのクレーム額（損害金額）とし，$P(X>0)=1$ で密度関数を $f_X(x)$ とする。以下を求めよ。

(1) 免責金額を d と設定した場合，エクセス方式 (d を超えた分しか支払われない) での支払保険金額分布 Y の分布関数 F_Y を求めよ。

(2) (1) に加え，保険金の支払限度を $A(>d)$ と設定した（損害金額がいくらあっても保険金は最高 A しか支払われない）場合の支払保険金額分布 Z の分布関数を求めよ。

(3) $X \sim \mathrm{Exp}(\lambda)$ のとき，$f_Y(x), f_Z(x), E(Y)$ を求めよ。

解説　免責金額を d とし，d 以上のクレーム金額（損害額）では d を超えた分だけ保険金を支払うという契約をする。この方式をエクセス (excess) 方式の免責というが，こうすることで保険料は安くなるし，保険会社も事務量を減らすことができる。クレーム額を X とすると，

$$\text{払われる保険金}\, Y = \begin{cases} X - d & (X > d) \\ 0 & (X \leqq d) \end{cases}$$

となる。X が寿命確率変数のときの平均余命 $E(X-d|X>d)$ とよく似ているが，平均余命は条件付き期待値なので，

$$E(X-d|X>d) = \frac{E(X-d, X>d)}{P(X>d)} = \frac{E(\max(X-d,0))}{P(X>d)}$$

の関係であることに注意する。さらに保険金の支払限度額 A を設ける考え方も重要で，免責を設定しないで上限 A を設定する場合，支払保険金 Z は $Z = \min(X, A)$，免責 d を設定し，さらにそれに上限 A を設定する場合は，$Z = \min(Y, A) = \min(\max(X-d, 0), A)$ となる。

例題　X をクレーム金額とし，$X \sim \mathrm{Exp}(\mu)$ とする。免責は設定せず，支払限度だけを A と設定する場合の支払保険金 Z の分布関数と $E(Z)$ を求めよ。

解答　定義より，$Z = \min(X, A)$. $P(0 \leqq Z \leqq A) = 1$ より，$x \geqq 0$ として $x < A$ のとき，$F_Z(x) = P(Z \leqq x) = P(\min(X, A) \leqq x) = P(X \leqq x \cup A \leqq x)$
$\qquad\qquad\qquad = P(X \leqq x) = F_X(x) = 1 - e^{-\mu x}$　である。
$x \geqq A$ のとき，$F_Z(x) = P(X \leqq A \cup A \leqq x) = P(A \leqq x) = 1$ となる。

注意　密度関数は離散パートがあることを注意して，$f_Z(x) = f_X(x) = \mu e^{-\mu x}\ (0 < x < A)$,

分布関数は $x = A$ で $1 - e^{-\mu A}$ から 1 にジャンプする。つまり, $P(Z = A) = 1 - F_X(A) = e^{-\mu A}$ に注意する。$E(Z) = \int_0^A x f_Z(x) dx + A(1 - F_X(A)) = \int_0^A x\mu e^{-\mu x} dx + Ae^{-\mu A} = \dfrac{1 - e^{-\mu A}}{\mu}$ となる (また, $E(Z) = E(\min(X, A)) = \int_0^\infty \min(x, A) f_X(x) dx = \int_0^A x\mu e^{-\mu x} dx + \int_A^\infty A\mu e^{-\mu x} dx$ を計算してもよい)。

例題 $X \sim \text{Exp}(\lambda)$ とする。フランチャイズ方式での免責 d を設定, つまり支払保険金 W を $W = X\,(X > d), 0\,(X \leq d)$ とするとき, $E(W)$ を求めよ。

解答 $E(W) = E(X, X > d) = \int_d^\infty x\lambda e^{-\lambda x} dx = \dfrac{1}{\lambda} \int_{\lambda d}^\infty u e^{-u} du$
$= \dfrac{1}{\lambda}\Big[-(u+1)e^{-u}\Big]_{\lambda d}^\infty = \dfrac{1}{\lambda}(\lambda d + 1) e^{-\lambda d}.$

別解 $E(W) = E(X, X > d) = E(X | X > d) P(X > d)$
$= E(X - d + d | X > d) P(X > d) = (\frac{1}{\lambda} + d) e^{-\lambda d}$

解 答

(1) 定義より, $Y = \max(X - d, 0)$. すると $x > 0$ として,
$F_Y(x) = P(\max(X - d, 0) \leq x)$
$= P(\max(X - d, 0) \leq x \cap X \leq d) + P(\max(X - d, 0) \leq x \cap X > d)$
$= P(0 \leq x \cap X \leq d) + P(X - d \leq x \cap X > d)$
$= P(X \leq d) + P(d < X \leq x + d) = P(X \leq x + d) = F_X(x + d)$ ★1

(2) 定義より, $Z = \min(Y, A)(= \min(\max(X - d, 0), A))$ である。
$P(0 \leq Z \leq A) = 1$ より, $x \geq 0$ として, $x < A$ のとき,
$F_Z(x) = P(Z \leq x) = P(\min(Y, A) \leq x) = P(Y \leq x \cup A \leq x)$
$= P(Y \leq x) = F_Y(x) = \begin{cases} F_X(x + d) & (0 < x < A) \\ F_X(d) & (x = 0) \end{cases}$

$x \geq A$ のとき, $F_Z(x) = P(Y \leq x \cup A \leq x) = P(A \leq x) = 1$ ★2 となる。

(3) $F_{\text{Exp}(\lambda)}(x) = 1 - e^{-\lambda x}$, $f_{\text{Exp}(\lambda)}(x) = \lambda e^{-\lambda x}\,(x > 0)$ と前問より, $f_Y(x) = \lambda e^{-\lambda(x+d)}\,(x > 0)$ となる。ただし, $P(Y = 0) = 1 - e^{-\lambda d}$, $E(Y) = \int_0^\infty x \lambda e^{-\lambda(x+d)} dx = \dfrac{e^{-\lambda d}}{\lambda}$ となる。
また $f_Z(x) = \lambda e^{-\lambda(x+d)}\,(0 < x < A)$ となる。ただし, $P(Z = 0) = 1 - e^{-\lambda d}$, また $P(Z = A) = P(Y \geq A) = e^{-\lambda(d+A)}$ となる。

★1 微分して, 密度関数は $f_Y(x) = f_X(x + d)\,(x > 0)$ ただし, 離散パートもあり, $P(Y = 0) = P(X \leq d) = F_X(d)$.

★2 密度関数は離散パートがあることを注意して, $f_Z(x) = f_X(x + d)$ $(0 < x < A)$, $P(Z = 0) = F_X(d),$ $P(Z = A) = 1 - F_X(A + d).$

問題 95　損保数理入門 III　等級移動とマルコフ連鎖　発展

次の行動パターンで事故を起こす人のモデルを考える。

$$\begin{cases} \text{前年度に事故を起こす} \longrightarrow \text{今年度に事故を起こす確率は、} p = \dfrac{1}{4} \\ \text{前年度に事故を起こしていない} \longrightarrow \text{今年度に事故を起こす確率は、} q = \dfrac{1}{3} \end{cases}$$

この人が、以下の損害保険に入る。現在 $t=0$（初年度の期始）に等級 0（$\boxed{0}$ と書く）で加入し、前年度が無事故だと等級 1（$\boxed{1}$ と書く）、前年度が事故だと $\boxed{0}$ に戻るものとする。また、初年度の前年は事故を起こしている。X_t を t 年度の期始における等級とするとき、以下を求めよ。

(1) $P(X_2 = \boxed{0})$　　(2) $P(X_3 = \boxed{0})$　　(3) $P(X_2 = \boxed{0} | X_3 = \boxed{1})$
(4) 推移確率行列 P　　(5) $(P(X_t = \boxed{0}), P(X_t = \boxed{1}))$
(6) $\displaystyle\lim_{n \to \infty} (P(X_t = \boxed{0}), P(X_t = \boxed{1}))$

解説　実際にある自動車保険を見ても無事故の翌年は割り引かれて（等級があがって）保険料は安くなる。これをモデル化したものが本問であり、マルコフ連鎖の応用であり、復習問題でもある。

例題 以下のような損害保険がある。最初、等級 0 から加入するが、前年度無事故なら等級が 1 つ上がり、事故をすれば等級が 1 つ下がる。また、等級は 2 までとし、等級 0 より下に下がる等級はなく、等級 2 より上に上がる等級はない。1 年間のクレーム頻度はパラメータ 1.6 のポアソン分布に従うものとする。保険契約者が 10000 人でずっとこの状態が変わらないとして、長い時間たったときの各等級に属する人数を求めよ。必要なら $e^{1.6} \fallingdotseq 5$ を用いよ。

解答 $e^{-1.6} \fallingdotseq \dfrac{1}{5}$ と題意より、マルコフ連鎖（i 行が $i-1$ 等級に対応とする）の推移確率行列 P は、$P = \begin{pmatrix} \frac{4}{5} & \frac{1}{5} & 0 \\ \frac{4}{5} & 0 & \frac{1}{5} \\ 0 & \frac{4}{5} & \frac{1}{5} \end{pmatrix}$ となる。よって、

$$(x, y, z)P = (x, y, z),$$
$$x + y + z = 1$$

を解いて、

$$(x, y, z) = \left(\frac{16}{21}, \frac{4}{21}, \frac{1}{21} \right)$$

人数に直すと、(等級 0, 等級 1, 等級 2) =(7619.0, 1904.8, 476.2) となる。

解答

(1) $P(X_1 = \boxed{0}) = \frac{1}{4}$ などに注意して,

$$P(X_2 = \boxed{0}) = P(X_2 = \boxed{0} \mid X_1 = \boxed{0})P(X_1 = \boxed{0})$$
$$+ P(X_2 = \boxed{0} \mid X_1 = \boxed{1})P(X_1 = \boxed{1})^{\bigstar 1}$$
$$= \frac{1}{4} \cdot \frac{1}{4} + \frac{1}{3} \cdot \frac{3}{4} = \frac{5}{16}$$

★1 マルコフ連鎖の問題 76 (p.174) を復習する。

(2) $P(X_3 = \boxed{0}) = P(X_3 = \boxed{0} \mid X_2 = \boxed{0})P(X_2 = \boxed{0})$
$+ P(X_3 = \boxed{0} \mid X_2 = \boxed{1})P(X_2 = \boxed{1}) = \frac{1}{4} \times \frac{5}{16} + \frac{1}{3} \cdot \frac{11}{16} = \frac{59}{192}$

(3) $P(X_2 = \boxed{0} \mid X_3 = \boxed{1})$

$$= \frac{P(X_2 = \boxed{0} \cap X_3 = \boxed{1})}{P(X_3 = \boxed{1})}$$
$$= \frac{P(X_3 = \boxed{1} \mid X_2 = \boxed{0})P(X_2 = \boxed{0})}{P(X_3 = \boxed{1})} = \frac{\frac{3}{4} \cdot \frac{5}{16}}{\frac{133}{192}}{}^{\bigstar 2} = \frac{45}{133}$$

★2 (2) より,
$P(X_3 = \boxed{1})$
$= 1 - P(X_3 = \boxed{0})$
$= 1 - \frac{59}{192} = \frac{133}{192}$.

(4) 求める推移確率行列は, $\begin{pmatrix} p & 1-p \\ q & 1-q \end{pmatrix} = \begin{pmatrix} \frac{1}{4} & \frac{3}{4} \\ \frac{1}{3} & \frac{2}{3} \end{pmatrix}$

(5) $a_t = P(X_t = \boxed{0})$ とおくと, $a_1 = \frac{1}{4}$ で,

$$a_{t+1} = P(X_{t+1} = \boxed{0} \mid X_t = \boxed{0})P(X_t = \boxed{0})$$
$$+ P(X_{t+1} = \boxed{0} \mid X_t = \boxed{1})P(X_t = \boxed{1})$$
$$= \frac{1}{4}a_t + \frac{1}{3}(1 - a_t) = \frac{-1}{12}a_t + \frac{1}{3}.$$

これを解いて, $a_t = \frac{4}{13} + \frac{9}{13}\left(\frac{-1}{12}\right)^t$, $P(X_t = \boxed{1}) = 1 - a_t$ より

$$(P(X_t = \boxed{0}), P(X_t = \boxed{1}))$$
$$= \left(\frac{4}{13} + \frac{9}{13}\left(\frac{-1}{12}\right)^t, \frac{9}{13} - \frac{9}{13}\left(\frac{-1}{12}\right)^t\right) \text{ となる。}$$

(6) (5) の答で $t \to \infty$ として, $\left(\frac{4}{13}, \frac{9}{13}\right)$ ★3

★3 $P^2 > 0$ よりこのマルコフ連鎖は正則がわかるので,
$(x, 1-x)\begin{pmatrix} \frac{1}{4} & \frac{3}{4} \\ \frac{1}{3} & \frac{2}{3} \end{pmatrix}$
$= (x, 1-x)$ を解いてもよい。

問題 96 金融数理入門 I ポートフォリオ選択理論 [基本]

1 会社 A の株の収益率を S_A、会社 B の株の収益率を S_B とする。
$E(S_A) = \frac{1}{4}, E(S_B) = \frac{1}{2}, V(S_A) = 1, \mathrm{Cov}(S_A, S_B) = \frac{1}{3}, V(S_B) = 2$ とし、資金 1 を A に t、B に $1-t$ に分散して投資するポートフォリオ X_t を考える。ただし、$0 \leqq t \leqq 1$（つまり、空売りはしない）とする。
(1) $\sqrt{V(X_t)}$ を最小にする $t = t_0$ と、$(\sqrt{V(X_{t_0})}, E(X_{t_0}))$ を求めよ。
(2) マーコビッツの意味での効率的フロンティアを与える t の範囲を求めよ。

2 CAPM でマーケット・ポートフォリオとして日経平均（の収益率）M をとり、個別証券の収益率 X は $\mathrm{Cov}(X, M) = 3, V(M) = 5$ であった。このとき、この証券の値動きを日経平均を基準に考えよ。

解説 **1** は複数の金融商品（株）に同時に投資するとき、どのように資金を分配するかという問題で、バラツキ（標準偏差）を最小にすることが基本となる。その際、問題 18（p.38）でみた 標準偏差の公式
$\sigma(tX + (1-t)Y) = \sqrt{t^2 V(X) + 2t(1-t)\mathrm{Cov}(X,Y) + (1-t)^2 V(Y)}$
とコーシー＝シュワルツの不等式 $|\mathrm{Cov}(X,Y)| \leqq \sigma(X)\sigma(Y)$ より、
$0 \leqq t \leqq 1$ とすると、$\sigma(tX + (1-t)Y) \leqq t\sigma(X) + (1-t)\sigma(Y)$ が成立する。

一方、期待収益率のほうは $E(tX + (1-t)Y) = tE(X) + (1-t)E(Y)$ で資金 1 を $t : 1-t$ に配分する**ポートフォリオ**を組めば、期待収益率は線形に（一直線に）変化するのに対し、標準偏差は下に凸に変化し、バラツキの観点からは単独投資より有利である。またマーコビッツ基準、つまり、

- 同じ期待収益率 μ なら、標準偏差 σ が小さいほうがよい。
- 標準偏差 σ が同じなら、期待収益率 μ が大きいほうがよい。

を採用すると $\sigma - \mu$ 平面で（金融商品ポートフォリオの標準偏差を横軸、期待収益率を縦軸にとると）左上に行けばいくほど有利で傾きが正の直線上にある 2 点は、一方がよければ一方が悪いと優劣はない（図 1）。したがって、最小分散ポートフォリオから右上に伸びた部分の優劣はないので、この部分を**効率的フロンティア**という（図 2）。

また、安全債券 $(\sigma = 0, \mu = r)$ にも投資する場合は効率的フロンティアと安全債券を結び、その傾きが大きいほどマーコビッツ基準で有利になるので、安全債券から効率フロンティアに引いた接線の接点が最適ポートフォリオとなる（図 3）。これは証券の数が増えても同じなので、安全債券と n 証券（市場にあるすべての証券）からなる最適ポートフォリオ M を結んだ直線を**資本市場線**(Capital Market

問題 96 基本 金融数理入門 I ポートフォリオ選択理論   219

Line)（安全債券も入れた場合の効率的フロンティアとも考えられる）という。

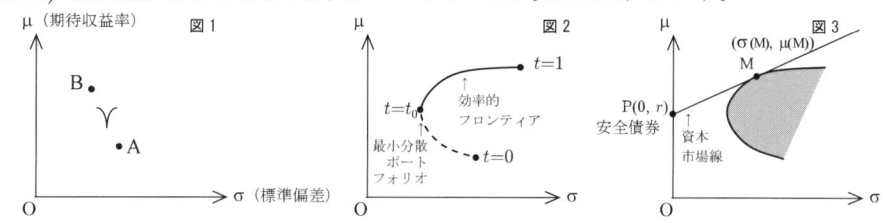

図1　図2　図3

その直線上にある X は $\mu = E(X), \sigma = \sigma(X)$ とおくと $\mu = r + \frac{E(M)-r}{\sigma(M)}\sigma$ となるので当然 $E(M) - r > 0$ なので（そうでなければ全員安全債券に投資する），μ を大きくするには σ を大きくしなければならないことを主張している（**ハイリスク，ハイリターン**）。

ある金融商品（の収益率）X とマーケットポートフォリオ（の収益率）M で作られるポートフォリオを考え，そのポートフォリオの M における接線の傾き $\frac{d\mu}{d\sigma}$ を計算すると，$(E(X) - r) / \left(\frac{\text{Cov}(X,M)}{\sigma(M)}\right)$ となり，これは資本市場線を突き抜けるわけにいかない（突き抜けるとマーコビッツの意味での最適性に矛盾）ので，資本市場線の傾き $\frac{E(M)-r}{\sigma(M)}$ と一致しなければならない。整理すると，$E(X) - r = \beta_X(E(M) - r)$　$\beta_X = \frac{\text{Cov}(X,M)}{V(M)}$ がわかる。β_X は X の超過収益率（安全債券に対する）がマーケット・ポートフォリオの超過収益率の何倍になるかを表した量である。この β を横軸に $E(X) = \mu$ を縦軸にとった直線を**証券市場線** (Security Market Line) という。

またこれは X を M で回帰した回帰直線と一致することを注意しておく。すると β_X はマーケット・ポートフォリオ M（通常，日経平均と考える）に対する個別証券 X の動き（感応度）を表す量である。

解答

1 (1) $V(X_t) = V(tS_A + (1-t)S_B) = t^2 + 2t(1-t)\cdot\frac{1}{3} + 2(1-t)^2$ ★1

$= \frac{7}{3}\left(t - \frac{5}{7}\right)^2 + \frac{17}{21}$ より，$t_0 = \frac{5}{7}$ ★2.

$(\sqrt{V(X_{t_0})}, E(X_{t_0})) = \left(\sqrt{\frac{17}{21}},\ \frac{5}{7}\cdot\frac{1}{4} + \left(1 - \frac{5}{7}\right)\cdot\frac{1}{2}\right)$

$= \left(\sqrt{\frac{17}{21}},\ \frac{9}{28}\right)$

(2) $E(S_B) > E(S_A)$ で，$t = 0$ のときは B の単独投資なので，求める効率的フロンティアを与える t の範囲は，$0 \leqq t \leqq \frac{5}{7}$ である。

2 解説より，$\beta_X = \frac{\text{Cov}(X,M)}{V(M)} = \frac{3}{5} = 0.6,\ 0.6 < 1$ から，日経平均が 1 動けば X は 0.6 程度動くと考えられる。

★1 p.38, 問題 18 の標準偏差の式の $\sqrt{\ }$ の中身。

★2 このときの X_{t_0} が最小分散ポートフォリオ。

問題 97 金融数理入門 II　デリバティブ価格理論　　基本

S_T は時点 T における株価とする。

(1) K（受け渡し価格，行使価格）$= 10000$ とし，$S_T = 13000, S_T = 8000$ の 2 つのケースで，満期 T での先物買い，コール，プットのペイオフをそれぞれ求めよ。

(2) 満期までの安全債券（銀行預金）の利回りが R（1 預ければ $1+R$ に増える）のとき，行使価格 K，満期 T のコール 1 単位と安全債券 $\frac{K}{1+R}$ のポートフォリオ A のペイオフが，行使価格 K，満期 T のプット 1 単位と株（の現物）1 単位のポートフォリオ B のペイオフと一致することを示し，コール，プットの初期価格 C, P と $K, S (= S_0,$ 初期株価$), R$ との関係式（プット・コールパリティ）を求めよ。また，$K = 10500, R = 5$ %，$C = 1000, S = 9500$ のとき，P を求めよ。

解説　元になる金融商品（株・為替・金利・原油・小豆などの商品，天候など。ここでは株で説明する）から新しく作られた金融商品を**金融派生商品**（デリバティブ）という。いちばん歴史があり，基本的なデリバティブは先物であり，先物買い契約と先物売り契約がある。

（株式）**先物買い契約**とは満期時 T で株を**受け渡し価格** K で買う契約になる。受け渡し価格とは，契約書に予め書かれたもので，先物買い契約そのものの価格（契約書を手に入れるときに払うお金）ではない点に注意。これは必ず履行しなければならない。したがって，$S_T \geq K$ なら，満期時 T で先物買い契約より K で買って時価 S_T で売るので $S_T - K$ のもうけ，$S_T \leq K$ でも，K で買って S_T で売るので $K - S_T$ の損 $= S_T - K (< 0)$ のもうけとなり，まとめると，受け渡し価格 K の先物買い契約の**ペイオフ**（満期時の支払い）は $S_T - K$ である。

このように，デリバティブ契約は満期時におけるペイオフで区別される。同様に**先物売り契約**のペイオフは $K - S_T$ である。先物買い（売り）契約に履行しなくてもよいという選択権をつけた契約を**コールオプション**（売りに対してはプットオプション）という。

したがって，**行使価格** K（オプションに対しては行使価格という）のコールオプションのペイオフは，$\max(S_T - K, 0)$（$S_T - K \leq 0$ のときは履行すれば損するので履行しない），プットオプションのペイオフは $\max(K - S_T, 0)$ となる。すると，どちらもペイオフは非負となるので，それぞれ現在価格 $C(>0), P(>0)$ が発生する。この C, P を決める理論が**オプション価格理論**（問題 98, 99）であ

問題 97 [基本] 金融数理入門 II　デリバティブ価格理論

る。ここでは金融工学の基本的な仮定である**無裁定**の考え方（未来価値が同じなら現在価値も同じ）を述べ、先物の理論受け渡し価格決定、プットコールパリティに応用する。

例題（先物の理論受け渡し価格）$t=0$ から $t=T$ までの利子（利回り）を R とする（$t=0$ での 1 が $t=T$ で $1+R$）。$t=0$ で先物買い契約の価格 $=0$ となる受け渡し価格 K は、$K=S(1+R)$ であることを示せ。ただし、S は初期株価。

証明　次の 2 つのポートフォリオ A, B を考える。

　　ポートフォリオ A：株の現物だけ、

　　ポートフォリオ B：先物買い契約 $+\dfrac{K}{1+R}$ の安全債券（銀行預金）。

$A_0 = $ ポートフォリオ A の $t=0$ における価値 $= S$、$B_0 = 0 + \dfrac{K}{1+R}$、$A_T = S_T$、$B_T = S_T - K + \dfrac{K}{1+R}(1+R) = S_T - K + K = S_T$ となり、満期時 T における A, B の価値は一致するので、「無裁定」より現在価値も一致し、$K = S(1+R)$ となる。そうでなければ高いほうを売って安いほうを買うことにより、裁定（確率 1 でリスクなく儲けること）が起きてしまう。この例でいうと、たとえば $K > S(1+R)$ なら B を売って A を買うことにより、$t=0$ で $\dfrac{K}{1+R} - S$ の現金が残り、$t=T$ では同価値なので B を買って A を売ることにより、精算して 0 となるからである。

　このような先物の複製を、$t=0$ でポートフォリオを組めば組み直す必要がないので、**スタティックヘッジ**という。

解答

(1)　★1　$K = 10000$ なので、
　　$S_T = 13000$ の場合のペイオフは、それぞれ 3000, 3000, 0 となり、
　　$S_T = 8000$ の場合のペイオフは、それぞれ -2000, 0, 2000 となる。

(2)　$A_T = \max(S_T - K, 0) + \dfrac{K}{1+R}(1+R) = \max(S_T - K + K, K)$
　　　　$= \max(S_T, K)$、
　　$B_T = \max(K - S_T, 0) + S_T = \max(K - S_T + S_T, S_T)$
　　　　$= \max(K, S_T)$.

である。よって、ポートフォリオ A と B の満期時 T の価値は一致するので、「無裁定」より $t=0$ における価値も一致する。

$\therefore C + \dfrac{K}{1+R} = A_0 = B_0 = P + S$ ★2 .

また、所与の数値の下で、

$P = C + \dfrac{K}{1+R} - S = 1000 + \dfrac{10500}{1 + 0.05} - 9500 = 1500.$

★1　先物買い、コール、プットのペイオフがそれぞれ $S_T - K$、$\max(S_T - K, 0)$、$\max(K - S_T, 0)$ であることに注意する。

★2　「無裁定」より、$A_T = B_T$ ならば、$A_0 = B_0$.

問題 98 金融数理入門 III　デリバティブ価格付け入門　　基本

$\boxed{1}$ 市場には株と安全債券 (銀行預金) があり，株は $t=0$ で $S_0=32$ で，$t=1$ では $S_1=64$ or 16 のどちらかになるとする。また，安全債券は $t=0$ で 1 が，$t=1$ では $\frac{4}{3}$ になるものとする。

この市場で，行使価格 K が $K=40$ のコールオプションを考える。株 x 単位と安全債券 y 単位の複製ポートフォリオのペイオフがコールのペイオフと同じになる (x,y)（複製ポートフォリオ）を求めて，コールの初期価格 C を求めよ。また 行使価格 40 のプットオプションの初期価格 P を求めよ。

$\boxed{2}$ 右の 2 項 2 期間モデルにおいて，行使価格 56 のコールオプションの現在価格 C と複製ポートフォリオ推移を求めよ。

```
株     32 ─── 64 ─── 128
                  ─── 32
              ─── 16 ─── 32
                      ─── 8
安全債券  1 ─── 4/3 ─── (4/3)²
       時刻0  時刻1  時刻2
```

解説

例題 $\boxed{1}$ の 2 項 1 期間モデルにおいて，行使価格 28 のコールオプションの現在価格と複製ポートフォリオ (x,y) を求めよ。

解答　行使価格 28 のコールオプションのペイオフ (満期時の支払) は，株が上がった場合 $\max(64-28,0)=36$，株が下がった場合 $\max(16-28,0)=0$ となり，これが株 x 単位と安全債券 y 単位の複製ポートフォリオのペイオフと一致するので $64x+\frac{4}{3}y=36$, $16x+\frac{4}{3}y=0$ となる。これを解いて $(x,y)=(\frac{3}{4},-9)$　「無裁定」より，この複製ポートフォリオとコールオプションの $t=0$ の価格が一致しなければならない。

よって，コールオプションの $t=0$ における価格 $=32\times\frac{3}{4}+(-9)=15$.

注意　実際確かめて見ると，最初に資金 15 を準備し，最初の $y=-9$ は銀行から 9 借りてくるということで，合わせた資金 24 で株を $\frac{3}{4}$ 単位買う。すると，株が上がった場合の複製ポートフォリオの価値は，$\frac{3}{4}$ 単位の株については $\frac{3}{4}\times 64=48$ で売れ，銀行から借りてきた 9 は利子をつけて返さねばならず，$9\times\frac{4}{3}$ 返すので，合わせて $+36$ となる。

また株が下がった場合は，同じように清算して 0 と，行使価格 28 のコールオプションのペイオフと完全一致するのである。これを複製ポートフォリオ推移として，次に書く。

$$\text{(複製ポートフォリオ, 価値)}=((\tfrac{3}{4},-9),15) \begin{array}{l} \text{価値}=36 \\ \text{価値}=0 \end{array}$$

問題 98 [基本] 金融数理入門 III　デリバティブ価格付け入門　223

例題 [2] の 2 項 2 期間モデルで，行使価格 92 のコールオプションの現在価格 C を求め，複製ポートフォリオ推移も求めよ。

解答　$128x+(\frac{4}{3})^2y = \max(128-92,0) = 36, 32x+(\frac{4}{3})^2y = \max(32-92,0) = 0$ を解いて，$(x,y) = (\frac{3}{8}, \frac{-27}{4})$.

よって，$t=0$ から $t=1$ にかけて株が上がったときの複製ポートフォリオの価値は，$\frac{3}{8} \times 64 + \frac{-27}{4}\frac{4}{3} = 15$ となる。また，明らかに $t=0$ から $t=1$ にかけて株が下がったときの複製ポートフォリオは，$(0,0)$ である。次に $64x + \frac{4}{3}y = 15$, $16x + \frac{4}{3}y = 0$ を解いて $(x,y) = (\frac{5}{16}, \frac{-15}{4})$ より，$C = \frac{5}{16} \times 32 - \frac{15}{4} = \frac{25}{4}$ となる。

複製ポートフォリオ推移は，

(複製ポートフォリオ, 価値) $= ((\frac{5}{16}, \frac{-15}{4}), \frac{25}{4})$ ⟨ $((\frac{3}{8}, \frac{-27}{4}), 15)$ ⟨ 価値 $= 36$ / 価値 $= 0$; $((0,0),0)$ ⟨ 価値 $= 0$ / 価値 $= 0$

注意　複製ポートフォリオを各期間で清算し組み直すということを，満期 T の 1 つ前までやり続ける。このようなデリバティブの複製のやり方を，**ダイナミックヘッジ**という。

解答

[1]　株が上がった場合，$64x + \frac{4}{3}y = \max(64-40,0) = 24$,
株が下がった場合，$16x + \frac{4}{3}y = \max(16-40,0) = 0$ となる★1。
これを解いて，$x = \frac{1}{2}, y = -6$. よって $C = \frac{1}{2} \times 32 + (-6) = 10$ となる。
同様にプットオプションに対しては，
株が上がった場合，$64x + \frac{4}{3}y = \max(40-64,0) = 0$,
株が下がった場合，$16x + \frac{4}{3}y = \max(40-16,0) = 24$ を解いて，
$x = \frac{-1}{2}, y = 24$. よって「無裁定」より，$P = \frac{-1}{2} \times 32 + 24 = 8$★2.

[2]　例題と同じようにやり，$C = \frac{25}{2}$. 複製ポートフォリオ推移は

(複製ポートフォリオ, 価値) $= ((\frac{5}{8}, \frac{-15}{2}), \frac{25}{2})$ ⟨ $((\frac{3}{4}, \frac{-27}{2}), 30)$ ⟨ 価値 $= 72$ / 価値 $= 0$; $((0,0),0)$ ⟨ 価値 $= 0$ / 価値 $= 0$

★1 行使価格 K のコールオプションのペイオフは $\max(S_T - K, 0)$ に注意する。

★2 前問のプットコールパリティを用いて C が出たあとは，$P = C + \frac{K}{1+R} - S = 10 + \frac{40}{4/3} - 32 = 8$ でもよい。

問題 99 金融数理入門 IV ブラック＝ショールズ偏微分方程式 発展

$\boxed{1}$ 右のモデルで満期時 T においてペイオフが $f(S_T)$ であるデリバティブの時刻 t における価格を $C(t, S_t)$ とする。時刻 t においてデリバティブ 1 単位と株 x 単位で組むポートフォリオが安全債券となる x を求め，さらに $C(t+1, (1+\mu+\sigma)S_t)$, $C(t, (1+\mu-\sigma)S_t)$, $C(t, S_t)$ の関係式を求めよ。

株 S_t
- $(1+\mu+\sigma)S_t$
- $(1+\mu-\sigma)S_t$

安全債券 $1 \longrightarrow 1+r$

時刻 t 　時刻 $t+1$

$\boxed{2}$ $\boxed{1}$ で時間を 1（秒）から Δt（秒）にスケール変換することで，対応するブラック＝ショールズ偏差分方程式を作り，$\Delta t \to 0$ によりブラック＝ショールズ偏微分方程式を求めよ。受け渡し価格 K の先物買いの t における価格は $C(t, S) = S - f(t)$（境界条件は $C(T, S) = S - K$）とおけることを利用して $C(t, S)$ を求めよ。パワーオプション S_T^2（満期時 T で株価の 2 乗をもらう契約）の t における価格が $C(t, S) = S^2 g(t)$ とおけることを利用して，t における価格 $C(t, S)$ と $t=0$ における価格 $C(0, S)$ を求めよ。

解説 　デリバティブ価格付け理論の基本は，前問のように原証券（この場合は株）x 単位と安全債券 y 単位のポートフォリオでデリバティブを複製することである。デリバティブと株で安全債券を複製しても同じことなので $\boxed{1}$ も多期間モデルであるが，ここでは t から $t+1$ にかけてデリバティブと株のポートフォリオで安全債券を複製し，それが安全債券の収益と一致することを用いれば，デリバティブの $t+1$ における価格 $C(t+1, S)$ と，t における価格 $C(t, S)$ の関係式が求まり，これがデリバティブの価格の満たす**ブラック＝ショールズ偏差分方程式**となる。また，この極限をとれば有名な**ブラック＝ショールズ偏微分方程式**が得られ，これを解いてブラック＝ショールズ価格式をだせばよい。

ブラック＝ショールズ偏微分方程式（デリバティブの t, そのときの株価 S における価格 $C(t, S)$ が満たす偏微分方程式）は

$$\frac{\partial C}{\partial t} + rS\frac{\partial C}{\partial S} + \frac{\sigma^2}{2}S^2\frac{\partial^2 C}{\partial S^2} - rC = 0$$

境界条件（満期条件）は $C(T, S) = f(S)$ となる。また，$f(S)$ の例として，行使価格 K のコールオプションのときは，$f(S) = \max(S-K, 0)$. 結果だけを書くが，行使価格 K のコールオプションの $t=0$ における価格 $C = C(0, S)$ は，

問題 99 [発展] 金融数理入門 IV　ブラック＝ショールズ偏微分方程式　225

$$C = S\Phi\left(\frac{\log\frac{S}{K} + \left(r + \frac{\sigma^2}{2}\right)T}{\sigma\sqrt{T}}\right) - Ke^{-rT}\Phi\left(\frac{\log\frac{S}{K} + \left(r - \frac{\sigma^2}{2}\right)T}{\sigma\sqrt{T}}\right)$$

となる。ここで $S =$ 初期株価，$K =$ 行使価格，$r =$ 安全連続利子率，$\sigma =$ 株価の収益率のボラティリティ（株価のバラツキを表す数値）である。

解答

$\boxed{1}$　$C(t+1, (1+\mu+\sigma)S_t) + x(1+\mu+\sigma)S_t$
$= C(t+1, (1+\mu-\sigma)S_t) + x(1+\mu-\sigma)S_t$ より，
$x = \{C(t+1, (1+\mu-\sigma)S_t) - C(t+1, (1+\mu+\sigma)S_t)\}/2\sigma S_t$ となる。するとデリバティブ 1 単位と株 x 単位のポートフォリオは，t から $t+1$ にかけて安全債券と同じになり，1 が $1+r$ になるので，
$$C(t+1, (1+\mu+\sigma)S_t) + x(1+\mu+\sigma)S_t$$
$$= (1+r)(C(t, (1+\mu+\sigma)S_t) + xS_t)$$
となる。これを x を代入して整理して★1，
$\frac{1}{2}(C(t+1, (1+\mu+\sigma)S_t) - 2C(t+1, S_t)$
$+ C(t+1, (1+\mu-\sigma)S_t)) + \frac{r-\mu}{2\sigma}(C(t+1, (1+\mu+\sigma)S_t)$
$- C(t+1, (1+\mu-\sigma)S_t)) + C(t+1, S_t) - C(t, S_t) - rC(t, S_t) = 0$
となる。

$\boxed{2}$　$\boxed{1}$ の答で得られたブラック＝ショールズ偏差分方程式を，条件のスケールで考え★2，2 変数のテーラー展開 $f(x+\Delta x, y+\Delta y) \approx \frac{\partial f}{\partial x}\Delta x + \frac{\partial f}{\partial y}\Delta y + \frac{1}{2}\left(\frac{\partial^2 f}{\partial x^2}(\Delta x)^2 + 2\frac{\partial^2 f}{\partial x \partial y}\Delta x \Delta y + \frac{\partial^2 f}{\partial y^2}(\Delta y)^2\right)$ に注意して，$(\Delta t)^{\frac{3}{2}}$ や $(\Delta t)^2$ などの Δt より小さくなる項は無視すると，解説のブラック＝ショールズ偏微分方程式が得られる。
$C(t, S) = S - f(t)$ を代入すると，$f'(t) - rf(t) = 0, f(T) = K$ となり，これを解いて，$f(t) = Ke^{-r(T-t)}$ となる。つまり，$C(t,S) = S - Ke^{-r(T-t)}$ となる。
さらに $C(t, S) = S^2 g(t)$ をブラック＝ショールズ偏微分方程式に代入すると，

$$0 = \frac{\partial}{\partial t}S^2 g(t) + rS\frac{\partial}{\partial S}S^2 g(t) + \frac{\sigma^2}{2}S^2\frac{\partial^2}{\partial S^2}S^2 g(t) - rS^2 g(t)$$

より，$g'(t) + (r+\sigma^2)g(t) = 0$ となる。よって，

$$\int_t^T \frac{g'(u)}{g(u)}du = \int_t^T -(r+\sigma^2)du$$

$\log g(T) - \log g(t) = -(r+\sigma^2)(T-t)$

となる。満期条件より $g(T) = 1$ なので，$C(t,S) = S^2 g(t) = S^2 e^{(r+\sigma^2)(T-t)}$，$C(0, S) = S^2 e^{(r+\sigma^2)T}$ となる。

★1　境界条件 $C(T, S_T) = f(S_T)$ と合わせて，ブラック＝ショールズ偏差分方程式という。

★2　スケール変換により，μ を $\mu\Delta t$，r を $r\Delta t$ に σ を $\sigma\sqrt{\Delta t}$ に変換することになる。

問題 100　経済数理入門　効用関数と確実性等値　[基本]

1 (1) 効用関数 $U(x) = x^a$ の場合に下記の (a)(b)(c)(d) の，(2) 効用関数 $U(x) = 1 - ae^{-bx}$ の場合に下記の (a)(b)(e)(f) の，確実性等値 c を求めよ。
(a) $X \sim U(s,t)$　(b) $X \sim \text{Exp}(\lambda)$　(c) $X \sim |N(0,1)|$
(d) $X \sim e^{N(\mu, \sigma^2)}$　(e) $X \sim \text{Ge}(p)$　(f) $X \sim B(N, p)$

2 正しい硬貨を何回も投げ，はじめて表が X 回目に出ると $Y = 2^X$ 円もらえるとするとき，このギャンブルへの公平な参加費用 $E(Y)$ を求めよ。効用関数 $\log x$ をもつ個人のくじ Y の確実性等値を求めよ。

3 「任意の効用関数に対して $E(U(X)) \geqq E(U(Y))$」となるための条件を生存関数 $\bar{F}_X(x) = P(X \geqq x)$ で書き表せ。また，分布関数でも書き表せ。

解 説

お金の価値そのものが個人によって異なり，その価値を測るものとして**効用関数**というものを導入することは，ミクロ経済学の重要なテーマである。

$U(x)$ をお金 x の効用とする。これを不確実性をもつものに拡張し，$E(U(X))$ を確率変数 X の**効用**と定義し，$U(c) = E(U(X))$ となる実数 c を X の**確実性等値**という。この意味は，効用関数 $U(x)$ をもっている人が確率変数 X（くじ X）と同じ効用をもつ確実なお金 c と考えられる。お金があればあるほどうれしいのは当然なので，まず効用関数は単調増加，つまり，$U'(x) \geqq 0$ である。

お金そのものが Δa 増えたら効用は $U(a + \Delta a) - U(a) \fallingdotseq U'(a)\Delta a$ 増えるのだが，この効用の増加は現在の所持金が多ければ多いほど少ないと考えられるので（1万円の増加の喜びを現在の所持金が 0 円の場合，10 万円の場合，100 万円の場合，1 億円の場合，10 億円の場合で考えてみるとよい），これを経済学の言葉で**限界効用逓減**という。これはつまり，効用関数の微分がだんだん減ることなので，$U''(a) \leqq 0$ を仮定する。このような効用関数を**リスク回避的効用関数**という。

リスク回避的効用関数 U に対しては $E(U(X)) \leqq U(E(X))$ となるが（問題 49），どれだけリスク回避するか＝公平なギャンブルが嫌いな度合いを $-\dfrac{U''(x)}{U'(x)}$ と定義し，**絶対リスク回避度**という。

解 答

1 (1) $U(x) = x^a$ の場合，
(a) $E(U(X)) = E(X^a) = \dfrac{1}{t-s}\displaystyle\int_s^t x^a dx = \dfrac{t^{a+1} - s^{a+1}}{(t-s)(a+1)} = c^a$.

よって、$c = \left(\dfrac{t^{a+1} - s^{a+1}}{(t-s)(a+1)}\right)^{\frac{1}{a}}$ となる。

(b) $E(U(X)) = E(X^a) = \dfrac{\Gamma(a+1)}{\lambda^a} = c^a$. よって、$c = \dfrac{(\Gamma(a+1))^{\frac{1}{a}}}{\lambda}$

(c) $E(U(X)) = E(|\mathrm{N}(0,1)|^a) = \dfrac{2^{\frac{a}{2}}\Gamma(\frac{a}{2}+\frac{1}{2})}{\sqrt{\pi}} = c^a$.

よって、$c = \dfrac{2^{\frac{1}{2}}(\Gamma(\frac{a}{2}+\frac{1}{2}))^{\frac{1}{a}}}{(\sqrt{\pi})^{\frac{1}{a}}}$.

(d) $E(U(X)) = E(e^{a\mathrm{N}(\mu,\sigma^2)}) = e^{\mu a + \frac{a^2\sigma^2}{2}} = c^a$. よって、$c = e^{\mu + \frac{a\sigma^2}{2}}$.

(2) $U(x) = 1 - ae^{-bx}$ の場合

(a) $E(U(X)) = 1 - aE(e^{-b\mathrm{U}(s,t)}) = 1 - a\dfrac{e^{-bs} - e^{-bt}}{b(t-s)} = 1 - ae^{-bc}$.

よって、$c = \dfrac{-1}{b}\log\left(\dfrac{e^{-bs} - e^{-bt}}{b(t-s)}\right)$

(b) $E(U(X)) = E\left(1 - ae^{-b\mathrm{Exp}(\lambda)}\right) = 1 - a\dfrac{\lambda}{\lambda + b} = 1 - ae^{-bc}$.

よって、$c = \dfrac{\log\frac{\lambda+b}{\lambda}}{b}$.

(e) $E(U(X)) = 1 - aE(e^{-b\mathrm{Ge}(p)}) = 1 - a\dfrac{p}{1-(1-p)e^{-b}} = 1 - ae^{-bc}$.

よって、$c = \dfrac{-1}{b}\log\left(\dfrac{p}{1-(1-p)e^{-b}}\right)$ となる。

(f) $E(U(X)) = 1 - aE(e^{-b\,\mathrm{B}(N,p)}) = 1 - a(1 - p + pe^{-b})^N = 1 - ae^{-bc}$.
$c = \dfrac{-N}{b}\log(1 - p + pe^{-b})$

2 $E(Y) = E(2^X) = \sum\limits_{k=1}^{\infty} 2^k 2^{-k} = \infty$. このように効用関数を指定しないと、このギャンブルの公平な価格（参加費用）は ∞ となり直観と合わなくなる（ペテルブルグのパラドックス[★1]）。$E(\log Y) = E(\log 2^X) = \log 2 E(X) = \log 2 E\left(Fs(\frac{1}{2})\right) = 2\log 2 = \log c$ より、$c = 4$ と妥当な値が得られる。

3 しっぽ定理より、
$$E(U(X)) = \int_0^\infty P(U(X) \geqq t)dt = \int_0^\infty P(X \geqq U^{-1}(t))dt$$
$$= \int_{U^{-1}(0)}^{U^{-1}(\infty)} P(X \geqq u)\dfrac{dt}{du}du = \int_{U^{-1}(0)}^{U^{-1}(\infty)} \bar{F}_X(u)U'(u)du.$$

よって、任意の $U' \geqq 0$ である U に対して、
$$\int_{U^{-1}(0)}^{U^{-1}(\infty)} \bar{F}_X(u)U'(u)du \geqq \int_{U^{-1}(0)}^{U^{-1}(\infty)} \bar{F}_Y(u)U'(u)du$$

U' が動くので、求める条件は任意の u に対して、$\bar{F}_X(u) \geqq \bar{F}_Y(u)$. また、分布関数で言い直すと $F_X(u) \leqq F_Y(u)$ となる[★2]。

[★1] そこでベルヌーイは、18世紀にはじめて効用関数の概念を導入することにより、このパラドックスの1つの解釈を行った。彼の導入した効用関数は $\log x$ である。

[★2] このとき X は Y より stochastically larger という。もちろんここで、$E(X) \geqq E(Y)$ である。

Tea Time ●金融商品

金融商品とは不確実性をもつ契約で、たとえば、株を $t=0$ で S で買い、$t=T$ で S_T (不確実性をもつ数値、確率変数)で売る。するとその収益は $S_T - S$、収益率は $\frac{S_T - S}{S}$ となる。利子が確定的なら破産以外の不確実性をもたないが、銀行預金(安全債券)ももちろん金融商品である。銀行に $t=0$ で K 預けて $t=T$ で $K(1+R)$ おろすということは $t=0$ で銀行から額面が K の預金通帳という金融商品を買って、$t=T$ でそれを銀行に $K(1+R)$ で売ると考える。

Tea Time ●絶対リスク回避度の意味

$E(X) = 0$ として c を $x+X$ の確実性等値とする。このとき、
$E(U(x+X)) - U(x) \fallingdotseq E(U(x) + U'(x)X + \frac{U''(x)}{2}X^2) - U(x) = \frac{U''(x)}{2}V(X)$
となる。そこで、$U(c) - U(x) \fallingdotseq U'(x)(c-x)$ と合わせて c が x からどれだけ下がるか(確実なお金 x とそこから公平なギャンブルを行ったときの $x+X$ を比べる)が $x - c = \frac{-U''(x)}{2U'(x)}V(X)$ となるが、$V(X) = 1$ 当たりの減少としては $\frac{-U''(x)}{2U'(x)}$ となる。この分母の 2 をとって、絶対リスク回避度を $\frac{-U''(x)}{U'(x)}$ と定義するのである。

TEST shuffle 20

　ここでは，Chapter.1 から Chapter.6 までの問題を，小問単位でランダムに並び替え，6題から7題ずつ配置したテスト形式のシートを20回分用意した。p.250に該当する本文の問題番号との対応表を掲載したので，答え合せではそちらを参照してほしい。問題の下には，問題を解く順序と各問題ごとに解答に要する時間の予想と実際を書き込める欄を作っておいた。まず，自分にとっての問題の難易度を確かめるトレーニングをしてほしい。
試験では，
　（A）その時点で確実に解ける問題は落とさない
　（B）とても解けそうにない問題は手を出さない
こと，そして，試験に向けての勉強では，くり返し取り組むことによって，
★（A）の問題を広げ，（B）の問題を少なくする
ように地道に理解を広げていくことが大切である。

TEST 01

年　月　日

1 パチンコで1回球が穴に入ると大当たりが出る確率は $\frac{1}{1000}$ である。1000回球が穴に入ったとき大当たりになる回数を X とし，X のポアソン近似を Y とする。このとき，以下の (1)~(6) を求めよ。
(1) $P(X=0)$, $P(X=k)$　(2) $P(Y=0)$　(3) $P(Y=k)$　(4) $E(Y)$
(5) $V(Y)$　(6) $E(3^Y)$

2 X のモーメント母関数 $M_X(\alpha) = E(e^{\alpha X})$ について，以下を求めよ。
(1) $M_{\text{Exp}(\lambda)}(\alpha)$, $E(\text{Exp}(\lambda))$, $V(\text{Exp}(\lambda))$
(2) $M_{N(\mu,\sigma^2)}(\alpha)$, $E(N(\mu,\sigma^2))$, $V(N(\mu,\sigma^2))$
(3) $M_{\Gamma(p,\lambda)}(\alpha)$, $E(\Gamma(p,\lambda))$, $V(\Gamma(p,\lambda))$

3 コーシー＝シュワルツの不等式から $(\text{Cov}(X,Y))^2 \leq V(X)V(Y)$ を導き，X,Y の相関係数 $\rho(X,Y)$ が $|\rho(X,Y)| \leq 1$ を満たすことを示せ。

4 不偏標本分散 $\hat{S}^2$ と自由度 $n-1$ の χ^2 分布の上側確率点 $\chi^2_{n-1}(\varepsilon)$ を用いて，$N(\mu,\sigma^2)$ 母集団の母分散 σ^2 の信頼度 $1-\varepsilon$ の信頼区間を求めよ。

5 サイコロを10回投げるとき，6の目が3回出る確率，6の目が3回かつ1の目が2回出る確率を求めよ。

6 $E(X)=5, E(Y)=6$ で X,Y は独立である。次を求めよ。
　(1) $E(3-4X)$　(2) $E(2X-3Y+4)$　(3) $E(XY)$

7 $X \sim N(0,1)$, $Y = \mu + \sigma X$ $(\sigma > 0)$ とする。必要なら $\Phi(x)$ を使い，次を求めよ。
(1) $f_Y(x)$　(2) $E(Y)$ と $V(Y)$　(3) $P(Y<1)$　(4) $P(0<Y<1)$
(5) $P(Y<x) = P(N(0,1) > 2x)$ となる x　(6) $E(Y^3)$

解く順序（問題の選択） □ ⇒ □ ⇒ □ ⇒ □ ⇒ □ ⇒ □ ⇒ □

予想時間　　（　分）（　分）（　分）（　分）（　分）（　分）（　分）
実際の時間　（　分）（　分）（　分）（　分）（　分）（　分）（　分）

TEST 02

1 表が出る確率が $\frac{1}{3}$ であるインチキな硬貨を何回も投げる。表が4回出るまでに裏が出た回数を T, ちょうど S 回目のコイン投げで4回目の表が出たとするとき, 以下を求めよ。
(1) T の確率分布　　(2) $E(T), V(T), S$ の確率分布, $E(S), V(S)$

2 ガンマ関数 $\Gamma(s)$, ベータ関数 $B(s,t)$ について, 以下を求めよ。
(1) $\Gamma(4)$　　(2) $B(3,4)$　　(3) $\int_0^\infty x^4 e^{-3x} dx$　　(4) $t>0$ のとき, $\int_{-\infty}^\infty e^{-tx^2} dx$
(5) $\int_0^{2\pi} \sin^4\theta \cos^6\theta \, d\theta$　　(6) $\int_0^{2\pi} \sin^4\theta \cos^7\theta \, d\theta$　　(7) $\int_0^\infty \dfrac{x^4}{(1+x)^9} dx$

3 イェンセンの不等式 $g(E(X)) \leqq E(g(X))$ を利用して, 相加・相乗平均の不等式 $a_1, a_2, \cdots, a_n \geqq 0$ として, $\dfrac{a_1+a_2+\cdots+a_n}{n} \geqq \sqrt[n]{a_1 a_2 \cdots a_n}$ を示せ。

4 東郷平八郎は日露戦争で「百発百中の大砲1門は百発1中の大砲百門に匹敵する」と訓示し, 兵隊を鼓舞した。この訓示は数学的に正しいか？

5 (1) n 人のクラスで誕生日の同じ人のいる確率が $\frac{1}{2}$ より大きくなる n は？
(2) n 人のクラスメートのなかで, ある1人と誕生日が同じ人がいる確率が $\frac{1}{2}$ より大きくなる n は？ ただし, $e^{0.7} \fallingdotseq 2$ を利用してよい。

6 1から N までの数字が1つずつ書かれたカードが全部で N 枚ある。ここから無作為にカードを1枚取り出してカードの番号を調べ元に戻さない操作をくり返す。i 回目の試行でのカードの番号を X_i とする。以下を求めよ。
(1) $i \neq j, k \neq l$ で, $P(X_i=k \cap X_j=l)$, $\mathrm{Cov}(X_i, X_j)$, $V(X_1+X_2+X_3)$
(2) $P(\max(X_1, X_2)=k)$, $E(\max(X_1, X_2))$

7 X を $\{0, 1, 2, \cdots\} = \mathbb{N} \cup \{0\}$ に値をとる離散確率変数とする。このとき,

$$E(X) = \sum_{k=1}^\infty P(X \geqq k) = \sum_{k=0}^\infty P(X > k)$$

を示せ。また, これを用いて以下の (1)〜(3) で $k \geqq 0$ として $E(X)$ を計算せよ。
(1) $\mathrm{Fs}(p)$　(2) $P(X \geqq k) = (k+1)3^{-k}$　(3) $P(X \geqq k) = \dfrac{6}{(k+1)(k+2)(k+3)}$

TEST 03

年　月　日

1 $U(0,\theta)$ に従う母集団での母パラメータ θ の不偏推定量 $T = 2\bar{X}$, $T' = \frac{n+1}{n}\max(X_1, X_2, \cdots, X_n)$ のどちらがより有効か？ なお，分散が小さいほどより有効であるとする。

2 $\{a,b,c\}$ を定義域，$\{A,B,C,D,E\}$ を値域とする写像は何個あるか？ また，1対1写像は何個あるか？

3 次を具体的に求めよ。

(1) $\sum_{k=0}^{n}\binom{n}{k}2^k$ 　　(2) $\sum_{k=0}^{n}\binom{n}{k}$ 　　(3) $\sum_{k=0}^{n}k\binom{n}{k}2^k$

4 国民の1人ひとりが A 首相を支持する確率を p（確率 $1-p$ で不支持）とし，各人が支持するかどうかは独立であるとする。N 人の人のなかでの支持人数を X とするとき，$E(X), V(X)$ を求めよ。

5 (1) $\text{Exp}(\lambda) \sim \Gamma(x,y)$ となる x,y 　　(2) $N(0,1)^2 \sim \Gamma(x,y)$ となる x,y
(3) $k\text{Exp}(1) \sim \Gamma(1,a)$ となる k 　　(4) $b > -a$ に対して $E(\Gamma(a,1)^b)$ を求めよ。

6 $A \sim U(0,1), B \sim \text{Exp}(\lambda), C \sim N(0,1), D \sim N(2,5), K \sim \Gamma(3,\lambda)$ で，以上は独立，また，$A_1 \sim A_2 \sim A_3 \sim U(0,1), B_1 \sim B_2 \sim \text{Exp}(\lambda)$ でそれぞれ独立のとき，以下を求めよ。
(1) $E(A^4)$ 　(2) $E(\max(A_1, A_2, A_3))$ 　(3) $P(B \geq 3)$ 　(4) $E(e^{-3B})$
(5) $P(B \geq 90 | B \geq 60)$ 　(6) $P(B \geq 60 | B \leq 90)$ 　(7) $E(C^6)$
(8) $E(C^{99})$ 　(9) $P(C \leq x) = P(D \geq x)$ となる x 　(10) $f_D(x)$
(11) $E(K)$ 　(12) $f_{\log K}(x)$ 　(13) $E(\max(B_1, B_2))$ 　(14) $f_{K+B}(x)$

7 $N \geq 1$ として，1 から N までのカードのなかから無作為に1枚選び，そのカードを X とする。そして，X より小さいカードは全部捨てて X から N までのなかから無作為にカードを選び，これを Y とする。このとき，
(1) $E(Y|X=x)$ 　(2) $V(Y|X=x)$ 　(3) $E(Y)$ 　を求めよ。

解く順序（問題の選択）　□ ⇒ □ ⇒ □ ⇒ □ ⇒ □ ⇒ □ ⇒ □

予想時間　　（　分）（　分）（　分）（　分）（　分）（　分）（　分）
実際の時間　（　分）（　分）（　分）（　分）（　分）（　分）（　分）

TEST 04

年　月　日

1 $X_1 \sim X_2 \sim \cdots \sim X_n$ は独立 $(E(X_i) = \mu, V(X_i) = \sigma^2)$ とする。また，$\bar{X} = \frac{X_1 + X_2 + \cdots + X_n}{n}$ とおく。

(1) $\bar{X}$ の標準化 $\bar{X}^* = \frac{\bar{X} - E(\bar{X})}{\sqrt{V(\bar{X})}}$ で，$\lim_{n \to \infty} M_{\bar{X}^*}(\alpha)$ を求め，結果を分析せよ。

(2) $X_1 \sim X_2 \sim \cdots \sim X_n \sim \text{Po}(\lambda)$ は独立とする。以下を求めよ。

(a) $\lim_{n \to \infty} \bar{X}$, (b) $\lim_{n \to \infty} \frac{\bar{X} - a_n}{b_n} \sim N(0, 1)$ となる a_n, b_n

2 サイコロを N 回投げ，6 の目は X 回，1 の目は Y 回，5 の目は Z 回，奇数の目は W 回出たとする。以下を求めよ。

(1) $E(X), V(X)$ (2) $P(X = k \cap Y = l), E(XY), \text{Cov}(X, Y)$
(3) $P(X = k \cap Y = l \cap Z = m), P(X = k \cap Y = l \cap W = m)$,
　$P(X = k \cap Y = l \cap Z = m \cap W = n)$
(4) $\text{Cov}(X, W), \text{Cov}(Y, W), V(X + Y), V(X - 5W)$

3 サイコロを n 回投げ，$i\ (1 \leq i \leq n)$ 回目に出た目を X_i として，$Y_n = \sum_{i=1}^{n} X_i$, $Z_n = \prod_{i=1}^{n} X_i$, $M_n = \max X_i$, $m_n = \min X_i$ とするとき，

(1) $P(Y_n = n)$ (2) $P(Y_n = n + 1)$ (3) $P(Y_n \leq n + 2)$ (4) $P(Y_n = 偶数)$
(5) $P(Y_n = 6 \text{ の倍数})$ (6) $P(Y_n = 7 \text{ の倍数})$ (7) $P(Z_n = 2 \text{ の倍数})$
(8) $P(Z_n = 3 \text{ の倍数})$ (9) $P(Z_n = 4 \text{ の倍数})$ (10) $P(Z_n \neq 6 \text{ の倍数})$
(11) $E(Y_n), V(Y_n)$ (12) $E(Z_n), V(Z_n)$ (13) $P(M_n \leq k)$ (14) $P(M_n = k)$
(15) $P(m_n \geq k)$ (16) $P(m_n = k)$ (17) $E(M_3)$ (18) $E(m_3)$

4 $\mathbb{R}$ から $\mathbb{R}_{>0}$ への写像（関数）$f(x) = e^x$ の逆写像（逆関数）を求めよ。

5 次を具体的に求めよ。

(1) $\sum_{k=4}^{n} k(k-1)(k-2)(k-3)$ (2) $\sum_{k=4}^{n} k(k+1)(k+2)(k+3)$ (3) $\sum_{k=1}^{n} k \cdot k!$

6 $X \sim \text{NB}(2, p), Y \sim \text{NB}(3, p), Z \sim \text{NB}(N, p)$ で以上は独立とするとき，以下を求めよ。

(1) $P(X = 3)$ (2) $E(Y)$ (3) $V(Y)$ (4) $P(Z = k)$ (5) $E(t^Z)$ (6) $P(X \geq k)$

7 $U(0, \theta)$ 母集団から n 個の標本 $X_1, X_2, \cdots, X_n$ をとるとき，母パラメータ θ の不偏推定量が $c_n \max(X_1, X_2, \cdots, X_n)$ の形のとき，定数 c_n を求めよ。

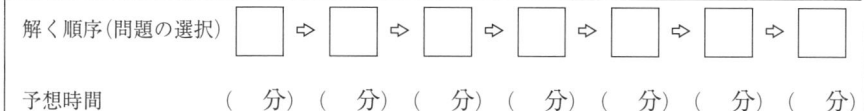

解く順序（問題の選択）　□ ⇨ □ ⇨ □ ⇨ □ ⇨ □ ⇨ □ ⇨ □

予想時間　　　　（　分）（　分）（　分）（　分）（　分）（　分）（　分）
実際の時間　　　（　分）（　分）（　分）（　分）（　分）（　分）（　分）

TEST 05

年　月　日

1 サイコロを n 回投げ，$X_i = 1\ (i\,回目 = 1)$，$0\ (i\,回目 \neq 1)$，$Y_i = 1\ (i\,回目 = 6)$，$0\ (i\,回目 \neq 6)$，$X = X_1 + \cdots + X_n, Y = Y_1 + \cdots + Y_n$ とする。このとき，(1) $P(X = k), E(X), V(X)$ 　(2) $\mathrm{Cov}(X, Y)$ 　を求めよ。

2 チェビシェフの不等式：h が非負値関数のとき，$a > 0$ に対して $P(h(X) \geq a) \leq \dfrac{E(h(X))}{a}$ を示せ。これより，$X_i, i = 1, 2, \cdots, n$ が独立同分布で $m = E(X_i)$ のとき，
$$\lim_{n \to \infty} P\left(\left| \frac{X_1 + \cdots + X_n}{n} - m \right| \geq \varepsilon \right) = 0$$
を示せ。

3 以下の X, Y の同時確率密度関数 $f_{(X,Y)}(x, y)$ において，指定範囲外では値 0 をとるものとするとき，(a)〜(c) を求めよ。
(1) $f_{(X,Y)}(x, y) = c\ (x^2 + y^2 < 1)$
　　(a) 定数 c　(b) $f_X(x)$　(c) $E(X), E(X^2), V(X)$
(2) $f_{(X,Y)}(x, y) = cx^2\ (x^2 + y^2 < 1, x > 0, y > 0)$
　　(a) 定数 c　(b) $f_X(x)$　(c) $E(X)$
(3) $f_{(X,Y)}(x, y) = ce^{-(x^2+y^2)}\ (0 < y < \sqrt{3}x)$
　　(a) 定数 c　(b) $E(X)$　(c) $E(e^{-(X^2+Y^2)})$

4 自由度 m, n の F 分布 $F_{m,n}$ について，以下を求めよ。
(1) $E(F_{m,n})$　(2) $V(F_{m,n})$　(3) $(t_n)^2 \sim F_{x,y}$ となる $F_{x,y}$

5 $S \sim T \sim N(0, 1)$ で独立，(X, Y) が 2 次元正規分布 $X = \mu_1 + \sigma_1 S,\ Y = \mu_2 + \sigma_2(\rho S + \sqrt{1 - \rho^2}T)$ に従うとき，以下を求めよ。
(1) $E(X), E(Y), V(X), V(Y), \mathrm{Cov}(X, Y)$　(2) $aX + bY$ の分布
(3) $(aX + bY, cX + dY)$ の分布

6 $X \sim \mathrm{Exp}(\lambda)$ のとき，$E(X^2 | X \geq x)$ を求めよ。

7 壺に 10 個の球が入っており，そのうち 4 個は白球，6 個は黒球である。ここから 3 個の球を抜き出したときの白球の個数を X とする。このとき，
　X の確率分布（表），$E(X), V(X)$ を求めよ。

解く順序（問題の選択）　□ ⇨ □ ⇨ □ ⇨ □ ⇨ □ ⇨ □ ⇨ □

予想時間　　　　(　分) (　分) (　分) (　分) (　分) (　分) (　分)
実際の時間　　　(　分) (　分) (　分) (　分) (　分) (　分) (　分)

TEST 06

1 壺に白玉が 6 個，黒玉が 10 個入っている．ここから無作為に選んだ 5 個の玉に，白玉が 2 個ある確率，また，黒玉が 2 個ある確率をそれぞれ求めよ．

2 $P(X>0)=1$, 分布関数 $F_X(x) = \dfrac{x}{a+x}$ $(x \geq 0)$ のとき，密度関数 $f_X(x)$ を求めよ．

3 離散確率変数 X に対して，以下の条件付き期待値をそれぞれ求めよ．
(1) $N \geq 3$ として，1 から N までのカードのなかから無作為に 1 枚選び，そのカードを X とするとき，$E(X | 2 \leq X \leq N-1)$
(2) サイコロを何回も投げ，はじめて 6 の目が出るまでに 6 の目以外が出た回数を X とするとき，$E(X|X \geq 10)$
(3) $X \sim \mathrm{Po}(\lambda)$ のとき，$E(X|X>0), E(X|X>1)$

4 双子 A,B が生まれた．A の寿命を X, B の寿命を Y, $X \sim Y \sim \mathrm{Ge}(\frac{1}{80})$ で独立とする．以下を求めよ．
(1) $E(X)$ (2) $P(X \geq 90 | X \geq 60)$
(3) $P(\min(X,Y) \geq k), P(\min(X,Y)=k)$
(4) $E(\min(X,Y)), V(\min(X,Y)), E(\max(X,Y))$

5 $Y_n \sim \chi_n^2$ とするとき，以下を求めよ．
(1) $f_{Y_n}(x) (= f_{\chi_n^2}(x))$ (2) $E(Y_n)$ と $V(Y_n)$ (3) $E(e^{-3Y_n})$

6 次の問いに答えよ．
(1) $f_{(X,Y)}(x,y)$ を (X,Y) の同時密度関数とするとき，$F_{X+Y}(x) = P(X+Y \leq x)$ を $f_{(X,Y)}(x,y)$ の累次積分として表し，$f_{X+Y}(x)$ を求めよ．
また，独立な場合，独立で $P(X>0)=P(Y>0)=1$ の場合のそれぞれで，$f_{X+Y}(x)$ を $f_X(x), f_Y(y)$ で表せ．
(2) $X \sim Y \sim \mathrm{Exp}(\lambda)$ で独立のとき，$f_{X+Y}(x)$ を求めよ．
(3) $X \sim Y \sim \mathrm{U}(0,1)$ で独立のとき，$F_{X+Y}(x), f_{X+Y}(x)$ を求めよ．

TEST 07

1 $X \sim B(n,p), Y \sim B(m,p)$ で独立のとき,確率母関数を用いて $X+Y \sim B(m+n,p)$ を示せ(2項分布の再生性).

2 $X \sim \Gamma(p,\lambda), Y \sim \Gamma(p',\lambda)$ で独立のとき,モーメント母関数を用いて $X+Y \sim \Gamma(p+p',\lambda)$ を示せ(ガンマ分布の再生性).また,正規分布の再生性を書き,証明せよ.

3 サイコロを何回も投げる.初めて6の目が出るまでに6の目以外が5回出る確率,初めて6の目が出るまで全部偶数である確率を求めよ.

4 次の確率 p_n を求めよ.
(1) 表が出る確率が $\frac{2}{3}$ の硬貨を n 回投げる.表が偶数枚である確率 p_n.
(2) 正四面体 $ABCD$ の頂点 A に時刻 0 で粒子がいる.1秒ごとに確率 $\frac{1}{6}$ ずつで隣の頂点に移動するか,または確率 $\frac{1}{2}$ で同じ頂点にいるという移動をくり返す.時刻 n で粒子が A にいる確率 p_n.
(3) 時刻 0 で粒子が数直線上の原点 (0) にいる.硬貨を投げ表が出たら1進み,裏が出たら2進む.$p_n =$ 数直線上の n を踏む確率.
(4) 表が出る確率が $\frac{2}{3}$ である硬貨を n 回投げるとき,表が2回続くことはない確率 p_n.

5 右表のような (X,Y) の同時分布において,X の周辺分布,Y の周辺分布,$E(X), V(X), E(Y), V(Y), E(XY)$ を求めよ.また,$\mathrm{Cov}(X,Y), \mathrm{Cov}(X,X), \rho(X,Y), W=\max(X,Y)$ の確率分布,$E(W)$ も求めよ.

X \ Y	0	2
0	$\frac{2}{12}$	$\frac{1}{12}$
3	$\frac{3}{12}$	$\frac{6}{12}$

6 ある工場の製品が不良品の確率は,1つにつき p とする.以下を求めよ.
(1) 1つひとつ検査していき,はじめて不良品が見つかるまでの検査回数を T とするとき $E(T), V(T)$
(2) 1日の製造数 N 個中の不良品の個数を X とするとき,$E(X), V(X)$
(3) (2)で $N=10000, p=\frac{1}{1000}$ のとき,X のポアソン近似を Y として,$E(Y), V(Y), P(Y \geq 2)$

TEST 08

1. $f_X(x) = 2e^{-2x}$ $(0 < x \leq 3)$, ce^{-4x} $(x > 3)$, 0 $(x \leq 0)$ のとき,
(1) 定数 c (2) $E(X)$ (3) 分布関数 $F_X(x)$ (4) $E(e^{\alpha X})$ を求めよ.

2. $X \sim Y \sim \mathrm{Exp}(1)$ で独立, Z, W を $Z = X$ $(0 < X < 1)$, $\dfrac{1}{X}$ $(X > 1)$,
$W = X$ $(0 < Y < 1)$, $\dfrac{1}{X}$ $(Y > 1)$ と定めるとき,
(1) $F_Z(x), f_Z(x)$, (2) $F_W(x), f_W(x)$ を求めよ.

3. 離散確率変数 X が非負整数に値をとるものとする.
(1) $E(X), V(X)$ を確率母関数 $g_X(t) = E(t^X)$ を用いて表せ.
(2) X, Y を独立とするとき, $g_{X+Y}(t)$ を $g_X(t), g_Y(t)$ を用いて求めよ.

4. $\xi_1, \xi_2, \cdots$ は独立で同分布で, $P(\xi_i = 1) = P(\xi_i = -1) = \dfrac{1}{2}$ とし, また, $Z_t = \xi_1 + \xi_2 + \cdots + \xi_t$, $t \leq T$ のときに $Y_t = E(Z_T^2 | \xi_1, \xi_2, \cdots, \xi_t)$ と定めたとき, $Y_t, E(Y_{t+1} | \xi_1, \cdots, \xi_t), E(Y_t)$ を求めよ.

5. (1)**表** 無作為に選んだ1000人にA内閣の支持率を調査したところ, 208人が「支持」, 792人が「支持しない」と答えた. A内閣の支持率の信頼区間 (a, b) を, (a) 信頼度95 %, (b) 信頼度90 % の2つの場合で求めよ.
(2) (1)での信頼度99 %における信頼区間の長さ $b - a$ （信頼度 $1 - \varepsilon$ での誤差）が1 %より小さくするためには標本数 n を何個以上にとればよいか.

6. サイコロを3つ同時に投げたとき, 合計が9になる確率, 10になる確率をそれぞれ求め比較せよ.

TEST 09

年　月　日

1. サイコロを4回投げ,少なくとも1回6が出る確率と,大・小のサイコロを同時に24回投げ,少なくとも1回6のゾロ目(六六)が出る確率を求め,比較せよ.

2. $P(X = k) = ck^2$ $(k = 1, 2, \cdots, N)$,その他では0のとき,次を求めよ.

　(1) 定数 c　(2) $E(X)$　(3) $E\left(\dfrac{1}{X}\right)$

3. 説明変数 x_i は確率変数でない与えられた値で,$Y_i = \alpha + \beta x_i + \varepsilon_i$ とする.また,誤差 $\varepsilon_i \sim N(0, \sigma^2)$ かつ 各 ε_i は独立 と仮定する.この状況のもとで最小二乗推定量 $\hat{\alpha}, \hat{\beta}$ を確率変数として考えたとき,$\hat{\alpha}, \hat{\beta}$ の分布を求めよ.また,σ^2 が既知のときの β の信頼度 $1 - \varepsilon$ の信頼(推定)区間を求めよ.

4. $|x| < 1$ として,以下を無限級数で表せ.

　(1) $(1-x)^{-3}$　(2) $(1-x)^{-1/2}$

5. 📋 ある貝の取引で,国内産表示のものが外国産なのではないかと疑っている.国内産の貝の大きさは $N(6, \sigma^2)$ に従い,外国産の貝の大きさの母平均は国内産より小さいことはわかっている.まず,10個の標本をとったところ,
1.2, 3.5, 6.3, 5.5, 3.6, 6.8, 4.2, 2.5, 7.0, 3.2 (cm) のデータが得られた.

(1) 母分散が $\sigma^2 = 0.64$ とわかっているとき,有意水準 $\varepsilon = 0.05 = 5\%$ で,帰無仮説 $H_0 : \mu = 6$,対立仮説 $H_1 : \mu < 6$ として,片側検定を実行せよ.また,有意水準 $\varepsilon = 5\%$ のときの棄却域 $\{\bar{X} < c_0\}$ を求めよ.
(2) 母分散 σ^2 が未知の場合,t 検定で有意水準5%の片側検定を実行せよ.
(3) 国内産貝の母分散が $\sigma^2 = 0.64$,外国産貝の分布が $N(4.5, 2)$ とわかっているとき,(1) の検定の第1種の誤り,第2種の誤りを求めよ.

6. 大・小2つのサイコロを同時に投げる試行をくり返す.大のサイコロで初めて6の目が出るまでに,6の目以外が出た回数を X,小のサイコロで初めて6の目が出るまでに,6の目以外が出た回数を Y とする.以下を求めよ.
(1) $E(3^{-X})$　(2) $P(\min(X, Y) \geq k)$　(3) $P(\min(X, Y) = k)$
(4) $E(\min(X, Y))$　(5) $P(Y = X)$　(6) $P(Y \geq 3X + 2)$

解く順序(問題の選択)　□ ⇒ □ ⇒ □ ⇒ □ ⇒ □ ⇒ □

予想時間　(　分) (　分) (　分) (　分) (　分) (　分)
実際の時間 (　分) (　分) (　分) (　分) (　分) (　分)

TEST 10

1 (1) $f_X(x) = 2x \ (0 < x < 1)$ (2) $f_X(x) = ce^{-2x} \ (0 < x < 3)$
(3) $f_X(x) = cx^4 \ (-2 \leqq x \leqq 3)$ の密度関数 $f_X(x)$ が指定範囲以外では値 0 をとるものとする。$h(x) = x^3, x^2$ で $Y = h(X)$ の場合の $f_Y(x)$ を求めよ。

2 $U_1 \sim U_2 \sim U_3 \sim \mathrm{U}(0,1)$ で独立とするとき，以下を求めよ。
(1) $P(U_1 + U_2 < 1), P(U_1 + 2U_2 < 1)$
(2) $P(U_1 + U_2 + U_3 < 1), P(2U_1 + 5U_2 + 7U_3 < 1)$
(3) $P(U_1^2 + U_2^2 + U_3^2 < 1), P(U_1 + U_2^2 + U_3 < 1), P(U_1 + U_2^2 + U_3^2 < 1)$

3 正規母集団 $\mathrm{N}(\mu, \sigma^2)$ からの n 個の標本 $X_1, X_2, \cdots, X_n$ とその標本平均 $\bar{X}$，不偏標本分散 $\hat{S}^2$ について，次を求めよ。
(1) $E(\bar{X})$ (2) $V(\bar{X})$ (3) $\bar{X}$ の分布 (4) $E(\hat{S}^2)$

4 血液型の人口比が A：40 %，B：30 %，O：20 %，AB：10 % として，
(1) 4 人の血液型がすべて異なる確率 (2) 5 人の血液型が 4 種類である確率
を求めよ。

5 X を $P(X \geqq 0) = 1$ である連続確率変数とする。このとき，
$$E(X) = \int_0^\infty P(X \geqq t) dt$$
を示せ。また，これを用いて以下の各場合に $E(X), E(X^2)$ を計算せよ。
(1) $\Gamma(2, \lambda)$ (2) $P(X > t) = (t+1)^2 e^{-3t} \quad (t > 0)$

6 以下の X, Y の同時確率密度関数 $f_{(X,Y)}(x, y)$ において，指定範囲外では値 0 をとるものとするとき，(a)〜の値を求めよ。
(1) $f_{(X,Y)}(x, y) = c \ (0 \leqq x \leqq 1$ かつ $0 \leqq y \leqq 1)$
　　(a) 定数 c (b) $P(X + Y < 1)$ (c) $\mathrm{Cov}(X, Y)$ (d) $P(2X + 3Y \leqq 1)$
(2) $f_{(X,Y)}(x, y) = c \ (0 \leqq y \leqq x \leqq 1)$
　　(a) 定数 c (b) $P(X + Y < 1)$ (c) $f_X(x)$ と $E(X)$
　　(d) $\mathrm{Cov}(X, Y)$ (e) $P(Y + 2X \leqq 1)$
(3) $f_{(X,Y)}(x, y) = ce^{-2x}e^{-3y} \ (0 \leqq 5x < y < \infty)$
　　(a) 定数 c (b) $f_X(x)$ (c) $f_Y(y)$

TEST 11

1. $P(X=k) = ck(k+1)$ $(k=1,2,\cdots,N)$, その他では 0 のとき,
   (1) 定数 c (2) $E(X+2)$ (3) $E(X)$

2. 1~120 までの自然数をランダムに 1 つ選び, その数が i の倍数になる確率を考える。$A_i = \{ix | x \in \mathbb{Z}, 1 \leq ix \leq 120\}$ =1~120 までの整数のなかでの i の倍数全体 とする。このとき, 以下を求めよ。
   (1) $P(A_2), P(A_3), P(A_4), P(A_5), P(A_6), P(A_7), P(A_8), P(A_9), P(A_{10})$
   (2) 「A_2 と A_3 は独立」を示せ。また, A_3 と独立な $A_i (i \leq 10)$ を求めよ。
   (3) $P(A_6 | A_8), P(A_5 | A_8)$ (4) A_2, A_3, A_5 が独立であることを示せ。
   (5) A_7 と排反の A_i の例を挙げよ。   (6) $P(A_2 \cup A_3), P(A_2 \cup A_3 \cup A_5)$

3. 次の連続確率変数 X の密度関数 $f_X(x)$ (c は定数, また指定区間以外での値は 0 とする) について, 以下を求めよ。
   (1) $f_X(x) = cx$ $(2 \leq x \leq 6)$ のとき, (a) 定数 c (b) $E(X)$ (c) $V(X)$
   (2) $f_X(x) = \dfrac{c}{x}$ $(-8 \leq x \leq -4)$ のとき, (a) 定数 c (b) $E(X)$ (c) $V(X)$

4. (1) $F_{X-Y}(x) = P(X-Y \leq x)$ を X, Y の同時密度関数 $f_{(X,Y)}(x,y)$ の累次積分として表し, $f_{X-Y}(x)$ を求めよ。また X と Y が独立な場合, $f_{X-Y}(x)$ を f_X, f_Y で表せ。
   (2) $X \sim Y \sim U(0,1)$ で独立のとき, $F_{X-Y}(x), f_{X-Y}(x)$ を求めよ。
   (3) $X \sim Y \sim \mathrm{Exp}(\lambda)$ で独立のとき, $f_{X-Y}(x)$ を求めよ。

5. 1 から 12 までの整数が 1 つずつ書かれたカードが 12 枚ある。そこからカードを 1 枚ひいて元に戻さないでもう 1 回カードを引く。1 回目の数字を X, 2 回目の数字を Y とするとき, 以下の値を求めよ。
   (1) $P(X=3)$ (2) $P(X=3 \cap Y=3)$ (3) $P(X=3 \cap Y=2)$
   (4) $E(X)$ (5) $P(\max(X,Y) \leq 4)$

6. 次の確率を求めよ。
   (1) 2 人でじゃんけんをするとき, あいこになる確率。
   (2) 3 人でじゃんけんをするとき, あいこになる確率。
   (3) 6 人でじゃんけんするとき, グー・チョキ・パーが 2 人ずつになる確率 p, 勝者が 1 人出る確率 q, 勝者が 2 人出る確率 r。
   (4) 3 人でじゃんけんをするとき, 負けたら次のじゃんけんに参加できないとして n 回目のじゃんけんで初めて 1 人の勝者が出る確率 p_n。

解く順序 (問題の選択) □ ⇒ □ ⇒ □ ⇒ □ ⇒ □ ⇒ □

予想時間   (分) (分) (分) (分) (分) (分)
実際の時間 (分) (分) (分) (分) (分) (分)

TEST 12

1 連続確率変数 X, Y が独立で以下の分布に従うとき, それぞれの変換 $(X, Y) \longmapsto (S, T)$ に対する $f_{(S,T)}(s, t)$ を求めよ.

(1) $X \sim Y \sim N(0, 1)$ で, $S = 2X - 3Y, T = X + 2Y$
(2) $X \sim Y \sim U(0, 1)$ で, $S = 2X - 3Y, T = X + 2Y$
(3) $X \sim Y \sim \text{Exp}(\lambda)$ で, $S = 2X - 3Y, T = X + 2Y$
(4) $X \sim Y \sim |N(0, 1)|$ で, $S = \sqrt{X^2 + Y^2}, T = \tan^{-1}\dfrac{Y}{X}$
(5) $X \sim \Gamma(p_1, a), Y \sim \Gamma(p_2, a)$ で, $S = X + Y, \ T = \dfrac{X}{X+Y}$

2 1 から $N(\geqq 20)$ までの整数が 1 つずつ書かれたカードがある. ここから無作為にカードを 1 枚とり出してカードの番号を調べ, 元に戻す操作をくり返す. i 回目の試行でのカードの番号を X_i とする. 以下を求めよ.
(1) $k = 1, 2, \cdots, N$ として $P(X_1 = k)$ (2) $P(X_1 \geqq 20)$ (3) $E(X_2)$
(4) $V(X_2)$ (5) $V(X_1 + X_2 + X_3)$
(6) $P(\max(X_1, X_2) \leqq k), P(\max(X_1, X_2) = k), E(\max(X_1, X_2))$

3 壺に N 個の球が入っており, m 個は白球, $N - m$ 個は黒球である. ここから n 個の球を抜き出すとき, 白球の個数を X とする. 白球に $1 \sim m$ の番号を付けたとすると

$$Y_i = \begin{cases} 1 & i\text{ 番目の白球が選ばれた場合} \\ 0 & i\text{ 番目の白球が選ばれなかった場合} \end{cases}$$

としたときに X を Y_i で表し, $E(Y_i), V(Y_i)$ を求め, $E(X), V(X)$ を求めよ.

4 (1) $Y = aX + b \ (a > 0)$ のとき, $f_Y(x)$ を $f_X(x)$ で表せ.
(2) $Y = X^2$ のときの $f_Y(x)$, $P(X > 0) = 1$ のときの $f_Y(x)$ を求めよ.

5 自由度 n の t 分布 t_n について, (1) $E(t_n)$ (2) $V(t_n)$ を求めよ.

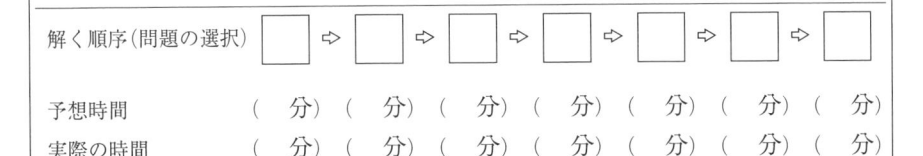

6 $X_1 \sim X_2 \sim \cdots \sim X_n$ は独立で同分布 $(E(X_i) = \mu, V(X_i) = \sigma^2)$ とする. $\bar{X} = \dfrac{X_1 + X_2 + \cdots + X_n}{n}$ とおくとき, $\lim_{n \to \infty} M_{\bar{X}}(\alpha)$ を求め, 結果を分析せよ.

解く順序 (問題の選択) □ ⇨ □ ⇨ □ ⇨ □ ⇨ □ ⇨ □

予想時間 (　分) (　分) (　分) (　分) (　分) (　分)
実際の時間 (　分) (　分) (　分) (　分) (　分) (　分)

TEST 13

1. c を定数として，
$$P(X=i\cap Y=j) = \begin{cases} c(i+j) & (1\leq i\leq N \cap 1\leq j\leq N) \\ 0 & (\text{その他}) \end{cases}$$
のとき，
(1) $E(Y|X=x)$ (2) $E(Y^2|X=x)$ を求めよ。

2. $\mathrm{Exp}\left(\dfrac{1}{\lambda}\right)$ に従う母集団において，母平均 λ の不偏推定量 $\bar{X}$ と $T = c_n \min(X_1, X_2, \cdots, X_n)$ を考える。
(1) c_n を求めよ。
(2) $\bar{X}$ と T のどちらがより有効か？
(3) $\bar{X}$ は有効推定量であることを示せ。

3. 次を具体的に求めよ。
(1) $\displaystyle\sum_{k=0}^{n}(5k-3)$ (2) $\displaystyle\sum_{k=30}^{60}\dfrac{1}{3^k}$ (3) $\displaystyle\sum_{k=30}^{60}3^{2k-5}$ (4) $\displaystyle\sum_{k=30}^{\infty}3^{-4k+2}$
(5) $\displaystyle\sum_{k=0}^{n}(k^3-nk-5)$

4. 12 個の製品のうち，不良品が 2 個あることはわかっている。1 個ずつ調べて，最初の不良品を見つけるまでの試行回数を X，2 個目の不良品を見つけるまでの試行回数を Y とする。以下の値を求めよ。
(1) $P(X<3)$ (2) $P(Y\leq 4)$ (3) $E(X)$ (4) $E(Y)$

5. サイコロを何回も投げる。初めて 6 が出るまでに 6 以外が出た回数を X，また，初めて Y 回目に 6 が出たとする。
(1) X の確率分布 $P(X=k)$，Y の確率分布，$E(X), E(Y), V(X), V(Y)$ を求めよ。
(2) $P(X\geq 20)$, $P(20\leq Y<30)$, $E\left(\left(\dfrac{1}{3}\right)^X\right)$ を求めよ。

6. 2 次元離散確率変数 (X,Y) の同時確率分布は $P(X=i\cap Y=j) = c(i+j)$ $(i=1,2,\cdots,N$ かつ $j=1,2,\cdots,N)$ である。次を求めよ。
(1) 定数 c と $E(X)$ (2) $E(X^2)$ (3) $\mathrm{Cov}(X,Y)$ (4) $\rho(X,Y)$

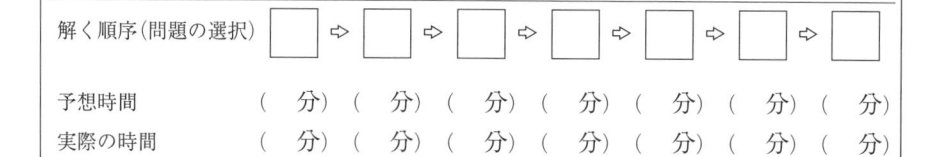

TEST 14

1 以下を求めよ。
(1) $g_{B(n,p)}(t), E(B(n,p)), V(B(n,p))$ (2) $g_{Ge(p)}(t), E(Ge(p)), V(Ge(p))$
(3) $g_{Po(\lambda)}(t), E(Po(\lambda)), V(Po(\lambda))$

2 以下の場合に $\lim_{n\to\infty} \frac{X_1+X_2+\cdots+X_n}{n}$ と $\lim_{n\to\infty} \frac{X_1+X_2+\cdots+X_n}{X_1^2+X_2^2+\cdots+X_n^2}$ を求めよ。
(1) $X_1 \sim X_2 \sim \cdots \sim B(n,p)$ で独立
(2) $X_1 \sim X_2 \sim \cdots \sim Po(\lambda)$ で独立
(3) $X_1 \sim X_2 \sim \cdots \sim \Gamma(p,\lambda)$ で独立

3 X, Y が多次元ベータ分布 $\beta(a,b,c)$ に従うとして，(1) ディリクレ積分
$$B(a,b,c) = \iint_{\substack{x>0, y>0, \\ x+y<1}} x^{a-1}y^{b-1}(1-x-y)^{c-1}\,dx\,dy = \frac{\Gamma(a)\Gamma(b)\Gamma(c)}{\Gamma(a+b+c)}$$
を示し，(2) $f_X(x), E(X), V(X), E(XY), \text{Cov}(X,Y)$ を求めよ。

4 n 人でじゃんけんをしたとき，$X = $ グーの数，$Y = $ パーの数とする
(1) $P(Y=y|X=x), E(Y|X=x)$ (2) $E((Y-g(X))^2)$ を最小とする関数 g を求めよ。

5 次の総数を求めよ。
(1) 10 人の区別できる人から 4×100m リレーのチームを作るとき，その総数
(2) 10 人の区別できる人から 4 人の委員を選ぶ総数
(3) 10 人の区別できる人から 1 人の学級委員長と 3 人の委員を選ぶ総数
(4) 3 個の a，4 個の b，5 個の c を並べる順列の総数
(5) 3 個の a，4 個の b，5 個の c，2 個の d，1 個の e，1 個の f を並べる順列の総数，ただし，左から d, d, e, f はこの順番であるとする。

6 大・小 2 つのサイコロを同時に投げる試行をくり返す。
大のサイコロで初めて 6 の目が出るまでに，6 の目以外が出た試行回数を X，
小のサイコロで初めて 6 の目が出るまでに，6 の目以外が出た試行回数を Y，
大のサイコロで初めて 1 の目が出るまでに，1 の目以外が出た試行回数を W，
大のサイコロで $1 \sim N$ 回の試行で 6 の目が出た試行回数を K，大のサイコロで $1 \sim 2N$ 回の試行で 6 の目が出た試行回数を L とするとき，以下を求めよ。

(1) $P(X=2k)$ (2) $P(X$ が偶数$)$ (3) $P(X \geq 3Y+1)$
(4) $P(X \geq 2Y-5)$ (5) $l > k$ のとき，$P(X=k \cap W=l)$
(6) $P(X=k \cap W \geq 3k+2)$ (7) $P(W \geq 3X+2)$ (8) $\text{Cov}(K,L)$

解く順序（問題の選択） □ ⇒ □ ⇒ □ ⇒ □ ⇒ □ ⇒ □ ⇒ □

予想時間　（　分）（　分）（　分）（　分）（　分）（　分）（　分）
実際の時間　（　分）（　分）（　分）（　分）（　分）（　分）（　分）

TEST 15

年　月　日

1 サイコロを1回投げ，その時の目を X とする。以下を求めよ。
(1) X の確率分布（表）　(2) $E(X), E(X^2)$　(3) $V(X), E(5^X)$

2 各確率密度関数 $f_X(x)$（指定区間以外での値は0）について，(a)～を求めよ。
(1) $f_X(x) = cxe^{-2x}$ $(0 \leq x \leq 3)$ で，(a) 定数 c　(b) $E(X)$　(c) $E(X^2)$
(2) $f_X(x) = c\sin\pi x$ $(0 \leq x \leq 1)$ で，
　　　(a) 定数 c　(b) $E(X)$　(c) $E(X^2)$　(d) $E(\sin\pi X)$
(3) $f_X(x) = -4x\log x$ $(0 \leq x \leq 1)$ で，(a) $P(X < \frac{1}{2})$　(b) $E(X^2)$
(4) $f_X(x) = c\sqrt{4-x^2}$ $(0 < x < 1)$ のとき，(a) 定数 c　(b) $E(X)$

3 次の総数を求めよ。
(1) 10人の（たとえば，AからJと）区別できる人がそれぞれ，みかん・りんご・ももののなかから1つ選ぶとするとき，異なる選び方の総数
(2) n 個以下の「·」と「-」でできるモールス信号の種類数
(3) $\{a,b,c,d,e\}$ の部分集合の個数
(4) みかん，りんご，もものなかから重複を許して10個選ぶ選び方の総数
(5) $x+y+z=10,\ x,y,z \geq 0$ $(x,y,z$ は整数$)$ の解の個数
(6) x,y,z で作られる単項式で，次数が10のものの種類数
(7) $x+y+z=10,\ x,y,z \geq 1$ $(x,y,z$ は整数$)$ の解の個数
(8) $x+y+z \leq 10,\ x,y,z \geq 0$ $(x,y,z$ は整数$)$ の解の個数

4 (1) $X \sim \mathrm{Exp}(\lambda)$ $(f_X(x) = ce^{-\lambda x}(x>0))$ のとき，以下を求めよ。
　　(a) 定数 c　(b) $E(X)$　(c) $E(X^2)$　(d) $E(e^{-3X})$
　　(e) $f_{X^2}(x), f_{X^3}(x), f_{e^X}(x)$
(2) $X \sim Y \sim \mathrm{Exp}(\frac{1}{80})$ で独立のとき，以下を求めよ。
　　(a) $E(X)$　(b) $P(40 \leq X < 100)$　(c) $P(60 < X)$
　　(d) $P(X > 90 | X > 60)$　(e) $\mathrm{Cov}(3+X+2Y, 3X-4Y)$
　　(f) $F_{\min(X,Y)}(x), f_{\min(X,Y)}(x), E(\min(X,Y)), V(\min(X,Y))$

5 $Y = e^{\mu+\sigma X}$ $(X \sim N(0,1))$ のとき，次を求めよ。
(1) $F_Y(x)$　(2) $f_Y(x)$　(3) $E(Y), V(Y)$

6 $X \sim N(\mu, \sigma^2)$ で $X = x$ の条件の下で，$Y \sim N(2x+1, x^2)$ のとき，$E(Y), V(Y)$ を求めよ。

解く順序（問題の選択） □ ⇒ □ ⇒ □ ⇒ □ ⇒ □ ⇒ □ ⇒ □

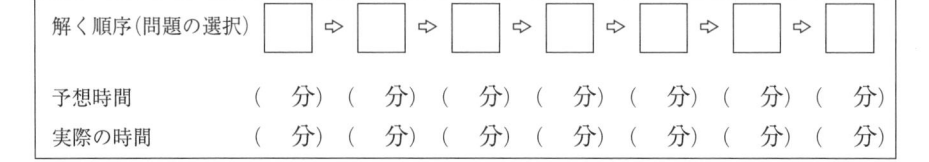

予想時間　（　分）（　分）（　分）（　分）（　分）（　分）（　分）
実際の時間　（　分）（　分）（　分）（　分）（　分）（　分）（　分）

TEST 16

年　月　日

1 $X_1, X_2, \cdots, X_n$ を $\mathrm{Be}(p)$ 母集団からの n 個の標本とする。このとき，標本平均 $\bar{X}$ の標準化を求め，その分布を書け。また，母比率 p の信頼度 $1-\varepsilon$ の信頼区間を求めよ。

2 X が $\mathrm{Po}(\lambda)$ 母集団のとき，$\bar{X}$ は有効推定量であることを示せ。

3 2 次元確率変数 (X,Y) の実現値が $(x_1,y_1),(x_2,y_2),\cdots,(x_n,y_n)$ の n 個ある。Y を X で回帰した回帰直線を $y = \hat{\alpha} + \hat{\beta}x$ とするとき，$\hat{\alpha}, \hat{\beta}$ を $\bar{x} = \sum_{i=1}^{n} x_i/n,\ \bar{y} = \sum_{i=1}^{n} y_i/n,\ (s_x)^2 = \sum_{i=1}^{n}(x_i-\bar{x})^2/n,\ (s_y)^2 = \sum_{i=1}^{n}(y_i-\bar{y})^2/n,\ s_{xy} = \sum_{i=1}^{n}(x_i-\bar{x})(y_i-\bar{y})/n$ で表せ。

4 次の問いに答えよ。
(1) サイコロを 1 個投げる確率空間（標本空間（Ω）・事象全体（$\mathcal{F}$）・確率（P））を書け。
(2) 1 の目の出る確率 $=\dfrac{1}{2}$ で他は均等であるインチキなサイコロを 1 個投げる確率空間を書け。
(3) サイコロを 2 個（2 回）投げる確率空間を書け。
(4) 表が出る確率が p であるインチキな硬貨を 3 回投げる確率空間を書け。
(5) 1 から N までの整数が 1 つずつ書かれた N 枚のカードを 1 枚ずつ元に戻さないで 3 枚選ぶ。確率空間（ただし，$N \geq 3$）を書け。
(6) (1)〜(5) で，$\#(\Omega) = \Omega$ の要素の個数とするとき，$\#(\mathcal{F})$ を求めよ。

5 $X \sim \beta(a,b)$ で $Y = X/(1-X)$ のとき，(1) $f_Y(x)$ (2) $E(Y)$ を求めよ。

6 (1) $P(X > 0 \cap Y > 0) = 1$ のとき，$F_{XY}(x) = P(XY \leq x)$ を同時密度関数 $f_{(X,Y)}(x,y)$ の累次積分として表し，$f_{XY}(x)$ を求めよ。また X と Y が独立な場合，$f_{XY}(x)$ を f_X, f_Y で表せ。
(2) $X \sim Y \sim \mathrm{U}(0,1)$ で独立のとき，$F_{XY}(x), f_{XY}(x),$ を求めよ。
(3) $X \sim \mathrm{Exp}(\lambda_1),\ Y \sim \mathrm{Exp}(\lambda_2)$ で独立のとき，$f_{\frac{Y}{X}}(x)$ を求めよ。

TEST 17

1. $X_1, X_2, \cdots, X_n$ を $N(\mu, \sigma^2)$ 母集団からの n 個の標本とする。
(1) 標本平均 $\bar{X} = \dfrac{X_1 + X_2 + \cdots + X_n}{n}$ の標準化を求め，その分布も書け。
(2) (1)の結果を用いて，母分散 σ^2 が既知の場合，母平均 μ の信頼度 $1-\varepsilon$ の信頼区間 (a,b) を求めよ。
(3) 母分散 σ^2 が未知の場合は，母平均 μ の信頼度 $1-\varepsilon$ の信頼区間 (a,b) を $\bar{X}$, n と t_{n-1} の上側 ε 点 $t_{n-1}(\varepsilon)$ $(P(t_{n-1}(\varepsilon) < t_{n-1}) = \varepsilon)$ で書け。

2. 離散確率変数 X の確率分布を $P(X=k) = c \cdot 3^{-k} (k=0,1,2,\cdots)$ とする。このとき，以下を求めよ。
(1) 定数 c と $E(X)$　　(2) $V(X)$　　(3) $V(2^{-X})$

3. $f \circ g$ が 1 対 1 なら g は 1 対 1，$f \circ g$ が上への写像なら f は上への写像を示せ。

4. サイコロを N 回投げたとき，確率変数 X_i を，i 回目に 6 の目が出れば 1，その他の目なら 0 と定める。また，$Y_i = X_1 + \cdots + X_i$ とする。
(1) Y_3 の確率分布（表を書け）　　(2) $E(Y_3)$, $V(Y_3)$
(3) Y_N の確率分布　　(4) $E(Y_N)$, $V(Y_N)$
を求めよ。

5. イブニング娘（N 人グループ）の CD1 枚買うごとに，メンバーのうちの誰か 1 人のポスターがついてくる。以下を求めよ。
(1) N 枚買ったとき，N 人のポスターが全部そろう確率
(2) $N+1$ 枚買ったとき，N 人全部そろう確率
(3) m 枚買って揃った人数を X_m とするとき，$E(X_m)$
(4) Y 枚目の CD ではじめて N 人全部揃う（まで買い続ける）とき，$E(Y)$

6. $X \sim \Gamma(a, \lambda)$ $(f_X(x) = cx^{a-1}e^{-\lambda x}\ (x>0))$ のとき，
(1) 定数 c　(2) $E(X)$　(3) $V(X)$　(4) $E(X^3)$　(5) $E(e^{-3X})$ を求めよ。

7. 指数母集団 $\mathrm{Exp}(\lambda)$ から n 個の標本 $X_1, X_2, \cdots, X_n$ をとる。$\bar{X}$ を X の標本平均として，$\dfrac{c_n}{\bar{X}}$ が λ の不偏推定量となる定数 c_n を求めよ。

TEST 18

1. h は単調増加関数で $Y = h(X)$ とする。このとき、Y の分布関数 $F_Y(x)$ を X の分布関数 $F_X(x)$ と h で表せ。また、Y の密度関数 $f_Y(x)$ も求めよ。

2. $f_{(X,Y)}(x,y) = 51e^{-2x}e^{-3y}$ $(0 < 5x < y < \infty)$ のとき,
   (1) $f_{Y|X}(y|x)$ (2) $E(Y|X)$ を求めよ。

3. $\{1,2,3,4,5\}$ から $\{1,2,3,4,5,6,7,8\}$ への写像ですべての $i < j$ に対し $f(i) \leq f(j)$ を満たす写像の個数を求めよ。

4. 次の問いに答えよ。

(1) 正しい硬貨を4枚投げたとき表が出た枚数を X とする。X の確率分布（表）を書き、$E(X)$, $E(3-4X)$, $E(X^2)$, $E(2^X)$ を求めよ。
(2) $P(X=k) = c$ ($k = 1, 2, \cdots, N$, その他での値は0) のとき、定数 c を求めよ。また、$E(X)$, $E(X^2)$, $E(2^X)$ を求めよ。

5. $X \sim \mathrm{Po}(\lambda)$, $Y \sim \mathrm{Po}(\mu)$ で独立のとき、以下を求めよ。
(1) $E(X(X-1)(X-2))$ (2) $E(X^3)$ (3) $E(5^X)$
(4) $P(X \geq 2 | X \geq 1)$ (5) $P(XY = 0)$ (6) $P(X+Y=k)$
(7) $0 \leq k \leq n$ に対して、$P(X=k|X+Y=n)$

6. X の分布が区間 (a,b) 上の一様分布、つまり、(a,b) で $f_X(x) = c$ とする。
(1) (a) 定数 c (b) $E(X)$ (c) $V(X)$ を求めよ。
(2) とくに $X \sim Y \sim \mathrm{U}(0,1)$ で独立のとき、以下を求めよ。
   (a) $P\left(\dfrac{1}{4} \leq X < \dfrac{1}{3}\right)$ と $P\left(\dfrac{1}{4} < X\right)$
   (b) $P(X < \dfrac{1}{2} \cup X < \dfrac{2}{3})$ と $P(X < \dfrac{1}{2} \cup Y < \dfrac{2}{3})$
   (c) 分布関数 $F_X(x) = P(X \leq x)$ (d) $V(X^4)$ (e) $E(X \sin \pi X)$
   (f) $E(XY)$, $E(X(X+Y))$, $V(2X-3Y)$, $\mathrm{Cov}(X+2Y, 3X-4Y)$
   (g) $F_{\max(X,Y)}(x)$, $f_{\max(X,Y)}(x)$, $E(\max(X,Y)^2)$ (h) $f_{X^2}(x)$, $f_{e^{2X}}(x)$

7. $X \sim \mathrm{N}(0,1), Y \sim \mathrm{N}(\mu, \sigma^2)$ のとき、$\Phi(x)$ を用いて以下を求めよ。
(1) $E(X|X>1)$ (2) $E(X|a<X<b)$ (3) $E(Y|Y \leq a)$

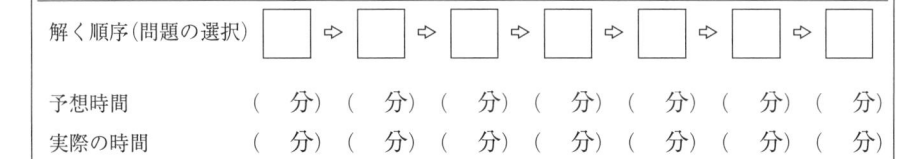

TEST 19

1 $(X, Y) \sim N\left(\begin{pmatrix} 2 \\ 3 \end{pmatrix}, \begin{pmatrix} 5 & -1 \\ -1 & 4 \end{pmatrix}\right)$ のとき，次を求めよ．
(1) $f_{Y|X}(y|x)$ (2) $E(Y|X)$ (3) $V(Y|X)$

2 大小のサイコロを同時に1回投げる．確率変数 X を，大のサイコロにおいて6の目が出れば1，その他の目なら0，確率変数 Y を，大のサイコロにおいて偶数の目が出れば1，奇数の目なら0，確率変数 Z を，小のサイコロにおいて6の目が出れば1, 6の目以外なら0 と定める．
(1) X の確率分布 (2) $E(X), V(X)$ (3) $E(3^X)$ (4) $\mathrm{Cov}(X, Y)$
(5) 事象 $X=1$ と事象 $Y=0$ は (a) ，事象 $X=1$ と事象 $Z=1$ は (b) 。
(6) $\mathrm{Cov}(X, Z)$ (7) $P(\max(X, Y) = 0)$
(8) $P(\max(X, Z) = 1), E(\max(X, Z)), P(\min(X, Z) = 1), E(\min(X, Z))$

3 (1) $(x, y) = (1.2, 3.2), (2.2, 5.4), (3.6, 8.6), (0.6, 0.4), (1.6, 0.8)$ の5個のデータを用いて，y を x で回帰せよ．
(2) $(x', y') = (12, 320), (22, 540), (36, 860), (6, 40), (16, 80)$ の5個のデータを用いて，y' を x' で回帰せよ．

4 $a_0 = 1$ として，(1) $a_{n+1} = 3a_n + 4$ (2) $a_{n+1} = 3a_n + n$ を解け．

5 $P(X=k) = ck$ $(k=1, 2, \cdots, N)$，その他では0のとき，以下を求めよ．
(1) 定数 c (2) $E(X)$ (3) $V(X)$ (4) $V(3-4X)$ (5) $\sigma(4-5X)$

6 壺に N 個の球が入っており，そのうち m 個は白球，$N-m$ 個は黒球である．ここから n 個の球を抜き出したときの白球の個数を X とする．
(1) X の確率分布を書け．
(2) $E(X), V(X)$ を求めよ．
(3) $X_i = \begin{cases} 1 & i \text{ 番目の抜き出しが白球} \\ 0 & i \text{ 番目の抜き出しが黒球} \end{cases}$ とおくとき，X を X_i で表し，$E(X_i)$, $V(X_i)$ を求め，$E(X), V(X)$ を求めよ．

7 母集団は $H_0 : \mathrm{Ge}(1/6)$ または $H_1 : \mathrm{Ge}(5/6)$ のどちらかであることはわかっている．これから2個の標本を取り出し，1個でも1以下なら帰無仮説 H_0 を棄却して対立仮説 H_1 を採択する．第1種の誤り α，第2種の誤り β，検出力 $1-\beta$ をそれぞれ求めよ．棄却域を1個でも0なら H_0 を棄却するとしたときも α, β を求めよ．

解く順序(問題の選択) □ ⇒ □ ⇒ □ ⇒ □ ⇒ □ ⇒ □ ⇒ □

予想時間 (分) (分) (分) (分) (分) (分) (分)
実際の時間 (分) (分) (分) (分) (分) (分) (分)

TEST 20

1 次の連続確率変数 X の密度関数 $f_X(x)$（指定区間以外での値は 0）について，以下を求めよ。

(1) $f_X(x) = \dfrac{c}{1+x^2}$ $(0 \leqq x \leqq 1)$ で
  (a) 定数 c (b) $E(X)$ (c) $V(X)$ (d) $F_X(x)$

(2) $f_X(x) = cxe^{-\frac{x^2}{2}}$ $(0 < x < \infty)$ で (a) 定数 c (b) 分布関数 $F_X(x)$

2 確率変数 X が標準正規分布に従うとき，以下を求めよ。(5) は X の分布関数 $\Phi(x)$，(6)(7) は $\Phi(1.96) = 0.975$，$\Phi(1.645) = 0.95$ を用いてよい。

(1) $f_X(x)$ (2) $E(X)$ (3) $V(X)$ (4) $E(|X|)$ (5) $P(X < \sqrt{2})$
(6) $P(|X| < 1.96)$ (7) $P(|X| > x) \fallingdotseq 0.1$ となる x (8) $E(e^{\alpha X})$

3 $X \sim \beta(a,b)$ $(f_X(x) = cx^{a-1}(1-x)^{b-1}$ (a,b は正の定数，$0 < x < 1$)) のとき，(1) 定数 c (2) $E(X)$ (3) $V(X)$ (4) $E(X^3)$ を求めよ。

4 🎲サイコロを 60 回投げたところ，1 の目が 5 回，2 の目が 5 回，3 の目が 7 回，4 の目が 10 回，5 の目が 11 回，6 の目が 21 回でた。このサイコロは正しいサイコロ（どの目も出る確率は $\frac{1}{6}$）といえるか？ 有意水準 5 % で適合度検定せよ。1,2 の目が 5 回，3,4 の目が 10 回，5,6 の目が 15 回ならどうか？

5 3 つの電話ボックスに 3 人の客が入っている。各通話時間が $\mathrm{Exp}(\lambda)$ のとき，最後の客が通話を終わるまでの平均待ち時間を求めよ。

6 $\{a,b,c\}$ を値域，$\{A,B,C,D,E\}$ を定義域とする写像は何個あるか？ また，上への写像は何個あるか？

7 (1) $\mathrm{Exp}(\frac{1}{\lambda})$ 母集団（平均 λ）での母平均 λ の最尤推定値 $\hat{\lambda}$ を求めよ。
(2) $\mathrm{Po}(\lambda)$ 母集団の母平均 λ の最尤推定値 $\hat{\lambda}$ を求めよ。
(3) $\mathrm{Ge}(p)$ 母集団でのパラメータ p の最尤推定値 $\hat{p}$ を求めよ。
(4) (a) σ^2 を既知とする $\mathrm{N}(\mu, \sigma^2)$ 母集団の母平均 μ の最尤推定値 $\hat{\mu}$ を求めよ。
  (b) $\mathrm{N}(\mu, \sigma^2)$ 母集団の母平均 μ と母分散 σ^2 の最尤推定値 $\hat{\mu}, \hat{\sigma^2}$ を求めよ。

TEST shuffle 20 と本文の問題との対応表

TEST	1	2	3	4	5	6	7
01	問題 25	問題 46-1	問題 49-1	問題 66-3	問題 08-1	問題 15-1	問題 39-2
02	問題 23-1	問題 35	問題 49-2	問題 11-1	問題 11-2	問題 28-2	問題 42-1
03	問題 70-1	問題 03-1	問題 06-1	問題 30-1	問題 40-2	問題 43	問題 59-1
04	問題 48	問題 55	問題 63	問題 03-5	問題 05	問題 23-2	問題 64-3
05	問題 29-2	問題 49-3	問題 51	問題 41-3	問題 56	問題 62-3	問題 27-1
06	問題 08-5	問題 33-2	問題 58	問題 22	問題 41-1	問題 52	
07	問題 45-3	問題 46-2	問題 08-2	問題 09	問題 17	問題 31-3	
08	問題 44-2	問題 44-3	問題 45-1	問題 61-2	問題 66-2	問題 07-1	
09	問題 07-2	問題 15-2	問題 72	問題 06-2	問題 67	問題 28-1	
10	問題 36-3	問題 57-2	問題 64-1	問題 31-2	問題 42-2	問題 50	
11	問題 15-3	問題 13	問題 32	問題 53-1	問題 08-3	問題 10	
12	問題 54	問題 24-2	問題 29-1	問題 36-2	問題 41-2	問題 47-1	
13	問題 59-2	問題 70-2	問題 04-1	問題 08-4	問題 21	問題 18-2	
14	問題 45-2	問題 47-2	問題 57-1	問題 61-1	問題 01	問題 30-2	
15	問題 24-1	問題 34	問題 02	問題 38	問題 41-4	問題 62-2	
16	問題 66-1	問題 70-3	問題 71-1	問題 12	問題 40-4	問題 53-2	
17	問題 65	問題 18-1	問題 03-3	問題 20	問題 31-1	問題 40-1	問題 64-2
18	問題 36-1	問題 60-2	問題 03-4	問題 14	問題 26	問題 37	問題 60-1
19	問題 62-1	問題 19	問題 71-2	問題 04-2	問題 16	問題 27-2	問題 68-1
20	問題 33-1	問題 39-1	問題 40-3	問題 68-2	問題 44-1	問題 03-2	問題 69

付　　表

- ●標準正規分布表（標準正規確率）
- ●逆標準正規分布表
- ●t 分布表（t 分布の百分位点），自然対数表
- ●χ^2 分布表（χ^2 分布の百分位点）

付表 1　標準正規分布表（確率 $p = \Phi(z) = P(\mathrm{N}(0,1) \leq z)$）

z	$*=0$	$*=1$	$*=2$	$*=3$	$*=4$	$*=5$	$*=6$	$*=7$	$*=8$	$*=9$
0.0*	.5000	.5040	.5080	.5120	.5160	.5199	.5239	.5279	.5319	.5359
0.1*	.5398	.5438	.5478	.5517	.5557	.5596	.5636	.5675	.5714	.5753
0.2*	.5793	.5832	.5871	.5910	.5948	.5987	.6026	.6064	.6103	.6141
0.3*	.6179	.6217	.6255	.6293	.6331	.6368	.6406	.6443	.6480	.6517
0.4*	.6554	.6591	.6628	.6664	.6700	.6736	.6772	.6808	.6844	.6879
0.5*	.6915	.6950	.6985	.7019	.7054	.7088	.7123	.7157	.7190	.7224
0.6*	.7257	.7291	.7324	.7357	.7389	.7422	.7454	.7486	.7517	.7549
0.7*	.7580	.7611	.7642	.7673	.7704	.7734	.7764	.7794	.7823	.7852
0.8*	.7881	.7910	.7939	.7967	.7995	.8023	.8051	.8078	.8106	.8133
0.9*	.8159	.8186	.8212	.8238	.8264	.8289	.8315	.8340	.8365	.8389
1.0*	.8413	.8438	.8461	.8485	.8508	.8531	.8554	.8577	.8599	.8621
1.1*	.8643	.8665	.8686	.8708	.8729	.8749	.8770	.8790	.8810	.8830
1.2*	.8849	.8869	.8888	.8907	.8925	.8944	.8962	.8980	.8997	.9015
1.3*	.9032	.9049	.9066	.9082	.9099	.9115	.9131	.9147	.9162	.9177
1.4*	.9192	.9207	.9222	.9236	.9251	.9265	.9279	.9292	.9306	.9319
1.5*	.9332	.9345	.9357	.9370	.9382	.9394	.9406	.9418	.9429	.9441
1.6*	.9452	.9463	.9474	.9484	.9495	.9505	.9515	.9525	.9535	.9545
1.7*	.9554	.9564	.9573	.9582	.9591	.9599	.9608	.9616	.9625	.9633
1.8*	.9641	.9649	.9656	.9664	.9671	.9678	.9686	.9693	.9699	.9706
1.9*	.9713	.9719	.9726	.9732	.9738	.9744	.9750	.9756	.9761	.9767
2.0*	.9772	.9778	.9783	.9788	.9793	.9798	.9803	.9808	.9812	.9817
2.1*	.9821	.9826	.9830	.9834	.9838	.9842	.9846	.9850	.9854	.9857
2.2*	.9861	.9864	.9868	.9871	.9875	.9878	.9881	.9884	.9887	.9890
2.3*	.9893	.9896	.9898	.9901	.9904	.9906	.9909	.9911	.9913	.9916
2.4*	.9918	.9920	.9922	.9925	.9927	.9929	.9931	.9932	.9934	.9936
2.5*	.9938	.9940	.9941	.9943	.9945	.9946	.9948	.9949	.9951	.9952
2.6*	.9953	.9955	.9956	.9957	.9959	.9960	.9961	.9962	.9963	.9964
2.7*	.9965	.9966	.9967	.9968	.9969	.9970	.9971	.9972	.9973	.9974
2.8*	.9974	.9975	.9976	.9977	.9977	.9978	.9979	.9979	.9980	.9981
2.9*	.9981	.9982	.9982	.9983	.9984	.9984	.9985	.9985	.9986	.9986

上の表は，右の標準正規分布の密度関数のグラフで，z 点がわかっているときに，確率 $p = \Phi(z)$，つまり，グラフのアミ部分の面積を求めるためのものである。
たとえば，$\Phi(0.25)$ を求めたいときには左の 0.2^* と上の $*=5$ のクロスするところを見て，0.5987 となる。

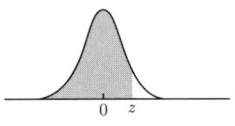

付表 253

付表 2 逆標準正規分布表 ($\Phi^{-1}(1-p), p = P(N(0,1) > z)$ となる z)

p	*= 0	*= 1	*= 2	*= 3	*= 4	*= 5	*= 6	*= 7	*= 8	*= 9
.00*	∞	3.0902	2.8782	2.7478	2.6521	2.5758	2.5121	2.4573	2.4089	2.3656
.01*	2.3263	2.2904	2.2571	2.2262	2.1973	2.1701	2.1444	2.1201	2.0969	2.0749
.02*	2.0537	2.0335	2.0141	1.9954	1.9774	1.9600	1.9431	1.9268	1.9110	1.8957
.03*	1.8808	1.8663	1.8522	1.8384	1.8250	1.8119	1.7991	1.7866	1.7744	1.7624
.04*	1.7507	1.7392	1.7279	1.7169	1.7060	1.6954	1.6849	1.6747	1.6646	1.6546
.05*	1.6449	1.6352	1.6258	1.6164	1.6072	1.5982	1.5893	1.5805	1.5718	1.5632
.06*	1.5548	1.5464	1.5382	1.5301	1.5220	1.5141	1.5063	1.4985	1.4909	1.4833
.07*	1.4758	1.4684	1.4611	1.4538	1.4466	1.4395	1.4325	1.4255	1.4187	1.4118
.08*	1.4051	1.3984	1.3917	1.3852	1.3787	1.3722	1.3658	1.3595	1.3532	1.3469
.09*	1.3408	1.3346	1.3285	1.3225	1.3165	1.3106	1.3047	1.2988	1.2930	1.2873
.10*	1.2816	1.2759	1.2702	1.2646	1.2591	1.2536	1.2481	1.2426	1.2372	1.2319
.11*	1.2265	1.2212	1.2160	1.2107	1.2055	1.2004	1.1952	1.1901	1.1850	1.1800
.12*	1.1750	1.1700	1.1650	1.1601	1.1552	1.1503	1.1455	1.1407	1.1359	1.1311
.13*	1.1264	1.1217	1.1170	1.1123	1.1077	1.1031	1.0985	1.0939	1.0893	1.0848
.14*	1.0803	1.0758	1.0714	1.0669	1.0625	1.0581	1.0537	1.0494	1.0450	1.0407
.15*	1.0364	1.0322	1.0279	1.0237	1.0194	1.0152	1.0110	1.0069	1.0027	0.9986
.16*	0.9945	0.9904	0.9863	0.9822	0.9782	0.9741	0.9701	0.9661	0.9621	0.9581
.17*	0.9542	0.9502	0.9463	0.9424	0.9385	0.9346	0.9307	0.9269	0.9230	0.9192
.18*	0.9154	0.9116	0.9078	0.9040	0.9002	0.8965	0.8927	0.8890	0.8853	0.8816
.19*	0.8779	0.8742	0.8705	0.8669	0.8633	0.8596	0.8560	0.8524	0.8488	0.8452
.20*	0.8416	0.8381	0.8345	0.8310	0.8274	0.8239	0.8204	0.8169	0.8134	0.8099
.21*	0.8064	0.8030	0.7995	0.7961	0.7926	0.7892	0.7858	0.7824	0.7790	0.7756
.22*	0.7722	0.7688	0.7655	0.7621	0.7588	0.7554	0.7521	0.7488	0.7454	0.7421
.23*	0.7388	0.7356	0.7323	0.7290	0.7257	0.7225	0.7192	0.7160	0.7128	0.7095
.24*	0.7063	0.7031	0.6999	0.6967	0.6935	0.6903	0.6871	0.6840	0.6808	0.6776
.25*	0.6745	0.6713	0.6682	0.6651	0.6620	0.6588	0.6557	0.6526	0.6495	0.6464
.26*	0.6433	0.6403	0.6372	0.6341	0.6311	0.6280	0.6250	0.6219	0.6189	0.6158
.27*	0.6128	0.6098	0.6068	0.6038	0.6008	0.5978	0.5948	0.5918	0.5888	0.5858
.28*	0.5828	0.5799	0.5769	0.5740	0.5710	0.5681	0.5651	0.5622	0.5592	0.5563
.29*	0.5534	0.5505	0.5476	0.5446	0.5417	0.5388	0.5359	0.5330	0.5302	0.5273
.30*	0.5244	0.5215	0.5187	0.5158	0.5129	0.5101	0.5072	0.5044	0.5015	0.4987
.31*	0.4959	0.4930	0.4902	0.4874	0.4845	0.4817	0.4789	0.4761	0.4733	0.4705
.32*	0.4677	0.4649	0.4621	0.4593	0.4565	0.4538	0.4510	0.4482	0.4454	0.4427
.33*	0.4399	0.4372	0.4344	0.4316	0.4289	0.4261	0.4234	0.4207	0.4179	0.4152
.34*	0.4125	0.4097	0.4070	0.4043	0.4016	0.3989	0.3961	0.3934	0.3907	0.3880
.35*	0.3853	0.3826	0.3799	0.3772	0.3745	0.3719	0.3692	0.3665	0.3638	0.3611
.36*	0.3585	0.3558	0.3531	0.3505	0.3478	0.3451	0.3425	0.3398	0.3372	0.3345
.37*	0.3319	0.3292	0.3266	0.3239	0.3213	0.3186	0.3160	0.3134	0.3107	0.3081
.38*	0.3055	0.3029	0.3002	0.2976	0.2950	0.2924	0.2898	0.2871	0.2845	0.2819
.39*	0.2793	0.2767	0.2741	0.2715	0.2689	0.2663	0.2637	0.2611	0.2585	0.2559
.40*	0.2533	0.2508	0.2482	0.2456	0.2430	0.2404	0.2378	0.2353	0.2327	0.2301
.41*	0.2275	0.2250	0.2224	0.2198	0.2173	0.2147	0.2121	0.2096	0.2070	0.2045
.42*	0.2019	0.1993	0.1968	0.1942	0.1917	0.1891	0.1866	0.1840	0.1815	0.1789
.43*	0.1764	0.1738	0.1713	0.1687	0.1662	0.1637	0.1611	0.1586	0.1560	0.1535
.44*	0.1510	0.1484	0.1459	0.1434	0.1408	0.1383	0.1358	0.1332	0.1307	0.1282
.45*	0.1257	0.1231	0.1206	0.1181	0.1156	0.1130	0.1105	0.1080	0.1055	0.1030
.46*	0.1004	0.0979	0.0954	0.0929	0.0904	0.0878	0.0853	0.0828	0.0803	0.0778
.47*	0.0753	0.0728	0.0702	0.0677	0.0652	0.0627	0.0602	0.0577	0.0552	0.0527
.48*	0.0502	0.0476	0.0451	0.0426	0.0401	0.0376	0.0351	0.0326	0.0301	0.0276
.49*	0.0251	0.0226	0.0201	0.0175	0.0150	0.0125	0.0100	0.0075	0.0050	0.0025

上の表は，右の標準正規分布の密度関数のグラフで，確率 $p = 1 - \Phi(z)$，つまり，グラフのアミ部分の面積がわかっているときに，その z 点を求めるためのものである。
たとえば，$\Phi(z) = 1 - 0.025$ となる z を求めたいときには左の 0.02^* と上の $*= 5$ のクロスするところを見て，1.9600 となる。

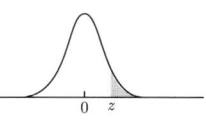

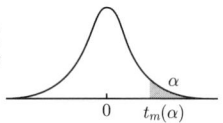

付表 3　t 分布の百分位点

自由度	α					
	.25	.10	.05	.025	.01	.005
1	1.000	3.078	6.314	12.706	31.821	63.657
2	.816	1.886	2.920	4.303	6.965	9.925
3	.765	1.638	2.353	3.182	4.541	5.841
4	.741	1.533	2.132	2.776	3.747	4.604
5	.727	1.476	2.015	2.571	3.365	4.032
6	.718	1.440	1.943	2.447	3.143	3.707
7	.711	1.415	1.895	2.365	2.998	3.499
8	.706	1.397	1.860	2.306	2.896	3.355
9	.703	1.383	1.833	2.262	2.821	3.250
10	.700	1.372	1.812	2.228	2.764	3.169
11	.697	1.363	1.796	2.201	2.718	3.106
12	.695	1.356	1.782	2.179	2.681	3.055
13	.694	1.350	1.771	2.160	2.650	3.012
14	.692	1.345	1.761	2.145	2.624	2.977
15	.691	1.341	1.753	2.131	2.602	2.947
16	.690	1.337	1.746	2.120	2.583	2.921
17	.689	1.333	1.740	2.110	2.567	2.898
18	.688	1.330	1.734	2.101	2.552	2.878
19	.688	1.328	1.729	2.093	2.539	2.861
20	.687	1.325	1.725	2.086	2.528	2.845
21	.686	1.323	1.721	2.080	2.518	2.831
22	.686	1.321	1.717	2.074	2.508	2.819
23	.685	1.319	1.714	2.069	2.500	2.807
24	.685	1.318	1.711	2.064	2.492	2.797
25	.684	1.316	1.708	2.060	2.485	2.787
26	.684	1.315	1.706	2.056	2.479	2.779
27	.684	1.314	1.703	2.052	2.473	2.771
28	.683	1.313	1.701	2.048	2.467	2.763
29	.683	1.311	1.699	2.045	2.462	2.756
30	.683	1.310	1.697	2.042	2.457	2.750
40	.681	1.303	1.684	2.021	2.423	2.704
60	.679	1.296	1.671	2.000	2.390	2.660
120	.677	1.289	1.658	1.980	2.358	2.617
∞	.674	1.282	1.645	1.960	2.326	2.576

付表 4　自然対数表

x	$\log x$
1.1	0.0953
1.2	0.1823
1.3	0.2624
1.4	0.3365
1.5	0.4055
1.6	0.4700
1.7	0.5306
1.8	0.5878
1.9	0.6419
2.0	0.6931
2.5	0.9163
3.0	1.0986
3.5	1.2528
4.0	1.3863
4.5	1.5041
5.0	1.6094
5.5	1.7047
6.0	1.7918
6.5	1.8718
7.0	1.9459
7.5	2.0149
8.0	2.0794
8.5	2.1401
9.0	2.1972
9.5	2.2513
10.0	2.3026

上左の付表 3 は，右の t 分布の密度関数のグラフで，t 分布の自由度 $= m$ と確率 $\alpha = P(t_m > t_m(\alpha))$（グラフのアミ部分の面積）がわかっているときに，$t_m(\alpha)$ 点を求めるためのものである。

付表 5 χ^2 分布の百分位点

自由度	α			
	0.990	0.950	0.050	0.010
1	157088×10^{-9}	393214×10^{-8}	3.84146	6.63490
2	0.0201007	0.102587	5.99147	9.21034
3	0.114832	0.351846	7.81473	11.3449
4	0.297110	0.710721	9.48773	13.2767
5	0.554300	1.145476	11.0705	15.0863
6	0.872085	1.63539	12.5916	16.8119
7	1.239043	2.16735	14.0671	18.4753
8	1.646482	2.73264	15.5073	20.0902
9	2.087912	3.32511	16.9190	21.6660
10	2.55821	3.94030	18.3070	23.2093
11	3.05347	4.57481	19.6751	24.7250
12	3.57056	5.22603	21.0261	26.2170
13	4.10691	5.89186	22.3621	27.6883
14	4.66043	6.57063	23.6848	29.1413
15	5.22935	7.26094	24.9958	30.5779
16	5.81221	7.96164	26.2962	31.9999
17	6.40776	8.67176	27.5871	33.4087
18	7.01491	9.39046	28.8693	34.8053
19	7.63273	10.1170	30.1435	36.1908
20	8.26040	10.8508	31.4104	37.5662
21	8.89720	11.5913	32.6705	38.9321
22	9.54249	12.3380	33.9244	40.2894
23	10.19567	13.0905	35.1725	41.6384
24	10.8564	13.8484	36.4151	42.9798
25	11.5240	14.6114	37.6525	44.3141
26	12.1981	15.3791	38.8852	45.6417
27	12.8786	16.1513	40.1133	46.9630
28	13.5648	16.9279	41.3372	48.2782
29	14.2565	17.7083	42.5569	49.5879
30	14.9535	18.4926	43.7729	50.8922
40	22.1643	26.5093	55.7585	63.6907
50	29.7067	34.7642	67.5048	76.1539
60	37.4848	43.1879	79.0819	88.3794
70	45.4418	51.7393	90.5312	100.425
80	53.5400	60.3915	101.879	112.329
90	61.7541	69.1260	113.145	124.116
100	70.0648	77.9295	124.342	135.807

上の表は，右の χ^2 分布の密度関数のグラフで，χ^2 分布の自由度 $= m$ と確率 $\alpha = P(\chi^2_m > \chi^2_m(\alpha))$（グラフのアミ部分の面積）がわかっているときに，$\chi^2_m(\alpha)$ 点を求めるためのものである。

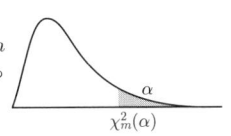

● 参考文献

必要な微分積分・線形代数については，
[1] 江川博康『弱点克服 大学生の微積分』，東京図書
[2] 江川博康『弱点克服 大学生の線形代数』，東京図書
を挙げておく．
また，確率統計の参考書としては，
[3] 森真・藤田岳彦『確率統計入門（第2版）――数理ファイナンスへの適用』，講談社
[4] 藤田岳彦・高岡浩一郎『穴埋め式 確率・統計らくらくワークブック』，講談社
金融工学・数理ファイナンスについては，
[5] 藤田岳彦『道具としての金融工学』，日本実業出版社
保険数理については，
[6] 黒田耕嗣『生保年金数理 (1) 理論編』，培風館
[7] H.V. ゲルバー，山岸義和（訳）『生命保険数学』，シュプリンガー・ジャパン
[8] 山内恒人『生命保険数学の基礎』，東京大学出版会
[9] 小暮雅一，東出 純『例題で学ぶ損害保険数理』，共立出版
[10] 岩沢宏和『リスクセオリーの基礎――不確実性に対処するための数理』，培風館
などがよいであろう．
モデリングに関しては，さらに確率の発展問題も収録したものとして，
[11] 藤田岳彦『確率・統計・モデリング問題集』，日本アクチュアリー会
も挙げておく（こちらは書店では販売しておらず，日本アクチュアリー会の Web サイト http://www.actuaries.jp/examin/books.html から申込み可能）．
また，$\zeta(2) = \frac{\pi^2}{6}$ に関する参考論文として，
[12] Bourgade,Fujita,Yor:Euler's formulue for zeta(2) and Cauchy variables, Elect. Comm. Prob. Vol.12. 73-80(2007)
[13] T.Fujita: A probabilistic approach to special values of the Riemann zeta function, 京都大学数理解析研究所 講究録 数論と確率論 Vol.1590. 1-9(2008)
を挙げておく．

索引

C
Counting Process ... 184

E
equally likely ... 14

T
Telescoping formula ... 10

あ
イェンセンの不等式 ... 104
1対1写像 ... 6
一様分布 ... 80
移動平均モデル ... 172
上への写像 ... 7
受け渡し価格 ... 220
AR(2) ... 170
AR(p) ... 172
AR(1) ... 168
F 分布 ... 88, 148
$MA(\infty)$ 表現 ... 168
オプション価格理論 ... 220

か
回帰直線 ... 158
回帰変動 ... 158
階差数列 ... 10
カウンティングプロセス ... 184
確率（測度） ... 26
確率過程 ... 168
確率分布
 多次元連続— ... 110
 同時— ... 36
 2次元連続— ... 110
 離散— ... 30
 連続— ... 70
確率分布関数 ... 71
確率変数 ... 30
 余命— ... 208, 210
 離散— ... 30
 連続— ... 70
確率母関数 ... 96

確率密度関数 ... 70, 72
 同時— ... 110
ガンマ関数 ... 76, 86
ガンマ分布 ... 86
幾何分布 ... 46
棄却域 ... 150
棄却法 ... 190
危険率 ... 194
期始払い n 年満期確定年金 ... 202
期待値 ... 30
帰無仮説 ... 150
逆関数 ... 7
逆写像 ... 7
強度 ... 184
共分散 ... 36
極座標 ... 112
金融派生商品 ... 220
くじ引きの公平性 ... 40
組み合わせ ... 2
クラメール＝ラオの不等式 ... 156
クレーム件数 ... 212
現価（現在価値） ... 200
限界効用逓減 ... 226
現価率 ... 200
現在価値 ... 200
検出力 ... 152
検定 ... 148, 150
行使価格 ... 220
合成法 ... 190
効用関数 ... 226
効率的フロンティア ... 218
コーシー＝シュワルツの不等式 ... 104
コーシー分布 ... 116
故障率 ... 194
コールオプション ... 220
根元事象 ... 26

さ
最小二乗法 ... 158
再生性 ... 56, 63

ガンマ分布の—	86, 88, 93, 115, 119, 145, 184
正規分布の—	98, 145, 146, 147, 173
2項分布の—	96
ポアソン分布の—	56, 57
最尤推定値	154
先物売り契約	220
先物買い契約	220
残差	158
残差変動	158
シグマ計算	9
時系列解析	168
自己回帰モデル	168
事象	14, 26
支持率	148
指数分布	82
しっぽ確率	90
資本市場線	218
写像	6
終価	200
重回帰分析	163
集合	2
収支相等の法則	202, 204
従属	16
重複組み合わせ	4
重複順列	4
周辺密度関数	111
瞬間利子率	201
順列	2
証券市場線	219
条件付き確率	126
条件付き期待値	126
条件付き密度関数	130
死力	194
信頼区間	160
信頼度	160
推移確率行列	174
推定	148
推定量	144
スチューデント	146
正規性	168
正規分布	84, 144, 146
対数—	88, 186
多次元—	122, 139
2次元—	122, 173
標準—	84, 102, 106
正規母集団	144, 146
正の相関	37
積の法則	2
積率母関数	98
絶対リスク回避度	226
説明変数	158
漸化式	18
線形回帰	158
全射	7
全数調査	144
全変動	158
相関係数	37
測度	26

た

第1種の誤り	151, 152
対数正規分布	88, 186
大数の強法則	100
大数の弱法則	100
大数の法則	100
ダイナミックヘッジ	223
第2種の誤り	151, 152
対立仮説	150
多項展開	20
多項分布	20, 120
多次元正規分布	122, 139
多次元ベータ関数	124
多次元ベータ分布	124
多次元連続確率分布	110
たたみこみ	114
単射	6
チェビシェフの不等式	104
中心極限定理	84, 102
超幾何分布	58
定常性	168
定常分布	176
t分布	88
ディリクレ積分	124, 243
デリバティブ	220
転化回数	200
統計量	144
等差数列	8
同時確率分布	36
同時確率密度関数	110

等比数列	8
特性方程式	18
独立	16
独立増分過程	180
独立増分性	180

な

70の法則	201
2項定理	12
2項分布	44
2次元正規分布	122, 173
2次元連続確率分布	110
2重積分	112
2重マルコフ過程	178
ニュートン展開	12

は

排反	2, 28
反復試行	16
被説明変数	158
非復元試行	16, 52
非復元抽出	58
標準化	160
標準正規分布	84, 102, 106
標準偏差	34
標本空間	14
標本点	14
標本平均	144
比率の検定	148
比率の推定	148
ファーストサクセス分布	46
フィッシャー情報量	156, 163
復元試行	52
複合ポアソン分布	212
プットオプション	220
負の相関	37
負の2項分布	50
不偏推定量	144
不偏標本分散	144
ブラウン運動	186
ブラック=ショールズ偏差分方程式	224
ブラック=ショールズ偏微分方程式	224
ブラック=ショールズモデル	186
分散	34
ペイオフ	220
平均余命	192, 195, 214

ベータ関数	76
ベルヌーイ確率変数	42
ベルヌーイ試行	42
ベルヌーイ分布	42, 148
変動	
回帰—	158
残差—	158
全—	158
ポアソン過程	184
ポアソンの少数の法則	54
ポアソン分布	54
望遠鏡公式	10
母集団	144
ポートフォリオ	218
母分散	144
母平均	144, 146

ま

マルコフ過程（連鎖）	174
マルコフ性	168, 174
マルチンゲール	182
無記憶性	48
幾何分布の—	48, 127
指数分布の—	82
名称利子率	200
名目利子率	200
モーメント母関数	98
モンテカルロ・シミュレーション	188

や

ヤコビアン	112
ヤコビ行列式	118
有意水準	150
有限集合	3
有限標本空間	26
有効推定量	156
尤度関数	154
ユールウォーカー方程式	169
要素	2
余命	192, 208
平均—	192, 195, 214
余命確率変数	208, 210

ら

ランダムウォーク	180
離散一様分布	52

離散確率分布	30
離散確率変数	30
離散死力	192
離散たたみこみ	114
離散マルコフ連鎖	174
リスク回避的効用関数	226
連続確率分布	70
連続確率変数	70
連続払い n 年満期確定年金	202
連続利子	200
連続利子率（瞬間利子率）	201

わ

和集合	2
和の法則	2
割引率	200

■著者紹介

藤田　岳彦（ふじた　たかひこ）

　1955 年　兵庫県生まれ
　1978 年　京都大学理学部卒業
　1981 年　京都大学理学部数学教室助手，その後，一橋大学大学院商学研究科教授，
　　　　　京都大学数理解析研究所伊藤清博士ガウス賞受賞記念（野村グループ）数理
　　　　　解析寄付研究部門客員教授などを兼任して，
現在，中央大学理工学部ビジネスデータサイエンス学科教授,
　　　　　一橋大学名誉教授，理学博士，
　　　　　公益財団法人 数学オリンピック財団理事長

主な著書
　『大学 1・2 年生のためのすぐわかる統計学』（東京図書，共著）
　『難問克服 解いてわかるガロア理論』（東京図書）
　『新版 ファイナンスの確率解析入門』（講談社）
　『ランダムウォークと確率解析——ギャンブルから数理ファイナンスまで』
　　　　　　　　　　　　　　　　　　　　　　　　　　（日本評論社）

弱点克服 大学生の確率・統計　　　ⒸTakahiko Fujita 2010

2010 年 4 月 25 日　第 1 刷発行　　Printed in Japan
2024 年 6 月 25 日　第 15 刷発行

著者　藤田　岳彦
発行所　東京図書株式会社
〒 102-0072 東京都千代田区飯田橋 3-11-19
振替 00140-4-13803 電話 03(3288)9461
http://www.tokyo-tosho.co.jp

ISBN 978-4-489-02069-8

難問克服　解いてわかるガロア理論

●藤田岳彦 著 ─────────────── A5判

難問とされる「ガロア理論」を具体的な問題形式で解く。受験参考書スタイルによって、高校・大学数学での知識から始め、数学の本質的な理解へと迫る。

弱点克服　大学生の微積分

●江川博康 著 ─────────────── A5判

試験問題はぜんぶ「選択問題」と考えて、自分の解ける問題をキッチリ解こう。重要100項目を見開きで一目でわかるように構成し、理解度チェックから得点力を磨くコツを伝授する。

弱点克服　大学生の線形代数 改訂版

●江川博康 著 ─────────────── A5判

予備校でさまざまな学部生の数学の急所を熟知している著者が、線形代数の問題を解くためのプロセスと考え方を80題の典型問題で詳説、試験で実力を発揮できる工夫も満載。

弱点克服　大学生の微分方程式

●江川博康 著 ─────────────── A5判

数学を応用する上で必要な分野である「微分方程式」に絞って書かれた指南書。重要かつ典型的な項目の中から基本～標準レベルの問題を厳選、様々な問題を解く上での土台となるようなオーソドックスな解答。勉強しやすいように1つの項目を見開きで説明。

弱点克服　大学生の複素関数

●江川博康・本田龍央 著 ─────────── A5判

複素関数は、理論面では、実数の範囲の微積分に比べ一気に見通しが良くなり、応用面では、物理・工学分野において欠かせない道具と言える。高校程度の復習から始め、標準レベルの問題を厳選した。